会泽年鉴

2024

HUIZE YEARBOOK

会泽县地方志编纂委员会办公室　编

方志出版社
Publishing House of Local Records

图书在版编目（CIP）数据

会泽年鉴. 2024 / 会泽县地方志编纂委员会办公室编. -- 北京 : 方志出版社, 2024. 11. -- ISBN 978-7-5144-6450-4

Ⅰ. Z527.44

中国国家版本馆CIP数据核字第20248BZ839号

责任编辑：顾洁
责任校对：张玉霞
责任印制：梅中英
出 版 者：方志出版社
地　　址：北京市朝阳区潘家园东里 9 号（国家方志馆4层）
邮　　编：100021
网　　址：http://www.zgfzcb.cn
发　　行：方志出版社图书营销中心（010-67110500）
印　　刷：昆明瑆煋印务有限公司
装　　订：云南轻工科技印刷厂
开　　本：889毫米×1194毫米 1/16
印　　张：22.5
字　　数：910千字
版　　次：2024年11月第1版
印　　次：2024年11月第1次印刷
定　　价：360.00元

编辑委员会

编　辑　部

编 辑 说 明

一、《会泽年鉴》是由中共会泽县委、会泽县人民政府主办，会泽县地方志编纂委员会办公室编纂的地方综合资料性文献。自1992年首次编纂，每年出版1卷，《会泽年鉴（2024）》（以下简称本卷年鉴）为第33卷。

二、本卷年鉴以马克思列宁主义、毛泽东思想、邓小平理论、“三个代表”重要思想、科学发展观、习近平新时代中国特色社会主义思想为指导，坚持辩证唯物主义和历史唯物主义的立场、观点和方法，紧紧围绕县委、县政府中心工作，服务大局，充分发挥存史、资政、育人的作用。

三、本卷年鉴记述内容起讫时间原则上为2023年1月1日至2023年12月31日。记述范围以2023年12月31日会泽县行政区划为界。

四、本卷年鉴采用分类编辑法，设类目、分目、条目3个层次，以条目为基本记述记述单元。全书设特载、大事记、县情概貌、中国共产党会泽县委员会、会泽县人民代表大会、会泽县人民政府、中国人民政治协商会议会泽县委员会、中国共产党会泽县纪律检查委员会 会泽县监察委员会、群众团体、法治、军事、经济管理、农业•农村、工业•信息业、商贸服务业、金融业、交通•邮政•通信、城乡建设、生态保护、教育•体育、科技•文化•旅游、卫生健康、社会生活、公共安全、街道•乡镇、人物•荣誉、附录27个部类，全书约91万字。

五、本卷年鉴所列数据，均保持各单位提供时的原貌，不作省略或改动。因统计方法或口径不同,不同部门提供的同项数据或有不一致，以统计部门公布的数据为准。部分数据因四舍五入等原因，总数与分项之和之间存在合理范围内误差。

六、本卷年鉴内容主要由130余个承编单位提供，全方位反映2023年全县各行各业、各部门及各乡（镇、街道）的基本情况，记录经济社会发展中的新情况、新事物、新问题和新经验，具有较强的综合性、系统性、权威性和实用性。条目前有具体月份或时日的，年份统一做省略处理；没有具体时间的，条目起始冠以“2023年”字样。正文中涉及省、市、县，一般指云南省、曲靖市、会泽县；未标明党派及名称的省委、市委、县委均为中共云南省委、中共曲靖市委、中共会泽县委。正文中随文列出文字和供稿人员姓名，并加“（ ）”做标识。图片随文署名，若前后图片作者相同，则署于最后一张图片说明之后。

七、本卷年鉴中数字用法、标点符号用法分别采用国家标准《出版物上数字用法》（GB/T 15835—2011）、《标点符号用法》（GB/T 15834—2011），计量单位采用国家技术监督局1993年12月发布的《量和单位》系列国家标准。

八、本卷年鉴设有目录和索引两种检索方法，目录在卷首，索引在卷尾。目录编排到条目。

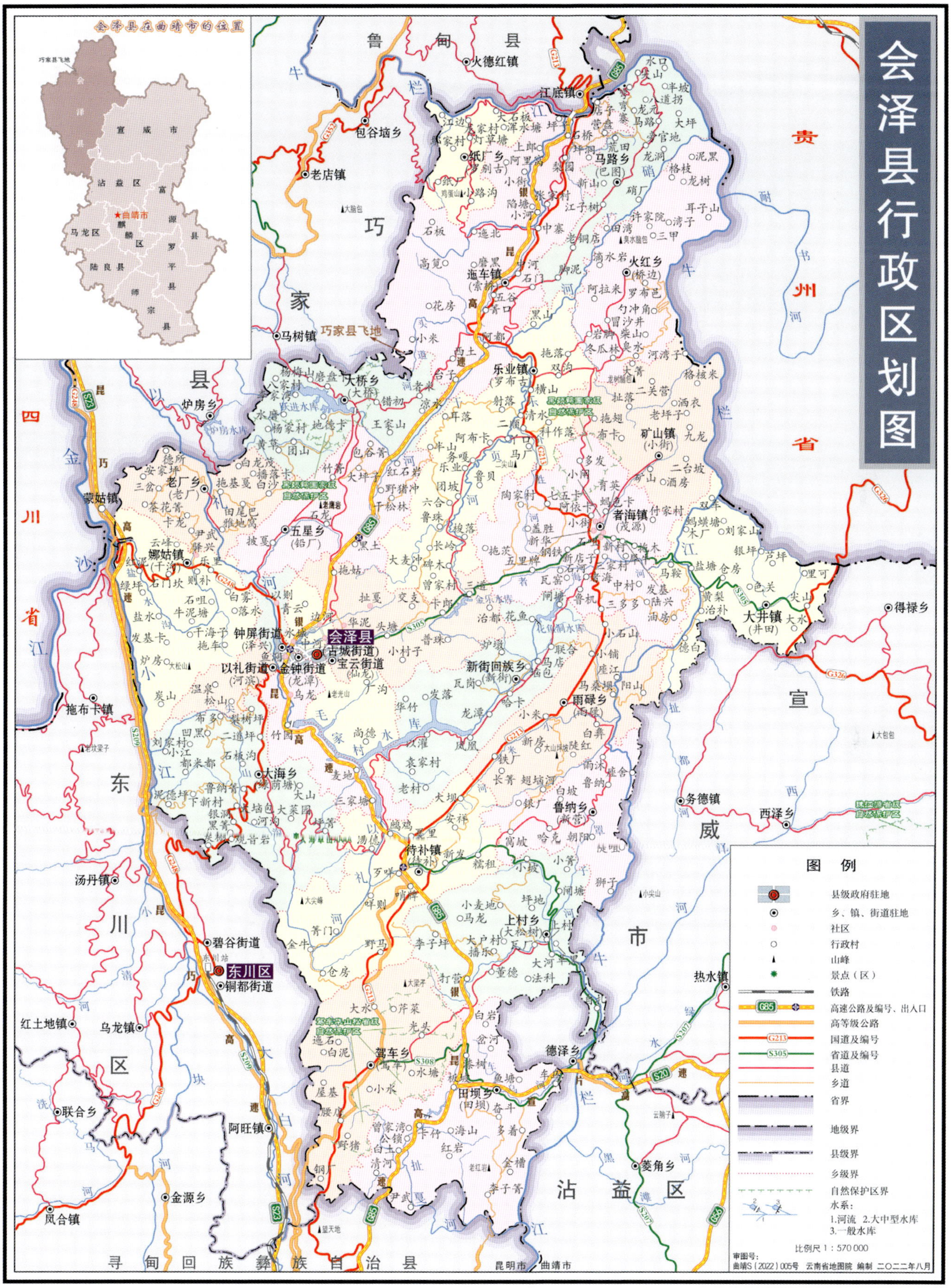
会泽县行政区划图
会泽县在曲靖市的位置
巧家县飞地
会泽县
宣威市
沾益区
富源县
曲靖市
麒麟区
马龙区
陆良县
罗平县
师宗县
鲁甸县
巧家县
巧家县飞地
贵州省
四川省
东川区
宣威市
沾益区
寻甸回族彝族自治县
昆明市
曲靖市
会泽县
江底镇
马路乡
纸厂乡
迤车镇
火红乡
乐业镇
大桥乡
矿山镇
者海镇
老厂乡
五星乡
娜姑镇
大井镇
钟屏街道
古城街道
宝云街道
金钟街道
以礼街道
新街回族乡
雨碌乡
大海乡
鲁纳乡
待补镇
上村乡
驾车乡
田坝乡
火德红镇
包谷垴乡
老店镇
马树镇
炉房乡
蒙姑镇
拖布卡镇
汤丹镇
碧谷街道
东川区
铜都街道
红土地镇
乌龙镇
联合乡
阿旺镇
金源乡
凤合镇
得禄乡
务德镇
西泽乡
热水镇
德泽乡
菱角乡
图例
县级政府驻地
乡、镇、街道驻地
社区
行政村
山峰
景点（区）
铁路
高速公路及编号、出入口
高等级公路
国道及编号
省道及编号
县道
乡道
省界
地级界
县级界
乡级界
自然保护区界
水系：
1.河流 2.大中型水库
3.一般水库
比例尺 1：570 000
审图号：
曲靖S（2022）005号 云南省地图院 编制 二〇二二年八月

重要会议

2023 年 12 月 28 日，中国共产党会泽县第十三届委员会第五次全体会议在会泽会堂举行　（陈耀邦　摄）

2023 年 1 月 4—7 日，会泽县第十八届人民代表大会第三次会议在会泽会堂举行　（刘光信　摄）

2023 年 1 月 4 日，中国人民政治协商会议会泽县第十届委员会第二次会议在会泽会堂举行　（尹永权　摄）

2023 年 4 月 13—14 日，中国人民政治协商会议会泽县第十届委员会第三次会议在会泽会堂举行　（陈耀邦　摄）

重大工程

2023 年 5 月 23 日，渝昆高铁周家村特大桥建设现场　（尹永权　聂）

2023 年 6 月 29 日，渝昆高铁会泽站多线特大桥首片箱梁浇筑　（尹永权　摄）

2023 年 9 月，渝昆高铁华山松隧道建设现场　（秦本林　摄）

2023 年 7 月 12 日，会泽至巧家高速公路工程建设现场
（尹永权　聂）

2023 年 7 月，会泽至巧家高速公路工程五星立交桥建设现场
（尹永权　摄）

2023 年 12 月 28 日，宣威至会泽高速公路会泽段黄梨树牛栏江特大桥封顶　（陈其海　摄）

劳动密集型产业

会泽电子科技信息产业园区厂房　　（刘光信　摄）

会泽电子科技信息产业园区　　（刘光信　摄）

① 2023 年 2 月 6 日，会泽县电子科技信息产业园招工现场 （陈耀邦　摄）
② 2023 年 2 月 21 日，钟屏街道组织 164 人到会泽县弘韵电子帮扶工厂应聘 （王　莹　摄）
③ 2023 年 5 月 20 日，务工人员在电子生产车间加工手机配件 （刘光信　摄）
④ 2023 年 9 月 14 日，盛之发电机会泽有限公司生产车间工作场景 （茅永坤　摄）
⑤ 2023 年 6 月 15 日，会泽富天农业科技有限公司生产线工人在包装燕麦乳饮品 （陈耀邦　摄）

乡村振兴

①田坝乡光伏产业场景　（秦本林　摄）
② 2023 年 8 月 25 日，雨碌乡陡咀村村民采摘“阳光玫瑰”葡萄　（秦本林　摄）
③宝云街道拖姑村种植产业基地　（陈有能　摄）

④

⑤

⑥

⑦

④ 2023 年 3 月 22 日，乐业镇马厂村肉牛养殖场　（代玉春　摄）
⑤者海镇村民采摘赤松茸　（尹永权　摄）
⑥ 2023 年 10 月 17 日，乐业镇拖落科技有限公司辣椒种植基地　（秦本林　摄）
⑦大井镇大水村羊肚菌种植基地　（尹永权　摄）
⑧ 2023 年 10 月 17 日，五星乡石龙村工人在包装“妮娜皇后”葡萄　（代玉春　摄）
⑨五星乡石龙村娃娃菜种植基地　（秦本林　摄）

⑧

⑨

绿美乡村

①

②

③

④

⑤

⑥

①矿山镇集镇（代玉春 摄）
②钟屏街道以濯文旅小镇（何顺福 摄）
③宝云街道扯戛家庭农场（郭文利 摄）
④田坝乡海山村小花园（幸定涛 摄）
⑤金钟街道三家塘村村内公园（尹永权 摄）
⑥金钟街道乌龙社区一组一角（李永星 摄）
⑦金钟街道三家塘村李家坪子村间道路（幸定涛 摄）
⑧中国美丽休闲乡村白雾村（刘光信 摄）

⑦

⑧

①

②

③

①老厂乡回龙村乡村旅游　（刘光信　摄）
②待补镇鸬鸡村“四美家园”　（丁国贵　摄）
③以礼街道千亩万寿菊基地　（郭文利　摄）
④钟屏街道以濯文旅小镇景点　（刘光信　摄）

④

目　　录

特　　载

大　事　记

县情概貌

自然地理

建置区划

人口　民族

经济社会发展

中国共产党会泽县委员会

综　述

重要会议

县委办公室

组织工作

宣传工作

统战工作

政策研究

机构编制管理

县直机关党建

保密管理

老干部工作

关心下一代工作

党校工作

史志工作

档案管理

会泽县人民代表大会

综　述

重要会议

人事任免

视察调查

执法检查

代表工作

专门委员会工作

会泽县人民政府

综　述

重要会议

政府办公室

人力资源和社会保障工作

信访工作

政务服务管理

公共资源交易

机关事务管理

中国人民政治协商会议会泽县委员会

综　述

重要会议

协商议政

专门委员会工作

中国共产党会泽县纪律检查委员会 会泽县监察委员会

综　述

重要会议

监督执纪

廉政教育

巡察工作

群众团体

会泽县总工会

共青团会泽县委

会泽县妇女联合会

会泽县科学技术协会

会泽县工商业联合会

会泽县文学艺术界联合会

会泽县残疾人联合会

会泽县红十字会

法　　治

政法委与综治

法治政府建设

公　安

检　察

法　院

司法行政

军　事

人民武装

交通战备

武警会泽中队

经济管理

经济宏观调控

物价管理

自然资源管理

国有资产管理

财　　政

税　　务

审　　计

统　　计

统计调查

市场监督管理

知识产权保护

信用体系建设

招商引资

会泽县道成开发投资集团有限公司

农业・农村

综　述

种植业

畜牧业

渔　业

林业和草原

水　利

乡村振兴

工业·信息业

产业园区

地方工业

驻会工业企业

重点工业企业

信息业

商贸服务业

商贸流通

电子商务

供销合作

粮油和物资购销

烟草专卖

金 融 业

金融监管

金融服务

中国人民银行会泽县支行

银行业

交通·邮政·通信

交　通

邮　政

通　信

城乡建设

城乡规划

城市建设

城市综合管理

公用事业管理

供　电

供　水

生态保护

综　述

黑颈鹤保护

驾车省级自然保护区

教育·体育

教育管理

教师队伍建设

素质教育

学前教育

义务教育

普通高中教育

特殊教育

职业教育

教育督导

民办教育

体　　育

科技·文化·旅游

科技管理

气　　象

文化管理

广播电视

新闻出版

文化产业

融媒体

旅　　游

卫生健康

综　　述

社会生活

居民生活

社会保障

劳动就业

医疗保障

生育、托育服务

民政事务

住房公积金管理

退役军人事务

移民搬迁安置

民族工作

宗教事务

老龄工作

消费者权益保护

公共安全

应急管理

防震减灾

食品药品安全

信息安全

消防安全

街道·乡镇

宝云街道

古城街道

金钟街道

钟屏街道

以礼街道

大海乡

娜姑镇

老厂乡

五星乡

大桥乡

迤车镇

纸厂乡

马路乡

火红乡

乐业镇

矿山镇

者海镇

大井镇

新街回族乡

雨碌乡

鲁纳乡

待补镇

上村乡

驾车乡

田坝乡

人物·荣誉

附　　录

索　　引

特　　载

苦字当头　实干兴县
全力推动会泽经济社会高质量转型发展

——在县委十三届五次全体会议上的报告

中共会泽县委书记　丁东平

（2023 年 12 月 28 日）

一、2023 年工作回顾

今年以来，在市委的坚强领导下，县委团结带领全县广大党员干部群众，解放思想、转变作风，攻坚克难、真抓实干，扎实推进奋进新征程推动新跨越三年行动，各项事业取得来之不易的成绩，实现了“五个新”、筑牢了“三条底线”。

（一）政治建设实现新进步。我们坚持不懈用习近平新时代中国特色社会主义思想凝心铸魂，以实际行动坚定拥护“两个确立”，坚决做到“两个维护”。创新形式手段，丰富载体渠道，推动学习宣传贯彻党的二十大精神不断走向深入。扎实开展学习贯彻习近平新时代中国特色社会主义思想主题教育，举办读书班 2 次、专题研讨 2 期，县处级干部领题调研 97 次、解决问题 31 个，县委常委班子引领各参学单位检视问题 256 个，扎实推进 10 个专项整治，办理民生事项 26 项。全省学习弘扬“四下基层”优良传统“五级书记”为民办事解难题现场会、全省统战系统“凝心铸魂强根基、团结奋进新征程”主题教育会议在会泽召开。

（二）经济发展实现新提升。我们全力以赴谋项目、抓招商、稳投资、促增长。储备项目 222 个、总投资 780.9 亿元，争取预算内资金和专项债券 7.76 亿元、居全市第一。实施 88 个年度重点项目，高效推进渝昆高铁会泽段、会巧宣会高速等重大项目建设，大抓招商引资，引进省外产业到位资金 99.56 亿元、外资 302 万美元。前三季度完成地区生产总值 263.84 亿元、增 5.8%，1 至 11 月完成规上工业增加值 80.69 亿元、增 7.2%，固定资产投资 191.27 亿元、增 8.0%，社会消费品零售总额 111.82 亿元、增 12.4%，地方一般公共预算收入 15.94 亿元、增 9.88%。

（三）产业结构实现新突破。我们立足资源禀赋，加快构建现代产业体系，被命名为第二批“全国科普示范县”。农业产业特色更加鲜明，粮食产量再创新高，夏季草莓、乐业辣椒、盐水石榴、肉牛等优势特色产业不断壮大，建成全国规模最大的种公牛站和核心育种场，20 万头肉牛交易市场、5 万头屠宰加工厂即将投产，夏季草莓种植面积扩大到 9 万亩、交易中心投入运营，肉牛、草莓两个全产业链初具雏形。工业加快转型升级，驰宏 6 万吨锌合金 2 号生产线建成投产，完成 4 个磷矿探采矿权整合，引进德方纳米 20 万吨磷酸锰铁锂前驱体一体化项目，在建风电光伏 196.7 万千瓦、并网 100 万千瓦，新引进 16 家劳动密集型企业。全域旅游加快构建，古城保护开发高效推进，北门、义通河、博物馆、钱街片区开发全面启动，拆除不协调建筑 2 万余平方米，启动实施核心区 5.5 万平方米房屋改扩翻，“八大会馆”产权回收基本完成、活化利用有序推进，古城获评省级夜间文化和旅游消费集聚区。提质改造大海草山、雨碌大地缝，大海草山滑雪旅游度假区被认定为国家体育旅游示范基地。扎实推进以礼河大峡谷开发，以濯水乡、水城扩红文化生态园创成AAA级景区。大力发展节庆经济，成功举办火把节、丰收节等节庆活动，会泽旅游知名度、人气流量大幅提升，今年以来接待游客648万人次、增24.15%，实现旅游业收入68亿元、增16.48%。

（四）民生福祉实现新提质。我们始终坚持以人民为中心的思想，在发展中保障和改善民生。就业保障更加充分，59.42万名农村劳动力实现转移就业45.2万人，“会泽牛人”成为省级劳务品牌。教育名片更加响亮，高考9299名考生全部上线，一本率、本科率分别达35.89%、78.3%，14人被北大、清华录取。医疗保障更加有力，成功争取四川大学华西医院、广东省中医院、上海交大中国医院发展研究院对口帮扶会泽，在全市率先组建县域医疗集团，县人民医院被列为“国家千县工程”“云南百县工程”建设单位，县第二人民医院投入使用，国家卫生县城创建通过省级评审。社会保障体系更加完善，养老、低保、医保等政策全面落实，妇女、儿童、残疾人权益充分保障，安置区留守女童关爱服务获全省新时代文明实践志愿服务金奖。

（五）党的建设实现新加强。我们认真学习贯彻习近平总书记关于党的建设的重要思想，统筹推进各领域党的建设。排查整顿软弱涣散基层党组织4个，合并村委会11个、村民小组803个，143个党员空白村民小组清零。深化党建引领基层治理，县乡村三级党群服务、矛盾调处“两中心”全覆盖，普法强基补短板专项行动、法治政府建设深入推进，五星乡黑土村被评为“全国乡村治理示范村”，在全市首家创成第一批全省法治政府建设示范县，被评为“省级先进平安县”，信访下基层做法在全省交流。扎实推进作风效能革命，提拔重用、职级晋升表现突出干部461人，调整作不力干部7人、免职6人，“回炉”教育躺平式干部86人。意识形态主阵地全面守牢，创成“全省民族团结进步示范县”。同时，县委注重发挥总揽全局、协调各方作用，全面完成国企和“一支队伍管执法”改革，全力支持人大、政协依法依章程履职，扎实抓好党管武装，充分发挥工青妇等群团组织作用，深入开展国防动员、双拥共建、县域共青团基层组织改革，凝聚了团结干事的强大合力。

（六）返贫底线全面筑牢。我们把增加脱贫群众收入作为巩固拓展脱贫攻坚成果的根本任务，全力以赴守底线、抓发展、促振兴。总结推广白雾村分层分类指导群众增收和利益联结模式，10904户39493人监测对象消除风险7174户26633人、消除率达67.44%，脱贫人口和监测对象人均纯收入达12763.75元、同比增17.8%，8500元以下有劳动能力的脱贫户和监测对象“动态清零”，全市干部人才“组团式”帮扶、落实“四个一批”产业帮扶会议在会泽召开。大力推广浙江“千万工程”经验，扎实推进绿美乡村建设，农村宅基地和农村建房管理更加规范，高标准建成钟屏红石岩、娜姑白雾、待补鹧鸡、宝云扯戛、老厂回龙、古城水城等“四美家园”和“宜居宜业和美乡村”示范点及21个美丽村庄、390个省级提升村。

（七）生态底线全面筑牢。我们坚持生态优先、绿色发展，全力维护生态安全。风险隐患排查整治和各级各类反馈问题整改扎实推进，“河（湖）长制”“林长制”、长江十年禁渔全面落实。森林覆盖率提高0.5个百分点，以礼河钟屏段获市级首条绿美河湖认定，跃进水库被评为全省绿美河湖标杆典型，黑颈鹤保护区成功加入中国人与生物圈保护区网络，念湖湿地被联合国公约组织指定为国际重要湿地。“绿美会泽”建设扎实推进，完成5条主干道绿化提升，增绿补绿3.5万平方米，11个乡镇、41个生态敏感村“两污”治理系统推进，建成省级绿美乡镇1个、绿美村庄2个和市县级绿美村庄350个。

（八）廉政底线全面筑牢。我们始终把纪律规矩挺在前面，扎实推进“清廉会泽”建设。聚焦招投标、项目建设、“三资”管理等重点领域，持续深化“四责协同”，深入推进政治巡察，坚持不懈查纠“四风”，综合运用“四种形态”监督执纪，坚定不移推进党风廉政建设和反腐败斗争。组织处理党员干部265人次，立案171件、处分140人，留置9人，为5个组织、27人澄清正名，风清气正的干事创业氛围持续巩固。这些成绩的取得，得益于习近平新时代中国特色社会主义思想的科学指引，得益于省市党委、政府的坚强领导，得益于各级各方面的关心支持，得益于全县干部群众的团结拼搏，在此，我代表县委向全县广大党员干部群众，向关心、支持、参与会泽改革发展的各界人士表示衷心感谢!

在肯定成绩的同时，我们要清醒认识到，在推进全县高质量转型发展中，短板弱项与发展优势并存、机遇与挑战相互交织。当前，最大的困难是：脱贫群众收入不高，经济发展不快，地区生产总值、规上工业增加值、一般公共预算收入三项指标增速在全市靠后；财政收支矛盾突出，政府债务负担仍然较重；生态环保压力大，“两污”治理任重道远；少数党员干部不担当、不作为，执行力弱、落实力差。我们必须认真研究解决，把问题转化为前进动力。最大的机遇是：来自于中央和省市新一轮科技革命和产业变革的政策措施，来自于省委主要领导挂联和中国工程院、上海市宝山区、省市单位的帮扶。我们要用活政策、用好资源，把机遇转化成为发展红利。最大的潜力是：独特的区位、便捷的交通、丰富的资源、充足的劳动力。我们要进一步深化县情再认识，补短板、强弱项、扬优势，把潜力转化为竞争力。

二、苦字当头、实干兴县，推动高质量转型发展

2024年工作思路是：以习近平新时代中国特色社会主义思想为指导，全面贯彻党的二十大和二十届二中全会精神，认真落实党中央、国务院决策部署和省市工作要求，以“三年行动”为统揽，紧扣“三个定位”，围绕产业兴旺、群众增收、安全稳定“三个目标”，发展农业特色、园区、旅游、劳务“四大经济”，力争实现县内生产总值增7%左右、人均纯收入1万元以下有劳动能力的脱贫户和监测户“动态清零”，高质量转型发展迈出新步伐。实现上述目标，要突出抓好“五个重点”：

（一）坚持农业走特，大力发展农业特色经济。按照“突出特色、错季发展、适度规模、相对集中”的思路，推进特色化、规模化、全产业链发展，推动传统农业向现代特色农业转变。一要保障粮食安全。严格落实耕地保护制度，加强撂荒地整治，加大高标准农田建设和科技推广，粮食播种面积稳定在163万亩、粮食总产48.5万吨以上。二要优化产业布局。立足海拔、气候、资源等特点，突出区域特色，聚焦优势单品、市场需求，分区分带推进特色产业发展，海拔1700米以下低热河谷区重点布局冬早蔬菜、盐水石榴、冷水鱼，1700～2000米中温坝槽区重点布局乐业辣椒、露地蔬菜，2000～2300米温凉山区重点布局设施蔬菜、温带水果、肉牛生猪，2300米以上高寒山区重点布局马铃薯、夏季草莓、燕麦荞麦。三要延伸产业链条。研发推广优良品种，培育壮大新型经营主体，补齐精深加工、冷链仓储物流短板，推进一二三产融合发展。加大区域公共品牌、企业品牌、产品品牌创建，优化乡村市场布局，拓展电子商务、农超对接、农批对接等产销模式，提升农业发展组织化水平。

（二）坚持工业突围，大力发展园区经济。按照“一园二片两点”布局，坚持以园聚产、以产兴园、产园融合，做大做强磷化工、风电光伏、劳动密集型三大产业，培育壮大规上工业，增强经济支撑能力。一要推进园区建设。优化“党工委＋管委会＋公司”运行模式，规范园区管理，加快完善园区基础配套，强化全链条、全要素、全周期、全流程服务保障，做大园区规模，做强主导产业，提高亩产效益，力争入园企业总数达100家、园区产值达200亿元以上。二要推进磷化工产业发展。加快者海绿色磷化工园区建设，确保高质量通过省级评估认定。积极开展找矿行动，加速推进磷矿资源整合开发，加快德方纳米20万吨磷酸锰铁锂前驱体一体化项目建设，争取3吨黄磷项目落地、引入1家以上精细磷化工龙头企业。三要推进新能源开发利用。加快30.2万千瓦风电、118.6万千瓦光伏、500千伏乐业输变电工程建设，确保并网发电80万千瓦以上。四要推进劳动密集型基地建设。聚焦电子元器件、服装生产等产业，加大企业引入培育力度，构建以产业园区为主、县城易地搬迁安置区为重点、中心集镇和交通节点乡镇为支撑、交通便利乡村为补充的劳动密集型产业发展格局，力争新引进企业10家以上。

（三）坚持旅游做活，大力发展旅游经济。按照旅游城市、网红城市规划建设，打造以古城为核心，大海草山、雨碌大地缝、以礼河大峡谷等景区为支撑，乡村生态旅游为补充的高铁时代全域旅游。一要提升县城品质。加快蔓海环湖道路及连接线、瑞祥路东延长线等市政道路建设，推进县自来水厂改扩建、古城核心区雨污分流及管网入地等项目建设，补齐市政短板。深入开展健康县城、绿美县城专项行动，加强智慧城管、智慧小区、智慧停车建设，加大违章建筑管控、市容市貌综合整治力度，提升城市精细化管理水平。二要加快古城保护开发。推进北门、义通河、钱街、博物馆4个片区开发和八大会馆活化利用，加大城中村改造、民居民宅风貌管控提升和强弱电网规范，启动游客服务中心、精品客栈建设，打造斑铜、土陶、美食、农特产品等特色街区，让千年古城更具烟火气。三要提升景区景点支撑能力。完善大海草山、雨碌大地缝、水城扩红文化生态园等景区配套基础设施，加快以礼河大峡谷、牛栏江生态观光旅游和小江世界地质公园开发。大力推广浙江“千万工程”经验，分批推进“四美”乡村建设，打造一批乡村生态休闲旅游新景点，不断丰富旅游业态。四要拓宽发展空间。加强与周边旅游景区协同联动，积极协调推动蒙姑至会东高速等通道建设，融入川渝黔滇“高铁旅游圈”和滇西旅游环线。启动五星级酒店建设，完善吃住娱乐购配套设施，培育文旅专业化队伍，办好钱王文化、仰望星空、激情火把、喜庆丰收“四大节庆”活动，不断提升会泽旅游吸引力、知名度，力争接待游客700万人次、实现旅游业收入80亿元以上。

（四）坚持民生提质，持续提高群众满意度。践行以人民为中心的发展思想，持续解决就业、就学、就医等群众最关心、最直接、最现实的利益问题。一要大力发展劳务经济。把就业作为促进群众增收的重要保障，坚持送出去、引回来“两条腿”走路，全面落实各项就业扶持政策，持续完善县级搜集用工信息、精准培训和乡村组织劳动力的三级服务体系，提升转移就业组织化水平。积极引导在外成功人士回乡兴业、在外企业回乡置业、在外农民工回乡就业，让更多群众在家门口就近就地就业。二要持续巩固脱贫攻坚成果。全力以赴守底线、抓发展、促振兴、作示范，深化“红黄绿”精准监测管理，扎实推进农村居民和脱贫人口持续增收三年行动，全面推广分层分类指导增收模式，健全利益联结机制，持续抓好易地搬迁后续扶持，多措并举发展壮大村集体经济，让脱贫基础更加稳固、成效更可持续。三要提升教育发展质量。深化教育体制改革，补齐学前教育短板，稳妥推进中小学校撤并和集中办学，打牢教育发展基础。深化高中集团化办学模式，提升全省前50名、重点率、600分以上人数比例。办好职业教育，推动园区与职中产教融合。抓好学生心理健康教育，完善午托午育措施，切实减轻家长负担。四要提升医疗保障水

平。推进县域医疗集团实体化运行，用好对口帮扶资源，建立常态化实地指导、远程医疗等机制，加强重点科室建设、重点人才培养、乡村医疗队伍建设，深入推进健康会泽建设。五要提升社会保障能力。完善关心关爱农村留守儿童、留守老人、残疾人、精神障碍患者等特殊群众服务保障机制，加强社会救助、社会福利、优抚安置等工作，织密多层次社会保障网络。

（五）坚持敢于斗争，不断提升干部执行力。持续深化作风效能革命，发扬斗争精神、增强斗争本领。一要守牢意识形态阵地。压紧压实意识形态工作责任，加强阵地建设管理，抓实研判处置，唱响主旋律，巩固壮大主流思想舆论。二要提升解决复杂矛盾问题的能力。牢固树立事在人为的理念，大力弘扬“四下基层”优良传统，引导干部到问题多、矛盾集中、工作推不开的地方和改革发展、征地拆迁等一线了解实情、发现问题，化解矛盾、打开局面。以壮士断腕的决心不断深化国企改革，扎实推进耕地保护、三资管理、招投标等领域整治。三要提升抓落实的能力。树牢“今天再晚也是早，明天再早也是晚”的意识，大力倡导“十种鲜明导向”，践行“三法三化”，发扬“四多一敢”作风，不为困难找借口、只为成功想办法，当好“施工队”“一竿子”插到底推动工作落实。实现上述目标，要全面强化“六项保障”。

1. 强化项目支撑。树牢“项目为王、项目落地为王”理念，聚焦开工率、投产率、达效率，形成谋划一批、储备一批、建设一批、竣工一批的梯次推进格局。一要抓项目谋划。深入研究政策，紧盯国家及省市政策导向和投资重点，瞄准产业发展、公共服务、新型城镇化等重点领域，谋划包装一批利当下、惠长久的大项目、好项目，争取更多项目纳入国家、省市“盘子”。二要抓要素保障。围绕项目审批、用地、环评、规划、投融资等关键环节，全力做好服务，破解要素制约难题，推动签约项目早落地、落地项目早开工、开工项目早投产。三要抓项目推进。加快推进“一铁两高”、农村公路改造、农田水利、“两污”治理、产业补链强链等项目建设，抓实会泽大型灌区、G85复线等重大项目前期工作，加紧布局5G网络、人工智能、数据中心等新型基础设施，建设“数字会泽”，打通高质量发展制约瓶颈。

2. 强化招商引资。树牢“今天的招商就是明天的产业，就是未来的发展”理念，大抓招商、大抓产业、大抓发展。一要构建大招商格局。从县级领导带头做起，采取专班招商、以商招商、乡情招商、节会招商等方式，形成“大招商”合力。建立重点产业“链长制”工作推进机制，补齐产业链短板。力争引进企业25家以上、省外产业招商到位资金增长15%以上。二要优化营商环境。持续深化“放管服”改革，落实好服务企业“三项制度”，用足用好税收优惠政策，进一步优化办事流程，压减审批时限，全力打造政策最优、成本最低、服务最好、办事最快的“四最”营商环境。发挥政、银、企平台作用，落实好重点企业县级领导挂包、驻企帮扶等制度，及时帮助解决生产发展中的难题，真正让企业稳得下来、发展得起来。

3. 强化科技人才支撑。树牢“科技是第一生产力、人才是第一资源”理念，深入实施科教兴县、人才强县战略，塑造发展新动能新优势，形成新质生产力。一要加强科技创新。深化与科研院所合作，发挥专家工作站、科技小院作用，构建专家常驻会泽开展试验研究、指导培训和成果转化机制，力争在现代育种、绿色食品、绿色化工、电子元器件等研发创新方面取得新突破，以科技创新推动产业创新。二要加大人才培养。围绕产业布局，开辟专门渠道，精准引进急需紧缺的科技领军、企业管理、文旅和城市经营等方面人才，鼓励省内外专家以顾问、项目合作等方式助推发展，引导支持科技、资金、企业、能人和大学生下乡，让更多要素在生产经营一线聚集。

4. 用好帮扶资源。树牢“抢抓机遇就是抢抓发展”理念，用好用活定点帮扶、沪滇协作、挂联帮扶等资源，破解高质量发展难题。一要发挥“三个优势”。发挥中国工程院定点帮扶的高端智库资源优势，解决重大项目协调、科技发展难题；发挥上海市和宝山区协作帮扶的先进理念、市场资源优势，解决思想观念滞后和农产品市场拓展难题；发挥省市挂联帮扶的政策资金资源优势，补齐发展中的短板弱项。二要完善工作机制。建立主动沟通联络、请示汇报、定期跟进等机制，让帮扶单位全面了解会泽工作情况、短板弱项，确保帮扶资源与县级需求有效衔接。

5. 维护安全稳定。树牢“抓安全稳定就是抓发展”理念，不断强化安全意识，守牢各领域安全底线。一要抓好政治安全。常态化推进扫黑除恶、反邪教反暴恐反渗透，防范群体事件。巩固发展最广泛的爱国统一战线，铸牢中华民族共同体意识，推进“全国民族团结进步示范县”创建，促进民族团结、宗教和顺。二要抓好生态安全。深入实施城乡绿化美化三年行动，推进绿美会泽建设。坚决抓好各级环保督察问题整改，全面落实河（湖）长制、林长制，一体推进山水林田湖草沙系统治理。扎实推进治污水、治垃圾、治厕所、治农业面源污染行动，加快县城雨污分流改造、集镇污水收集管网建设、农村“大三格”“小三格”污水治理，优化农村垃圾收运处置体系，推进生活垃圾分类、“白色污染”治理，实现减量化、资源化、无害化。三要抓好生产安全。聚焦道路交通、建筑、危化、非煤矿山、食品药品等重点领域，压实各方安全生产责任，坚决防范遏制重大安全事故发生。四要抓好社会安全。深入实施党建引领基层治理三年行动，优化完善党群服务、矛盾调处“两中心”和产业发展、三资管理、农村建房审批“三个办公室”，用好乡村便民服务、应急执法、纠纷调解、科技人才“四支队伍”，抓实普法宣传教育、维稳防控、命案、电信诈骗等各项工作，确保社会大局持续和谐稳定。

6. 加强党的建设。全面落实新时代党的建设总要求和新时代党的组织路线，持之以恒推进全面从严治党，以高质量党建引领高质量发展。一要加强政治建设。深入学习贯彻党的二十大和二十届二中全会精神，扎实推进主题教育，抓好检视整改、建章立制、成果巩固，深入推进“四下基层”“五级书记”抓为民服务，持续办好民生实事、破解发展难题。不断完善重大决策机制和议事规则，支持人大、政协依法依章程履行职能，支持政府依法行政，支持县人民法院、检察院依法独立开展工作，充分发挥工会、共青团、妇联、工商联等人民团体桥梁纽带作用，持续加强党管武装和国防动员、后备力量、军民融合、基层武装建设，推进青年发展，争创省级双拥模范县。二要加强组织建设。深入推进村居民小组合并，抓好新经济组织、新社会组织、新就业群体党的建设，扎实开展党支部“扩先提中治软”行动，不断增强基层党组织的统筹力、组织力、服务力。三要加强干部队伍建设。坚持新时代好干部标准，牢固树立“重一线、重实践、重实干、重实绩”的鲜明用人导向，优化完善责任落实、绩效考核、选拔任用、基本保障机制，推动形成能者上、优者奖、庸者下、劣者汰的良好局面，锻造敢为敢闯、干事创业、堪当重任的高素质干部队伍。四要深入推进清廉会泽建设。压紧压实全面从严治党政治责任，深入落实中央八项规定及实施细则精神，纵深推进反腐败斗争常态长效，持续整治群众身边不正之风，健全“三不腐”相关制度，严格执纪监督，下大力气整治慵政、懒政、怠政行为，持续营造风清气正、干事创业的良好环境。同志们，苦干成就梦想，实干铸就辉煌。让我们更加紧密团结在以习近平同志为核心的党中央周围，只争朝夕、不负使命，埋头苦干、真抓实干，为推动会泽经济社会高质量转型发展不懈奋斗。

政府工作报告

——在会泽县第十八届人民代表大会第四次会议上

会泽县人民政府县长　王正宇

（2024 年 1 月 15 日）

一、2023 年工作回顾

2023 年，是全面贯彻党的二十大精神的开局之年。在县委的坚强领导下，在县人大、县政协的监督支持下，县人民政府坚持以习近平新时代中国特色社会主义思想为指导，全面贯彻落实党中央决策部署和省市要求，攻坚克难、实干笃行，千方百计稳经济、促发展、保民生、稳底线，高质量发展迈出坚实步伐。

一年来，我们坚持目标导向，实现经济稳中向好。聚焦“三个定位”，深入实施“三年行动”和“310”工程，10 件民生实事顺利交卷、10 个专项行动有效落实、10 个重点项目有力推进。预计完成县内生产总值 395.9 亿元、增 6%，规上工业增加值 83.7 亿元、增 7%，固定资产投资 219 亿元、增 9%，社会消费品零售总额 121.8 亿元、增 10%，地方一般公共预算收入 16.01 亿元、增 4.37%。我们坚持问题导向，直面问题抓整改。坚决扛牢整改政治责任，全面排查整改，分类精准施策，健全常态长效机制，各级各类巡视巡察、考核、审计反馈问题整改扎实有效，环保督察整改有力推进，耕地流出、土地卫片执法、违法占耕等问题整改取得明显成效。我们坚持结果导向，凝心聚力抓提升。被命名为全国科普示范县，创成全省法治政府建设示范县、全省民族团结进步示范县，被评为省级先进平安县，国家卫生县城创建通过省级评审，省级生态文明建设示范区创建深入推进。

过去一年，我们主要做了以下工作：

（一）聚力抓增收、促提升，脱贫成果有效巩固。全面推行抓党建促脱贫成果巩固、“红黄绿”分类管理和精准帮扶机制，新识别监测对象 354 户 1300 人，稳定消除风险 7174 户 26633 人，正在跟进消除返贫风险 3730 户 12860 人。投入整合衔接资金 11.7 亿元，沪滇协作帮扶资金 6329 万元，实施产业就业、基础设施等项目 476 个，发放脱贫人口小额信贷 7828 户 4.6 亿元。总结推广娜姑白雾分层分类促增收及利益联结模式，脱贫人口人均纯收入达 12763.8 元、增 17.8%，人均纯收入 8500 元以下且有劳动能力的脱贫户和监测户实现动态清零。易地扶贫搬迁后续扶持力度加大，县城安置区列为全国易地搬迁高质量发展示范点，守住了不发生规模性返贫的底线。乡村振兴“百千万”示范工程深入实施，高标准建成 6 个“四美家园”和“宜居宜业和美乡村”示范点、21 个美丽村庄。

（二）聚力扬优势、延链条，产业培育起势突破。着力推进特色农业现代化。严守耕地红线，整治恢复耕地 1.6 万亩，建成高标准农田 9.9 万亩、达 68.3 万亩，粮食总产达 48.5 万吨，实现“二十一连增”。推进肉牛全产业链发展，国家级种公牛站和核心育种场建成运营，20 万头肉牛交易市场和 5 万头肉牛屠宰加工项目即将投产，累计发展肉牛养殖示范村 36 个、小规模养殖户 5.4 万户，生猪、肉羊产能巩固提升，预计实现畜牧业产值 111.8 亿元、增 4%。特色产业延链发展，优质燕麦产业化水平持续提升，建成夏季草莓交易中心、软籽石榴仓储物流加工基地、马铃薯精深加工厂，预计实现一产增加值 95.1 亿元、增 4.8%。新增流转土地 3.6 万亩、达 78.7 万亩，新增县级以上农业龙头企业 30 个、农民专业合作社 27 个、家庭农场 61 个，分别达 113 个、1486 个、1009 个，维康农业等 4 家企业入选省级农业产业化重点龙头企业，创成国家级水产健康养殖和生态养殖示范区。着力推进新型工业化。驰宏公司会泽冶炼厂年产 6 万吨锌合金 2 号生产线建成投产，会泽烟厂原料配方库和备品备件库项目启动建设，金钟和待补风电、三峡复合型光伏、华电道成集中式光伏等新能源项目有力推进，实现并网 100 万千瓦。预计实现二产增加值 112.2 亿元、增长 6.5%。会泽产业园区确定为省知识产权推动高质量发展示范园区，总规获得市级批复，管理机构实现升格，管理体制进一步理顺；者海化工园区基础配套建设快速推进，引入德方纳米 20 万吨磷酸锰铁锂前驱体一体化项目，磷矿秩序整顿取得实质进展；县城电子科技信息产业园区集聚效应持续显现，电源适配器、逆变器、显示屏等电子产业融合发展；五星园区基础配套建设快速推进，4 万平方米标准厂房启动建设。依托园区和帮扶车间培育劳动密集型产业，新引入电子信息、食品加工等企业 16 家，累计吸纳劳动力就近就业 5000 余人。入选国家县域商业建设行动示范县、首批省乡村振兴科技创新县，申报认定国家高新技术企业 13 户、科技型中小企业 18

户。着力推进旅游产业化。古城保护利用有新进展，启动北门、义通河、钱街、博物馆片区提升改造，“八大会馆”产权回收基本完成，贵州会馆保护利用初具特色，拆除不协调建筑2万余平方米，启动1000户5.5万平方米“改扩翻”项目，古城风貌和环境品质持续提升，入选第二批省级夜间文化和旅游消费集聚区。大海草山滑雪旅游度假区成为国家体育旅游示范基地，娜姑白雾村拟认定为省最美乡愁旅游地，以濯水乡、水城扩红文化生态园创成AAA级景区，雨碌大地缝景村共建、以礼河大峡谷开发有序推进，待补鹧鸡、老厂回龙等乡村旅游示范点串点成线。举办火把节、丰收节等节庆活动聚人气、增流量，全年接待游客648万人次、实现旅游综合收入68亿元。在文旅产业的带动下，预计实现三产增加值188.6亿元、增6.4%。

（三）聚力抓项目、增后劲，发展基础更加坚实。抢抓国家政策机遇和投资导向，谋划储备重点项目222个、总投资780.9亿元，争取地方专债项目3个、资金5.7亿元，争取中央和省市预算内资金0.73亿元；纳统入库项目329个、计划总投资224.2亿元。调整优化6个产业招商工作组，实行招商全流程管理服务，全年招引项目29个、协议引资423.3亿元，新落地10亿元以上项目3个，到位省外产业资金99.6亿元，引进外资302万美元。完善重点项目清单化管理机制，渝昆高铁会泽段、宣会和会巧高速等重大项目进展有力，会泽灌区、城乡供水一体化等重大项目前期工作有序开展，待补至上村公路改建、食用菌产业园等17个项目完工，县城备用供水工程二期、小菜园至老厂、大海至炭棚公路改建等66个项目快速推进，实施了通较大自然村道路硬化350千米、生命安全防护180千米、农村电网改造76千米，新建5G基站371个、通信铁塔108座、充电桩343枪。

（四）聚力补短板、提品质，城乡环境展现新颜。城乡规划体系不断完善，完成县国土空间总体规划编制，186个村庄规划审核入库。启动绿美县城、健康县城建设，建成春晓街北段等3条市政道路，蔓海景区西入口建筑群和环湖路、县污水处理厂三期建设有力推进，完成会烟街北段、通宝路等5条主干道绿化美化，新建节点景观、口袋公园6处，增绿补绿3.5万平方米，改造老旧小区176户1.4万平方米。城区三轮车与老年代步车交通乱象治理初见成效。统筹推进城乡“两污”治理，推动城乡一体化生活垃圾收运处置，整治城区雨污混接点652个，改造城乡污水管网76.2千米，新建13座乡镇污水处理站，完成41个生态敏感村农村污水治理，改建村卫生公厕170座、卫生户厕7633座，城镇污水处理率达94.6%。大力学习推广浙江“千万工程”经验，全域推进农村人居环境整治提升，创建省级提升村309个，建成省级绿美乡镇1个、绿美村庄2个、市县级绿美村庄350个。持续打好蓝天、碧水、净土保卫战，县城区空气质量优良率99.7%，集中式饮用水水源地和出境断面水质稳定达标。念湖湿地被联合国湿地公约组织指定为国际重要湿地，黑颈鹤国家级自然保护区成功加入中国生物圈保护区网络、入选全国首批陆生野生动物重要栖息地名录；驾车省级自然保护区生态环境监管持续加强，生物多样性保护成效明显。长江“十年禁渔”“河（湖）长制”“林长制”全面落实，跃进水库评为省绿美河湖标杆典型、以礼河钟屏段评为市级绿美河湖，实施石漠化治理1.6万亩，完成草原生态修复1.5万亩、营造林1万亩，森林覆盖率达40.9%。

（五）聚力惠民生、增福祉，社会事业全面进步。坚持在发展中保障和改善民生，民生支出占一般公共预算支出比重达85.8%，城乡居民人均可支配收入实现与宏观经济指标基本同步增长。公共服务更加完善。实施义务教育“能力提升”等项目190个，出台加快教育高质量发展十条措施，各学段办学水平持续提升。高考再续佳绩，9299名考生全部上线，一本率、本科率分别达35.89%、78.3%，14名学子被北京大学、清华大学录取，高中教育“会泽模式”在全省推广。组建县域医疗集团，争取华西医院、广东省中医院、上海交通大学中国医院发展研究院对口帮扶，累计创建省级重点专科15个，县第二人民医院建成使用，县中医院综合楼主体完工，县人民医院入选全国公立医院高质量发展典型案例。社会保障更加有力。社会保险提标扩面，累计发放“五大保险”待遇20.1亿元。发放创业贷款1.7亿元，新增城镇就业3850人，城镇登记失业率3.95%，实现农村劳动力转移就业45.2万人，“会泽牛人”评为首期省级劳务品牌。社会治理更加有效。以“安全稳定建设年”为抓手，全力防范化解各类风险，全面落实防灾减灾、安全生产各项措施，安全生产事故起数、死亡人数分别降23.1%、15.4%。扎实做好清理拖欠企业账款工作，咬紧牙关化解政府性债务9.3亿元，银行机构不良贷款率下降至1.9%。普法强基补短板专项行动深入开展，五星乡黑土村入选第三批全国乡村治理示范村。构建“大信访”工作格局，攻坚化解信访积案178件，信访总量、初信初访量分别降22.9%、44.1%，公开大接访经验在全省推广。常态化开展扫黑除恶，扎实开展命案防控，严厉打击各类违法犯罪活动，“两抢一盗”“八类案件”“电诈案件”发案率分别降14.4%、23.1%、10.5%，人民群众安全感满意度持续提升。

（六）聚力转作风、提效能，自身建设不断加强。深入开展学习贯彻习近平新时代中国特色社会主义思想主题教育，严格落实“第一议题”制度、党风廉政建设和意识形态工作责任制，全面加强对“一把手”和领导班子监督，风清气正、干事创业的良好环境持续巩固。大兴调查研究，深化作风革命效能革命，完善“工作安排有谋划、谋划之后见行动、行动完成有反馈”机制，政府系统执行力和落实力持续提升。调整优化合并村委会11个、村民小组803个，赋予乡镇街道县级行政职权事项74项，简约高效基层管理体制持续构建。建立国有企业经营业绩考评制度，道成、钱城集团市场化转型稳步推进。县政务服务中心搬迁扩容，1211 项行政审批、公共服务事项全部进驻，标准化、规范化、便利化、智能化水平大幅提升。营商环境持续优化，累计退减降缓税费 1.7 亿元，新增市场主体 3.07 万户、“四上”企业 45 户。“八五”普法深入开展，常务会议会前学法和法律顾问制度常态化落实。高质量办理代表议案建议 123 件、政协提案 162 件。严格落实中央八项规定精神，带头过“紧日子”，“三公”经费持续下降。

第五次全国经济普查工作有序推进，统筹做好统计调查、国防动员、退役军人、行政学校、老龄事业、妇女儿童、共青团、工商联、残联、双拥、科技、消防、供销、烟草、邮政、气象、档案、地震、侨务、地方志等各方面工作，各项事业取得新的业绩。

成绩催人奋进，但我们清醒地看到，县内生产总值、规上工业增加值、固定资产投资增幅低于县第十八届人民代表大会第三次会议确定的预期目标，“310”工程一些工作与预期进度、预期效果有差距。这既是受经济下行压力持续加大、市场有效需求不足和旱涝灾害等多重因素的影响，更与全县经济社会发展中存在的困难和问题、短板和弱项直接关联，主要表现在：对标高质量转型发展目标，欠发达仍是会泽的基本县情，发展不平衡不充分，经济总量不大，人均水平低，面临做大总量与提升质量的双重压力。财税增收乏力，“三保”等刚性支出持续加大，债务化解进入高峰期，财政收支矛盾十分突出。对标构建现代化产业体系任务，区位、资源、劳动力等优势发挥不充分，产业发展层次不高。高原特色农业“接二连三”不够，农产品加工转化率、市场占有率较低，肉牛、夏季草莓、优质燕麦全产业链初步构建，质效有待进一步提升。工业长期依靠卷烟、铅锌冶炼、电力的格局没有根本改变，传统工业增长空间有限，新能源、绿色磷化工等新兴产业正处于培育成长期，工业转型升级步伐亟须加快。文旅资源开发力度不够，旅游基础设施、服务体系不完善，业态不丰富、综合效益不高，打造“高铁时代”全域旅游目的地迫在眉睫；三产活力不足，对外开放水平不高，招商引资力度亟须加大。对标人民群众美好生活期盼，就业、教育、医疗、养老等民生事业还有短板，基本公共服务资源不均等。巩固拓展脱贫攻坚成果、推进乡村振兴任务艰巨，还有三类监测对象 3730 户 12860 人未消除返贫风险；产业链融合发展提升联农带农能力不强，就业稳定性和收入水平不高，抓增收依然是重中之重。城乡基础设施依然薄弱，生态环保、安全生产、社会治理等领域存在不少风险隐患。对标新征程新使命新要求，少数部门和干部担当不够、实干不足、执行不力，主动服务发展的意识和能力不强，特别是在项目工作中，谋划论证不充分、要素保障不到位、落地转化率低，研究政策、谋划发展、破解难题、推动落实的能力亟待提升。对此，我们将直面问题和困难，采取有力有效措施，切实加以解决。

二、2024 年工作安排

2024 年，是实施“十四五”规划的关键一年，是奋进新征程推动新跨越三年行动的收官之年，做好今年工作意义重大。政府工作的总体要求是：以习近平新时代中国特色社会主义思想为指导，全面贯彻党的二十大和二十届二中全会、中央经济工作会议精神，深入落实省市县委全会精神及决策部署，坚持稳中求进、以进促稳、先立后破，以“三年行动”为统揽，紧扣“三个定位”，围绕产业兴旺、群众增收、安全稳定“三个目标”，大力发展农业特色、园区、旅游、劳务“四大经济”，坚持农业走特、工业突围、旅游做活、民生提质、敢于斗争“五个重点”，强化项目支撑、招商引资、科技人才、帮扶资源、安全稳定、党的建设“六项保障”，继续实施“310”工程，聚焦、聚神、聚力抓落实，以高质量落实推动高质量转型发展迈出新步伐。

2024 年经济社会发展主要预期目标建议为：县内生产总值增 7.5%，规上工业增加值增 8% 以上，规模以上固定资产投资增 7% 以上，社会消费品零售总额增 10% 以上，地方一般公共预算收入增 5% 以上，城乡居民人均可支配收入与宏观经济指标基本同步增长。

实现上述目标任务，我们将着力做好以下工作：

（一）突出产业兴农、群众增收，全力抓好巩固拓展脱贫攻坚成果同乡村振兴有效衔接示范区建设。全面落实乡村振兴责任制实施办法，大力实施“千万工程”先导示范建设、耕地保护专项行动，促进农业增产增效、农民创收增收、农村宜居宜业。

筑牢防返贫固成果底线。持续推行“红黄绿”动态监测、分类管理、精准帮扶机制，确保三类监测对象应纳尽纳、应扶尽扶，坚决守住不发生规模性返贫底线。积极争取衔接资金 10 亿元、沪滇协作资金 6000 万元以上，加强衔接资金项目监管，实现产业项目占比达 60% 以上。分类盘活闲置低效扶贫项目资产，确保持续发挥效益。因地制宜推广分层分类促增收及利益联结模式，采取“五个一批”措施，提升群众工资性、经营性、财产性收入，力争人均纯收入 1 万元以下且有劳动能力的脱贫户和监测户动态清零。深化中央定点帮扶和沪滇协作帮扶，拓展产业、劳务、消费、人才等协作领域，实现转移就业 45 万人以上、脱贫劳动力就业 16 万人以上。

构建乡村特色产业体系。着力抓育种、建基地、强龙头、重加工、创品牌、拓市场，持续做好“土特产”文章。深挖“土”的资源，立足低热河谷、中温坝槽、温凉和高寒山区资源禀赋，分区分带优化产业布局。发挥“特”的优势，坚持做优原料端、做精加工端、做强市场端，推动特色农业种养加、产供销一体化发展。提升“产”的效益，完善“党组织 + 企业 + 合作社 + 基地 + 农户”等机制，提高群众在产业链发展中的增值收益。提升肉牛全产业链发展质效，发挥好国家级种公牛站和核心育种场、20 万头肉牛交易市场、5万头肉牛屠宰加工厂带动作用，力争出栏26万头、屠宰加工1万吨，实现产值65亿元。巩固提升生猪产能，尽快实现生猪屠宰加工及冷链物流项目投产达效，力争出栏215万头、屠宰加工5万吨，实现产值78亿元。发挥交易中心、仓储物流加工基地等作用，提高夏季草莓、软籽石榴产业化发展水平，分别实现产值18亿元、5亿元以上。巩固发展燕麦20万亩，抓好优质燕麦标准化示范基地建设，巩固提升燕麦精深加工，推动燕麦全产业链提质增效，力争实现产值3亿元。抓好1.4万亩区域马铃薯繁育基地建设，种植马铃薯80万亩以上，推动精深加工厂投产达效，力争实现产值45亿元。因地制宜发展林下经济，巩固核桃92万亩、花椒12万亩。发展绿色蔬菜36.4万亩、乐业辣椒20.6万亩、烤烟5.25万亩、冷水渔业4.3万亩。新认证“三品一标”10个以上，新培育县级以上农业龙头企业10个、农民专业合作社10个、家庭农场10个，实现农产品加工业产值与农业总产值比达2.8 ∶ 1。

坚决扛牢粮食安全责任。全力抓好耕地流出、土地卫片执法、违法占耕等问题整改，开展撂荒地整治，坚决遏制耕地“非农化”、防止“非粮化”。落实“藏粮于地、藏粮于技”战略，新建高标准农田10万亩，确保粮食播种面积稳定在166万亩以上，粮食总产49万吨以上。

推进宜居和美乡村建设。加快村庄规划审批实施，严格乡村建设规划许可管理，强化农村宅基地、建房规范管理，探索制定农村住房建筑风貌管控导则，提升乡村建设水平。推动乡村人居环境全面提质，打造省级乡村振兴示范村5个、提升村490个。加强乡风文明建设，逐步实现移风易俗常态化、民间习俗文明化。

（二）突出转型升级、调优结构，全力打造多极支撑工业体系。发挥好园区平台载体作用，坚持一手抓传统产业转型升级、一手抓新兴产业培育壮大，千方百计拓存量、创增量、扩总量。

推进园区提质增效。优化“党工委＋管委会＋公司”运行模式，促进园区精简高效运转，发挥产业园区引项目、争资金、争政策、服务企业作用。对照评估认定标准，确保者海化工园区如期高质量通过省级评估认定。强化宝云绿色食品加工园区清理整合、提质发展，依托县城电子科技信息产业园区打造手机电源适配器全产业链，力争新引入3家以上企业入园发展。完成五星园区4万平方米标准厂房及配套设施建设，推进饲草饲料交易市场、果蔬冷链物流综合产业园等项目建设，着力把五星园区打造成西南地区高原特色农业“科研＋种养＋加工＋流通”重要物流基地。

加快新兴工业培育。加快新签约375万千瓦风电、25万千瓦光伏项目前期工作，抓好500千伏铜都开关站扩建，力争乐业500千伏输变电工程年底开工，快速推进金钟和待补风电二期、华电道成集中式光伏电站和分布式光伏等项目建设，新增并网运营80万千瓦以上，累计并网运营210万千瓦、实现产值10亿元。坚持“矿化一体、湿热并举、梯级开发、综合利用、绿色发展”，加快磷矿权秩序整顿和资源整合开发，提升磷矿采选集约化水平；推动磷源化工整改提升，争取3万吨黄磷项目落地，推进德方纳米20万吨磷酸锰铁锂前驱体一体化项目建设，力争引入1家以上磷化工企业，着力构建“磷矿—磷酸—精细磷酸盐及磷化物”产业链，打造绿色磷化工新型工业化示范基地。做活数字经济产业园，着力培育数字文创、电子商务等新业态。

推动传统工业提升。倾力支持卷烟、铅锌冶炼、电力、建筑建材等传统产业转型发展，完成会泽烟厂原料配方库和备品备件库、驰宏会泽矿业分公司选矿厂提质增效等项目建设，提升企业装备升级数字化智能化水平，推动滇北工贸公司水泥厂扩能提效，提高金塬水泥厂生活垃圾协同处置效能。全面完成砂石开采企业整合重组，推进河砂综合开发利用，促进砂石等建材行业发展规范有序、增产提效。积极筹建三乌产业研究院，支持金乌黑药厂、县中医院持续加强三乌胶系列产品研发提升。

壮大劳动密集型产业。加快县人力资源产业园建设，采取“政府主导＋市场运作＋校企合作＋产教融合”模式，加强短期技能、中长期职业技术和跨区域技能培训，打通中高职融合环节，推进产业工人队伍建设改革，为县域经济发展提供高质量技能人才支撑。深化东西部协作，推动钟屏沪滇产业园运营达效，大力实施园区建设要素保障及劳动密集型产业发展专项行动，以产业园区、易地扶贫搬迁县城安置区为重点，逐步向迤车、乐业、待补、田坝、娜姑、者海、大井等重要节点乡镇延伸布局，打造更多群众家门口的工厂，着力引进电子元器件、服装生产等企业10家以上，力争新增城镇集中就业1万人以上。

（三）突出古城引领、多点发力，全力构建全域旅游发展格局。抢抓大众旅游时代及需求多元化机遇，坚持以古城为核心，大海草山、雨碌大地缝等景区为支撑，乡村特色旅游为补充，着力创建省级全域旅游示范区，打造“高铁时代”全域旅游目的地。

强化古城核心带动。加快古城规划修编，按照“理格局、显城郭、树地标、活轴带、引爆点、强配套、丰业态”思路，持续完善片区规划设计，推进北门、义通河、钱街、博物馆片区提升改造，推动古城保护利用破题开篇。加大文物和文化遗产保护力度，启动县博物馆陈列布展。加强民居民宅风貌管控提升和强弱电网规范，完成1000户5.5万平方米“改扩翻”项目，加快推进江西会馆、湖广会馆、福建会馆、川陕会馆、江南会馆吕祖阁、卢家大院等保护利用，持续策划特色街区，打造古城精品旅游线路，实现商业气息与烟火味道并存、文化体验与休闲旅游相得益彰，激发古城现代活力，彰显历史文化名城独特魅力。

提升景区景点品质。加强与文旅企业深度合作，按照AAAAA标准加快大海草山景区基础设施建设和业态开发，推进旅游步道、游客服务中心、观景台等设施建设；完善娜姑白雾景区基础配套，加快推进雨碌大地缝景村共建项目，完成游客集散中心、房车营地、栈道等设施建设，力争2个景区创成AAAA级景区。抓好长征文化公园水城扩红生态园提升改造、大井大水红色教育基地等建设，着力打造红色旅游线路。推进以礼河大峡谷、小江世界地质公园开发，启动以礼温泉休闲度假区建设。围绕以礼河、牛栏江沿线布局乡村旅游，提升待补鹧鸡、以濯水乡、老厂回龙等示范点品质，开发纸厂江边、鲁纳座舍等示范点，推动农文旅融合发展，创建1个以上全国乡村旅游重点村镇，打造1个省金牌旅游村、1个最美乡愁旅游地。

完善旅游服务配套。加强区域联动发展，积极推动蒙姑至会东高速等通道建设，主动对接融入滇西、川黔渝旅游环线。持续推进旅游厕所、停车场、标识标牌、智慧旅游等配套建设，启动2个高星级酒店建设。大力发展文化产业，聚焦民族文化、传统手工业、特色餐饮，加大斑铜、土陶、农特产品等旅游商品开发力度，积极引入先锋书店等新业态，推动文化资源转化为产业优势。市场化办好钱王文化、仰望星空等四个节庆活动，以节促游、以节招商，力争年内接待游客700万人次以上，实现旅游综合收入80亿元以上。

（四）突出投资带动、消费拉动，全力增强经济发展动能。树牢“产业为重、项目为王、效益为本”的理念，充分发挥投资的关键作用和消费的基础作用，全力扩大内需，稳定市场预期，活跃市场信心。

扩大有效投资。大力实施项目谋划储备落地专项行动，推动项目数量、建设质量、投资总量齐升。精深谋划项目，紧盯国家政策和投资导向，认真研究地方政府专项债、中央和省市预算内资金支持领域，聚焦“三个定位”，常态化开展项目包装谋划，加大项目前期经费投入，围绕立项、用地、环评、能评、规划许可等关键环节，超前做好要素保障，提高项目成熟度，力争一申即中、投放即开工。积极争取支持，加大向上汇报对接，力争年内入库项目240亿元以上，争取地方专债项目5个、资金10亿元以上，中央和省市预算内资金2亿元以上。强力推进项目，严格政府性投资项目管理，坚持“投资必问效、无效必问责”，坚决杜绝低效无效投资。力争新开工项目43个、完成投资31亿元；加快85个重点项目前期工作、39个续建项目建设进度，实现27个项目竣工投产投用，完成投资30亿元。探索政府和社会资本合作新机制，建立重点民间投资项目、产业项目清单，激发投资活力，力争实现民间投资占比达40%以上、产业投资占比达50%以上。

激发消费潜能。多渠道增加城乡居民收入，增强消费能力，改善消费条件，创新消费场景，积极培育物流配送、文娱休闲、体育健身、养老托幼等消费热点，促进直播带货、线上团购等新型消费，持续开展新能源汽车、智能家居、餐饮零售等促消费活动，激发城乡消费、假日消费潜力。建设保障性租赁住房940套，用好用活政策措施，促进房地产平稳健康发展和良性循环。建成县农特产品仓储冷链物流园、待补综合物流园，抓好省级骨干冷链物流基地创建。推进国家县域商业建设行动示范县项目，加快完善县乡村电子商务和快递物流配送体系。

（五）突出城乡融合、绿色发展，全力绘就美丽会泽画卷。坚持以城带乡、城乡互促，大力实施城市补短提质、城乡绿化美化、生态环境突出问题整治及生态文明示范区建设专项行动，促进城乡绿色融合发展。

持续提升城市品质。落实好国土空间总体规划，完成乡镇国土空间规划、城镇开发边界内控制性详细规划报批，以高质量规划引领城乡高质量发展。确保创成国家卫生县城，深入推进健康县城、绿美县城建，加快瑞祥路东延线、蔓海环湖路及连接线等市政道路建设，力争启动通宝路西延线等项目建设。推进古城区雨污分流及管网入地、县城污水处理厂三期建设，整治西直街与通宝路交叉口等城市积水内涝点。实施振兴街节点景观和公园整体提升改造，培育振兴西街步行街、农夫集市、古城夜市等城市经济新业态，以新业态提升城市品质，打响城市品牌。高效率利用城市角落，启动21个“口袋公园”及节点景观建设。巩固提升三轮车与老年代步车交通乱象治理成效，持续加大城区交通秩序整治力度。常态化开展市容市貌整治，积极推进智慧交通、智慧停车、智慧市政建设，不断提高城市数字化精细化管理水平。

推动集镇扩容提质。按照“补齐短板、培育业态、完善功能、彰显特色”原则，支持乡镇推进集镇基础设施和公共服务补短板，持续开展集镇“三整治三提升”，因地制宜打造一批工业小镇、商贸小镇、旅游小镇、农业特色小镇，不断提高以业聚人、以业兴镇水平。提升城乡一体化生活垃圾收运处置能力，实现城乡生活垃圾减量化、资源化、无害化，确保农村生活垃圾收集处置率达90%。分区分类整体推进乡村生活污水治理，加快集镇雨污分流改造、污水管网和乡村“大三格”“小三格”实用设施等建设，确保农村污水收集率达89%。

夯实城乡发展基础。加强交通基础建设，全力推进渝昆高铁会泽段、会巧和宣会高速建设，抓好小菜园至老厂、大海至炭棚公路改建，力争启动云丰至雨碌公路改建、渝昆高铁会泽段站前广场等项目，加快G85复线、会泽至曲靖高铁连接线等项目前期工作。增强水利保障能力，推进城乡供水管网升级改造、杨梅山小河治理等项目，抓好新山、哈克、石板、洗羊塘、白木沟水库建设。力争启动城乡供水一体化、金乐水库调水、中小河流治理、长海子和后冲水库除险加固等项目，加快会泽灌区等项目前期工作。提升城乡用电保障水平，新建扩建3个35千伏变电站，新建120千米10千伏高压线路、36千米低压线路。

提升生态环境质量。持续抓好中央和省生态环保督察、巡视反馈问题整改和突出生态环境问题整治，深入打好蓝天、碧水、净土保卫战，落实好长江“十年禁渔”“河（湖）长制”“林长制”，争创省级生态文明建设示范区。加强生物多样性保护和生态环境监管，开展湿地生态修复和生态补偿试点工作，持续提升黑颈鹤国家级自然保护区和驾车省级自然保护区管护水平。深入推进绿美会泽建设，实施绿美山川、绿美河湖、绿美公路等工程，加快45个历史遗留矿山图斑生态修复及转型利用，完成人工造林3.3万亩、退化林修复3.5万亩、封山育林2.5万亩，提高森林覆盖率0.2个百分点。启动6万亩国家储备林建设，积极推进碳汇交易实质化开展，创建全省林业碳汇开发试点县。

（六）突出改革创新、环境优化，全力提高开放发展水平。坚持以改革解难题、以开放拓空间，激活内部要素，吸引外部资源，为高质量发展注入新动力。

深化重点领域改革。推进新一轮党政机构改革，持续深化行政执法体制改革。管好用好农村集体“三资”，深化集体林权制度和供销社、水价综合改革，不断增强发展动力活力。深化财政体制改革，加强财政资金绩效管理。深入开展国有企业改革深化提升行动，优化融资方式、提升融资能力，支持道成、钱城集团向融资主体、投资主体、市场运营主体转型升级、做大做强。

拓展对外开放空间。加快构建开放发展高地，主动融入长江经济带，着力打造成渝经济圈和滇中城市群之间的重要节点城市。依托中老铁路和曲靖海关，大力发展特色农产品、电子产品等外向型经济，力争实际利用外资增15%以上。全面落实大招商机制，大力实施产业链招商专项行动，强化专班招商、以商招商、节会招商，力争引进企业25家以上、省外产业资金增15%以上。依托中国工程院、沪滇协作帮扶，支持企业与高校、科研院所深度合作，通过“人才+项目”等方式柔性引进高层次人才、专业化团队，提高科技成果转化应用水平，力争培育高新技术企业8户、科技型中小企业9户。

持续优化营商环境。深入落实服务企业“三项制度”，实行企业投诉反映、受理转办、跟踪反馈闭环管理，推动政务服务“一次性告知、一窗式受理、一站式办结”。全面落实支持民营经济发展的政策措施，强化公平竞争审查和“双随机、一公开”监管，依法保护民营企业和经营主体合法权益。加强政银企对接合作，拓宽社会融资筹资渠道。推动经营主体培育从扩量向提质转变，培育装卸搬运和仓储业、科学研究和技术服务业限上企业各1户以上，新增规上工业企业6户以上，确保“四上”企业在库达241户以上。

（七）突出民生为本、共建共享，全力提升群众幸福指数。持之以恒办实事、惠民生，着力解决人民群众急难愁盼问题，让发展成果更多更公平惠及全县人民。

办好人民满意教育。坚持教育优先，以改革创新精神落实好“苦字当头、实干兴教”办学理念；坚持强师立本，深化引育管用机制，持续加强教师队伍建设；坚持教研提质，创新思路、精细管理，持续提升教育教学水平；坚持立德树人，以学校、家庭、社会“三位一体”合力促进教育高质量可持续发展。加快东陆高中三期、文笔小学等项目建设，确保2所在建小学如期投入使用。着力补齐学前教育普惠发展短板，稳妥有序优化调整小规模学校布局，全力创建国家义务教育优质均衡示范区，推动职业教育产教融合发展，提升高中教育集团化办学品牌竞争力，争当全省县域教育振兴发展排头兵。

推进健康会泽建设。深化华西医院等对口帮扶医疗协作，发挥县域医疗集团作用，着力打造县强、乡活、村稳的整合型卫生健康服务体系，实施乡村医生技能培训计划，不断提升整体医疗服务水平。建成省级慢性病综合防控示范区，强化县级临床服务“五大中心”及薄弱专科建设，力争创建省级重点专科1个以上。确保县中医院业务楼投入使用，启动县医疗废弃物处置中心等项目建设。落实生育支持政策措施，推动人口高质量发展。

提升公共服务水平。落实就业优先政策，抓好重点群体就业，鼓励引导在外人员返乡创业。实施文化惠民工程，持续开展群众性文化和体育健身活动。推进青年发展型县城建设试点工作。着力解决“一老一小”问题，建成老年大学、老年人体育活动中心，新改扩建2个养老服务中心，加大托育机构规范性创建。提升殡葬服务水平，确保城市公益性公墓建成使用。扩大社会保险覆盖面，落实好低保、特困供养、临时救助等政策，兜住兜准兜牢民生底线。铸牢中华民族共同体意识，推进全国民族团结进步示范县创建。

（八）突出防化风险、守牢底线，全力巩固安定和谐局面。统筹发展和安全，大力实施安全风险隐患排查整治、信访源头治理专项行动，以高水平安全护航高质量发展。

持续筑牢安全防线。贯彻总体国家安全观，守牢意识形态阵地，严厉打击各类破坏活动。加强国防教育、国防动员和后备力量建设，建成民兵训练基地。加快建设高效协同“大应急”体系，全面提升防灾减灾救灾能力。严格落实安全生产责任制，坚决防范和遏制各类事故发生。加强农村基础配套设施建设，实施通较大自然村道路硬化290千米、生命安全防护工程100千米，强化人防、技防、物防，有效预防和减少交通事故发生。加大食品药品安全监督抽检力度，切实保障群众饮食用药安全。

强化债务风险防控。严格政府债务限额管理，积极消化存量债务，严防隐性债务，确保政府债务可承受、可持续。规范政府举债融资行为，持续清理拖欠企业账款。严厉打击非法集资、违法放贷等金融违法违规行为，扎实做好扶贫小额信贷风险防控。

提高社会治理效能。坚持和发展新时代“枫桥经验”，深入践行“四下基层”制度，切实把矛盾纠纷化解在基层和萌芽状态。加强社会治安防控体系建设，常态化开展普法强基、扫黑除恶，持续抓好命案防控、禁毒防艾等工作，严厉打击电信诈骗等各类违法犯罪活动，不断提升人民群众安全感满意度。

高质高效完成第五次全国经济普查，全面加强统计调查、市场监管、行政学校、退役军人、侨务、粮食、供销、邮政、气象、档案、地震、地方志、老区建设等工作，充分发挥工会、共青团、妇联、文学艺术、工商联、科协等群团组织作用，切实保障妇女、儿童、老年人、残疾人权益。

各位代表！面对发展的重任、人民的期盼，我们将坚持一分部署、九分落实，全面加强政府自身建设，始终把抓落实作为政府工作的生命线，全力当好会泽高质量转型发展的施工队。始终做到旗帜鲜明讲政治，不折不扣抓落实。巩固深化学习贯彻习近平新时代中国特色社会主义思想主题教育成果，深刻领悟“两个确立”的决定性意义，坚决做到“两个维护”，不断提升“政治三力”，确保中央、省市和县委各项决策部署落地见效。始终做到依法履职重规范，求真务实抓落实。带头尊法学法守法用法，严格依法行政，一体推进法治会泽、法治政府、法治社会建设。主动接受人大法律监督和工作监督、政协民主监督，自觉接受社会监督、舆论监督，加强审计和统计监督，支持监察和司法监督，确保权力在阳光下运行。始终做到勇于担当强执行，敢作善为抓落实。持续深化作风革命效能革命，不为困难找理由、只为干成想办法，努力做到定一件、干一件、成一件。完善容错纠错机制，为担当者担当、为负责者负责、为干事者撑腰。始终做到为民清廉树形象，雷厉风行抓落实。严格落实中央八项规定精神，驰而不息纠治“四风”。兜牢“三保”底线，树牢过“紧日子”思想，坚持勤俭办事业，切实把每一分钱都用在关键处、“刀刃”上。全面从严加强政府系统党风廉政建设，强化重点领域、关键环节廉政风险防控，严肃查处侵害群众利益问题，着力营造风清气正、崇廉尚实的良好干事创业环境。

［责任编辑　龙金和］

大 事 记

1 月

4 日，会泽县与云南伊胜穆斯林商贸有限公司举行签约仪式，签订会泽县肉牛交易市场和屠宰加工厂项目合作框架协议。

4—6 日，中国人民政治协商会议会泽县第十届委员会第二次会议在会泽县召开。

5—7 日，会泽县第十八届人民代表大会第三次会议在会泽县召开。

6 日，会泽黑颈鹤国家级自然保护区管护局联合中国科学院昆明动物研究所率先完成第 4 次全国越冬鹤类同步调查。

9 日，会泽县人民政府与云南省旅游投资有限公司就会泽县大海草山旅游景区开发建设项目进行签约。项目计划总投资 5 亿元，分 3 期建设。

同日，会泽县举行道成开发投资集团有限公司揭牌仪式。

10 日，水利部调研组到会泽县检查山洪灾害防御工作。

12 日，会泽县与广州大学数字经济座谈会在会泽县举行。

13 日，会泽县与云南省草地动物科学研究院举行“院县合作”签约暨“云南省会泽肉牛科技小院”揭牌仪式。

16 日，全民健身我行动·全国社区运动会“第九届全国大众冰雪季”暨云南省群众冬季项目冰雪运动普及推广活动启动仪式在会泽大海草山国际滑雪度假区举行。

19 日，会泽县国际滑翔伞体育训练基地试营业开业庆典在钟屏街道红石岩村训练基地举行。

29 日，云南省 2023 年农村劳动力转移就业集中输出欢送仪式暨东西部劳务协作专场招聘会在会泽公园举行，集中欢送 5166 名会泽籍外出务工人员到江苏、浙江、广东等地务工。

2 月

2 日，国家林业和草原局公布信息，会泽念湖入选国际重要湿地名录。

6 日，云南省 2023 年农村劳动力转移就业集中输出欢送仪式暨东西部劳务协作专场招聘会在会泽公园举行，集中欢送第二批 2856 名会泽籍外出务工人员到江苏、浙江、广东等地务工。

6—7 日，云南省乡村振兴局调研组到会泽县调研易地扶贫搬迁后续扶持工作。

10 日，2023 年乡村振兴与产业帮扶大会暨新华网溯源“种子计划”系列活动之特色产业品牌专场发布会和“百县千品进首都”产销对接会在北京举行，会泽智森生物科技有限公司生产的核桃乳和会泽坤太农业科技开发有限公司生产的“坤太 1+2”固态调味料等优质产品亮相。

13 日，2022 年云南省残奥冠军杨洪琼到会泽县茚旺高中作励志报告。

19—21 日，会泽县委副书记、县长王正宇率队到湖南省株洲市、湘潭市开展招商引资。

2 月 20 日，会泽县领导干部学习贯彻党的二十大精神专题研讨班在县委党校开班。全县实职副科及以上领导干部，全体驻村第一书记、驻村工作队员、村（社区）党组织书记、驻村选调生共 2000 余名干部参加。

22 日，会泽县中医医院成功完成首例“迷你中线导管置管术”。

同日，楚雄州医疗保障局考察组到会泽县考察交流城乡居民医保打包付费、县域内医共体建设、参保筹资、门诊共济、医保移动支付等工作。

24 日，会泽县人民政府与云南伊胜穆斯林商贸有限公司、协合风电投资有限公司、云南能源投资股份有限公司签订框架协议，总投资金额 67.2 亿元。

24—25 日，中国工程院专家团队到会泽县开展医康帮扶“院士专家会泽行”活动。分组到大桥乡卫生院、钟屏街道木城社区卫生服务站、钟屏街道卫生院、会泽县中医医院会泽县中医药文化博物馆、会泽县人民医院等开展实地调研。

26 日，以礼河四级电站复建工程全容量投产。

26—27 日，会泽县与西安建大城市规划设计研究院举行工作座谈会，洽谈城市规划和会泽古城保护利用工作。

28 日，深圳市前海农产品投资管

理有限公司西南云南考察组到会泽县考察农产品交易中心建设项目。

3月

2日，会泽县举办肉牛产业高质量发展论坛暨肉牛养殖技术培训。

同日，云南省人大常委会调研组到会泽县开展立法调研。

同日，会泽县委副书记、县长王正宇率队到国家开发银行云南分行对接工作，就会泽县城乡供水一体化、“两污”处理设施等重点工作争取支持。

3日，会泽县与北京市农林科学院举行草莓产业发展座谈会。

3—4日，云南省乡村振兴局调研组到会泽县调研巩固拓展脱贫攻坚成果同乡村振兴有效衔接工作。

6日，在会泽公园开展“绝对弘扬家庭美德传承文明新风”家庭家教农风主题展演。

7日，云南省人大常委会调研组到会泽县调研“三农”工作。

9—10日，2023中国草莓品牌大会暨中国草莓展在上海召开，会泽夏季草莓荣获“2023年度受市场欢迎草莓区域公用品牌”称号。

10日，渝昆高铁征地拆迁推进会在会泽县召开。

13日，会泽县启动普法强基补短板专项行动文艺下乡会演。

17日，曲靖市3月重点项目和工作现场观摩调度会在会泽县举行。

20日，云南省农业科学院质量标准与检测技术研究所米艳华专家基层科研工作站落户鲁纳乡陡咀村“阳光玫瑰”葡萄种植基地。

21—22日，云南省政协调研组到会泽县调研基层卫生机构服务能力提升工作。

同日，中国少数民族体协、华体集团到会泽县调研体育产业发展工作。

23—26日，会泽县委书记丁东平率队到上海市、江苏省招商。

28日，“云南会泽燕麦科技小院”在会泽县大桥乡挂牌成立。

30日，云投集团与会泽县探讨合作事宜。

30—31日，会泽县委书记丁东平率队到广东省深圳市、惠州市招商引资，宣传推介会泽，与企业洽谈合作事宜。

4月

3—7日，会泽县78名志愿者参加造血干细胞志愿献血血样采集。

6日，云南省人大常委会调研组到会泽县调研人大常委会选联工委工作，并召开座谈会，听取工作情况汇报。

同日，会泽县人民政府与润显科技（深圳）有限公司举行玻璃盖板生产线建设项目签约仪式。

7日，会泽县举办“学习党的二十大·建设书香会泽”全民阅读活动暨“绿书签”示范活动启动仪式在会泽公园举行。

10日，昆明医科大学附属口腔医院至会泽县开展“山中雏菊筑梦同行”关爱儿童口腔健康公益活动。

11日，云南省信访局调研组至会泽县调研信访工作并接访群众。

13—14日，中国人民政治协商会议会泽县第十届委员会召开第三次会议，选举肖兴为政协会泽县第十届委员会副主席。

26日，国务院抗震救灾指挥部调研组到会泽县调研地震灾害防范应对准备工作。

26—27日，贵州省毕节市考察团到会泽县考察工业园区及教育工作。

28日，会泽万国邮票钱币文化博物馆在钟屏文旅小镇举行开馆仪式。

同日，会泽县委副书记、县长王正宇带队到上海市开展精准招商引资考察活动。

29日，会泽县人民政府与深圳市德方纳米科技股份有限公司签订会泽县年产11万吨新型磷酸盐系正极材料生产基地项目投资协议。

5月

4日，会泽县烟草专卖局联合公安、市场监管等部门公开举行假冒伪劣卷烟集中销毁行动，公开销毁假冒伪劣卷烟804万多支。

5—8日，会泽县柔力球代表队在渝鄂云贵川五省市柔力球竞技交流比赛中获团体第一名。

8日，会泽县钱城建设投资集团有限公司挂牌成立。

12日，云南省政协主席刘晓凯带队到会泽县调研易地扶贫搬迁后续扶持工作和政协工作。

同日，曲靖市综合交通重点工程建设调度会在会泽县召开。

17日，国家文物局调研组到会泽县江西会馆、唐继尧故居、会泽博物馆、以礼河乡村振兴示范点、国家历史文化名村娜姑镇白雾村调研古城保护、文物保护等情况。

20—21日，云南省农业农村厅调研组到会泽县调研单产提升和绿色种养循环农业试点工作。

31日，中国工程院党组书记、院长李晓红率队到会泽县开展乡村振兴主题教育调研活动。

同日，中国工程院院士项目——风湿疼痛特色诊疗中心在会泽县中医医院挂牌成立。

6月

1日，云南省人大常委会、会泽县人大常委会基层立法联系点启动工作暨《云南省旅游条例》立法后评估调研座谈会在会泽县召开。会泽县人大常委会等18个单位为云南省第十四届人大常委会基层立法联系点，并授牌。

同日，云南省2023年“安全生产月”活动在会泽县启动。

同日，云南省自然资源厅调研组到会泽县待补镇嘎里村、大坝村调研耕地流出图斑，了解耕地流出图斑产生的原因及整改情况。

1—4 日，会泽县委副书记、县长王正宇带队到山东青岛市开展精准招商引资及考察学习活动。

6—7 日，省政协调研组到会泽县开展“放大‘特’的优势，打造优势绿色云品”专题调研。调研组到待补镇调研夏季草莓生产加工交易情况，到娜姑镇牛泥塘村调研盐水石榴产业发展情况，到会泽县现代农业产业示范园调研现代农业产业发展情况。

24 日，四川省就业服务管理局考察组到会泽县考察脱贫人口就业帮扶工作。

7 月

2 日，会泽县开展打击破坏野生动植物资源专项行动。

3 日，会泽县 2023 年度义务植树活动在驾车乡钢厂村启动。

4 日，会泽县集中销毁 911 件非法烟花爆竹产品。

5 日，云南省人大常委会调研组到会泽县对就业促进工作和《云南省促进残疾人就业三年行动实施方案（2022—2024 年）》推进情况进行专题调研。

6—8 日，云南省医疗服务质量评估中心到会泽县对会泽县人民医院开展三级医院评审等工作。

8 日，中医中药中国行——2023 年云南省老中医基层惠民义诊活动暨会泽县首届中医健康文化节启动。

11 日，云南省人大常委会调研组到会泽县调研文化遗产保护、乡村旅游、民宿发展工作情况。

15—17 日，会泽县委书记丁东平率队到广东省深圳市、广州市等地招商引资。

16—20 日，广州大学美术专家到会泽县开展“江山绘卷、惠民泽润”文化活动。

18 日，北京汇源饮料食品公司考察组到会泽县考察草莓和石榴产业。

同日，会泽县第一艘渔政执法船艇“中国渔政 53606”在牛栏江马路乡象鼻岭水库下水试航。

23 日，云南美术馆“铸牢中华民族共同体　绘就乡村新画卷”全国名家画会泽主题作品捐赠仪式在会泽县举行。

24 日，国家乡村振兴局调研组到会泽县调研群众就医就学情况。

24—25 日，长三角云南商会联盟考察组到会泽县考察。

8 月

1 日，会泽县四班子领导走访慰问驻会部队官兵。

3 日，会泽县人民政府与华电云南发电有限公司签订待补镇风电场项目投资开发协议。

4 日，会泽县入选国家县域商业体系建设示范县。

10 日，会泽县 2023 年火把节祭火大典在以礼水乡举行。

11 日，会泽县召开古城调研交流座谈会。中国工程院院士、中国工程院土木、水利与建筑工程学部副主任，绿色建筑全国重点实验室主任刘加平等专家出席。

同日，“2023 云南 · 会泽火把节群星音乐汇”文艺晚会在体育馆举行。

同日，会泽县召开彝族历史文化暨六祖分支学术研讨会。

14 日，卞春松专家工作站、基层科研工作站在会泽县驾车乡挂牌成立，对马铃薯产业进行深入科学研究。

14—19 日，会泽县举办 2023 年“钱城杯”群众篮球赛，共有来自昆明市东川区、曲靖市麒麟区等县内外 39 支代表队 458 名运动员参加比赛。

17 日，在第 7 届南博会暨第 27 届昆交会经贸合作项目签约仪式上，会泽县人民政府与云南能源投资股份有限公司签订《曲靖市金钟风电场项目投资开发协议》，与云南伊胜商贸有限公司签订《会泽县肉牛交易市场和屠宰加工厂项目合作框架协议》。

20 日，会泽籍云南运动员戚祥旭夺得 2023 年亚洲综合格斗锦标赛 85 公斤级金牌。

24—25 日，中国工程院“乌蒙山区高原特色农产品精深加工技术推广示范与品牌建设项目”结题验收会在会泽县举行。

25 日，云南会泽产业园区和会泽县政务服务管理局揭牌仪式暨全县企业家座谈会在电子信息产业园区举行。

31 日，会泽县举行基层消防力量建设暨 113 个微型消防站车辆装备配发仪式，为者海镇、迤车镇、待补镇、娜姑镇、大井镇政府专职消防队配发消防车，为 113 个行政村（社区）微型消防站授牌。

9 月

5—12 日，云南省商务厅组团到日本、韩国开展经贸合作推介及促进会，会泽县委副书记、县长王正宇带领会泽县部分企业代表参加活动。

6 日，五星乡黑土村被评为“全国乡村治理示范村”。

同日，云南省神经外科专科联盟授牌仪式在会泽县人民医院举行。

同日，驰宏会泽冶炼分公司 6 万吨锌合金技改项目试生产启动。

7 日，云南省统一战线“同心工程”集中示范活动会泽县肉牛养殖技术培训班正式开班。

8 日，云南省第一人民医院睡眠医学中心吕云辉专家团队工作站揭牌仪式在会泽县人民医院举行。

10 日，会泽县与中农垦草业公司座谈，商谈打造全业链标准化示范基地事宜。

同日，会泽县特色农产品展示、宣传及推广活动在昆明长水国际机场启动。

14 日，以礼河发电厂入选中央企业工业文化遗产（电力行业）名录。

17 日，会泽核桃新品种“金钟晚”通过国家现场审查。

18 日，会泽县与德方纳米科技股

份有限公司举行工作座谈，洽谈《会泽县年产 11 万吨新型磷酸盐系正极材料生产基地项目》后续工作。

19—20 日，第九届云南省“互联网 +”大学生创新创业大赛“青年红色筑梦之旅”活动在会泽县举行。

20 日，北京新发地会泽盐水石榴直供基地揭牌。

21—22 日，会泽县组织 60 余名蔬菜种植专业班高素质农民学员到陆良县、麒麟区、沾益区观摩学习。

22 日，会泽县举行庆祝第六届中国农民丰收节暨云南·会泽高原特色农业发展新闻发布会。

同日，会泽县 2023 年马铃薯机收减损技能比武在驾车行举行。

同日，会泽县人民医院举行昆明医科大学第一附属医院与会泽县人民医院生殖医学联盟签约、揭牌仪式，正式成为昆明医科大学第一附属医院生殖医学联盟成员单位。

23 日，曲靖市中级人民法院、会泽县委、县政府联合举办，会泽县人民政府承办的“珠源品牌”地理标志司法保护暨会泽县开展“护丰收”农产品地理标志司法保护活动启动仪式在会堂举行。

24 日，青岛市慈善总会为会泽县捐赠 30 万元爱心助学款。

26 日，会泽县举行“庆祝第六届中国农民丰收节暨云南高原特色农业发展高峰论坛”启动仪式。

26—28 日，会泽县委书记丁东平带队到北京拜访中国工程院，到企业开展招商考察。会泽县人民政府与中国农垦集团有限公司签订战略合作框架协议，会泽县道成集团与依文集团签订合作协议。

30 日，全国第 10 个烈士纪念日，会泽县举行烈士纪念日敬献花篮仪式，深切缅怀革命先烈的丰功伟绩，传承发扬革命先烈的优良传统。

10 月

7—8 日，会泽县贯彻落实《信访工作条例》信访开门大接访暨人民建设征集活动在会泽体育公园广场举行，省、市信访部门主要领导到现场参加公开接访活动。

同日，会泽县第二人民医院举行“魏东博士团队专家工作站”签约授牌仪式联合义诊活动。

12 日，全省各民主党派、无党派人士和党外知识分子、新的社会阶层人士“凝心铸魂强根基、团结奋进新征程”主题教育推进会在会泽县召开，同时开展“同心工程”集中示范活动。

13 日，会泽县第三届“学习强国·学习达人”知识竞赛决赛在工农小学举行。

14 日，会泽县人民医院举行学术院长聘任仪式，四川大学华西医院骨科主任医师、教授李涛受聘为会泽县人民医院学术院长。

19—22 日，会泽县灌区工程规划通过水利部专家组评审。

21 日，会泽县举行 2023 年文旅产业招商引资项目集中签约仪式。

27 日，云南省青年企业家商会理想信念教育活动暨招商引资推荐会在会泽县召开。

27—28 日，会泽县委书记丁东平带领相关部门负责人组成的考察团参加第十五届中国（重庆）火锅美食文化节暨第八届中国（重庆）国际火锅产业博览会。

11 月

1—10 日，会泽县举办 2023 年职工运动会，有来自会泽县各行各业的 2000 余名职工参加。

4 日，中国工程院专家团到会泽县开展“院士专家会泽行”活动。

同日，会泽县者海镇人民政府与云南华参生物有限公司签署林下中药材种植项目战略合作协议，项目总投资 8 亿元。

8—10 日，云南省政协调研组到会泽县调研“开展院坝协商·建设文明村寨”工作、生态环境保护、产业发展等工作。

9 日，会泽县委副书记、县长王正宇带队到弥勒市考察学习城市建设和文旅产业发展工作。

11 日，昆明医科大学第二附属医院杨明莹专家团队工作站签约仪式在会泽县人民医院举行，标志着杨明莹专家团队工作站正式落实会泽县人民医院，这是会泽县首个护理专家团队工作站。

14 日，会泽县人民医院举行昆明医科大学第一附属医院与会泽县人民医院疼痛专科联盟签约、授牌仪式，正式成为昆明医科大学第一附属医院疼痛专科联盟成员单位。

15 日，会泽县城上空出现日华，太阳周边云层出现彩色云彩。

同日，会泽县举行退役军人就业创业园地揭牌仪式。

15—16 日，上海市统一战线医疗专家组到会泽县人民医院开展健康帮扶义诊活动。

16 日，会泽至昆明纯电城际快线正式开通。

19 日，中共云南省委全面依法治省委员会公布第一批全省法治政府建设示范地区和项目名单，会泽县入列。

19—20 日，生态环境部评估组到会泽县评估黑颈鹤国家级自然保护区生态环境保护成效。

20 日，曲靖市文化和旅游局发布《关于批准麒麟区潦浒古镇等 7 家为国家 AAA 级旅游景区的通知》，会泽县水城扩红文化生态园和以濯水乡景区被评定为国家 AAA 级旅游景区。

22 日，云南省第一届冬季运动会暨第十届全国大众冰雪季、2023 年云南省冰雪运动推广普及活动在昆明举行，会泽县翠屏小学的郭博淏获自由式轮滑速度过桩少年组冠军。

23 日，云南省农业农村厅公示云南省拟认定第十八批农业产业化省级重点龙头企业，云南阿穆尔鲟鱼集团（会泽）有限公司、云南维康农业集团有限公司、昊亿工贸（会泽）有限公司、会泽桓珀农业科技有限公司 4

家公司入围。

24日，省委书记王宁到会泽县现场接待信访群众。

27—28日，会泽县各级各类学校组织收看由云南省文明办、云南省教育厅、共青团云南省委、云南省妇联、云南省关工委主办，云南省广播电视台承办的2023年“新时代好少年”发布活动，全县共8万余师生收看。

28日，会泽县社会科学界联合会召开成立大会暨第一次代表大会。

30日，中国工程院会泽中医药资源开发利用策略研究项目启动会议在会泽县召开。

12月

1日，会泽县县域医疗集团挂牌成立。

3日，云南省医学会专家组到会泽县人民医院开展第一批“百县工程”临床服务“五大中心”现场验收评审。

9日，上海宝山区代表团到会泽县开展沪滇协作工作。

11—13日，会泽县委书记丁东平带队到广东省深圳市、东莞市，湖南省邵东市、涟源市招商考察。

20日，国家林业和草原局发布全国首批陆生野生动物重要栖息地名录，会泽黑颈鹤保护区入选国家陆生野生动物重要栖息地名录。

28日，会泽大海草山滑雪旅游度假区正式“开板”营业。

［责任编辑　龙金和］

县情概貌

自然地理

【位置面积】 会泽县位于云南省东北部、曲靖市西北部，北纬25°48′～27°04′、东经103°03′～103°55′。东邻宣威市、贵州省威宁彝族回族苗族自治县，南接沾益区、昆明市寻甸回族彝族自治县，西连昆明市东川区、昭通市巧家县，北毗昭通市鲁甸县。全县总面积5886平方千米，山区面积占95.7%。县城距云南省省会昆明市区210千米，距曲靖市政府驻地245千米。

【地形地貌】 会泽地质构造复杂，褶曲和断裂十分发育，展布方向变化大，复合关系多种多样。地层从震旦亚界至第四系，除白垩系缺失外，元古界至新生界均有出露，全县共出露55个地层单位。地势西高东低，南起北伏，由西向东呈阶梯状递降；山高谷深，沟壑纵横，山川相间排列，山区、河谷条状分布。境内最高海拔大海梁子牯牛寨4017.3米，最低海拔为小江与金沙江交汇处695米（白鹤滩电站蓄水后825米），县城海拔2126米。

【气候水文】 境内河流均属金沙江水系，主要有小江、牛栏江、以礼河及其41条支流纵贯全县，一般河流74条。会泽属典型的南温带季风气候，四季不明，夏无酷暑，冬季冷寒，干湿分明。夏季盛行海洋季风气流，冬季盛行大陆季风气流，立体气候特点突出，从南亚热带至寒温带气候均有分布，“一山分四季，隔里不同天”。2023年年均气温14.4摄氏度，年降水量631.6毫米，年日照时数2386.4小时。

【自然资源】 会泽县主要自然资源有矿产、地热、风力、水资源、生物资源等。其中，矿产资源有磷矿石、铅锌矿、铜矿、大理石、铝土矿、钴土矿、重晶石、煤矿、石膏、耐火泥等；年末全县42座水库，库容量6.89亿立方米，水利工程供水量1.42亿立方米。全县有果树植物32科56属102种，林业树种49科85属119种，百年以上古树有14科21种，有国家一级保护植物秃杉、国家二级保护植物黄杉和篦子三尖杉；有国家一、二、三类保护动物50多种。

【自然灾害】 自然灾害以干旱、倒春寒和八月低温为主，晚霜冻、洪涝、三秋连雨、冰雹、大风等局部发生。干旱以春旱较为严重，出现概率33%。倒春寒出现概率61.30%，八月低温出现概率64.50%。霜冻出现概率86%。地震、泥石流均有不同程度危害。

建置区划

【建置沿革】 会泽是云南省郡县设置最早的地区之一。据金沙江流域和小江沿岸出土的新石器时代的文物考证，至少在4000多年前，会泽就有古代民族的足迹。唐虞时代，为“荒服之地”，中央政府统治力所未及。夏、商时期，为九州之一的梁洲辖地。秦凿五尺道，使王畿、荒服连成一片。西汉建元六年（前135）置堂琅县，属犍为郡，始有县治，为云南最早设立的4个郡县之一。西汉元鼎六年（前111），置越嶲郡，为三绛县。东汉永初元年（107），属犍为郡国都尉，复称堂琅县。三国蜀汉属朱提郡。西晋建兴二年（314）归南中李雄成国。南朝宋永初元年（420）属宁州。隋文帝时属恭州辖县。唐武德四年（621）置唐兴县。后晋天福二年（937）段思平建大理国，置东川大都督，为六节度之一。宋代为东川郡闷畔部。元初设闷畔万户府，后改称闷畔军民总管府。至元二十八年（1291）升为东川路。明洪武十四年（1381）置东川土府，洪武十七年升为东川军民府，改属四川川南道。清顺治十六年（1659）东川土府内附。康熙三十八年（1699）“改土归流”设东川府。雍正四年（1726）改属云南，雍正五年设置会泽县。民国2年（1913）裁东川府改名东川县。民国8年恢复会泽县名。1949年12月7日会泽县临时人民政府成立，隶属昭通专区。1950年5月18日县人民政府正式成立。1958年10月1日撤会泽县并入东川市。1964年12月15日恢复会泽县，改隶曲靖地区。1995年，会泽被批准为省级历史文化名城。2013 年 5 月，会泽被列为国家历史文化名城。

【区划】 2023 年末，会泽县辖大海、老厂、五星、大桥、纸厂、马路、火红、新街回族、雨碌、鲁纳、上村、驾车、田坝 13 个乡，娜姑、迤车、乐业、者海、矿山、大井、待补 7 个镇，宝云、古城、金钟、以礼、钟屏 5 个街道，46 个社区，324 个村民委员会。

人口 民族

【人口】 2023 年末，会泽县户籍人口 107.66 万人，其中非农业人口 32.88 万人；女性 50.02 万人，性别比为 115.25（以女性为 100）；人口出生率 9.19‰，死亡率 9.20‰，人口自然增长率 –0.01‰。常住人口 77.86 万人，城区 5 个街道常住人口 27.68 万人，城市化率 42.99%。

【民族】 2023 年，会泽县有少数民族人口 69683 人，占全县总人口的 6.47%。其中，回族 28973 人，彝族 28644 人，壮族 4272 人，苗族 2027 人，白族 1089 人，纳西族 114 人，布依族 330 人，土家族 124 人，哈尼族 1666 人，傣族 585 人，佤族 195 人。

经济社会发展

【概况】 2023 年，会泽县完成地区生产总值 397.62 亿元，同比增长 7.1%。其中第一产业增加值 90.23 亿元，同比增长 4.3%；第二产业增加值 114.85 亿元，同比增长 9.2%；第三产业增加值 192.54 亿元，同比增长 7.4%。三次产业结构为 22.7∶28.9∶48.4。固定资产投资 222.67 亿元，同比增长 10.7%。其中，第一产业投资 17.94 亿元，同比下降 41%；第二产业投资 76.47 亿元，同比增长 1.06 倍；第三产业投资 128.27 亿元，同比下降 3.9%。地方一般公共预算收入 16.01 亿元，同比增长 4.37%。地方一般公共预算支出 73.77 亿元，同比增长 5.39%。城镇常住居民人均可支配收入 4.90 万元，同比增长 3.7%；农村常住居民人均可支配收入 1.59 万元，同比增长 8.6%。

【第一产业】 2023 年，会泽县实现农林牧渔总产值 165.69 亿元，同比增长 4.5%（可比价）。其中，农业产值实现 55.45 亿元，同比增长 6.4%；林业产值 9.69 亿元，同比增长 16.1%；牧业产值 88.44 亿元，同比增 2.3%；渔业产值 4.62 亿元，同比增长 22.4%；农林牧渔服务业产值 7.49 亿元，同比增长 7.6%。整治恢复耕地 1.6 万亩，建成高标准农田 9.9 万亩达 68.3 万亩；粮食作物播种面积 166.19 万亩、同比增长 1.8%；粮食作物总产 48.54 万吨，同比增长 1.46%，人均有粮 449.5 千克。新增流转土地 3.6 万亩达 78.7 万亩；新增县级以上农业产业龙头企业 30 个、农民专业合作社 27 个、家庭农场 61 个，分别达 113 个、1486 个、1009 个，维康农业等 4 家企业入选省级农业产业化重点龙头企业，创成国家级水产健康养殖和生态养殖示范区。截至年末，建成肉牛养殖示范村 36 个，培育 50 头以下小规模养殖户 5.4 万户；建成 7 个种猪场、211 个育肥场、154 条规模养殖生产线和年产 25 万吨饲料加工厂，入列全国生猪养殖大县和调出大县。

【第二产业】 2023 年，会泽县实现规模以上工业总产值 165.61 亿元，同比增长 9.77%。规模以上工业增加值 84.17 亿元，同比增长 7.3%。其中，烟草制品业增加值同比增长 4.2%；非金属矿物制品业增加值同比增长 4.7%；金属制品增加值同比增长 6.68 倍；有色金属冶炼和压延加工业增加值同比增长 20.4%；酒、饮料和精制茶制造业增加值同比增长 2.6%；非金属矿采选业增加值同比增长 1.49 倍；农副食品加工业增加值同比增长 2.5%；水生产和供应业增加值同比下降 2.5%；医药制造业增加值同比下降 0.3%；化学原料和化学制品业增加值同比下降 43.1%；有色金属采选业增加值同比下降 67.4%。主要工业产品：发电量 29.86 亿千瓦时，增长 45.38%；水泥 184.97 万吨，增长 4.5%；商品混凝土 41.42 万吨，下降 5.8%；化肥 4838 吨，增长 6.6%；硫酸 39.30 万吨，增长 6.2%；黄磷 3624 吨，下降 53.4%；十种有色金属 26.89 万吨，增长 14.1%，其中锌 20.28 万吨、增长 11.6%，铅 6.61 万吨、增长 22.8%。

【第三产业】 2023 年，会泽县社会消费品零售总额完成 123.60 亿元，同比增长 11.6%。限上商品零售 8.51 亿元，同比增长 17.2%；限上餐饮收入 1.28 亿元，同比增长 26.6%。交通运输仓储和邮政业完成 18.82 亿元，同比增长 24.1%；批发和零售业完成 24.13 亿元，同比增长 6.7%；住宿和餐饮完成 8.59 亿元，同比增长 9.6%；金融业完成 22.15 亿元，同比增长 8.0%；房地产业完成 25.78 亿元，同比下降 0.8%；营利性服务业完成 18.60 亿元，同比增长 13.9%；非营利性服务业完成 72.61 亿元，同比增长 5.8%。全年接待游客 650.51 万人次，同比增长 24.63%；实现旅游业收入 70.79 亿元，同比增长 21.27%。

【交通运输】 2023 年，会泽县公路客货运输总周转量 504059 万吨千米，比上年增长 22.1%。渝昆高铁（会泽段）项目，会泽境内 143.267 千米，年末累计完成投资 51.5 亿元，占项目总投资的 34.4%。会巧高速公路建设项目，会泽县境内路线长 57.43 千米，年末累计完成投资 86.54 亿元，占项目总投资的 75.1%。宣会高速公路项目，会泽境内 65.991 千米，年末累计完成投资 79.52 亿元，占项目总投资的56.2%。实施待补至上村公路改造项目、通较大自然村道路硬化350千米、生命安全防护180千米。

【邮政通信】 2023年，会泽县邮政业务总量7515万元，增长7.25%；电信业务总量96.04亿元，增长30.01%。新建5G基站371个、通信铁塔108座，县城重点区域5G网络覆盖率100%，全县村（居）委会、学校、卫生所（室）网络覆盖率100%。

【招商引资】 2023年，会泽县完善招商体系，建立项目管理、交办、督办等5项机制，调整优化6个产业招商工作组，编制招商项目116个。全年招引项目29个、协议引资423.3亿元，新落地10亿元以上项目3个，省外产业到位资金99.6亿元，引进外资302万美元。

【固定资产投资】 2023年，会泽县完成固定资产投资222.67亿元，同比增长10.7%。第一产业投资17.94亿元，同比下降41%；第二产业投资76.47亿元，同比增长1.06倍；第三产业投资128.27亿元，同比下降3.9%。其中，水利及环境管理业同比下降37.7%；公路建设投资同比增长9.2%；城市基础建设投资同比下降10.8%；房地产开发投资同比下降62%；教育投资同比下降24.4%。

【财税金融】 2023年，会泽县财政总收入完成58.67亿元，同比增长7.6%。地方一般公共预算收入完成16.01亿元，同比增长4.37%。其中，税收收入完成12.38亿元，同比增长10.11%。地方一般公共预算支出完成73.77亿元，同比增长5.39%。年末，全县金融机构各项存款余额310.01亿元，同比增长14.95%；各项贷款余额229.35亿元，同比增长13.82%。

【城乡建设】 2023年，会泽县完成国土空间总体规划编制，186个村庄规划审核入库。年内，启动绿美县城、健康县城建设，建成3条市政道路，完成5条主干道绿化美化，新建节点景观、口袋公园6处，增绿补绿3.5万平方米，改造老旧小区176户1.4万平方米。整治城区雨污混接点652个，改造城乡污水管网76.2千米，新建13座乡镇污水处理站，完成41个生态敏感村农村污水治理，改建村卫生公厕170座、卫生户厕7633座，城镇污水处理率94.6%。创建省级村309个，建成省级绿美乡镇1个、绿美村庄2个、市县级绿美村庄350个。

【环境保护】 2023年，会泽县环境空气质量优良率100%，县城区空气质量优良率99.7%，集中式饮用水水源地和出境断面水质稳定达标。念湖湿地被联合国湿地公约组织指定为国际重要湿地，黑颈鹤国家级自然保护区加入中国生物圈保护区网络、入选全国首批陆生野生动物重要栖息名录；落实长江"十年禁渔"、河长制、林长制，跃进水库评为省绿美河湖标杆典型、以礼河钟屏段评为市级绿美湖，实施石漠化治理1.6万亩，完成草原生态修复1.5万亩、营造林1万亩，森林覆盖率40.9%

【科教文卫】 2023年，全县投入科研经费9062.3万元，同比增长3.17%。申报认定高新技术企业13户，科技型中小企业备案18户。组织申报专家站5个，其中，省级专家工作站3个、市级专家工作站2个。获认定科技特派员102人，"乡村振兴科技创新县（村）"项目2个，星创天地2家。全县有各级各类学校562所。其中，高中7所，初中38所，小学261所，职业技术学校1所，幼儿园254所（公办194所、民办60所），特殊教育学校1所。各类在校学生17.24万人，有公办在职教职工10349人，民办教职工（含外聘）1242人。全县普惠性幼儿园覆盖率96.13%，九年义务教育巩固率98.56%，高中阶段毛入学率92.55%。2023年高考9299名考生全部上线，600分以上353人，一本上线3337人，一本率35.89%；本科上线7281人，本科率78.30%；14人被清华、北大录取。"会泽模式"在全省推广，被写入全国乡村教育发展报告。全县有文化艺术表演团体143个（业余艺术表演团体），文化馆1个，文化站25个，博物馆1个，公共图书馆1个。全年申报命名县级非遗项目名录12项、县级传承人27名，申报省级非遗传承人5名。全县有医疗卫生机构497个。其中，三级医院2个，乡镇卫生院25个，每千常住人口拥有编制床位3.88张、开放床位7.76张，公立医疗机构有医务人员3513人；每千人口有执业（含助理医师）医师2.12人、执业护士3.83人。

【人民生活】 2023年，会泽县新增城镇就业4196人，城镇登记失业率3.97%。59.42万名农村劳动力转移就业45.2万人，18.45万名脱贫劳动力转移就业16.58万人，5.6万名易地搬迁劳动力转移就业5.06万人。全县基本医疗保险参保94.71万人，其中城镇职工参保5.17万人、城乡居民参保89.54万人；基本养老保险参保68.26万人，其中城镇职工6.35万人、城乡居民61.91万人；失业保险参保2.9万人；工伤保险参保3.67万人。全年累计发放"五大保险"待遇20.1亿元，发放创业贷款1.7亿元。发放城市低保补助金8477.35万元，农村低保补助金2.02亿元。完成农村劳动力培训10.1万人次，开展企业职工职业技能提升培训900人次。

［责任编辑　龙金和］

中国共产党会泽县委员会

综 述

【政治建设】 2023年，中共会泽县委创新形式手段，丰富载体渠道，推动学习宣传贯彻党的二十大精神不断走向深入。扎实开展学习贯彻习近平新时代中国特色社会主义思想主题教育，举办读书班2次、专题研讨2期，县处级干部领题调研97次、解决问题31个，县委常委班子引领各参学单位检视问题256个，扎实推进10个专项整治，办理民生事项26项。全省学习弘扬“四下基层”优良传统“五级书记”为民办事解难题现场会、全省统战系统“凝心铸魂强根基，团结奋进新征程”主题教育会议在会泽县召开。

【经济发展】 2023年，会泽县全力以赴谋项目、抓招商、稳投资、促增长。储备项目222个、总投资780.9亿元，争取预算内资金和专项债券7.76亿元、居全市第一。实施88个年度重点项目，高效推进渝昆高铁会泽段、会巧宣会高速等重大项目建设，大抓招商引资，引进省外产业到位资金99.56亿元、外资302万美元。前三季度完成地区生产总值263.84亿元、增5.8%，1至11月完成规上工业增加值80.69亿元、增7.2%，固定资产投资191.27亿元、增8.0%，社会消费品零售总额111.82亿元、增12.4%，地方一般公共预算收入15.94亿元、增9.88%。

【产业结构】 2023年，会泽县立足资源禀赋，加快构建现代产业体系，被命名为第二批“全国科普示范县”。农业产业特色更加鲜明，粮食产量再创新高，夏季草莓、乐业辣椒、盐水石榴、肉牛等优势特色产业不断壮大，建成全国规模最大的种公牛站和核心育种场，20万头牛羊交易市场、5万头屠宰加工厂即将投产，夏季草莓种植面积扩大到9万亩、交易中心投入运营，肉牛、草莓两个全产业链初具雏形。工业加快转型升级，驰宏公司6万吨锌合金2号生产线建成投产，完成4个磷矿探采矿权整合，引进德方纳米20万吨磷酸锰铁锂前驱体一体化项目。在建风电光伏196.7万千瓦、并网100万千瓦。新引进16家劳动密集型企业。全域旅游加快构建，古城保护开发高效推进，北门、义通河、博物馆、钱街片区开发全面启动，拆除不协调建筑2万余平方米。启动实施核心区5.5万平方米房屋改扩翻。“八大会馆”产权回收基本完成、活化利用有序推进，古城获评省级夜间文化和旅游消费集聚区。提质改造大海草山、雨碌大地缝，大海草山滑雪旅游度假区被认定为国家体育旅游示范基地。扎实推进以礼河大峡谷开发，以灌水乡、水城扩红文化生态园创成国家AAA级旅游景区。大力发展节庆经济，成功举办火把节、丰收节等节庆活动，会泽旅游知名度、人气流量大幅提升，今年以来接待游客648万人次、增24.15%，实现旅游业收入68亿元、增16.48%。

【党的建设】 2023年，中共会泽县委认真学习贯彻习近平总书记关于党的建设的重要思想，统筹推进各领域党的建设。排查整顿软弱涣散基层党组织4个，合并村委会11个、村民小组803个，143个党员空白村民小组清零。深化党建引领基层治理，县乡村三级党群服务、矛盾调处“两中心”全覆盖，普法强基补短板专项行动、法治政府建设深入推进，五星乡黑土村被评为“全国乡村治理示范村”，在全市首家创成第一批全省法治政府建设示范县，被评为“省级先进平安县”，信访下基层做法在全省交流。扎实推进作风效能革命，提拔重用、职级晋升表现突出干部461人，调整工作不力干部7人、免职6人，“回炉”教育躺平式干部86人。意识形态主阵地全面守牢，创成“全省民族团结进步示范县”。同时，县委注重发挥总揽全局、协调各方作用，全面完成国企和“一支队伍管执法”改革，全力支持人大、政协依法依章程履职，扎实抓好党管武装，充分发挥工青妇等群团组织作用，深入开展国防动员、双拥共建、县域共青团基层组织改革，凝聚了团结干事的强大合力。

【脱贫成果巩固】 2023年，会泽县

把增加脱贫群众收入作为巩固拓展脱贫攻坚成果的根本任务，全力以赴守底线、抓发展、促振兴。总结推广白雾村分层分类指导群众增收和利益联结模式，10904户39493人监测对象消除风险7174户26633人、消除率达67.44%，脱贫人口和监测对象人均纯收入达12763.75元、同比增17.8%，8500元以下有劳动能力的脱贫户和监测对象“动态清零”，全市干部人才“组团式”帮扶、落实“四个一批”产业帮扶会议在会泽召开。大力推广浙江“千万工程”经验，扎实推进绿美乡村建设，农村宅基地和农村建房管理更加规范，高标准建成钟屏红石岩、娜姑白雾、待补鹧鸡、宝云扯戛、老厂回龙、古城水城等“四美家园”和“宜居宜业和美乡村”示范点及21个美丽村庄、390个省级提升村。

【生态建设】 2023年，会泽县坚持生态优先、绿色发展，全力维护生态安全。风险隐患排查整治和各级各类反馈问题整改扎实推进，河（湖）长制、林长制、长江“十年禁渔”全面落实。森林覆盖率提高0.5个百分点，以礼河钟屏段获市级首条绿美河湖认定，跃进水库被评为全省绿美河湖标杆典型，黑颈鹤保护区成功加入中国人与生物圈保护区网络，念湖湿地被联合国公约组织指定为国际重要湿地。“绿美会泽”建设扎实推进，完成5条主干道绿化提升，增绿补绿3.5万平方米，11个乡镇、41个生态敏感村“两污”治理系统推进，建成省级绿美乡镇1个、绿美村庄2个和市县级绿美村庄350个。

（秘书一科）

重要会议

【县委全会】 2023年1月28日，中国共产党会泽县第十三届委员会召开第五次全体会议。县委委员38人、候补委员1人出席会议，县纪委委员、县监委委员、有关方面负责同志，县第十三次党代会部分基层代表和县内部分重点民营企业主要负责人列席会议。会议听取和讨论县委常委会工作报告，听取和讨论会泽县2023年党的建设工作专题报告和中共会泽县委2023年落实全面从严治党主体责任情况报告。按照党章和有关规定，批准有关同志辞去县委委员职务。

【县委常委会会议】 2023年，中共会泽县委共召开十三届县委常委会会议59次。

第十三届县委常委第60次会议。1月4日，丁东平主持召开。会议传达学习习近平总书记二〇二三年新年贺词、习近平总书记在中共中央政治局召开的民主生活会上的重要讲话精神，研究2023年实施的十个专项行动、十个重大项目、十件民生实事事项，讨论了《关于进一步做好重点项目观摩会和重点工作推进情况通报会的通知（送审稿）》《会泽县重点工作调整情况（送审稿）》等文稿。

第十三届县委常委第61次会议。1月10日，丁东平主持召开。会议专题听取2022年度党（工）委书记抓基层党建工作述职评议考核，并对下步工作进行安排部署。

第十三届县委常委第62次会议。1月15日，丁东平主持召开。会议传达学习习近平总书记在全国政协新年茶话会上的讲话精神、省委王宁书记在云南省主要领导干部学习贯彻党的二十大精神专题研讨班上的讲话精神以及六届市委常委会第67次、69次、70次会议精神和《中共曲靖市委常委会关于坚定维护以习近平同志为核心的党中央集中统一领导的若干具体规定》文件精神，研究2022年度县直单位社会评价结果及结果运用、2022年度党（工）委书记抓基层党建工作述职评议考核、奋进新征程推动新跨越三年行动推进会等事项，讨论《会泽县人民政府领导同志工作分工（送审稿）》《县委书记2022年度抓基层党建工作述职评议考核市委反馈问题整改方案（送审稿）》《会泽县“科教文卫”先进代表所提意见建议分解办理责任清单（送审稿）》《会泽县推动落实食品安全属地管理责任和企业主体责任实施方案（送审稿）》等文稿。

第十三届县委常委第63次会议。1月28日，丁东平主持召开。会议传达学习习近平总书记在二〇二三年春节团拜会上的重要讲话精神、习近平总书记对政法工作作出的重要指示精神、中央、省、市纪委全会精神以及《中共云南省委全面依法治省委员会关于依法整治行贿违法犯罪行为的实施意见》《被巡视党组织巡视整改工作指引（试行）》《中共云南省纪律检查委员会云南省监察委员会关于省政府办公厅离退办原副主任三级调研员付顺才严重违纪违法案件的通报》《中共曲靖市委办公室曲靖市人民政府办公室关于做好〈曲靖市乡村清洁条例〉学习宣传贯彻工作的通知》等文件精神，讨论《会泽县贯彻落实省委省政府支持曲靖市建设云南副中心城市的实施意见（送审稿）》《关于调整充实会泽县历史文化名城保护管理委员会的通知（送审稿）》等文稿。

第十三届县委常委第64次会议。1月30日，丁东平主持召开。会议讨论《会泽县人大常委会2023年工作要点（送审稿）》，研究会泽县奋进新征程推动经济社会高质量发展先进集体及先进个人拟推荐评选名单、会泽县2022年度市管领导干部年度考核等次初步建议等事项。

第十三届县委常委第65次会议。2月6日，丁东平主持召开。会议传达学习习近平总书记在视频连线看望慰问基层干部群众时和在二十届中共中央政治局第二次集体学习上的重要讲话精神、《中共中央国务院关于做好2023年全面推进乡村振兴重点工作的意见》文件精神，以及六届市委常委会第71次、73次会议精神，听取中共政协会泽县委员会党组关于批转《政协会泽县委员会2023年工作要点》《政协会泽县委员会2023年协商计划》的请示事项等汇报，讨论《会泽县法治政府建设三年行动计划（2022—2024年）（送审稿）》《会泽县加强基层法治宣传教育三年行动方案（2023—2025年）（送审稿）》等文稿。

第十三届县委常委第66次会议。2月12日，丁东平主持召开。会议传达学习习近平总书记近期重要讲话精神以及近期重要会议精神，听取了审计局关于道成公司审计情况的报告，讨论《中共会泽县委常委班子2022年度民主生活会整改方案（送审稿）》《会泽县推进领导干部能上能下实施办法（试行）（送审稿）》等文稿，专题研究了经济、各类反馈问题整改、党建、深化改革、生态环境保护、县道成集团出资收购马路磷矿采矿权等工作。

第十三届县委常委第67次会议。2月19日，丁东平主持召开。会议传达学习习近平总书记在中共中央政治局常务委员会会议听取近期疫情防控工作情况汇报时的重要讲话精神，全国、全省、全市宣传部长会议，云南省2023年防震减灾工作联席会议，全市组织部长会议等会议精神以及《关于当前我市意识形态领域形势的通报》等文件精神，听取2023年3月全市重点项目观摩会项目筹备、全县防震减灾和森林草原防灭火等工作情况汇报，讨论《会泽县2023年统筹整合财政涉农资金项目规划（送审稿）》《会泽县2023年县级领导包案化解信访案件实施方案（送审稿）》《关于认真办理省委第三巡视组移交信访件的通知（送审稿）》《会泽古城民居修缮建设指导手册（试行）》《贯彻落实李先祥市长在县委常委班子2022年度民主生活会上的讲话精神实施方案（送审稿）》等文稿。

第十三届县委常委第70次会议。2月26日，丁东平主持召开。会议传达学习习近平总书记近期重要讲话精神及近期重要会议精神，听取梅子河、旅游河污水治理等情况汇报，通报全县农业龙头企业座谈会、民营企业及金融机构座谈会等情况，研究了巡视整改、群团、安全生产、全面从严治党、国企改革、干部人事等事项。

第十三届县委常委第71次会议。3月4日，丁东平主持召开。会议传达学习习近平总书记在中国共产党第二十届中央委员会第二次全体会议上的重要讲话精神，听取第十三届县委常委第四轮巡察综合情况、2022年县委巡察工作、市委第五巡察组专项巡察会泽产业园区反馈中小企业孵化中心问题整改、县政协关于全县土地撂荒及土地流转调研等情况汇报，讨论《省委第三巡视组巡视会泽反馈意见的整改方案（送审稿）》《会泽县关于贯彻落实〈信访工作条例〉构建“大信访”工作格局的实施方案（送审稿）》《关于加强巡察整改和成果运用的二十条措施（送审稿）》《会泽县村（居）民小组调整合并试点工作方案（送审稿）》《会泽县从事生产经营活动事业单位改革实施方案（送审稿）》等文稿。

第十三届县委常委第72次会议。3月12日，丁东平主持召开。会议传达学习习近平总书记在参加江苏代表团审议时的重要讲话精神、关于党校工作重要论述及在中央党校建校90周年庆祝大会暨2023年春季学期开学典礼上的重要讲话精神，李克强总理在人民银行、外汇管理局考察并主持召开座谈会时的讲话精神，省委王宁书记在清廉云南建设暨全省正风肃纪警示大会上的讲话精神以及《中共中央办公厅国务院办公厅印发〈关于深化开发区管理制度改革推动开发区高质量发展的意见〉的通知》等文件精神和六届市委常委会第75次会议精神，听取云南大学校庆会泽衔接、全县集镇污水和垃圾收集处置等情况报告，讨论《关于成立会泽县普法强基补短板专项行动领导小组及压实县级领导包保乡（镇、街道）工作责任的通知（送审稿）》《会泽县规范机关事业单位借调工作人员实施办法（试行）（送审稿）》等文稿，研究召开县政协十届三次会议等事项。

第十三届县委常委第73次会议。3月27日，丁东平主持召开。会议传达学习习近平总书记近期重要讲话精神和国务院李强总理回答中外记者提问、全国“两会”等会议精神以及《中共中央办公厅关于严明纪律切实保证党和国家机构改革顺利进行的通知》等文件精神，专题听取省委第三巡视组巡视会泽反馈问题整改，各级巡视巡察、环保督察、督导检查等反馈问题整改、2023年一季度经济运行“开门红”等工作情况，讨论《党委（党组）意识形态工作责任制实施细则（送审稿）》《会泽县国家机关和事业单位差旅费管理办法（送审稿）》《会泽县2023年信访积案化解专项行动方案（送审稿）》等文稿，研究了干部人事事项。

第十三届县委常委第75次会议。4月4日，丁东平主持召开。会议传达学习习近平总书记在中国共产党与世界政党高层对话会上的重要讲话精神、国务院李强总理在全国疫情防控工作电视电话会议上的讲话精神和省委组织部昆明片区巡视反馈涉组涉干问题整改工作推进会、六届市委常委会第77次会议等会议精神及《曲靖市严格落实各级党组织和领导干部防范化解重大风险责任实施办法（试行）》《中国共产党党组工作条例》等文件精神，听取关于用好分类管理巩固脱贫成果推进乡村振兴、全县春耕生产和耕地保护等工作情况汇报，讨论《县委理论学习中心组2023年选题计划（送审稿）》《关于建立防范和整治“村霸”问题长效机制的实施方案（送审稿）》《2023年会泽县基层党建工作总体方案（送审稿）》《会泽县加快创建全国民族团结进步示范县实施方案（送审稿）》《会泽县2023年推进巩固拓展脱贫攻坚成果同乡村振兴有效衔接工作方案（送审稿）》等文稿，研究会泽县参照管理单位规范设置相关事项。

第十三届县委常委第76次会议。4月9日，丁东平主持召开。会议传达学习习近平总书记在学习贯彻习近平新时代中国特色社会主义思想主题教育工作会议、3月30日中共中央政治局会议上的重要讲话精神、省委王宁书记在云南省社会科学界联合会第六次代表大会第一次全体会议（开幕式）上的讲话精神以及《中共曲靖市纪律检查委员会关于3起违规配备使用公务用车等问题典型案例的通报》《中央密码工作领导小组关于认真学习贯彻习近平总书记重要批示的通知》等文件精神，听取了易地扶贫搬迁成效巩固、农村“厕所革命”、全县烤烟种植和大田整地理墒等情况汇报，讨论了《中共会泽县委关于加强新时代廉洁文化建设的贯彻落实意见（送审稿）》《关于深化推进“清廉会泽”建设的行动方案（送审稿）》等文稿。

第十三届县委常委第77次会议。4月16日，丁东平主持召开。会议传达学习习近平总书记近期重要讲话精神和近期重要会议及文件精神，听取“两高一铁”征地拆迁、推动长江经济带生态环境反馈问题整改、2023年全县党支部建设等工作情况汇报，讨论《关于进一步规范招投标工作有关事项的通知（送审稿）》《会泽县招商引资重点工作推进专班及人员管理考核办法（试行）（送审稿）》等文稿，研究关于拨付曲靖市会泽县者海镇石河等3个村土地整治（提质改造）项目资金、会泽县综合产业园区建设项目产品展示中心装修工程采用EPC总承包方式招标建设、纪检监察等事项。

第十三届县委常委第80次会议。4月25日，丁东平主持召开。会议传达学习习近平总书记致云南大学建校100周年的重要贺信精神、在视察南部战区海军时的重要讲话精神、关于领导班子和干部队伍建设的重要指示批示精神以及全国巡视工作会议暨二十届中央第一轮巡视动员部署会、全省耕地保护工作会议等会议精神，专题听取巡视整改工作推进情况、会泽县国内政治安全保卫工作情况汇报，讨论《关于在全县大兴调查研究的实施方案（送审稿）》《云南大学与会泽县人民政府战略合作协议（送审稿）》《会泽县人民政府深圳创维光伏科技有限公司光伏富民（屋顶户用光伏）项目框架协议（送审稿）》《会泽县违法占耕整治专项行动方案（送审稿）》等文稿，研究了补选会泽县第十八届人民代表大会代表、拨付城镇批次用地社保资金等事项。

第十三届县委常委第81次会议。5月3日，丁东平主持召开。会议传达学习习近平总书记主持召开中共中央政治局会议分析研究当前经济形势和经济工作时的重要讲话精神、省委书记王宁在2023年省委外事工作委员会全体会议暨对外工作推进会上的讲话精神以及《中共中央纪委关于交通运输部、国家卫健委有关下属单位借培训之名组织公款旅游问题及教训警示的通报》《中共中央办公厅关于印发〈规范地方党委政策性文件制定工作规定〉的通知》等文件精神，研究关于帮助解决国土空间规划体系建设工作经费、罚没财产移交、第十三届县委常委第一轮至第三轮巡察反馈问题未完成整改问题等事项。

第十三届县委常委第82次会议。5月14日，丁东平主持召开。会议传达学习习近平总书记在二十届中央财经委员会第一次会议上的重要讲话、给中国农业大学科技小院学生的重要回信、在“五一”国际劳动节时的重要指示等精神以及国务院李强总理在云南调研时的讲话要求、省委王宁书记关于全面贯彻落实总体国家安全观，守好祖国西南大门的论述要求等精神，听取全县农村集体经济发展情况调研等汇报，讨论《贯彻落实中央八项规定精神实施办法（送审稿）》《关于在全县开展“监督落实年”活动的实施方案（送审稿）》《会泽县开展非法宗教活动专项整治工作方案（送审稿）》《关于做好2023年全面推进乡村振兴重点工作的实施意见（送审稿）》等文稿，研究撤销中共会泽县委工业园区党工委、成立中共会泽县机关事务局党组等事宜。

第十三届县委常委第83次会议。5月21日，丁东平主持召开。会议传达学习习近平总书记近期重要讲话和重要批示精神以及中央省市近期重要讲话、批示要求和重要文件、会议精神，专题研究了巡视集中整改、党风廉政建设、处置罚没资产、曲靖市高质量发展贡献奖先进集体和先进个人拟推荐评选表彰人选建议名单等工作，讨论《会泽县2023年宣传思想工作要点（送审稿）》《会泽县人大常委会关于做好云南省人大常委会基层立法联系点工作的方案（送审稿）》《2023年巡察工作要点（送审稿）》等文稿，听取县人大关于全县农村劳动力转移就业情况的调查报告，通报了会泽县创建国家卫生县市级技术评估情况。

第十三届县委常委第84次会议。5月28日，丁东平主持召开。会议传达学习习近平总书记近期重要讲话和重要批示精神以及省委常委、市委书记在《中共昆明市委关于昆明党政代表团赴曲靖市考察学习情况报告》上的批示要求，听取全县未成年人思想道德建设、村民小组调整合并试点等工作情况汇报，讨论《会泽县举办2023年火把节系列活动工作方案（送审稿）》《会泽县人民政府云南金元新能源有限公司框架合作协议（送审稿）》等文稿，通报市委第三巡察组巡察会泽防范化解风险和安全稳定工作反馈意见，研究2022年度全县综合考核、解除体育附属设施PPP项目合作、党风廉政建设、干部人事等事项。

第十三届县委常委第85次会议。6月4日，丁东平主持召开。会议传达学习习近平总书记在中共中央政治局第五次集体学习时、主持召开二十届中央国家安全委员会第一次会议时的重要讲话精神和中国工程院李晓红院长到会泽开展乡村振兴主题教育调研活动讲话精神、省委常委、市委书记关于全力做好防汛和极端天气应对工作的批示要求、全省教育发展大会、市委议军会议、全市耕地保护工作推进会议等会议精神以及《中共中央办公厅关于深化拓展整治形式主义为基层减负工作的通知》等文件精神，听取全县光伏产业发展、命案防控工作、2024年全市重点项目观摩会项目准备、全县耕地保护及耕地流出排查恢复整改等工作情况汇报，讨论《会泽县“躺平式”干部认定和处理办法（试行）（送审稿）》，通报县委常委会5月交办事项办理情况、县委主要领导批示件等办理情况。

第十三届县委常委第86次会议。6月11日，丁东平主持召开。会议传达学习习近平总书记在北京育英学校考察时、在内蒙古巴彦淖尔考察并主持召开加强荒漠化综合防治和推进“三北”等重点生态工程建设座谈会时、在文化传承发展座谈会上的重要讲话精神和省委常委、市委书记在新华社《国内动态清样》上的批示要求以及全省基层党组织领办合作社和建立利益联结机制助农增收现场推进会、《中央纪委关于河南虞城“麦田里长出高楼”相关问题查处情况的通报》《湖南长沙“4・29”特别重大居民自建房倒塌事故调查报告》等会议、文件精神，听取县政协调研农村“厕所革命”推进情况提出意见建议办理、县人大调研全县易地扶贫搬迁成效巩固情况提出意见建议办理等情况汇报，讨论《中共会泽县委全面依法治县委员会2023年工作要点（送审稿）》《会泽县激励农业科技创新八条措施（送审稿）》等文稿。

第十三届县委常委第87次会议。6月24日，丁东平主持召开。会议传达学习习近平总书记在内蒙古考察时的重要讲话精神、习近平总书记致第十五届海峡论坛的贺信精神、全省重大事故隐患专项排查整治2023行动、六届市委常委会第89次会议精神以及市领导关于防灾减灾的批示要求，听取了2023年上半年全县安全生产、道路交通安全、防汛救灾、食品安全、禁毒、扫黑除恶以及纪检监察干部队伍教育整顿等工作情况汇报，通报四川内江城管与摊贩冲突事件情况，讨论《关于市委巡察组监督检查会泽县落实防范化解重大风险和安全生产责任反馈意见的整改方案（送审稿）》《会泽县国土空间总体规划（2021—2035年）》《会泽县国家历史文化名城北门义通河片区提升改造征拆评估报告》等文稿，研究干部人事事项。

第十三届县委常委第88次会议。7月2日，丁东平主持召开。会议传达学习习近平总书记同团中央新一届领导班子成员集体谈话时的重要讲话精神、省委书记王宁在接待来访群众时的讲话精神和中央纪委常委、国家监委委员、中央巡视工作领导小组成员、办公室主任王鸿津在第一期全国新任职县级巡察办主任培训班上的讲话精神和全省深化作风革命效能革命工作会议、全省巩固拓展脱贫攻坚成果同乡村振兴有效衔接暨考核评估发现问题整改工作电视电话会议、六届市委常委会第90次会议等会议精神以及《中共曲靖市纪律检查委员会印发〈关于开展违反中央八项规定精神专项整治的实施方案〉的通知》《中共曲靖市纪委关于巡视巡察、环保督察、审计等反馈问题整改进展情况通报》等文件精神，听取省市领导包案化解、全县农村公路管理养护、2023年高考、创建国家卫生县城等工作情况汇报，通报县委常委会6月交办事项、县委主要领导批示件、2024年全市重点项目观摩会项目准备等办理情况。

第十三届县委常委第89次会议。7月3日，丁东平主持召开。讨论拟推荐上报全市作风效能革命表扬对象人选。

第十三届县委常委第90次会议。7月9日，丁东平主持召开。会议传达学习习近平总书记近期重要讲话和重要指示精神，省委书记王宁、市委书记对贯彻落实习近平总书记重要指示精神和对昭通市大关县天星镇一自建民房发生火灾造成6人死亡事件的批示要求、六届市委常委会第91次会议精神、曲靖市“躺平式”干部专项整治动员部署会议精神以及国家信息中心经济预测分析《从湖南邵东打火机产业集群发展看中西部县城如何承接传统产业》文件精神，听取2023年上半年消防安全、招商引资和推动长江经济带生态环境反馈问题整改等情况汇报，讨论《关于推动党内监督与各类监督贯通融合的实施意见（送审稿）》《关于开展违反中央八项规定精神专项整治的实施方案（送审稿）》等文稿，通报了拟聘请广东省轻工业联合会会长廖鸣卫为县人民政府经济顾问事项，研究了贵州会馆活化利用、会泽县博物馆片区开发建设等事项。

第十三届县委常委第91次会议。7月23日，丁东平主持召开。会议传达学习习近平总书记在视察东部战区机关时、在江苏考察时和主持召开中央全面深化改革委员会第二次会议时的重要讲话精神以及《中共云南省纪律检查委员会关于会泽县等6个县（市）党委选人用人廉政把关不严突出问题的通报》《中共云南省委办公厅关于督查暗访发现形式主义增加基层负担问题的通报》等文件精神，听取了全县上半年信访积案化解、奋进新征程推动新跨越三年行动2023年上半年工作推进等情况汇报，通报了中共云南省纪委办公厅关于会泽县委落实巡视整改反馈意见集中整改进展情况报告的审核意见、中共云南省委组织部关于会泽县委落实十一届省委第三轮巡视（选人用人专项检查）反馈意见整改进展情况报告的审核意见，讨论《会泽县农村污水整治三年行动实施方案（送审稿）》《会泽县校园安全防范能力提升三年行动计划（2023—2025年）（送审稿）》《关于优化生育政策促进人口长期均衡发展的实施方案（送审稿）》《关于在学习贯彻习近平新时代中国特色社会主义思想主题教育中开展专项整治的工作方案（送审稿）》等文稿，研究干部人事事项。

第十三届县委常委第92次会议。7月30日，丁东平主持召开。会议传达学习习近平总书记近期重要讲话和重要指示精神，六届市委常委会第93、95次会议精神以及《省军区系统主要领导参加同级地方党委常委会工作规范（试行）》文件精神，听取耕地保护和粮食安全、全县上半年经济运行、意识形态等工作情况汇报，讨论《会泽县县属企业管理暂行办法（送审稿）》《十三届会泽县委巡察工作规划（送审稿）》等文稿，研究县人民政府领导成员工作分工、组建县委政府决策咨询专家库等事项。

第十三届县委常委第93次会议。8月6日，丁东平主持召开。会议传达学习习近平总书记近期重要讲话精神和重要指示精神以及全省、全市组织工作会议、2023年上半年全市基层党建工作“擂台比武”暨党建引领基层治理工作调度会议精神，讨论《会泽县迎接云南省第二轮生态环境保护督察工作方案（送审稿）》《江西会馆活化利用协议（送审稿）》等文稿，研究巡视整改、生态环境保护、调整充实县社会矛盾纠纷联合接访中心和调处中心人员等事项，通报县人大调研全县农村劳动力转移就业工作提出意见办理、县政协调研全县农村集体经济发展提出意见办理等工作情况。

第十三届县委常委第94次会议。8月13日，丁东平主持召开。会议传达学习习近平总书记近期重要讲话和重要贺信精神以及六届市委常委会第96、97次等会议精神，听取第十三届县委常委巡察反馈问题整改、县政务服务中心大厅进驻、全县巩固拓展脱贫攻坚成果同乡村振兴有效衔接等工作情况汇报，通报会泽旅游工作意见问卷调查报告，讨论拟推荐评选2023年曲靖市教育工作先进集体先进个人名校长名班主任名教师及优秀乡村教师名单，研究了纪检监察事项。

第十三届县委常委第95次会议。8月23日，丁东平主持召开。听取县人民政府副县长杨万坤关于拨付渝昆高铁会泽段征迁资金的请示事项的汇报。

第十三届县委常委第96次会议。8月27日，丁东平主持召开。会议传达学习习近平总书记近期重要讲话精神和重要指示精神、省委书记王宁在省委十一届四次全会上的讲话精神和省委书记王宁、市委书记有关批示要求以及《四省区“长牙齿”的耕地保护硬措施典型经验做法》等文件精神，听取了当前矛盾纠纷排查化解、特殊群体服务管理、命案防控等工作情况汇报，讨论《会泽县县属企业薪酬管理办法（试行）（送审稿）》《会泽县县属企业经营业绩考核办法（试行）（送审稿）》等文稿，通报澄江市立昌村生态移民孩子读了十多年“临时小学”典型案例及问题项目统计等情况。

第十三届县委常委第97次会议。9月2日，丁东平主持召开。会议传达学习习近平总书记近期重要讲话精神、《中共云南省委关于深入学习贯彻习近平新时代中国特色社会主义思想着力解难题促发展惠民生的意见》文件精神及六届市委常委会第98次会议精神，讨论关于会泽县道成开发投资集团有限公司宝云综合市场部分区域经营权与云南（炬锋）电焊机有限公司名下原县铸币局区域经营权互换、2023年会泽县教育工作先进集体先进个人名校长名班主任名教师及捐资助学先进集体先进个人拟表扬名单等事项及《会泽温德姆五星级酒店项目框架协议（送审稿）》等文稿，听取全县批而未供和闲置土地处置工作情况汇报，通报有关工作情况。

第十三届县委常委第98次会议。9月10日，丁东平主持召开。会议传达学习习近平总书记近期重要讲话和重要贺信精神、省委书记王宁在省委常委班子学习贯彻习近平新时代中国特色社会主义思想主题教育专题民主生活会上的讲话精神、省长王予波在全省学习推广浙江“千万工程”经验动员部署会上的讲话精神以及中央、省、市学习贯彻习近平新时代中国特色社会主义思想主题教育工作会议等会议精神，听取上半年纪检监察、县委党校、县总工会、团县委和县妇联工作情况汇报，讨论《关于办好2024年节庆活动的通知（送审稿）》《会泽县农村生活垃圾和污水治理实施方案（送审稿）》等文稿。

第十三届县委常委第100次会议。9月17日，丁东平主持召开。会议传达学习习近平总书记近期重要讲话精神、市委常委会第100次会议和全市旅游高质量发展大会等会议精神，听取会泽县易地扶贫搬迁县城安置、旅游发展三年行动计划2023年任务推进、巩固拓展脱贫攻坚成果同乡村振兴有效衔接等工作情况汇报，讨论《会泽县人民政府与中国铁塔股份有限公司曲靖市分公司战略合作框架协议（送审稿）》《关于国家统计局曲靖调查队工作专报反馈问题整改方案（送审稿）》等文稿，通报会泽县耕地流出问题排查整改工作暨耕地保护责任目标预考核和违法占耕问题整改情况，研究了关于会泽县农机公司资产收购及福建会馆活化利用、川陕会馆院内海泓百货公司土地产权收购及活化利用、纪检监察和干部人事等事项。

第十三届县委常委第102次会议。9月24日，丁东平主持召开。会议传达学习习近平总书记近期重要讲话、重要贺信和重要指示精神，听取易地扶贫搬迁县城安置点征地补偿等工作情况汇报，讨论了《践行“浦江经验”开门大接访活动方案（送审稿）》《会泽县贯彻落实〈国家标准化发展纲要〉的实施方案（送审稿）》等文稿。

第十三届县委常委第103次会议。10月8日，丁东平主持召开。会议传达学习习近平总书记近期重要讲话、重要回信及重要指示精神、六届市委常委会第102次会议精神，听取县人大关于全县“四上”企业发展培育、县政协关于全县小额信贷逾期调研等情况汇报，讨论《会泽县学习贯彻习近平新时代中国特色社会主义思想主题教育民生项目清单（送审稿）》《关于进一步深化拓展整治形式主义为基层减负工作的通知（送审稿）》

等文稿，通报了有关工作情况。

第十三届县委常委第104次会议。10月15日，丁东平主持召开。会议传达学习习近平总书记近期重要指示和重要讲话精神、省市重要会议精神以及《中共云南省纪委监委关于十起重点领域严重违纪违法案件的通报》《市纪委监委关于2起党员、公职人员酒驾背后“四风”问题的通报》等文件精神，听取了第十三届县委常委第五轮巡察、全市社会治安综合治理大督查反馈等工作情况汇报，讨论了会泽县“最美公务员”推荐上报等事项。

第十三届县委常委第105次会议。10月22日，丁东平主持召开。会议传达学习习近平总书记近期重要讲话及主旨演讲精神、2023年州市党管武装考核评价实施细则，听取全县1—3季度经济运行、2023年三年行动重点工作任务清单梳理研判、2023年度“质量强县”等工作情况汇报，研究2023年下半年拟任村（社区）党组织书记备案、会泽县村（居）群众自治组织调整合并等事项，讨论了《会泽县高质量发展贯彻落实方案（送审稿）》《关于加强新时代统一战线工作的实施意见（送审稿）》等文稿。

第十三届县委常委第106次会议。10月30日，丁东平主持召开。会议传达学习习近平总书记近期重要讲话和重要贺信精神、李希在二十届中央第二轮巡视工作动员部署会上的讲话要求、省市有关会议精神以及《中共中央办公厅关于李克强同志治丧安排的通知》等文件精神，听取第五次全国经济普查、政府债务化解、巩固拓展脱贫攻坚成果同乡村振兴有效衔接等工作情况汇报，讨论《〈会泽县国民经济和社会发展第十四个五年规划和二〇三五年远景目标纲要〉实施情况中期评估报告（送审稿）》《关于加强新时代水土保持工作的实施方案（送审稿）》等文稿，研究易地扶贫搬迁新城安置点商业配套设施相关事宜。

第十三届县委常委第107次会议。11月5日，丁东平主持召开。会议传达学习习近平总书记重要论述和近期重要讲话精神、中央金融工作、六届市委常委会第105次等会议精神以及《关于进一步做好军人随军家属就业安置工作实施办法》文件精神，听取全县中小学思想政治理论课和公民思想道德建设、2023年会泽县党内法规工作等情况汇报，讨论《会泽县党政机关公务用车管理实施细则（送审稿）》《会泽县国防动员建设三年行动计划（2023—2025）（送审稿）》等文稿，通报全县学习贯彻习近平新时代中国特色社会主义思想主题教育推进情况，研究县人武部按编配备人员调动工作等事项。

第十三届县委常委第108次会议（扩大）。11月6日，丁东平主持召开。开展2023年度党（工）委（党组）书记述责述廉、接受评议等工作。

第十三届县委常委第109次会议。11月12日，丁东平主持召开。会议传达学习习近平总书记近期重要贺信、重要讲话和视频致辞精神、省市有关会议精神以及《中共云南省纪律检查委员会云南省监察委员会关于保山市龙陵县人民法院干警在腾冲市委党校培训期间违规外出饮酒聚餐问题的通报》等文件精神，听取全县2023年全民科学素质、安全生产、法治建设等工作情况汇报，讨论《会泽县社会科学界联合会成立大会暨第一次代表大会实施方案（送审稿）》《关于加强和推进全县党校事业高质量发展的实施意见（送审稿）》等文稿。

第十三届县委常委第111次会议。11月19日，丁东平主持召开。会议传达学习习近平总书记重要指示、重要思想、重要讲话、贺信精神以及省市有关会议精神，听取赴上海招商考察、2023年烤烟收购及2024年烤烟种植意见等情况汇报，讨论《会泽县人民政府与中农垦草业有限公司战略合作框架协议（送审稿）》等文稿，研究云南省第二轮第三批第二生态环境保护督察组曝光典型案例反映问题整改工作。

第十三届县委常委第112次会议（内容略）。

第十三届县委常委第113次会议。11月26日，丁东平主持召开。会议传达学习习近平总书记近期重要演讲和讲话精神以及省委王宁书记在全省学习弘扬“四下基层”优良传统“五级书记”为民办事解难题现场会上的讲话精神，听取2023年全县意识形态、清廉会泽建设等工作情况汇报，讨论《会泽县深入贯彻落实省政府曲靖现场办公会精神实施方案（送审稿）》《会泽县农村新增乱占耕地建房问题排查整治专项行动实施方案（送审稿）》等文稿，通报近期省市提醒事项。

第十三届县委常委第114次会议。12月3日，丁东平主持召开。会议传达学习习近平总书记近期重要贺信、重要讲话精神以及关于推进新时代审计工作高质量发展意见等文件精神，听取巡视整改工作推进、村组合并、2023年东西部协作重点等工作情况汇报，讨论《深入学习贯彻习近平新时代中国特色社会主义思想着力促发展保安全惠民生的实施方案（送审稿）》《会泽县推动新时代机关党的建设高质量发展三年行动计划(2023—2025年)（送审稿）》等文稿，通报主题教育进展及有关工作情况。

第十三届县委常委第115次会议。12月10日，丁东平主持召开。会议传达学习习近平总书记重要文章、重要讲话及重要指示精神和省委书记王宁、省委常委、市委书记有关批示要求以及省、市有关会议精神，听取全县平安建设暨市域社会治理现代化、2023年市对县综合考核指标完成等工作情况汇报，讨论《会泽县国有企业债务管理办法（暂行）（送审稿）》《云南会泽产业园区振兴三年行动（2023—2025年）（送审稿）》等文稿，研究主题教育信访积案化解销号等事项。

第十三届县委常委第116次会议。12月17日，丁东平主持召开。

会议传达学习习近平总书记近期重要讲话精神以及中央经济工作会议、六届市委四次全体会议等会议精神，听取县人大调研全县“四上”企业发展培育情况提出意见建议办理、县人大关于会泽县国有资产管理使用的调研等情况汇报，讨论《会泽县卫生健康事业高质量发展三年行动计划(2023—2025年)（送审稿）》《关于调整充实会泽县深化医药卫生体制改革领导小组的通知（送审稿）》等文稿，研究县人民政府领导成员工作分工事项。

第十三届县委常委第117次会议。12月24日，丁东平主持召开。会议传达学习习近平总书记近期重要指示和重要讲话精神、六届市委常委会第110次会议精神，听取“一城一区一地”建设工作情况汇报，讨论了《会泽县国有企业改革深化提升行动方案（2023—2025年）（送审稿）》《关于市委政法委政治督察会泽县委政法委反馈意见的整改方案（送审稿）》和中国共产党会泽县第十三届委员会第五次全体会议有关文稿，研究2023年度“红旗村（社区）”评选对象、2024年“10+N”重点工作及现场观摩会等事项。

第十三届县委常委第118次会议。12月28日，丁东平主持召开。会议传达学习习近平总书记近期重要讲话精神，听取对丁东平同志代表县委常委会向全会作的工作报告、《会泽县2023年党的建设工作专题报告》《中共会泽县委2023年落实全面从严治党主体责任情况报告》和《中国共产党会泽县第十三届委员会第五次全体会议公报（草案）（讨论稿）》分组讨论情况等汇报，讨论《关于贯彻中央民族工作会议精神检查暨宗教工作督查反馈意见的整改方案（送审稿）》等文稿，研究县委常委班子检视问题整改情况和2024年1月全县主题教育重点工作。

（秘书一科）

县委办公室

【概况】 2023年，会泽县委办公室持续强化政治担当，扛起政治责任，坚定信心、鼓足干劲，立足中枢位置和工作实际，服务全局，围绕总体部署，充分发挥参谋助手、协调综合、督促检查、后勤保障的“四大职能”作用，持续提升服务决策、服务落实、服务发展的“三服务”水平，全力保障县委部署事事有着落、件件有回音，为推动会泽经济社会高质量转型发展做出积极贡献。

【综合协调】 2023年，会泽县委办公室协调各个部门，统筹安排各项工作，执行每月召开1次五机关办公室主任联席会议制度，就重点工作进行统筹协调，统一思想，统一行动。县委办公室牵头每周收集常委所在部门、人大、政协工作情况和计划，在每周县委碰头会上通报研究，及时就县委的重大决策部署和需要协调的问题进行沟通，确保县委各项决策部署和任务都能够准确、迅速地传达到位，并有效地执行，保障办公室工作能和谐而有序地进行。同时，为切实加强县委办同人大办、政府办、政协办、纪委办之间的联系，按照县委部署，县委办公室牵头每周收集县委、人大、政府、政协、纪委、政法委重点工作计划，在每周末县委碰头会上通报研究，就县委的重大决策部署和需要协调的问题进行沟通。建立全县办公室系统定期培训机制，每年召开1次办公室主任培训会议，对办文办会、文稿写作、公务接待、信息报送等进行系统培训，搭建平台促进全县办公室系统相互交流学习。针对各单位办公室人员更替较快的实际，推行常态化跟班学习制度，每季度由各单位选派人员到办公室跟班学习、动态轮岗，努力提升全县办公室人员的整体水平。建立重大会议和重要活动县委办公室牵头制度，强化与五办及各部门之间的统筹协调，主动联系沟通，及时掌握动向，健全完善工作链条，畅通信息互通渠道，以规范的工作机制、和谐的工作环境，确保每项活动、每次会议顺利进行。

【文秘工作】 2023年，会泽县委办公室牢固树立参谋辅政精准发力意识，紧紧围绕“提高文件质量，强化服务能力”这一主线，坚持以工作“提前量”抢抓以文辅政“主动权”，始终站在全局的高度、领导的角度和工作的深度，准确领会县委领导的工作思路和决策意图，扎实做好文秘写作、参谋服务工作，切实做到参之有道、谋之有策、助之有力、行之有效。全年制发各类文件781件，其中，党内法规和规范性文件86件。把全县84家党政机关纳入安可替代实施范围，全年替代750台计算机终端，超额完成2023年目标任务。

【信息工作】 2023年，会泽县委办公室找准信息报送切入点，强化信息服务意识，提高信息工作的主动性，深刻把握领会领导思路，时刻关注领导决策活动的动向，从全局出发，自觉主动地掌握上级对信息需求情况，结合全县实际，提高信息工作与决策思维的贴近度，充分体现信息为县委决策的职能。修订完善《会泽县委办公室2023年党委信息信息工作考核办法》，实现信息工作的规范化管理。建立党委信息联络员制度，涵盖25个乡（镇、街道）381个村（社区），建立由480人组成的会泽县党委信息通讯录，形成大信息网络体系。全年累计上报信息870篇，其中，上报问题信息201篇、完成市级约稿信息111篇、经验信息197篇、外地经验类信息239篇、其他信息（紧急信息、灾情报告、核实信息）122篇，完成每日要情报送任务，累计报送3269篇。制订《中共会泽县委办公室关于进一步加强紧急信息报送工作的通知》，对紧急信息报送总要求、报送责任主体、报送时限、等级划分等方面进行明确，有效解决信息报送规范性问题。通过会泽县全县办公室主任培训会议，开展紧急信息培训，进一步严明工作纪律，严守紧急信息报送“半小时”时限规定，吸收其他县市发生的迟报、漏报教训，举一反三、引以为戒，确保有突发情况第一时间到位、第一时间报送。紧紧围绕全县重点工作和群众反映难点，及时准确向省、市委办公室上报全县经济社会的发展情况，不断提高信息服务领导决策的质量和水平。通过七彩云端 App 发布新闻 34 期，编发《会泽信息》10 期 40 篇，《会泽动态》10 期 202 篇，《信息内刊》8 期，多次被《云南信息》《曲靖信息》《动态关注》等采用。

【督察落实】 2023 年，会泽县委办公室按照“三个马上”要求，创新督查机制、改进督查办法，以强有力措施推动党委、政府重大决策和重点工作落地落实。常态化开展会风会纪督查工作，全年因违反工作纪律通报 3 起，涉及 9 个单位 19 人；因违反会风会纪通报 3 起，涉及 13 个单位。点名道姓通报 11 人。加大统筹整合力度，避免多头重复督查检查。印发实施《关于进一步加强和改进督查工作的通知》《会泽县重点工作综合督查方案》《关于进一步加强重要交办事项“限时办结”工作的通知》等相关文件，着力提升督查检查质效，确保真督实查。全年开展 19 轮督查，形成督查专报 19 期。牵头完善了“10+N”项重点工作通报评比规则，每月做好通报数据的收集、汇总、审核、分析等工作，促进全县重点工作的推进落实。

【会务保障】 2023 年，会泽县委办公室加强对会议通知、会场布置、会务协调服务、会后反馈的周密准备和紧密衔接，做到会前准备到位、会中服务周到细致、会后资料整理及时，会务工作实现井然有序。全年拟定会议方案、拟发会议通知 170 件，牵头筹备省市大型活动 10 余场，各类座谈会、签约仪式等会议 160 余场，县委常委会 59 次、牵头筹备好重点项目观摩会和重点工作情况通报会等各类全县性会议活动 12 场次。圆满完成全省学习弘扬“四下基层”优良传统“五级书记”为民办事解难题现场会、中国工程院科技助力会泽乡村振兴现场会、省委统战部“凝心铸魂强根基、团结奋进新征程”主题教育推进会暨会泽“同心工程”集中示范活动、“庆丰收·迎国庆”活动等大型会议活动的会务保障工作，高质量完成领导讲话 320 余篇、汇报材料 80 余篇。及时报告上级客情 160 余条，确保县委相关领导及时掌握来客情况做好陪同工作。

【深改工作】 2023 年，会泽县委办公室坚持问题导向、目标导向、结果导向，聚焦重点领域和关键环节，稳步推进全县深化改革工作，激发内生动力，全力推动 236 项中央省市重点改革任务，现已完成 92 项，其余 144 项须待市级出台相关文件后抓好贯彻落实。全年会泽县多项改革创新举措入选各级优秀案例。“会泽县对脱贫户及监测对象实行‘红黄绿’分类管理的做法”获省委常委，市委书记批示。娜姑镇白雾村分层分类促农民增收改革经验在全省推广。8 月 18 日，2023 年乡村教育发展论坛在北京举行，“会泽模式”被写入《2023 年乡村教育发展报告》，会泽县人民政府副县长徐永黎受邀在论坛上就会泽教育模式作交流发言。会泽改革经验被省级以上主流媒体报道 120 篇，微信公众平台累计推送改革类文章信息 900 余篇。

（张晗）

组织工作

【概况】 截至 2023 年 12 月 31 日，会泽县有党（工）委 33 个，其中乡镇党委 20 个、街道工委 5 个、县直工委 8 个；党组 53 个。全县 5 个城市街道、20 个乡镇、46 个社区（居委会）、324 个行政村建立党组织，覆盖率 100%。全县有基层党组织 3628 个，其中基层党委 52 个、总支部 399 个、支部 3177 个。全县有村（社区）党组织 2702 个、机关单位党组织 228 个、事业单位党组织 153 个、国有企业党组织 17 个、非公有制经济党组织 189 个、社会组织党组织 49 个、中小学党组织 255 个、离退休人员党组织 25 个、流动党员党组织 10 个，实现应建尽建。全县有党员 36840 名，其中女性党员 9514 名；少数民族党员 2037 名；大专及以上学历党员 12556 名；30 岁及以下党员 2967 名，31 ~ 35 岁党员 2875 名，36 ~ 40 岁党员 3701 名，41 ~ 45 岁党员 3666 名，46 ~ 50 岁党员 4618 名，51 ~ 55 岁党员 4247 名，56 ~ 60 岁党员 4287 名，61 岁及以上党员 10479 名；工人党员（工勤技能人员）660 名，从事农牧渔业的党员 21956 名，企事业单位、社会组织专业技术人员党员 6897 名，企事业单位、社会组织管理人员党员 313 名，党政机关工作人员党员 2357 名，其他职业党员 1114 名，离退休党员 3543 名。全年发展党员 313 名。

【政治思想建设】 2023 年，会泽县委组织部突出加强党的创新理论教育、党性教育和专业化能力培训，引导全县广大党员干部思想跟上、认识跟进、行动跟紧。以学习贯彻习近平新时代中国特色社会主义思想和党的二十大精神为主线，督促全县各单位（部门）严格落实“第一议题”制度，800 余名副科级及以上党员干部全覆盖建立支部联系点，通过“一函二单三制”引导 3.66 万名党员认真落实“三会一课”、组织生活、主题党日等基本制度。出台《会泽县 2023 年干部教育培训县委主体班次计划》，举办会泽县领导干部学习贯彻党的二十大精神专题研讨班培训 2100 余人，实现科级领导干部、村（社区）党组织书记、驻村第一书记培训全覆盖。举办县级“万名党员进党校”示范培训班1期覆盖200人，示范带动各级党组织开展“万名党员进党校”培训班109期培训16339人次，完成全年轮训60%党员目标。

【干部培训】 2023年，会泽县委组织部以巩固拓展脱贫攻坚成果接续推进乡村振兴为目标，增强教育培训的系统性、有序性，4月23–28日参加全国村党组织书记和村委会主任视频培训班会泽分课堂培训353人，5月24–26日举办云南省干部在线学习学院网上送教下乡会泽县领导干部综合能力素质提升培训班培训210人，选派150余人分2期到广州大学开展县域经济高质量发展党政干部能力提升培训班，择优选派72名领导干部和村组干部参加省市调训。

【党建引领】 2023年，会泽县委组织部制定县委常委会2023年落实全面从严治党主体责任清单、任务安排，明确县委常委会及常委班子成员年度全面从严治党主体责任内容，制发2023年基层党建工作总体方案、县委党的建设工作领导小组2023年工作要点和重点项目清单，明确全年党建工作方向、目标和责任，构筑权责清晰的党建工作责任落实体系。深入推进党支部“扩先提中治软”行动，对全县3648个基层党组织逐一分类定级，整顿软弱涣散基层党组织4个，发展党员313名。开展党组织书记“擂台比武”27场次，评选红旗村（社区）200面，全面消除143个党员空白村民小组，合并减少村委会11个、村民小组814个，单独组建村民小组党支部910个，待补镇被命名为“五强五好”村民小组党支部试点合格乡镇，争取中央财政资金1893万元、省级财政资金700万元发展新型集体经济项目，381个村（社区）集体经济均达10万元以上，茚旺高中党委党组织领导的校长负责制试点经验2次在全省交流。推进25个乡（镇、街道）机构优化调整及实体化运行，建立乡（镇、街道）执法队伍25支323人，开展执法100余次，将4件大事难事列为县级“一件事”办理，开展网格吹哨、部门报到86次，完成25个乡（镇、街道）、381个村（社区）党群服务中心和矛调中心规范化建设，县级领导接访下访群众173批，包案化解信访件217件，实现信访总量、重复信访同比下降的良好局面，先后创成1个全国民主法治示范社区、12个省级民主法治示范村、199个市级民主法治示范村，五星乡黑土村被评为第三批“全国乡村治理示范村”。

2023年2月23日，会泽县学习贯彻党的二十大精神专题研讨班在县委党校举办（黄艳 摄）

【干部队伍建设】 2023年，会泽县委组织部突出行业特点、领域差异，常态化开展干部综合调研和分析研判，抓深抓实干部选育用管各个环节，坚持以鲜明用人导向引领干事创业导向。出台《会泽县推进领导干部能上能下实施办法（试行）》《会泽县“躺平式”干部认定和处理办法（试行）》《关于县管干部进一步使用有关事项的暂行规定》《关于县委管理的领导班子成员定期调整分工报备办法》，严格执行《会泽县县管干部选拔任用动议暂行规定》，规范县管干部选拔任用及动议各个环节工作流程。突出从乡村振兴一线、重大工程重点项目一线、产业发展一线选拔干部。对全县81家单位（部门）全覆盖开展干部综合调研，形成“七个一批”优秀干部库和四类负面清单干部库。全年，从乡村振兴、招商引资、基层治理等重点工作一线提拔科级干部86名、占比58.1%，重用40名、占比61.5%。对全县科级干部按职务层次、单位属性等方面对学历、年龄、少数民族干部、非党干部、年轻干部等情况进行结构性分析，根据结构分析结果，对干部队伍建设的目标方向进行有针对性的调整优化。截至年末，全县有30岁以下科级干部42名、占4.77%，比上年上升1.68%；县直部门主要负责人平均年龄44.65岁，比上年下降0.55岁；乡镇（街道）党政正职平均年龄38.83岁，比上年下降2.25岁。组织1.6万余名党员领导干部和村（社区）干部认真开展“躺平式”干部自检自查，举办“躺平式”干部回炉教育班4期培训77人，将4名不愿担当的干部改任职级公务员，2名工作激情减退、成绩平平的干部调整岗位，2名普通干部和16名村（社区）干部进行分类纠偏，“躺平式”干部整治经验在全市交流。

【公务员管理】 2023 年，会泽县委组织部加强对全县公务员平时考核工作的业务指导和监督检查，优化公务员登记、考核、转任、备案管理和工资审批等日常业务线上办理，完成 95 名公务员招考录用工作，开展公务员退休待遇审批 97 人，举办离退休干部荣退仪式，开展遗属补助审批 15 人，调整艰边津贴审批 2419 人，规范公务员工资津贴补贴（基础性绩效）审批 2419 人。

【优秀人才培引】 2023 年，会泽县委组织部实施人才素质提升工程，借力中国工程院定点帮扶、沪滇扶贫协作及“王莉花专家工作站”等平台，通过互派挂职、对口培养、委托培养和组团式支教、支医、支农等方式，培养一批“带不走”的乡土人才队伍。申报 2022 年度云南省专家基层科研工作站 15 个，评选认定 2022 年度系列优秀人才 25 名，选派 15 名干部人才参加沪滇协作专题培训班。针对人才队伍结构不优、本土人才激励效果不佳等难题，研究出台《会泽县教育强县人才支持计划》《会泽县激励农业科技创新八条措施》等人才新政，从长期从事相关工作、掌握行业政策法规、熟悉行业发展动态的人员中推荐 12 名专家组建会泽县委政府决策咨询专家库。建立县级领导联系服务“组团式”帮扶干部人才工作机制，明确 2023—2025 年工作帮扶目标，制定教育、医疗和科技特派团“一县一方案”，制定《会泽县干部人才“组团式”帮扶 2023 年任务清单》，明确重点任务 46 项，协调落实帮扶专家人才住房 38 套，列支 28 万元用于科技特派团帮扶工作经费。6 月 9 日，承办曲靖市干部人才“组团式”帮扶工作推进会，有关工作经验被《人民日报》城市党建版块刊发。

2023 年 10 月 23 日，中共会泽县委理论学习中心组 2023 年第九次集中学习

（县委宣传部　提供）

宣传工作

【概况】 2023 年，会泽县各级党组织和意识形态战线坚持以习近平新时代中国特色社会主义思想为指导，深入学习贯彻党的二十大精神和习近平文化思想，全面落实中央和省、市、县委决策部署，坚持党管意识形态，严格落实意识形态工作责任制，严守意识形态阵地防线，防范化解意识形态重大风险，牢牢掌握意识形态工作领导权，意识形态领域良好态势不断巩固发展，在全市考核中连续三年排名第二位，为全县经济社会高质量跨越式发展提供坚强的思想保证和强大的精神力量。

【理论学习】 2023 年，会泽县围绕习近平总书记重要论述、重要讲话及指示批示精神，县委理论学习中心组集中学习 11 次，参学人数 1400 余人次，各级党（工）委（党组）理论学习中心组组织学习 730 余次，参学人数 1.4 万余人次，常态化开展好县级列席旁听工作。县委常委会带头落实“第一议题”制度，学习习近平总书记最新讲话及重要指示、批示精神 100 次。精心组织《习近平新时代中国特色社会主义思想学习纲要（2023 年版）》等权威读本的学习宣传使用。

【理论宣讲】 2023 年，会泽县持续开展党的二十大精神对象化、分众化、互动化普及宣讲 750 余场次，受众 9 万余人次。统筹开展“习近平新时代中国特色社会主义思想百县千乡万村行”宣讲活动，推动理论普及走深走实。开设“学习贯彻党的二十大精神”“学习贯彻习近平新时代中国特色社会主义思想主题教育”等专题专栏，常态化报道全县学习贯彻的务实举措和生动实践。

【学习贯彻习近平新时代中国特色社会主义思想主题教育】 2023 年，会泽县举办全县领导干部学习贯彻党的二十大精神专题研讨班，2000 余名干部参加学习。启动会泽县学习贯彻习近平新时代中国特色社会主义思想主题教育，举办会泽县领导干部主题教育读书班 2 次，开展县委理论学习中心组集中学习 4 次、高质量发展学习研讨会 1 次，示范带动 3648 个基层党组织通过“三会一课”、主题党日等开展集中学习 6000 余次。

【新闻宣传】 2023 年，会泽县围绕学习宣传贯彻党的二十大精神、普法强基补短板专项行动、全民国防教育等重大主题，精心开展主题宣传、形势宣传、政策宣传、成就宣传、典型宣传。聚焦县委、县政府部署和中心工作，邀请中央和省、市主流媒体深入全县开展采访调研，推出一系列深度报道，其中央级媒体252条、省级媒体314条，《云南会泽：一座县城，35人考上军校》等22篇稿件被《人民日报》所属媒体采用。举办云南会泽高原特色产业发展新闻发布会，邀请新华网、中国网、云南电视台等10余家媒体宣传推介会泽。充分发挥县融媒体中心融媒矩阵的传播优势，开展全方位、多角度、立体式宣传报道，编辑发布新闻2万余条，13条短视频点击量超100万人次。

【融媒矩阵】 2023年，会泽县加强选题策划和推介，发掘生动故事，宣传亮点成效，制作民族团结进步示范县创建、白雾经验促乡村振兴等专题片16部，策划现场直播17场，制作各种短视频436个，《航拍亚洲第一大土坝》等21条短视频被学习强国总平台选用。会泽融媒与央视《消费主张》栏目合作制播《春游古城·云南会泽》节目，首次实现央视记者和会泽融媒主持人互动主持。

【精神文明建设】 2023年，会泽县持续开展身边好人、道德模范推荐评选，郭仕军、赵书遵2人入选2023年“云南好人”，杨勇和张传金2人入选2023年季度“曲靖好人”，张传金入选2023年年度“曲靖好人”，郭仕军和顾朝斌2人获评“曲靖市道德模范”。加强和改进未成年人思想道德建设，组织开展“红色历史进教材”“红色文化进校园”等系列活动，评选推荐2023年度“新时代会泽好少年”20名，1人获评“新时代曲靖好少年”。常态化开展省级文明城市创建主题活动，深入开展2023年县级文明创建工作，创建县级文明单位（村、社区、乡镇、校园）162个。组织云南省新时代文明实践大数据平台使用、爱心妈妈素质提升等志愿服务培训6次，开展理论政策、乡村振兴、爱国卫生、助老助残等文明实践活动4457场次，文明交通劝导等主题志愿服务活动4374场次，道德讲堂130余场次。“爱心妈妈伴成长”项目荣获省、市两级新时代文明实践志愿服务项目大赛金奖。

【阵地管理及风险防控】 2023年，会泽县调整充实县委意识形态工作领导小组，修订完善《会泽县党委（党组）意识形态工作责任制实施细则》，组织全县各级党委（党组）签订意识形态工作责任书87份，县委常委会16次专题研究意识形态工作，全面压紧压实各级党委（党组）意识形态工作责任。严格落实主管主办和属地管理原则，加强对研讨会、报告会和宗教领域等管理，加大防邪反邪线索摸排，防范化解意识形态领域风险隐患。严格落实新闻稿件“三校三审制”，把好政治关和导向关。持续推进“扫黄打非”和版权行政执法工作，查处“扫黄打非”行政案件1起，查处涉嫌侵犯著作权案件2起。严格落实全国两会、省两会、春节等重保期安全播出责任，开展非法卫星地面接收设施打击治理，实现安播零事故、零失误。加强网络管理治理，信息全年被省级采纳296条，县级交办预警信息323期，核实处置上级转办预警117期，转交办固定表述纠错16期，处置网络安全事件4起。加强自媒体管理，成立中共会泽县自媒体行业支部委员会，组织开展“石榴花开红艳艳”短视频新业态党建共建活动、火把节“网络达人”比赛、“庆丰收·迎国庆”自媒体直播带货大赛等活动。

（孔维铄）

统战工作

【概况】 2023年，会泽县委统战部全面落实中央、省、市委统战工作会议精神，充分发挥统一战线大团结、大联合的优势，主动践行新思想，体现新理念，抢抓新机遇，建立新机制，细化新举措，为巩固拓展脱贫攻坚成果同乡村振兴有效衔接、奋进新征程推动新跨越三年行动、全方位推动会泽高质量转型发展贡献统一战线的智慧和力量。

【统战系统理论学习】 2023年，会泽县委常委会研究统战工作7次，召开专题会议5次，县委、县政府主要领导出席会议并讲话，高位谋划部署统战工作。将基层统战工作规范化建设纳入年度综合目标管理责任制考核，定期开展指导督促。将统一战线理论、政策纳入县委党校教学内容和县委理论学习中心组学习计划，深入学习习近平总书记关于做好新时代党的统一战线工作的重要思想、关于加强和改进民族工作的重要思想、关于宗教工作的重要论述等内容。全年举办统战干部培训班及《中国共产党统一战线工作条例》培训4期300余人。

【民族宗教工作】 2023年，会泽县深入推进民族团结进步示范创建活动，印发《会泽县加快创建全国民族团结进步示范县实施方案》《会泽县民族团结进步示范县建设规划（2021—2025年）》等工作方案，定期召开专题会议对创建工作进行研究，及时解决存在问题。16个单位被命名为省级民族团结进步示范单位，30个单位被命名为市级民族团结进步示范单位，267个单位被命名为县级民族团结进步示范单位。10月25日，会泽县代表曲靖市作为验收点位通过国家民委评审组实地考核评估，如期创成省民族团结进步示范县。坚持宗教中国化方向，依法管理宗教事务，持续开展“五进”宗教活动场所和践行“四条标准”思想教育，开展非法宗教活动专项整治工作。落实“一网两单”机制，将25个乡（镇、街道）划分成25个网格，落实网格员及村级信

2023 年 4 月 25 日，会泽县党外知识分子联谊会第二届会员大会召开

（周华　摄）

息员。

【非公经济统战工作】　2023 年，县工商联增补第十届执委 16 名，组织召开县级四班子领导参加的全县民营企业座谈会，编辑呈报《信息专报》3 期，反映困难问题 32 个，提出意见建议 21 条，涉及 30 余家民营企业。

【党外代表人士队伍建设】　2023 年，会泽县审核通过第二届会泽县党外知识分子联谊会会员 80 名，完成县知联会换届工作。建立党外知识分子（无党派人士）服务基地，组织无党派人士和党外知识分子开展学习二十大精神主题教育 1 次，开展交心谈心活动 1 次 6 人。

【新的社会阶层人士统战工作】　2023 年，会泽县探索新的社会阶层人士“网格化管理”，全年新纳入 5 名代表人士。以“两地”“三站”为平台，组织新的社会阶层人士开展集中学习、沟通协助、联谊交友、共荣共建及经验交流活动。

【港澳台统战工作】　2023 年，会泽县团结凝聚港澳台爱国力量，加强港澳台海外统战工作。建立港澳台人士、台胞台属、台商台企数据库并实行动态管理，适时更新。走访慰问港属、澳属、台属 2 次，帮助解决困难和问题。

【侨务工作】　2023 年 9 月，会泽县归国华侨联合会成立暨第一次归侨侨眷代表大会召开，选举产生县侨联第一届委员会及领导班子成员。开展侨务工作网格化建设，定期完善更新归侨、侨眷数据库，全年开展侨法宣传及走访慰问活动 2 次。加强与侨属的沟通联系，持续发挥好古城街道螳螂社区“侨胞之家”服务联络作用，定期开展服务，进一步凝聚侨心、汇聚侨力。

【同心工程】　2023 年，各民主党派省委充分发挥人才荟萃、智力密集、联系广泛的优势，全年实施项目 43 个，投入或协调资金 411.4 万元。2023 年 10 月 12 日，省委统战部在会泽召开的“凝心铸魂强根基团、结奋进新征程”主题教育会议暨“会泽同心工程”集中示范活动。配合各民主党派深入会泽调研 20 余次。配合民盟中央和民盟云南省委、农工党曲靖市委开展长江（会泽段）生态环境保护民主监督工作。

（刘东庚）

政策研究

【概况】　2023 年，会泽县委政策研究室坚持把调查研究作为服务发展、改善民生的重要抓手，精心筛选调研课题，深入基层开展调查研究，察民情、解民忧、谋实招、出实策，形成一批有价值的调研报告，充分发挥政研工作在县委政府以文辅政中的先导性、决策性、成果性和引领性作用。

【文稿服务】　2023 年，会泽县委政策研究室坚持把以文辅政作为主责主业，围绕“群众增收、安全稳定”目标，全面总结在推进全县经济社会发展中的好方法好措施，重点对鲟鱼产业、草莓产业、乡村旅游、庭院经济等产业进行深入调查研究，挖掘典型经验，形成文稿精品，其中《向龙王要个好产业》被省委办公厅采用并印发全省学习借鉴推广，《会泽县娜姑镇白雾村分层分类促增收》《会泽县“小草莓”闯出“大市场”》在全市作典型经验推广，《依山靠水抓产业——会泽县老厂乡立足生态资源优势大力发展乡村旅游》《盘活“方寸地”变身“聚宝盆”——会泽县“庭院经济”发展模式》等调研报告选登《珠江源经济》。编报《会泽政研专报》9 期。

【调研服务】　2023 年，会泽县委政策研究室围绕县委十三届四次会议精神和县政府工作报告确定的目标任务，突出调查研究，注重成果转化，参与起草和修改县委领导的重要文稿，参与县委领导的调研活动，牵头调研完成《产业结构性问题分析》《全县脱贫户和监测对象收入情况分析报告》《关于县内企业用工难》《对上村乡污水处理厂建设缓慢案例分析》等18个方面调查研究工作，持续发挥政研工作的决策参谋助手作用，为县委政府科学决策提供参考。参与全县主题教育调查研究工作，拟定《会泽县委常委班子主题教育调研方案》和县委常委班子《新思想引领会泽教育实现美丽“蝶变”——会泽县加快推进教育高质量发展解剖式典型案例》《补齐“两污”治理短板，全面提高城乡“颜值”——会泽县城乡“两污”治理典型案例解剖式》正反面典型案例。

（樊则勇）

机构编制管理

【概况】 2023年，会泽县严格执行上级批准的机构限额标准，机构改革后设置县委工作部门10个；政府工作部门27个，派出机构1个；人大机关行政机构4个；政协机关行政机构1个；群众团体8个；乡镇（街道）25个，另外设置供销社、会泽黑颈鹤国家级自然保护区管护局、驾车省级自然保护区管护局、云南会泽产业园区管理委员会等4个其他机构。全县共有行政编制2100余名，事业编制1.3万名，工勤编制100余名。

【机构编制资源管理】 2023年，会泽县委编办进一步加强和创新机构编制管理，为县委、县政府中心工作提供机构编制保障。按照上级有关文件精神，理顺产业园区管理体制机制，设立云南会泽产业园区管理委员会、云南会泽产业园区产业发展中心、云南会泽产业园区企业服务中心。成立会泽县机关事务管理局、会泽县社会科学界联合会、会泽县城乡规划管理服务中心、会泽县应急管理服务中心等机构；推进疾病预防控制机构改革，调整优化县疾病预防控制局机构及职责，整合重组会泽县疾病预防控制中心。规范设置县委组织部党员教育中心、会泽县公共就业和人才服务中心、会泽县财政预算评审中心、会泽县农业综合行政执法大队、会泽县林业和草原综合行政执法大队、会泽县应急管理综合行政执法大队、会泽县自然资源综合行政执法大队等参照管理单位25个。配合做好公务员录用、事业单位招聘、特岗教师招聘、两个专项招聘、大学生村官安置、退役士兵安置、人员调动等各类人员补充机构编制实有人员审核工作。

2023年5月5日，会泽县参照管理单位规范设置工作动员部署会议召开

（县委编办　提供）

【基层机构设置调整优化】 2023年，会泽县委编办以县政府文件公布乡（镇、街道）行政职权基本目录和赋予乡（镇、街道）部分县级行政职权事项清单，下放赋权事项160项，其中基础事项86项，县直单位赋权乡镇人民政府、街道办事处实施的事项74项，破解乡镇（街道）权责不清、有责无权等突出问题。按照《会泽县调整优化乡（镇、街道）机构编制的实施方案》，组建乡（镇、街道）综合执法队25支298人，开展综合执法培训2期，并采取多项措施保障队伍力量，解决基层职小责大、权责不一致和基层各种“看得见管不着”的问题。

【机构编制督查整改】 2023年，会泽县委消化行政单位超编19人，消化事业超编282人。从县农业农村局机关调整转隶8人到县农业综合行政执法大队；从县人力资源和社会保障局机关调整转隶5人到会泽县社会保险中心。规范清理编外聘用人员，严控人员总量，加强组织领导，全面开展清理编外聘用人员工作。

【机关群团统一社会信用代码赋码和单位法人登记管理】 2023年，会泽县委编办完成县级赋码97家，机关类赋码84家，群团类9家，其他类3家。上级授权垂管机关赋码7家。办理新设立事业单位法人登记25家、变更登记178家、注销登记32家，补领证书3家；完成事业单位法人电子证书申领396家；完成事业单位年检、变更等工作；完成2022年度事业单位法人年度报告383家，并在全国事业单位在线网上公示；开展事业单位法人公示信息随机抽查工作，通过国家事业单位登记管理系统随机抽取事业单位5家，对事业单位登记事项及事业单位年度报告等相关内容进行抽查，抽查中对发现的问题就地指出，及时整改，进一步加强对事业单位法人事中事后的监督管理。

（王春晓）

县直机关党建

【概况】 2023年，会泽县委县直机关工委围绕全县“三个定位”“六个目标”和“四大会战”，紧扣机关党建“走在前、作表率”工作目标，按照党中央、省委、市委、县委决策部署和全市组织工作会议精神要求，认真贯彻落实县委党的建设三年行动计划、市委市政府会泽现场办公会工作目标，着力做好机关党建工作，凝聚力量打造机关党建品牌。年末，县直机关工委辖机关单位、事业单位党组织机关党委17个、党总支11个、党支部189个，有党员3315人。下拨党费12万元、带动投入党员教育活动经费40余万元。开展季度交叉检查4轮、指导机关党组织解决问题100余个。

【党员学习教育培训】 2023年，会泽县委县直机关工委把学理论、强党性、讲政治摆在党的建设首要位置，通过第一议题、理论学习中心组、“三会一课”等方式学习研讨，学用结合，推动学习贯彻习近平新时代中国特色社会主义思想主题教育走深走实。教育引导党员自觉以习近平新时代中国特色社会主义思想武装头脑，严肃党内政治生活，认真落实“三会一课”、主题党日、民主生活会、民主评议党员等党内组织生活制度。以学习党的二十大精神为主线，开展党员教育培训。举办“万名党员进党校”和党务干部能力素质专题培训班2期470余人，开展学习党的二十大精神65场次3500余人。组织机关党员参加“学习强国·党史知识”竞赛活动。举办“党的二十大精神”专题培训，联合开展“传承雷锋精神、弘扬时代新风”主题实践活动，开展“学习革命精神、传承初心使命、创造新的业绩”主题党日活动，引导机关党员干部持续在学思践悟中汲取奋进精神力量，凝心铸魂走在前，实干担当作表率。建立县直机关工委学习制度，开展8次理论学习中心组集中学习。利用“云岭先锋”App、学习强国曲靖平台组织线上学习，开展专题培训2期1000余人次；开展“领导干部上党课”“党课开讲啦”等活动，组织党员领导干部、先进典型讲授党课4次。组织机关党员干部开展主题党日教育暨清明祭奠活动和文明志愿服务活动。参加第三届“学习强国·学习达人”知识竞赛，荣获集体三等奖，个人二等奖。

【巡听旁听制度】 2023年，会泽县委县直机关工委严格落实县级党委（党组）理论学习中心组巡听旁听制度，主动参加县退役军人事务局等23家县直部门党组理论学习中心组集中学习，并逐一进行点评指导。

【基层党组织建设】 2023年，会泽县委县直机关工委突出抓好模范机关创建工作，持续巩固2022年星级模范机关21家创建成果。推进党支部标准化规范化建设，重点打造党建示范点3个，并组织相互观摩学习，引领基层党组织比学赶超、争做标杆。优化基层组织建设，实施党支部“扩先提中治软”行动。对所属17个机关党委、11个机关党总支、190个党支部基层党组织“过筛子”，确定先进党组织140个、中间党组织66个、后进党组织10个。调整优化基层党组织3个，对届满的21家县直单位党组织进行集中换届，职务任免16人，调整优化党支部书记10人。发展党员23名。

【基础党务工作】 2023年，会泽县委县直机关工委抓好“云岭先锋”App手机端、“网上党支部”电脑端、“党建盒子”电视端等智慧党建平台的应用，完成智慧党建模块信息录入工作。指导督促指导所属61个机关党委（党总支、党支部）顺利完成2023年度组织生活会及民主评议党员工作。建立机关党组织平时考核工作机制，对党组织党建工作完成情况建立台账、实时监测，与日常监督检查、年度述职评议考核相结合，构建责任落实全流程督导问效机制。推行工委干部包联党建联系点制度，常态化分片督促指导机关党建工作，开展约谈提醒，下发整改通知，推动党的组织生活落实落细，不断提高党建规范化水平。

2023年7月20日，会泽县2023年县直机关党建现场推进会暨党组织书记“擂台大比武”活动在县委党校举行　　（县委县直机关工委　提供）

【党建与业务深度融合】 2023年，会泽县委县直机关工委严格落实基层党组织书记抓党建"第一责任人"职责。实施机关党建"示范引领、全域提升"行动，举办县直机关党建现场推进会暨"擂台大比武 党建大提质"活动，让机关党组织书记同台竞技、比学赶超。在县电视台推出党委（党组）书记谈机关党建3期，总结推广机关党建工作经验32条，被各级媒体采用信息6篇。健全完善基层党建工作责任落实体系，推动基层党建全面进步、全面过硬。压实党组（党委）书记、机关党总支（支部）书记抓党建第一责任人责任，各司其职，形成合力。深化党风廉政建设。落实"一岗双责"责任制，强化纪律规矩意识，常态化开展纪律教育和警示教育，在班子成员中开展廉政谈话30人次。持续推进机关工作作风转变，开展机关工作纪律监督检查8次。督促14家县直机关党委成立纪委，选优配强纪委班子成员和党总支（支部）纪检委员。进行4次专题研究和安排部署，讲授专题廉政党课2次，为所属党组织党员干部讲授专题廉政党课1次。组织机关党员干部开展主题党日活动12次，党员参与率100%。组织引导全县机关和企事业单位党组织和在职党员开展"双报到双服务双报告"活动，到挂钩联系党组织开展志愿服务、咨询援助、党建联盟等活动1000余人次，着力解决社区群众急难愁盼问题。促进机关党建与城市党建的互促共融，以县城易地扶贫搬迁安置点社区为重点，深入挂包社区常态化开展感恩宣讲、生活常识引导、健康生活习惯养成、就业帮扶、关心关爱、节假日送温暖等活动；开展素质提升、文明出行、生态环保、弘扬时代新风、洁城亮城、普法宣传志愿服务等志愿服务行动。

（苏荣秀）

保密管理

【概况】 2023年，会泽县委机要和保密局认真贯彻落实习近平新时代中国特色社会主义思想及中央、省、市领导同志关于做好保密工作的重要指示精神，紧紧围绕县委、县政府的总体工作思路，狠抓"三大"管理。认真贯彻落实"积极防范、突出重点、依法管理"的方针和"发展、创新、服务"的工作思路，扎实有效开展各项工作，较好地发挥保密工作"保安全、保稳定、促发展、构和谐"的作用。

【保密法治宣传教育】 2023年，会泽县继续推进"八五"保密法治宣传。发挥党校的保密宣传教育主阵地作用，坚持将保密知识纳入县、乡（镇、街道）党校教学计划，各乡（镇、街道）、部分县直单位将保密法治宣传教育纳入党员、职工政治业务学习计划。利用"全民国家安全教育日""国家宪法日"及保密法治"宣传月"组织保密干部职工在公园、新城社区开展保密法律法规和保密知识集中宣传活动，推进保密法治宣传教育工作深入开展。通过信息报道和订阅保密资料、通报泄密案例等，增强学习教育的针对性和实效性。在县城不同区域悬挂保密宣传标语20余条；通过手机短信的方式向全县领导干部编发保密警示语100余条。

【知识学习答题活动】 2023年，会泽县委机要和保密局组织各单位干部职工以答题试卷形式开展《中华人民共和国保守国家秘密法》《中华人民共和国国家安全法》《中华人民共和国反间谍法》知识学习答题活动，提高全体公职人员的国家安全意识。

【涉密载体管理】 2023年，会泽县委机要和保密局在全县开展涉密载体清理检查工作，对涉密计算机、涉密信息系统、涉密存储介质、办公及涉密网络等进行全方位的检查。坚持对全县的文件资料进行全程监督集中销毁，全年集中销毁机密级文件579份、秘密级文件5937份、密码电报316份、内部资料3275份、其他文件69余万份。开展经营性打字复印行业不印制涉密文件、资料的登记备案工作，对废旧物资、再生资源市场是否违规收购、交易涉密载体进行检查，引导从业人员签订不交易涉密载体的承诺书。

【保密要害部门部位管理】 2023年，会泽县保密要害部门部位管理按照"谁主管、谁负责"的原则，做到严格管理、责任到人、严密防范、确保安全。根据国家保密局《关于保密要害部门部位保密管理的规定》《云南省保密要害部门部位保密管理办法》的要求，结合全县各单位实际情况开展保密要害部门部位的调整确定工作，督促指导各级各单位部门制定落实相应的重点防范措施，形成人防、物防、技防相结合的综合防范体系，重点抓好涉密人员、涉密载体、涉密事项的保密管理，落实禁止无关人员进入涉密场所和保密要害部门部位的规定。

【涉密人员管理】 2023年，会泽县委机要和保密局在开展涉密人员分类确定工作的基础上，对全县各单位部门的涉密人员进行统计并跟踪检查管理。做好涉密人员上岗、在岗、离岗管理，包括任前审查、上岗培训、保密承诺书签订工作、在岗教育培训、在岗监督检查、脱密期管理等方面做好涉密人员的管理，进一步健全全县保密队伍体系。

【网络信息安全监督检查】 2023年，会泽县严格执行上网信息管理制度，对上网信息安全实行动态管理。认真贯彻执行中央《关于严禁用涉密计算机上国际互联网的通告》精神，不定期对主要涉密单位、重点涉密岗位的计算机上网情况进行检查。对各单位开通的网站（网页）上网信息进行检查实行动态管理，其他不宜公开的信息及时督促主办方进行删除，有效地杜绝网络信息泄密事件的发生。严格上网信息保密审查，加强全县政府信息公开网站和门户网站上网信息保密审查和管理。要求各单位严格执行信息上网保密审查管理，坚持“谁上网谁负责”“涉密不上网、上网不涉密”的原则，落实信息公开保密审查审批各环节保密制度措施。要求各单位保密领导小组对上网信息严格把关，对把握不准的问题和信息报送县国家保密局进行保密审查，全年审查上网信息500余条。

【出版物保密审查】 2023年，会泽县委机要和保密局按照“既确保国家秘密，又便利各项工作”的方针，在本单位保密工作领导小组初查的基础上，对《会泽年鉴（2023）》《2022年中共会泽县委工作纪要》等公开出版刊物进行保密审查，做到“先进行保密审查，后出版发行”。

【试卷保密安全】 2023年，会泽县委机密和保密局按照国家秘密管理的要求，指导县招办按照保管绝密级试卷和机密级试卷的不同标准，各考点试卷保密室分别安装红外线报警器和视频监控器，建成合格试卷保密室。同时，健全各类涉密人员保密工作职责、保密室管理、试卷管理制约监督等10余项保密工作制度。根据“归口管理”“分级负责”“协调配合”的原则，配合教育、公安等部门切实抓好高考、中考、会考、九年义务教育学业水平考试等试卷的安全保密工作，做到试卷保密安全万无一失。

【保密督促检查】 2023年，会泽县委机要和保密局联合县委办督查室、政府办督查室、档案馆对全县所有的乡（镇、街道）及县直单位的计算机及信息系统管理、涉密载体管理、制度建设、保密法治宣传教育等方面进行抽查检查，针对部分单位保密管理不到位、制度不完善、涉密人员变动频繁、涉密载体交接不规范等方面的问题，采取点对点、面对面的指导方式，使单位干部职工明确在自身工作岗位上保密工作做到管理到位、制度完善、定岗准确、交接规范，不断强化保密安全管理意识。按照会泽县国家保密局《关于进一步加强计算机及其网络保密自检自查工作的通知》要求，落实保密自检自查的长效机制，全县各机关单位每季度按时报送涉密计算机自检自查情况表和非涉密计算机自检自查情况表，树立“保密工作无小事”的理念。

（严敏）

老干部工作

【概况】 2023年，会泽县离退休干部工作坚持以认真学习贯彻落实党的二十大精神，深入贯彻新时代党的建设总要求，坚持党建引领，围绕重点工作项目清单，强化组织领导，聚焦服务管理主责主业，认真抓好落实，全力做好服务保障，努力推动老干部工作高质量发展。

【离退休党组织建设】 2023年，会泽县委老干部局按照“一方隶属、多重管理”模式，成立特设党支部3支，县直单位和各乡镇（街道）成立33支离退休党支部。选派38名在职党员作为离退休干部党支部党建联络员，协助做好离退休干部党支部工作。引导离退休干部党员加入街道、社区党组织体系，扩大党组织和工作覆盖面。组织认真学习宣传贯彻党的二十大精神，加强离退休干部的学习教育，通过专题培训、学习交流等方式，丰富学习载体、强化学习效果。举办读书班、培训班、线上线下学习宣讲活动500余期；严格执行“三会一课”、谈心谈话、民主评议党员等制度，不断丰富主题党日活动，把离退休干部的政治热情引导到贯彻落实党的路线方针政策、推进党的中心工作中来，鼓励引导离退休老同志发挥政治优势、经验优势、威望优势，充当好理想信念教育的“活教材”。把离退休干部党建工作纳入全县基层党建工作重点任务，与其他领域党建工作同部署、同推进、同考核。制定印发《会泽县开展离退休干部党组织规范化建设的实施意见》，将离退休干部党建工作经费纳入财政预算，对学习活动场所建设、学习考察、困难党员帮扶等提供经费保障，在中秋节、重阳节、春节等重要节日共发放慰问金、慰问物资合计9万余元。

【离退休干部“两项待遇”落实】 2023年，会泽县委老干部局认真落实离退休干部政治待遇八项制度，每个月开展1次学习活动，组织2次政情通报会，组织1次参观工农业生产，在中秋节、重阳节和春节等重要节日开展走访慰问离退休干部2000余名，并组织好干部荣誉退休仪式。坚持完善生病看望、定期体检、健康知识讲座等制度，实现走访关怀离退休干部常态化。结合走访慰问认真组织开展调研工作和建言献策活动，收集整理老干部意见建议40余条。不断完善困难帮扶机制，全面了解和掌握离退休干部思想状况、身体情况和兴趣爱好，建立完善离退休干部信息库、离退休干部党员信息库和特殊困难离退休干部信息库，精准掌握服务需求。

【老干部作用发挥】 2023年，会泽县委老干部局充分发挥和利用离退休干部的政治优势、经验优势和威望优势，以围绕中心、服务大局为重点，把发挥好离退休干部人才资源优势作为关键，建立涵盖党建、科技、教育、文化等各方面300余名专家的人才库，积极组织引导“银发人才”助力乡村振兴、文明城市创建、民族团结进步等工作，当好工作指导员、政策宣传员、农村和谐调解员、为民服务联络员，为山区农村举办电子商务、种植养殖培训班，开展文化、卫生知识宣讲宣传等活动。成立老干部志愿服务推进中心，创建老干部志愿服务品牌——“银耀铜乡”，设计统一的品牌标识，精心策划开展主题志愿服务活动，引导和支持离退休干部力所能及地参与到社区志愿服务中，使离退休干部服务管理工作与社区治理工作相结合。全年开展基层服务活动6期，帮带基层专业技术人才100余人，破解产业发展难题20余个。深入中小学校、村（社区）、红色党性教育现场教学点开展弘扬社会主义核心价值观宣讲6期。自编自演关于党的惠民政策、文明礼貌、乡村振兴、民族团结等方面的小品、花灯、歌舞作品，义务演出20余场。

【老干部“两园一平台”阵地】 2023年，会泽县委老干局整合现有资源，建立以县委老干部教育活动服务中心为龙头，乡镇（街道）、县直单位离退休活动室，村（社区）活动室为依托的三级老干部活动阵地网络，着力把老干部活动阵地打造成老干部休闲娱乐“康养乐园”。坚持把党的政治理论纳入教学计划，县老年大学推出扎染、茶艺等一批精品课程，合理设置教学专业，整合人才资源，不断提升教学水准，打造特色品牌化“书香校园”。依托县老体协、老科协、老书协等老年社团组织平台，创建“银发先锋之家”，选派一批退休老干部组建成“银耀铜乡”志愿服务队，深入推进“送理论、送科技、送健康、送文化、送关爱”等志愿服务活动，助力产业振兴、人才振兴、文化振兴、生态振兴、组织振兴，助力全县跨越式高质量发展。

关心下一代工作

【概况】 2023年，会泽县关工委充分发挥“五老”优势作用，积极配合有关部门开展对青少年的教育培养工作。会泽县各级关工组织按照创建“五好”基层关工委活动的要求，紧紧依靠党政领导，积极配合有关部门，建立健全关工组织，做到领导班子人员变动能及时补充，保持工作的连续性。制定印发《关于全面加强新时代关心下一代工作委员会工作的实施细则》，完善《会泽县关心下一代工作委员会成员单位联席会议制度》，为关心下一代工作提供制度保障，共同构建关爱服务青少年的工作平台和机制。深入基层开展调研工作，不断增强关工委工作的针对性和实效性。

【青少年思想道德教育】 2023年，会泽县关工委在青少年中开展社会主义核心价值观教育活动。利用县红色教育基地和革命遗址开展教育活动，注重和加强青少年思想政治教育，将课堂教学、社会实践融入红色文化的教育内容，让红色文化成为最厚重的精神传承。组织开展“中华魂”和“传承红色基因、争做时代新人”主题教育活动，把“中华魂”主题教育与党史学习教育相结合，充分发挥学校主阵地的作用，组织开展“中华魂”（毛泽东伟大精神品格）、“新时代好少年”主题教育读书活动及“创新作文大赛”等活动。年内，县科协联合多家部门先后开展科普大篷车进校园等活动24场次。充分发挥县关工委“五老”宣讲团的作用，组织宣讲员认真制作课件，深入学校、社区和农村对青少年宣讲教育，组织宣讲团开展宣讲教育报告8场7600余人次。

【青少年法治教育】 2023年，会泽县各级关工组织配合各有关部门，抓好青少年法治教育工作。加大未成年人法律援助维权工作站建设，建立县、乡、村三级公共法律服务中心、站、点青少年维权网络，将法律援助的初审权延伸到各乡镇（街道）。年末，全县设立法律援助中心1个，法律援助工作站25个，法律援助工作点370个。全县开展“关爱明天普法先行”“普法明理护航成长”等法治进校园活动80余场次，惠及师生4万余人。利用校刊、网站、黑板报等各种宣传渠道进行法治宣传教育，筑牢青少年主要群体预防犯罪防火墙。开展未成年人司法保护项目工作，在坚持重点开展好青少年触法预防教育的基础上，统筹抓好依法应邀开展首次及后续讯问、多方整合基层帮教资源配合开展帮教、矫正等工作。全年办理

2023年9月25日，会泽县春晖小学邀请法治副校长开展法治教育专题讲座
（县关工委 提供）

未成年人法律援助案件 49 件。

【青少年关爱教育】 2023 年，会泽县各级关工组织配合社会各方面，竭力为青少年办实事、办好事。引导资源撬动，拓宽关爱渠道，不断整合社会资源力量，加强与公益机构团体的沟通交流，努力争取社会关爱资金。9 月，上海复星公益基金会向会泽县 20 名听力障碍儿童捐赠价值 57.8 万元的助听器 20 台；昆明医科大学附属口腔医院 30 余名专家到我县开展龋病预防和检查治疗、科普宣教；新增 20 个童伴妈妈项目村，为 5 名春蕾女童发放救助金 8000 元。各级关工组织以净化青少年成长环境为重点，组织“五老”积极配合相关部门对全县网吧进行监督检查。各学校关工组织围绕学校特色，建立劳动教育实践基地，引导学生从小弘扬劳动精神，促进学生全面发展、健康成长。

【农村青年人才培养】 2023 年，会泽县关工委围绕全县巩固脱贫攻坚成果、实施乡村振兴战略部署，充分发挥“五老”专业人才优势，广泛开展农村青年科技培训。全县“贷免扶补”扶持创业 578 户 10872 万元，创业担保扶持创业 373 户 6145 万元，吸引返乡入乡创业人员 3 人，发放返乡入乡一次性创业补贴 2.82 万元。投入 32.7 万元，对大井镇 188 名、大海乡 30 名农村青壮年残疾人进行实用技术培训。完成 161 家用人单位就业年审工作，全县共按比例安排适龄残疾人就业 434 人。组织开展各类培训 9.1 万人次，其中脱贫人口劳动力 3.75 万人次，补贴性职业技能培训 1.32 万人次（新型学徒制培训 63 人次），企业职工职业技能提升培训 900 人次。抓好依靠科技勤劳致富的农村“双带”青年典型，发挥典型的示范带动作用。

（浦仕祥）

党校工作

【概况】 2023 年，会泽县委党校紧紧围绕“123456”的工作思路（即坚守“为党育才、为党献策”这一初心，抓住干部培训和科研“两个重点”，发挥思想引领、理论建设、决策咨询“三个作用”，坚持靶向培训，推进干部培训精品化、培训渠道多元化、调查研究本土化、管理服务规范化“四化建设”，打造学习型、服务型、创新型、效能型、和谐型“五型党校”，实现健全一套政治坚定、作风过硬、清正廉洁、团结干事的领导班子；建设一个坚强有力的战斗堡垒；打造一支素质优良的师资队伍；完善一套运行顺畅的管理机制；营造一个优美的校园环境；培养一批批高素质党员干部队伍“六个一”目标）开展工作，强化政治建设，深化理论武装，促进“教研咨”一体化，使党校真正成为理论培训的主渠道、党性教育的主阵地、调研服务的主力军、理论宣传普及的主推手，为会泽高质量跨越发展作出党校贡献。

【教育培训工作】 2023 年，会泽县委党校开展流动党校 31 场 3432 人次，完成各级各类培训班 39 期 1.03 万人。其中主体班 20 期 5292 人，计划外拓展联合培训 19 期 5021 人。充分挖掘和利用会泽红色文化资源，积极打造强化党员干部理论武装“精神高地”，创新开展以“走进钱王之乡，体验红色之路，弘扬长征精神，传承红色基因，坚定理想信念”为主题的“红色之路”党性教育培训，开展“红色之路”革命传统和党性教育专题培训班 6 期 450 人。充分利用会泽县纪律讲习所开展警示教育，突出“把纪律和规矩挺在前面”这一主题，开展警示教育 30 期 1461 人。

【宣讲工作】 2023 年，会泽县委党校注重“学习、培训、宣讲”互补共融，在宣讲各级党代会精神前，宣讲团专职教师全面领悟原文原理先学，全面把握精神实质深学，结合宣讲工作任务实学，做到先学一步、学深一层、学透一点，学深悟透党代会报告的精神实质、丰富内涵和实践要求。找准切入点，分层次、多维度开展党的二十大精神宣讲，把“书面语”转化为“明白话”，让党的二十大精神回响在大街小巷，厂矿企业、田间地头，打通基层宣讲“最后一公里”，让广大党员群众更深层次地了解党的二十大精神内涵，进一步坚定跟党走的理想信念。全年深入到各乡（镇、街道）、机关、企事业单位、学校、村（社区）及部分自然村组开展党的二十大精神宣讲 67 场 7920 人。

2023 年 12 月 14 日，县委党校教师到大桥乡宣讲党的二十大精神（黄艳　摄）

12月，组建6个宣讲组在全县开展“习近平新时代中国特色社会主义思想百县千乡万村行”宣讲进机关活动宣讲活动30场1560人。

【科研工作】 2023年，会泽县委党校充分发挥“理论阵地”和“思想库”作用，要求专职教师努力做到“三个最早”：中央和地方各级党委重大理论和方针的最早学习者、宣传者；县委、县政府重要部署和决策的最早研究者、实践者；基层和群众重要典型、经验的最早总结者、推介者。坚持做到党的理论创新每前进一步，党校的理论教学就及时跟进一步。全年围绕“一区一城一地”发展定位和党校干部培训的需要，拟定拓展“红色之路”党性教育教学点、乡（镇）党校党员培训情况、巩固脱贫攻坚成果与推进乡村振兴有效衔接3个课题。申报的会泽县发展高原特色农业助推乡村振兴研究、会泽县推进文旅融合发展助推乡村振兴研究等2个课题通过市委党校立项并有序推进。高度重视调研成果的转化，充分展现党校理论联系实际和学以致用工作作风，全校教职工在各级各类刊物发表信息及科研理论文章9篇。

【村（社区）干部学历水平及能力素质提升工作】 2023年，会泽县委党校积极做好“国家开放大学长征带教育精准扶贫工程”专项办学和云南省村（社区）干部学历素质和能力水平提升工程的招生、开学集中面授、线上线下教学、指导毕业论文撰写及考试等工作。完成“国家开放大学长征带教育精准扶贫工程”专项办学收尾工作，共招生327人，年内毕业306人；云南省村（社区）干部能力素质和学历水平提升行动计划专项办学有序进行，截至2023年秋季学期，开设法律事务管理、行政管理（农村行政管理方向）、农林经济管理3个专业，共招生675人（其中2023年招生初起专46人，高起专146人，本科137人；2023年毕业93人）。

【师资队伍建设】 2023年，会泽县委党校实施党校系统“名师工程”，围绕教学、科研、决策咨询建立“名师工程”管理服务制度，着力培养政治强、业务精、作风好的知名教师。通过线上培训深入学、线下集中备课审课研讨学、分发课件资料自己学、宣讲授课延伸学“四学”方式，不断提升党校教师学深悟透能力、提升教学授课技能；通过送培省市委党校师资培训班、全县党政领导走进高校培训跟班管理员和参加学历职称培训等方式，不断加强师资力量建设。全年，选派骨干教师到省外高校和省市委党校培训22人次。积极争取政策支持，于2023年11月开展硕士研究生自主招考工作，招聘教培科研岗位的哲学、社科类全日制硕士研究生2名入校工作。

（左文能）

史志工作

【概况】 2023年，中共会泽县委党史研究室（会泽县地方志编纂委员会办公室）围绕全县经济社会发展目标，落实县委十三届四次全会决策部署，以奋进新征程推动新跨越三年行动为统领，聚焦主责主业，做好党史资料征集、文献普查、省情系列微视频以及相关地情资料普查等工作。《会泽年鉴（2022）》获云南省优秀年鉴（2022年卷）县（市、区）一等年鉴、第九届全国年鉴评选县市区二等奖。

【党史工作】 2023年，会泽县委党史研究室完成《2022年中共会泽县委工作纪要》《中国共产党会泽县历史大事记（1998—2021）》编纂出版工作；完成长篇小说《烈火岁月》《云南英烈及纪念设施大典·曲靖分卷》的审读意见；完成全省党史系统党史资料征集工作；完成大井镇大水村革命遗址保护利用项目申报；完成全国党史和文献系统中华版本普查工作。配合鲁甸县党史部门和会泽县文旅局做好迤车镇江底村革命历史文物“江底铁索桥”的保护利用工作。做好曲靖市委党史研究室3次调研会泽史志工作以及德宏州、玉溪市、东川区等3家党史部门到会泽县考察交流工作。

【地方志工作】 2023年，会泽县地方志编纂委员会办公室与县乡村振兴局共同开展中国扶贫志丛书——《会泽县扶贫志》编纂工作，年底完成初稿修改，报送省方志办复审。完成《会泽年鉴》（2023版）编纂出版工作；完成省情系列微视频《美丽云南》第三季“非遗：斑铜制作工艺”专题摄制；完成《云南年鉴（2023）》《曲靖年鉴（2023）》7000余字撰稿任务；完成一部手机“读曲靖”App会泽部分文字、图片、视频等7个资

2023年3月1日，东川区党史研究室到会泽县考察交流党史工作（高明松　摄）

料征集上报；完成会泽古代碑刻和摩崖题刻调查摸底统计工作；完成会泽县“读史用志点”挂牌3个。

（王海滨）

档案管理

【概况】 2023年，会泽县档案工作围绕《“十四五”全国档案事业发展规划》要求，以档案工作服务民生为重点，加强档案资源建设、档案信息化建设和档案法治建设。全年接待档案查阅523人次，提供档案利用718卷（件），复印档案资料1500余份。接收各单位档案5290卷（盒）12.31万件，其中文书档案4841卷11.97万件，科技档案171盒778件，会计档案151卷（册），人事档案106卷（册），照片档案1826张，印章档案21盒474枚。共接收电子档案目录1553条，扫描图像85736页。数据集中备份量0.24T，数字化量8.57万画（幅）。馆藏量达17.12万卷（件、张、盘）146.84万件。

【档案信息化建设】 2023年，会泽县档案馆采用清华紫光档案管理软件规范管理档案，共完成馆藏现行文书档案数字化扫描8.57万页，档案电子目录录入1553条，馆藏档案数字化数据量达3.72T，数字化量229.96万页（幅）。

【档案安全体系建设】 2023年，会泽县档案馆强化档案库房安全管理，落实双人出入库制度，完成新接收档案入库前消毒5290盒（卷）。建立健全县档案馆2023年度消防年度工作台账，制定完善档案馆安全应急预案。全年共开展消防安全检查12次，消防知识安全培训2期、消防设施维护检测10次。

【档案资源体系建设】 2023年，会泽县档案馆到各机关单位和乡镇指导督查100余人次，结合土地确权、水库移民搬迁点建设、小型水库建设等专项指导督查，完成县水务局、县工信局、县财政局、县农业农村局等27家县直单位和五星乡、纸厂乡等19家乡（镇、街道）到期档案归档业务指导，开展农村土地承包经营权确权登记颁证档案管理业务培训2期120人次。完成会泽县宝云马武水库工程、会泽县大海草山滑雪场水源工程项目档案验收工作。完成会泽县大海派出所、迤车派出所2个机关事业单位档案工作规范化管理复查认定。

（林　慧）

［责任编辑　龙金和］

会泽县人民代表大会

综 述

【坚持党的领导】 2023年，会泽县人大常委会深入扎实开展主题教育，把开展学习贯彻习近平新时代中国特色社会主义思想主题教育作为贯彻落实党的二十大精神的重要举措，牢牢把握“学思想、强党性、重实践、建新功”总要求，紧紧锚定主题教育目标任务，把理论学习、调查研究、推动发展、检视整改、建章立制有机融合、一体推进，在以学铸魂、以学增智、以学正风、以学促干上下功夫，推动理论学习走深走实。充分发挥常委会党组把方向、管大局、保落实的作用，做到“懂政治、懂大局、懂业务，方法对、路径对，结果好、效果好”；严格执行重大事项报告制度，保证党的领导在人大工作中得到全面贯彻和有效落实；坚决落实县委决策部署。按照县委的工作要求，自觉强化责任担当，围绕四上企业发展、国有资产管理、医疗高质量发展等工作深入开展调查研究，为县委提供决策参考；认真履行乡（镇、街道）承包责任，积极参与全县重大项目建设、招商引资、信访工作、“林长制”“河（湖）长制”等工作；认真落实巩固拓展脱贫攻坚成果同乡村振兴有效衔接工作帮扶责任，开展普法强基补短板、创建国家卫生县城等工作；选派8名机关干部参加驻村帮扶、矛盾纠纷排查调处、会计集中核算、到国有企业学习锻炼等，让机关干部在基层一线得到锤炼、增长本领。

2023年12月11日，会泽县人大代表评议县住建局、县农业农村局、县文旅局工作会议（陈耀邦 摄）

【坚持依法监督】 2023年，会泽县人大常委会以奋进新征程推动新跨越三年行动为统领，围绕“巩固脱贫攻坚成果接续乡村振兴示范区、全国历史文化名城、劳动密集型产业发展基地”三个定位，扎实开展监督工作。对县“十四五”规划中期执行情况进行调查，听取县人民政府关于县“十四五”规划实施情况的中期评估报告和关于全县2023年国民经济和社会发展计划1—6月执行情况报告，督进度、找症结、提建议，促进经济在合理区间运行。听取全县2022年度国有资产管理情况的综合报告和行政事业单位国有资产管理情况的专项报告，对国有资产管理情况进行专题调研，督促有关单位压实管理责任、完善管理制度、强化问题整改，推动国有资产保值增值。听取财政预算执行情况报告，审查预算调整方案，对会泽县2020—2022年重大项目及专项债券项目落实推进情况进行调查，加强政府债务的审查监督，对审计查出问题整改落实进行跟踪问效，常态化开展预算联网监督，推动预算审查监督重点向支出预算和政策拓展，提高财政资金使用绩效。对《会泽县国土空间总体规划（2020—2035年）》作出决议，督促政府进一步增强规划的统筹性、协调性、权威性。听取县人民政府关于2022年度环境状况和环境保护目标完成情况报告，对县人民政府贯彻实施《曲靖市乡村清洁条例》情况进行执法检查，对全县集镇污水和垃圾收集处置情况、江河湖库生态保护治理工作情况进行调查，在促进生态环境持续向好中展现人大作为。对全县农业重点产业发展情况、易地扶贫搬迁成效巩固情况进行调查，组织代表对全县巩固拓展脱贫攻坚成果接续乡村振兴工作进行视察，推动脱贫成效更可持续、振兴基础更加稳固；持续开展“乡村振兴·人大代表在行动”主题活动，开展“百名代表挂百村”行动，组织动员全县各级人大代表踊跃投入乡村振兴第一线，建言献策、发挥作用，把人大工作转化成助推乡村振兴的实际成果。对县人民政府贯彻实施《云南省优化营商环境条例》情况进行执法检查，为企业发展营造更加稳定、公正、公平的环境；组织代表对县文化和旅游局、住房和城乡建设局、农业农村局工作进行评议，督促解决存在问题、转变工作作风、提高行政效能。对县卫生健康局工作情况进行专题询问，对全县医疗高质量发展情况进行专题调研，推动加快我县医药卫生体制改革，成立县域医疗集团，构建优质高效的县乡村整合型卫生健康服务体系。对县人民政府贯彻实施《中华人民共和国就业促进法》情况进行执法检查，对全县职业教育发展情况进行调查，督促政府以加快职业教育发展为抓手，不断加强就业服务体系建设，推动城乡劳动力多渠道就业。听取和审议全县应急管理工作情况报告，督促政府更好统筹发展和安全，全力防范化解重大灾害风险。

2023年3月3日，省人大常委会调研组到会泽县调研省级基层立法联系点建设准备情况（赵东瑞　摄）

【加强法治建设】　2023年，会泽县人大常委会积极开展国家宪法日和宪法宣传周活动，组织21名国家机关工作人员进行任前法律知识考试，组织新选举和任命的28名国家机关工作人员向宪法宣誓，增强法律意识，树立宪法权威。把普法融入人大工作全过程，在开展执法检查、调研调查等工作中突出相关法律法规的宣传；领导班子成员深入挂包乡（镇、街道）开展普法宣讲，人大机关组织法律专业人员到联系社区举办法律知识讲座。对“八五”普法规划决议的实施情况进行跟踪监督，落实“普法强基补短板”工作责任，开展“4·15”全民国家安全教育日等活动，推动全社会尊法学法守法用法。对全县社区矫正工作情况进行调查，督促政府进一步补齐工作短板、加强经费保障、完善协调机制，维护社会和谐稳定；组织县人大代表参加听证会、案件审理、视察法院、民生专项活动等工作，更好地监督司法案件公平公正裁决。做好县人大常委会规范性文件清理、公开、入库工作，督促县人民政府对规范性文件进行专项清理；对县人民政府报送备案的规范性文件进行审查，经审查未发现违法情形，审查后予以备案。2023年3月24日，会泽县人大常委会被省人大常委会列为曲靖市唯一一家省级基层立法联系点。完成基层立法联系点建设工作，年内完成《中华人民共和国治安管理处罚法（修订草案）》等14部法律法规的立法意见征集工作。群众的立法“金点子”通过省级基层立法联系点转化成基层治理的“金钥匙”，得到省人大常委会的充分肯定，昭通、文山、怒江等地州人大前来交流学习。

【发挥主体作用】　2023年，会泽县人大常委会投入资金100余万元对代表“家站室”进行功能提升改造；加大对《关于古城保护利用的议案》等议案的督办力度；坚持“集中交办、重点督办、跟踪落实”的办理机制，对县十八届人大三次会议期间代表所提的122件建议的办理情况进行调查督办。扩大人民有序政治参与，全年共邀请164名代表列席县人大常委会会议，参加视察调研、执法检查、评议等活动，为代表知情知政创造条件；指导乡（镇）人大主席团和街道人大工委开展工作，不断提高代表的履职能力。

【强化自身建设】　2023年，会泽县人大常委会严格执行党组工作条例，强化机关各级党组织的政治功能和主体责任，认真落实民主生活会、主题党日等党内政治生活制度。坚持正确舆论导向，通过“会泽人大”、会泽人大网站等各类新闻媒体，及时公告人事任免、决议决定等重大事项。提升工作效能。不断改进调研方式，聚焦人民群众所思所盼开展专题调研，就产业发展、乡村振兴、医疗教育等工作向有关国家机关提出意见建议，加强监督检查，推动调研成果有效转化。组织48名县人大常委会组成人员和乡镇人大干部到厦门大学开展为期一周的学习培训，切实提高了人大干部的综合素质。持续巩固“曲靖市四星级模范机关”创建成效，推动机关党的建设全面推进；落实全面从严治党主体责任，突出廉政风险防控，深入开展“清廉人大机关”建设；积极支持派驻纪检监察组监督执纪，严格落实中央八项规定，加大对形式主义和官僚主义以及基层减负效果不佳等突出问题和“躺平式”干部专项整治力度，营造人大机关风清气正的良好氛围。

重要会议

【会泽县第十八届人大三次会议】 2023年1月5—7日在会泽会堂召开。会议听取和审议县人民政府、县人大常委会、县人民法院、县人民检察院工作报告，审查会泽县2022年国民经济和社会发展计划执行情况及2023年国民经济和社会发展计划（草案）的书面报告和会泽县2022年地方财政预算执行情况及2023年地方财政预算（草案）的书面报告。会议表决通过上述6个报告的决议。会议批准《会泽县2022年国民经济和社会发展计划执行情况及2023年国民经济和社会发展计划》《会泽县2022年地方财政预算执行情况及2023年地方财政预算》。表决会泽县第十八届人民代表大会财政经济委员会主任委员人选办法，通过会泽县第十八届人民代表大会财政经济委员会主任委员人选名单。

【会泽县十八届人大常委会会议】 2023年，会泽县十八届人大常委会共召开7次会议。

第六次会议　2月3日在会泽召开，县人大常委会党组书记、主任潘利华主持会议。会议举行会泽县人大大讲堂第四讲；审议会泽县人大常委会2023年工作要点、会泽县人大常委会代表资格审查委员会关于个别县人大代表资格审查报告以及人事事项。

第七次会议　4月6日在会泽召开，县人大常委会党组书记、主任潘利华主持会议。会议审议县人民政府关于全县社区矫正工作情况报告、县人民政府关于全县集镇污水和垃圾收集处置情况报告、县人民政府关于全县易地扶贫搬迁成效巩固情况报告；听取县人民政府关于法治政府建设情况的报告；听取县人民政府关于贯彻实施《中华人民共和国种子法》情况的审议意见办理报告、县人民政府关于县道成开发投资集团有限公司运行情况的审议意见办理报告、县人民政府关于全县教育“双减”工作情况的审议意见办理报告、县人民政府关于全县招商引资工作情况的审议意见办理4个报告，并对办理情况进行测评；审议县人大常委会代表资格审查委员会关于个别县人大代表资格审查报告以及人事事项。

第八次会议　6月2日在会泽召开，县人大常委会党组书记、主任潘利华主持会议。会议举行会泽县人大大讲堂第五讲；审议县人民政府关于会泽县2022年地方政府债务限额调整方案的报告；听取县人民政府关于会泽县2022年度环境改善和环境保护目标完成情况报告；审议县人大常委会执法检查组关于县人民政府贯彻实施《中华人民共和国就业促进法》情况的执法检查报告、县人民政府关于全县职业教育发展情况报告、县人民政府关于全县江河湖库生态保护治理工作情况报告；听取县人大法制委关于规范性文件备案审查工作报告（书面）；听取县人民政府关于全县社区矫正工作情况的审议意见办理报告、县人民政府关于全县集镇污水和垃圾收集处置情况的审议意见办理报告、县人民政府关于全县易地扶贫搬迁成效巩固情况的审议意见办理报告，并对办理情况进行测评；审议县人大常委会代表资格审查委员会关于个别县人大代表资格审查的报告以及人事事项。

第九次会议　6月27日在会泽召开，县人大常委会党组副书记、副主任张明东主持会议。会议审议《会泽县国土空间总体规划（2021—2035年）（送审稿）》。

第十次会议　7月21日在会泽召开。会议听取县人民政府关于会泽县2023年国民经济和社会发展计划1—6月执行情况的报告、县人民政府关于会泽县2022年和2023年1—6月政府债务管理情况的报告；审查县人民政府关于会泽县2022年地方财政决算和2023年地方财政预算1—6月执行情况的报告；审议县人民政府关于会泽县2022年度县级财政预算执行和其他财政财务收支的审计工作报告、县人大常委会执法检查组关于县人民政府贯彻实施《曲靖市乡村清洁条例》情况的执法检查报告、县人民政府关于全县应急管理工作情况的报告；听取县人民政府关于《中华人民共和国就业促进法》贯彻实施情况的审议意见办理报告、县人民政府关于全县职业教育发展情况的审议意见办理报告、县人民政府关于全县江河湖库生态保护治理工作情况的审议意见办理共计三个报告，并对办理情况进行测评；听取县人大常委会代表资格审查委员会关于个别县人大代表资格审查报告以及审议人事事项。

第十一次会议　10月23日在会泽召开。会议举行会泽县人大大讲堂第六讲；听取县人民政府关于会泽县国民经济和社会发展第十四个五年规划和二〇三五年远景目标纲要中期执行情况的报告、县人民政府关于会泽县2023年财政专项预算调整方案（草案）的报告、县人民政府关于全县2022年度国有资产管理情况的综合报告、县人民政府关于全县2022年度行政事业单位国有资产管理情况的专项报告；审议县人民政府关于会泽县2020—2022年重大项目及专项债券项目落实推进情况报告、县人民政府关于全县农业重点产业发展情况的报告；听取县卫生健康局工作情况报告，对县卫生健康局工作进行专题询问；听取县人民政府关于县十八届人大三次会议代表所提议案、建议办理情况的报告、县人大常委会视察组关于全县巩固拓展脱贫攻坚推进乡村振兴工作情况的视察报告、县人民政府关于《曲靖市乡村清洁条例》贯彻实施情况的审议意见办理报告、县人民政府关于全县应急管理工作情况的审议意见办理共计四个报告，并对办理情况进行测评；审议县人大常委会代表资格审查委员会关于个别县人大代表资格审查的报告以及审议人事事项。

第十二次会议　12月12日在会泽召开，县人大常委会党组书记、主任潘利华主持会议。会议听取县人大常委会执法检查组关于县人民政府贯彻实施《云南省优化营商环境条例》情况的执法检查报告、县人民政府关于会泽县国民经济和社会发展第十四个五年规划实施情况的中期评估报告；听取和审查县人民政府关于会泽县2023年地方财政预算1—11月执行情况和财政预算调整方案（草案）的报告、县人民政府关于2022年度县级财政预算执行和其他财政收支审计中查出问题整改落实情况的报告；听取县十八届人大常委会第十一次会议相关审议意见办理情况的报告，对办理情况进行测评；听取县人大常委会评议工作组关于县文化和旅游局、县住房和城乡建设局、县农业农村局三个政府部门工作评议情况的报告；审议县人大常委会代表资格审查委员会关于个别县人大代表资格审查的报告、审议关于召开会泽县第十八届人民代表大会第四次会议有关事项以及人事事项。

【常委会主任会议】　根据《县人大常委会主任会议议事规则》的规定，县人大常委会主任会议主要研究决定县人大常委会的日常工作。2023年召开主任会议16次。

人事任免

【概况】　2023年，会泽县人大常委会坚持党管干部原则与人大依法任免相统一。年内任免和决定任免国家机关工作人员60人次，补选县人大代表9人，补选市人大代表4人，接受县人大代表辞职8人，接受市人大代表辞职2人。

【县十八届人大常委会第六次会议人事任免】　2023年2月3日，会泽县十八届人大常委会第六次会议通过，接受吕敞会、赵剑锐、胡祥3人辞去会泽县第十八届人民代表大会代表、常务委员会委员职务。决定免去郑朝会泽县人大常委会办公室副主任职务，胡祥会泽县人大常委会宝云街道工作委员会主任职务，赵剑锐会泽县人大常委会以礼街道工作委员会主任职务，吕敞会会泽县人大财政经济委员会委员职务，吕志全会泽县民政局局长职务，肖凯会泽县工业信息化和商务科技局局长职务，孙世强的会泽县监察委员会委员职务。决定任命何英为会泽县工业信息化和商务科技局局长，吕志全为会泽县住房和城乡建设局局长、柳成懋为会泽县统计局局长。

【县十八届人大常委会第七次会议人事任免】　2023年4月6日，会泽县十八届人大常委会第七次会议通过，接受马勇辞去曲靖市第六届人民代表大会代表职务。决定免去的有马春会泽县医疗保障局局长职务，谭大军县人民法院副院长、审判委员会委员职务，石佳忱县人民法院副院长、审判委员会委员职务，邓开宏县人民法院民事审判一庭庭长职务。决定任命李正宾为会泽县人民代表大会城乡建设与环境资源保护委员会副主任，吕金平为会泽县人大常委会宝云街道工委主任，杨辉为会泽县人大常委会以礼街道工委主任。

【县十八届人大常委会第八次会议人事任免】　2023年6月2日，会泽十八届人大常委会第八次会议通过。免去华玉明的会泽县人大常委会金钟街道工作委员会主任职务，李文辉县人民检察院检察委员会委员、检察员职务，张锡坤县人民检察院检察员职务。接受马勇辞去曲靖市第六届人民代表大会代表职务，段自东辞去会泽县第十八届人民代表大会代表职务，华玉明辞去会泽县第十八届人民代表大会常务委员会委员职务。决定任命张鑫为会泽县人大常委会金钟街道工作委员会主任，唐文学为会泽县教育体育局局长。

【县十八届人大常委会第十次会议人事任免】　2023年7月21日，会泽县十八届人大常委会第十次会议通过，接受杨万坤辞去会泽县第十八届人民代表大会常务委员会副主任职务，付必树辞去会泽县人民政府副县长职务，黄吉福辞去会泽县十八届人大代表职务。免去邓成耀会泽县人民法院副院长、审判委员会委员职务，谭德聪会泽县人民法院人民陪审员职务，李启明会泽县人民检察院副检察长、检察委员会委员职务。决定任命杨万坤为会泽县人民政府副县长，李世斗为会泽县人民法院副院长职务。

【县十八届人大常委会第十一次会议人事任免】　2023年10月23日，会泽县十八届人大常委会第十一次会议通过，接受何政樘辞去会泽县监察委员会主任职务，张健辞去会泽县人民政府副县长职务。决定免去丁俊会泽县民族宗教事务局局长职务，高朝位会泽县应急管理局局长职务，李德坤会泽县监察委员会委员职务。决定任命蔡红飞为会泽县监察委员会副主任、代理主任，张宁为会泽县人民政府副县长，陈朝应为会泽县医疗保障局局长，丁俊为会泽县民政局局长，白贵斌为会泽县民族宗教事务局局长，李崇林为会泽县应急管理局局长。

【县十八届人大常委会第十二次会议人事任免】 2023年12月12日，会泽县十八届人大常委会第十二次会议通过，接受唐开虎辞去曲靖市第六届人民代表大会代表职务，并报曲靖市人民代表大会常务委员会备案；孙禹、徐永黎辞去会泽县人民政府副县长职务，邓余勇、纪成川辞去会泽县第十八届人大常委会委员职务。决定免去陈才斌会泽县监察委员会委员职务，张世龙会泽县人民法院者海法庭副庭长职务，胡万坤会泽县人民法院者海法庭庭长、审判员职务，柳堤会泽县人民检察院检察员职务，李敏会泽县人民检察院检察委员、检察员职务。决定任命黄友高为会泽县人民政府副县长，李敏为会泽县人民法院副院长、审判委员会委员、审判员，张世龙为会泽县人民法院副院长、审判委员会委员，胡万坤为县人民检察院检察员、检察委员会委员、副检察长，焦存美为会泽县人民检察院副检察长。

视察调查

【全县巩固脱贫攻坚推进乡村振兴工作集中视察】 2023年9月26日，县人大常委会组织50名县人大代表到娜姑镇、钟屏街道、古城街道和电子信息产业园区分别对农业产业、文旅发展、古城保护与开发、电子信息产业发展等工作情况进行集中视察。视察组实地察看所到点位的工作情况，现场听取情况汇报，并召开座谈会听取县人民政府关于全县巩固拓展脱贫攻坚成果同乡村振兴有效衔接工作情况汇报，提出视察意见。10月24日召开县人大常委会对视察组所作的视察报告进行审议，提出提振信心，不断增强群众内生动力、打造品牌，不断延伸农业产业链条、培育主体，不断增强企业带动能力、强化管理，不断夯实农业发展基础、建强队伍，不断强化基层人才保障5个方面的审议意见。

【会泽县2023年经济社会发展情况集中视察】 2023年12月18日，县人大常委会组织市人大代表对会泽县2023年经济社会发展情况进行会前集中视察。主要围绕贯彻落实中央、省委重大决策部署和市委、县委工作部署，会泽“十四五”规划纲要的实施、“一城一区一地”目标及全县“奋进新征程推动新跨越三年行动”、“310”工程的实施进行视察，特别是针对全县地方经济社会发展、保障和改善民生、民主法治建设中存在的突出问题，以及人民群众普遍关注的热点难点问题，积极回应人民群众对美好生活的期待，增强代表提出议案建议的针对性和实效性，为代表依法履职奠定基础。

【全县社区矫正工作调查】 2023年2月15日至3月1日，会泽县人大常委会组成调查组对全县社区矫正工作进行调查。4月6日，会泽县第十八届人大常委会第七次会议听取县人民政府《关于开展社区矫正工作情况的报告》和县人大常委会调查组《关于全县社区矫正工作情况的调查报告》，并进行审议。提出进一步营造社区矫正工作的良好氛围；进一步补齐社区矫正工作的短板；进一步加强社区矫正工作的经费保障；进一步完善社区矫正工作的协调机制4个方面的审议意见。

【全县易地扶贫搬迁成效巩固情况调查】 2023年2月14日至3月1日，会泽县人大常委会组成调查组对全县易地扶贫搬迁成效巩固情况进行调查。调查中发现仍然存在稳定增收任务艰巨、社会治理压力较大、产业发展存在短板、公共设施配套不足、物业管理运行困难、新增住房需求迫切等问题，针对存在问题，县人大常委会提出继续抓好就业创业、切实强化社会治理、着力推进产业发展、进一步完善公共设施及物业管理、关注搬迁群众房屋需求5个方面的意见。

【第十四个五年规划和二〇三五年远景目标纲要执行情况调查】 2023年6月5—30日，会泽县人大常委会组成调查组对《会泽县国民经济和社会发展第十四个五年规划和二〇三五年远景目标纲要》（以下简称《纲要》）执行情况及农村公路管理养护情况开展调查。针对存在的不足，为推进

2023年2月15日，县人大常委会调研组到待补镇调研“两污”收置处理情况

（县人大办 提供）

2023年12月18日，会泽县人大常委会组织市人大代表进行会前集中视察。图为到待补镇鹧鸡村视察“四美家园”建设情况　　（代玉春　摄）

《纲要》的顺利实施，县人大常委会提出提高思想认识，加强领导，落实《纲要》的严肃性；加强政策衔接，上下统一，树立《纲要》的权威性；科学分析指标，精准研判，实现《纲要》的可操作性；加大力度增加财政收入，确保规划项目顺利实施4个方面的建议。

【全县应急管理工作情况调查】 2023年6月6日至7月12日，会泽县人大常委会组成调查组对全县应急管理工作情况开展调查。调查中发现应急工作存在应急管理体制机制不顺畅，应急管理工作形势依然严峻，基层应急管理力量薄弱，社会公众责任意识淡薄的问题。为进一步做好全县应急管理工作，提出完善应急体系建设，形成部门应急合力；加大督查检查力度，确保安全生产形势持续稳定；加强应急队伍建设，提高应急处置能力；深化应急知识宣传教育，提高应急知识普及率4个方面建议。

【县卫生健康局工作情况调查】 2023年8月10日至9月10日，会泽县人大常委会组成调查组对县卫生健康局工作情况进行调查。调查中发现卫生工作存在财政保障不到位，债务负担重；医疗卫生人才短缺，队伍不稳定；服务能力不足，医疗改革有待进一步深化；监督管理不到位，医德医风建设有待进一步加强等问题。为进一步推进全县卫生健康事业发展，提出强化专项资金保障，加强医疗基础设施建设；加强人才队伍建设，提升医疗服务水平；深入推进医疗体制改革，建立优质高效医疗卫生服务体系；加强医疗行业监管，树立良好行业形象4个方面的意见。

【三年重大项目及专项债券项目落实推进情况调查】 2023年8月10日至9月10日，会泽县人大常委会组成调查组对近三年重大项目及专项债券项目落实推进情况进行调查。对县十八届人大三次会议期间代表所提议案建议办理情况进行调查。调查发现存在项目资金缺口大，项目要素保障难，项目带动产业发展不足，项目谋划管理存在短板，专项债券项目管理还不够规范。针对这些不足，为进一步强化项目监管，规范项目资金拨付使用，高标准、高质量、高效率推进项目建设，县人大常委会提出加大资金争取力度；强化要素保障；加强项目谋划管理；提高项目储备质量；规范专项债券项目及资金管理5方面的建议。

【全县农业重点产业发展情况调查】 2023年8月15日至9月15日，会泽县人大常委会组成调查组对全县农业重点产业发展情况进行调查。调查发现农业产业存在基础设施支撑不足、良种良苗培育滞后、品牌创建效果不好、产业组织化程度低、专业技术人员缺乏等问题。针对存在问题，县人大常委会提出打牢产业发展基础、强化良种良苗保障、注重品牌创建营销、切实提升组织化程度、加强人才队伍建设5个方面的意见。

【全县四上企业发展培育情况调查】 2023年8月21日至9月10日，会泽县人大常委会组成调查组对全县四上企业发展培育情况开展调查。了解掌握全县四上企业发展培育的现状，分析存在的困难和问题，促进县域经济总量的扩大、速度的提升、质量效益的提高、结构的优化、转型升级的加快，为全县经济高质量发展奠定坚实的基础。

【全县国有资产管理情况调查】 2023年10月16日至11月15日，会泽县人大常委会组成调查对全县国有资产管理情况进行调查。了解掌握全县国有资产的现状以及管理使用情况，进一步加强对国有资产的监管，让国有资产配置更加合理，充分发挥国有资产效益，杜绝国有资产在产权、配置、使用、处置、收益及监督管理中出现问题，有效防止国有资产流失。

执法检查

【《中华人民共和国就业促进法》执法检查】 2023年4月10日至5月12日，县人大常委会成立执法检查组对县人民政府贯彻实施《中华人民共和国就业促进法》的情况进行执法检查。通过执法检查，了解掌握县人民政府贯彻实施就业促进法的做法和取得的效果，分析查找存在问题，提出意见建议，推动就业促进法在会泽县的贯彻落实，持续优化就业结构、提升就业质量，推动居民劳动性收入较快增长，促进经济发展与扩大就业相协调，促进社会和谐稳定，助推全县加快形成更加充分更高质量就业体系。

【《曲靖市乡村清洁条例》执法检查】 2023年6月5—20日，县人大常委会执法检查组对县人民政府贯彻实施《曲靖市乡村清洁条例》情况进行执法检查。通过执法检查，了解《曲靖市乡村清洁条例》在全县的贯彻落实情况及存在问题，推动《曲靖市乡村清洁条例》贯彻实施，促进全县各级各部门进一步加强和改进乡村清洁工作，推动全县人居环境提升。

【《云南省优化营商环境条例》执法检查】 2023年10月16日至11月15日，县人大常委会执法检查组对县人民政府贯彻实施《云南省优化营商环境条例》开展执法检查。通过执法检查，促进优化营商环境条例有效实施，提升行政执法效能，推进政府职能转变，推动政府部门加强协同合作，提高公共服务水平；提升企业竞争力，降低企业运营成本，有效保护企业权益，打造市场化法治化营商环境，为企业和经济发展提供更加稳定、公正、公平的环境。

代表工作

【代表履职保障】 2023年，会泽县人大常委会投入资金100余万元对代表"家站室"进行功能提升，高标准建成钟屏街道人大代表之家、待补镇市级人大代表工作站和娜姑镇省级人大代表联络室，示范带动全县工作站和联络室不断优化功能，形成"家站室"纵向贯通、信息联通新格局。

【代表议案建议办理】 2023年，会泽县人大常委会加大对《关于古城保护利用的议案》的督办力度。古城博物馆片区建设初见成效，以贵州会馆为首的一批会馆古建得到活化利用，北门片区改造顺利进行，古城保护利用工作成效明显；坚持"集中交办、重点督办、跟踪落实"的办理机制，对县十八届人大三次会议期间代表所提的122件建议的办理情况进行调查督办。所有建议在时限要求内全部答复完毕，已解决或正在解决的建议（A类）41件，占33.61%；列入计划解决或待批准解决的建议（B类）55件，占45.08%；因目前条件限制或其他原因暂不能解决的建议（C类）26件，占21.31%。一大批代表建议转化为促发展、惠民生、暖民心的务实举措。

【"双联"工作推进】 2023年，会泽县人大常委会共邀请164名代表列席县人大常委会会议，参加视察调研、执法检查、评议等活动，为代表知情知政创造条件；指导乡镇人大主席团和街道人大工委开展工作，不断提高代表的履职能力；指导各"家站室"做好代表意见建议收集工作，推动解决一批群众急难愁盼问题，不断丰富全过程人民民主的会泽实践。在全省率先开展"乡村振兴·人大代表在行动"主题活动。在老厂乡进行试点，组织动员全县1947名四级人大代表根据各自的工作岗位及个人特长，开展好"素质提升、产业提升、生态提升、金融助力、扶残助力、慈善助力、技术助力、文化助力、巾帼助力、家风文明和自强诚信感党恩"、"十一项行动"，切实发挥人大代表的作用，助力乡村振兴伟大实践。

（陈荣秀）

2023年12月4日，火红乡组织40余名县、乡人大代表和政协委员，对冬瓜林夏播马铃薯样板基地丰收情况进行视察　　（县融媒体中心　提供）

专门委员会工作

【财政经济委员会】 2023年，会泽县人大常委会财政经济委员会依法履行法定职责，开展国民经济和社会发展计划的审查监督工作。召开财经委专委会议对县人民政府提出的关于会泽县2022年国民经济和社会发展计划执行情况与2023年国民经济和社会发展计划草案的报告进行初步审查，代表大会审议期间做好计划报告的审查工作；听取和审议县人民政府关于会泽县2023年国民经济和社会发展计划1—6月执行情况报告，听取和审议县人民政府关于会泽县国民经济和社会发展第十四个五年规划和二〇三五年远景目标纲要实施情况中期评估报告。配合预算工委依法开展财政预决算草案的审查监督工作，促进财政资金合理优化；听取和审议2023年1—6月地方财政预算执行情况报告、2023年1—11月地方财政预算执行情况报告和审计部门关于2022年县级财政预算执行和其他财政收支的审计工作报告。与预算工委进行会泽县2020—2022年重大项目及专项债券项目的落实推进情况的调查；对全县国有资产管理情况的调研，提出合理化建议。6月开展会泽县国民经济和社会发展第十四个五年规划和二〇三五年远景目标纲要实施中期执行情况的调查，10月对县人民政府贯彻实施《云南省优化营商环境条例》情况开展执法检查，6—8月完成县委安排的全县农村公路管理养护情况和全县四上企业发展培育情况的调研。配合市人大财经委对全市“十四五”规划中期执行情况进行专题调研和对城乡绿化美化专项行动工作推进情况开展督促检查工作。

【法制委员会】 2023年，会泽县人大常委会法制委员会配合市人大常委会做好贯彻落实《曲靖市城乡网格服务条例》情况执法检查、规范性文件备案审查工作调研等工作，开展多形式的普法宣传教育。对拟提请县人大常委会任命的21名国家机关、行政机关、审判机关、检察机关领导进行《中华人民共和国宪法》《中华人民共和国组织法》及人大制度相关知识等法律法规的任前法律知识考试。认真开展调查、听取专项工作报告、督查等工作。2月，县人大常委会组织调查组到相关乡镇（街道）和县直有关部门进行调研，采取听取汇报、召开座谈会等方式，听取对县人民政府开展社区矫正工作的意见建议，针对调研中反映的社区矫正的社会认知度低、社区矫正的基础薄弱、社区矫正的经费保障不足、社区矫正的协作不畅等工作，提出营造社区矫正工作的良好氛围、补齐社区矫正工作的短板、加强社区矫正工作的经费保障、完善社区矫正工作的协调机制等意见建议。加强规范性文件备案审查工作，年内对《会泽县人民政府保留修改和废止有关行政规范性文件的决定》《会泽县县属企业薪酬管理办法（试行）》《会泽县县属企业经营业绩考核办法（试行）》等规范性文件开展备案审查。3月，会泽县被省人大常委会确定为省级基层立法联系点。截至12月，完成《全国人大常委会法制工作委员会征求建设好基层立法联系点的意见建议函》等14部法律法规立法意见征集工作任务，共收集意见建议70余条，整理上报34条。

【教育科学文化卫生委员会】 2023年，会泽县人大常委会教育科学文化卫生委员会对全县职业教育发展情况进行专题调查，助推全县职业教育发展。为推进全县卫生健康事业发展，提升全县医疗卫生服务能力和水平，对卫生健康局的工作进行专题询问。为充分发挥县文化和旅游局的职能作用，全力打造国内知名旅游胜地，通过工作评议的方式，加大对文化和旅游局工作监督，助推全县文化和旅游事业发展。对2022年度县人大常委会作出的教育“双减”工作的审议意见及时跟进，针对督促中发现的问题，提出科学、合理、可行的建议，督促及时向常委会会议报告情况，常委会会议对办理工作情况进行测评，测评结果均为满意，推动审议意见落实。县十八届人大三次会议上，代表提出涉及教科文卫旅方面的代表建议13件，县人大教科文卫委督办的13件建议办理结果，代表均表示满意。

【城乡建设与环境资源委员会】 2023年，会泽县人大常委会城乡建设与环境资源委员会为贯彻落实新时期国家、省、市重大发展战略和国土空间规划改革重大部署，6月，依法组织专委委员对《会泽县国土空间总体规划（2021—2035年）》文本进行初审，并提出初审意见建议。4月15日至5月15日对全县江河湖库生态保护治理工作情况进行调查，并向县人大常委会报告，形成统筹兼顾加强基础设施建设、强化监管巩固提高治理成效、加强协调系统推进协同共治、提高认识汇聚合力共抓大保护等审议意见，及时转交县政府研究办理。2月14—28日对全县集镇污水和垃圾收集处置情况进行调研，提出进一步加大项目投入、健全管护机制、优化垃圾集中处置方案、加强宣传引导等建议，形成调研报告提交县委常委会审议。10—11月组织县人大代表对县住建局工作进行评议。加强对代表在县第十八届人大三次会议上所提的《关于加快农村“两污”治理建设步伐的建议》的跟踪督办。协助市人大城环资委完成对《曲靖市城市管理综合行政执法条例》的执法检查，协助县人大常委会完成听取审议县人民政府2022年度环境状况和环境保护目标完成情况的报告。

【社会建设与民族宗教外事华侨委员会】 2023年4月，会泽县人大常委会社会建设与民族宗教外事华侨委员会组成执法检查组到县人社局、县教体局、县残联、县工业园区管委会、宝云街道、五星乡、雨碌乡对贯彻执行《中华人民共和国就业促进法》的情况进行执法检查。4月11日至5月18日，组织调查组对全县农村劳动力转移就业情况进行调查，提出抓宣传，营造良好工作氛围；抓培训，切实提高技能水平；抓发展，不断拓宽就业渠道；抓对接，不断提高组织化程度；抓服务，着力解除后顾之忧等5个方面的工作建议。6月，组织调查组到矿山镇、大海乡、火红乡、五星乡和县自然资源局、县林草局、县应急管理局、会泽消防大队、驰宏会泽冶炼厂对应急管理工作情况进行调查，形成调查报告提交主任会议、常委会会议审议。

［责任编辑　龙全和］

会泽县人民政府

综　述

【概况】　2023年，会泽县人民政府在市委、市政府及县委的正确领导下，在县人大、县政协的监督支持下，深入学习贯彻习近平新时代中国特色社会主义思想和党的二十大精神，坚持以奋进新征程推动新跨越三年行动为统领，聚焦打造巩固拓展脱贫攻坚成果同乡村振兴有效衔接示范区、全国历史文化名城、劳动密集型产业基地“三个定位”，抢抓机遇，乘势而上，拼搏争先，确保了会泽经济平稳运行、社会和谐稳定，经济社会各项事业取得新业绩。

【经济运行】　2023年，会泽县紧盯“1+4”主要经济指标，及时研判稳增长工作中存在的困难和短板，全面加强组织统筹、监测分析和运行调度，全县地区生产总值完成397.62亿元、增7.1%，规上工业增加值实现84.17亿元、增7.3%，固定资产投资完成222.67亿元、增10.7%，社会消费品零售总额完成123.59亿元、增11.6%，地方一般公共预算收入完成16.01亿元、增4.37%。入库项目329个，总投资224.2亿元；争取中央及省预算内资金0.73亿元、专项债券5.7亿元。申报专项债券项目48个，拟申请专项债券337.37亿元。全县净增长企业3221户、个体工商户29402户，个转企745户，通过“四上”企业国家审核入库45户。

【巩固脱贫攻坚成果】　2023年，会泽县全面推行抓党建促脱贫成果巩固、“红黄绿”分类管理和精准帮扶机制，新识别监测对象354户1300人，稳定消除返贫风险7174户26633人，正在跟进消除返贫风险3730户12860人。投入整合衔接资金11.7亿元，沪滇协作帮扶资金6329万元，实施产业就业、基础设施等项目476个，发放脱贫人口小额信贷7828户4.6亿元。总结推广娜姑白雾分层分类促增收及利益联结模式，脱贫人口人均纯收入达12763.8元、增17.8%，人均纯收入8500元以下且有劳动能力的脱贫户和监测户实现动态清零。易地扶贫搬迁后续扶持力度加大，县城安置区列为全国易地搬迁高质量发展示范点，守住了不发生规模性返贫的底线。乡村振兴“百千万”示范工程深入实施，高标准建成6个“四美家园”和“宜居宜业和美乡村”示范点、21个美丽村庄。

【产业支撑】　2023年，会泽县特色农业提质增效，大力提升农业产业组织化，推进高原特色农业产业规模

2023年9月6日，驰宏会泽冶炼分公司6万吨锌合金技改项目试生产启动
（尹永权　摄）

化、标准化、品牌化发展，新增土地流转3.6万亩、达78.7万亩，高标准农田达68.3万亩；新增县级龙头企业30家、农民专业合作社27个、家庭农场61个。巩固提升生猪产能，100万头生猪屠宰加工及冷链物流项目主体完工；国家级种公牛站和核心育种场投产运营，年交易20万头牛羊交易市场和年屠宰加工5万头肉牛屠宰加工厂项目加快推进，建成肉牛养殖示范村36个，培育50头以下小规模养殖户5.4万户。新型工业提速发展，传统产业技术改造提升，驰宏公司会泽矿业分公司年产6万吨锌合金生产线建成投产。磷化工有序推进，完成3个磷矿探采矿权整合，者海化工园区进入全省第二批化工园区确认名单并扎实推进，德方纳米年产20万吨新型磷酸盐系正极材料基地完成项目备案、环评，第一批用地已获省级批复。劳动密集型产业科学布局，引进电子信息、食品加工等劳动密集型企业16家，吸纳5000余人劳动力就近就地就业。文旅产业突破壮大。一主（古城）、四辅（大海草山、雨碌大地缝、娜姑白雾、以礼河大峡谷）、两带（以礼河、牛栏江）、两线（红色旅游线、铜运古道线）的全域旅游架构基本搭建。编制出台古城民居修缮建设指导手册，启动北门、博物馆等四个片区提升改造；引进云旅投、云南就在文旅等企业推进大海草山、雨碌大地缝业态开发。

【城乡建设】　2023年，会泽县完成文笔街北段道路市政道路建设，稳步推进翠屏直街、东直街等六条市政道路建设项目前期工作；排查城区污水管网340千米、完成混接点改造118个，城区污水收集率提高至67%。推进11个乡镇“两污”设施建设。改建100户以上较大自然村卫生公厕170座、卫生户厕7633座，累计创评星级村3994个。完成1个省级绿美乡镇、2个省级绿美村庄、350个市县绿美村庄建设。“一铁两高”项目加快推进；180千米安全生命防护工程、350千米通较大自然村硬化路建设完成；马路新山水库、娜姑炉房小流域项目开工，会泽大型灌区、城乡供水一体化工程前期工作进展顺利。

【发展动力】　2023年，会泽县加快推进重点项目建设，实行项目“清单化、责任化、具体化”管理，实施重大项目和重点工作现场观摩活动，古城保护利用、“一铁两高”项目、者海化工园区建设稳步推进，会泽大型灌区、城乡供水一体化工程前期工作有序开展。持续抓好中央和省市环保督察检查反馈问题整改，全面启动41个生态敏感村农村污水治理，落实好长江“十年禁渔”，全面推行河（湖）长制、林长制，绿美会泽三年行动有序开展，生态环境整体向好。加大招商引资力度。进一步落实大招商工作机制调整优化6个产业招商工作组，实行招商全流程管理服务，全年招引项目29个、协议引资423.3亿元，新落地10亿元以上项目3个，到位省外产业资金99.6亿元，引进外资302万美元。持续优化营商环境。全面落实服务企业和项目统筹推进“三项制度”，全面提升政务服务“一网通办”水平，政务服务事项网上可办率达100%，全程网办率达86.5%，行政许可事项“即办件”比例达90%。

【民生福祉】　2023年，会泽县坚持以人民为中心的发展思想，努力在发展中保障和改善民生。就业上，发放创业担保贷款1.7亿元，农村劳动力转移就业45.2万人，“会泽牛人”成为省级劳务品牌。教育上，完成181个“能力提升”“长效机制”项目建设，宝云幼儿园、特殊教育学校交付使用。9299名考生100%上线，14人被北大、清华录取，高中教育“会泽模式”在全省推广。卫健上，会泽县第二人民医院投入运营；县中医院创建为三级乙等中医医院，县人民医院通过三级乙等综合医院现场评审验收；与四川大学华西医院、广州中医药大学第二附属医院签署医疗合作协议，县域医疗服务能力持续提升；无烟单位实现全覆盖，病媒生物防制先进城区通过省级评估，创建慢性病综合防控示范区通过市级初评。社保上，发放各类保险待遇20.1亿元、城市低保补助金8477.35万元、农村低保补助金2.02亿元。

【守牢安全底线】　2023年，会泽县强化底线思维，扎实做好重点领域风险防范和化解，全力营造和谐稳定的发展环境。守好金融风险底线，化解地方政府债务9.3亿元。守好安全生产底线，构建“大应急”体系，扎实开展重点行业领域安全生产隐患大排查大整治专项行动和重大事故隐患排查整治。构建“大信访”工作格局，严格落实信访案件化解领导包保责任，信访热点难点问题得到及时处置。切实履行推进法治建设责任人职责，深入开展普法强基补短板行动；高位推进示范创建，常态化开展扫黑除恶，持续提升基层社会治理水平。会泽县被命名为全国科普示范县，创成全省法治政府建设示范县、全省民族团结进步示范县，被评为省级先进平安县，国家卫生县城创建通过省级评审，省级生态文明建设示范区创建深入推进。

重要会议

【会泽县第十八届人民政府第三次全体会议】　2023年1月8日召开，会议深入贯彻落实县委十三届四次全会和县“两会”精神，对2023年《县政府工作报告》任务进行分解落实，对政府系统党风廉政建设工作进行安排部署，推动各项工作落细落实、落地见效，确保圆满完成县“两会”确定的各项目标任务。

【政府常务会议】　2023年，会泽县十八届人民政府召开常务会议31次，对全县经济、文化、社会事务进行专题研究。

第21次常务会议　1月3日召开，会议专题研究经济运行、2023年“310”工程清单、疫情防控等工作，就《关于进一步做好重点项目观摩会和重点工作推进情况通报会的通知》等文稿进行了讨论研究。

第22次常务会议　1月17日召开，会议专题研究巩固拓展脱贫攻坚成果同乡村振兴有效衔接、安全生产工作，就《会泽县推动新能源汽车充电基础设施建设三年行动方案（2023—2025年）》《五星乡人民政府关于上报会泽县牛羊交易市场建设项目采用EPC总承包方式招标建设的请示》等事项和文稿进行讨论研究。

第23次常务会议　1月29日召开，会议就拟推荐表扬会泽县奋进新征程推动经济社会高质量发展先进集体及先进个人事项进行专题讨论研究。

第24次常务会议　2月3日召开，会议专题研究奋进新征程推动新跨越三年行动工作，就《会泽县见义勇为协会关于表扬奖励柳开全等10名见义勇为先进群体和范金里等11名见义勇为先进个人的请示》《会泽县2022年长江经济带生态环境问题整改方案》等事项和文稿进行讨论研究。

第25次常务会议　2月9日召开，会议就会泽县道成开发投资集团有限公司出资收购马路磷矿采矿权事项进行讨论研究。

第26次常务会议　召开2月16日，会议专题研究了信访工作、经济运行、巩固拓展脱贫攻坚成果同乡村振兴有效衔接、安全生产工作，就《会泽县人民政府与中国能源建设集团西北电力建设工程有限公司乡村振兴分散式风电项目合作框架协议》《会泽县财政局关于请求给予安排会泽2022年第四季度政府性投资建设项目预决算审核费用的请示》等事项和文稿进行讨论研究。

第27次常务会议　2月28日、3月1日召开，会议专题研究省委第三巡视组巡视会泽反馈问题整改、法治政府建设等工作，就《会泽县推进乡（镇、街道）“一支队伍管执法”改革工作实施方案》《中共会泽县委政法委关于通报表扬会泽县2022年度基层“平安细胞”的请示》等事项和文稿进行了讨论研究。

第28次常务会议　3月14日召开，会议专题研究了民族团结进步示范县创建、国家卫生县城创建工作，就会泽县2022年度系列优秀人才推荐评审人选、《会泽县泽鑫投资开发有限责任公司关于会泽县产业发展扶持基金延期退出的请示》等事项和文稿进行讨论研究。

第29次常务会议　3月26日召开，会议传达学习曲靖市3月重点项目和工作现场观摩调度会精神和全市2023年一季度乡村建设暨农村人居环境整治提升现场推进会精神，专题研究生态环境保护、根治拖欠农民工工资、巩固拓展脱贫攻坚成果同乡村振兴有效衔接、防范化解重大风险和安全发展工作，就《关于建立防范和整治“村霸”问题长效机制的实施方案》等文稿和事项进行了讨论研究。

第30次常务会议　4月10日召开，会议专题研究各级巡视巡察环保督察审计等反馈问题整改工作和省委第三巡视组反馈问题整改清单，就《会泽县自然资源局关于会泽县2023年土地征收成片开发方案（第一次）的请示》《会泽县违法占耕整治专项行动方案》等事项和文稿进行讨论研究。

第31次常务会议　4月19日召开，会议传达学习习近平总书记在广东考察时的重要讲话精神、全省推进健康县城建设暨农村人居环境整治提升现场会、全省全市春季农业生产现场会暨一季度“三农”工作调度会议等会议精神，专题研究防范化解重大风险和安全发展、经济运行、巩固拓展脱贫攻坚成果同乡村振兴有效衔接工作，就《会泽县赋予乡（镇、街道）行政职权事项清单（第一批）》《会泽县财政局关于年初预算县级基础设施项目经费使用方案的请示》等事项和文稿进行讨论研究。

第32次常务会议　5月8日召开，会议传达学习全省全市耕地保护工作会议精神、全市农村垃圾排查治理专项行动工作调度会议精神，专题研究耕地保护、生态环境保护、东西部协作工作，就《关于建立交办督办机制推进中央、国家、省级和市级层面各类巡视巡察、督查检查和审计等反馈问题整改落实的通知》《会泽县财政局关于罚没资产移交的请示》等事项和文稿进行讨论研究。

第33次常务会议　5月22日召开，会议传达学习了习近平总书记在《中共中央办公厅关于总结推广浙江“千万工程”经验推动学习贯彻走深走实的调研报告》上的重要批示精神，专题研究党风廉政建设、2022年度全县综合考核、经济运行等工作，就《会泽县人民政府　云南金元新能源有限公司框架合作协议》等文稿和事项进行讨论研究。

第34次常务会议　6月6日召开，会议专题研究市委专项巡察反馈问题整改、市对县综合考核、防范化解地方政府债务风险、生态环境保护、创建国家卫生县城工作，就《会泽县自然资源局关于〈会泽县2023年土地征收成片开发方案（第二次）〉的请示》《会泽县入河排污口监督管理工作方案》等事项和文稿进行讨论研究。

第35次常务会议　6月20日，会议专题研究会泽县第五次全国经济普查、耕地保护、禁毒、巩固拓展脱贫攻坚成果同乡村振兴有效衔接、防范化解重大风险和安全发展、质量强县等工作，就《关于市委巡察组监督检查会泽县落实防范化解重大风险和安全生产责任反馈意见的整改方案》《会泽县招商引资工作委员会办公室关于东莞市泓之发机电有限公司等3家企业合作事宜的请示》等文稿和事项进行讨论研究。

第36次常务会议　7月5日召开，会议传达学习省委书记王宁在接待来访群众时的讲话精神和市委副书记、市长李先祥到会泽调研要求，专题研究生态环境保护、招商引资、会泽县城市公益性公墓项目建设工作，就《会泽县2023年综合考核办法》《会泽县文化和旅游局关于贵州会馆活化利用的请示》等文稿和事项进行讨论研究。

第37次常务会议 7月18日召开，会议传达学习习近平总书记对防汛救灾工作重要指示精神，专题研究各级巡视巡察环保督察审计等反馈问题整改、耕地保护和粮食安全、第五次全国经济普查、信访、巩固拓展脱贫攻坚成果同乡村振兴有效衔接、防范化解重大风险和安全发展工作，就《关于进一步促进砂石资源高效开发利用的实施意见》《会泽县农业农村局关于请求解决第三次全国土壤普查县级需配套资金的请示》等文稿和事项进行讨论研究。

第38次常务会议 7月26日召开，会议专题研究组建县委政府决策咨询专家库有关事宜和国企改革工作，就《会泽县2023年安排工作退役士兵安置工作实施方案》《会泽县住房和城乡建设局关于批准会泽县城乡“两污”治理特许经营项目实施方案的请示》等文稿和事项进行讨论研究。

第39次常务会议 8月2日召开，会议传达学习中国共产党云南省第十一届委员会第四次全体会议、第六届市人民政府第四次全体会议精神，专题研究省委第三巡视组巡视会泽反馈问题整改、经济运行、地震灾害防范应对、生态环境保护工作，就《关于建立党政领导挂钩联系学校制度的通知》《会泽县发展和改革局关于曲靖市待补风电场投资开发协议有关情况的请示》等文稿和事项进行讨论研究。

第40次常务会议 8月22日召开，专题研究法治政府示范县创建、打击治理电信网络诈骗犯罪、生态环境保护、教育、巩固拓展脱贫攻坚成果同乡村振兴有效衔接、防范化解重大风险和安全发展工作，就《会泽县人民政府 广东省轻工业联合会乡村振兴产业对接战略合作协议》等事项进行讨论研究。

第41次常务会议 8月25日召开，专题研究《会泽古城北门（义通河）片区提升改造项目房屋征收补偿方案》。

第42次常务会议 9月1日召开，会议传达学习习近平总书记对四川凉山州金阳县山洪灾害作出的重要指示精神和《中共中央办公厅 国务院办公厅印发〈关于更加有效发挥统计监督职能作用的意见〉》精神，专题研究会泽县第五次全国经济普查工作，就《会泽县住房和城乡建设局关于对2023年棚户区改造（改、扩、翻古城核心区片区）建设项目采用EPC模式招标的请示》《会泽县农村生活垃圾和污水治理实施方案》等事项和文稿进行讨论研究。

第43次常务会议 9月15日召开，会议专题研究防范化解重大风险和安全发展、巩固拓展脱贫攻坚成果同乡村振兴有效衔接、耕地保护、旅游工作，就《上海交通大学中国医院发展研究院对口帮扶会泽县医疗合作协议》《会泽县文化和旅游局关于会泽县农机公司资产收购及福建会馆活化利用的请示》等文稿和事项进行讨论研究。

第44次常务会议 9月28日，会议传达学习全省防震减灾工作现场推进会精神，专题研究了防震减灾、加快推进文化强县工作，就《会泽县县级机关购买后勤服务管理办法（试行）》《会泽县国有资产监督管理局关于会泽县道成集团对县博物馆（参将府）片区合理利用项目采用EPC总承包方式招标建设的请示》等文稿和事项进行讨论研究。

第45次常务会议 10月10日召开，专题研究《会泽古城北门（义通河）片区提升改造项目房屋征收补偿方案》。

第46次常务会议 10月16日召开，会议传达学习习近平总书记在进一步推动长江经济带高质量发展座谈会上的重要讲话精神，市“310”工程推进实施领导小组第三次会议精神，专题研究各级巡视巡察环保督察督导检查等反馈问题整改、党风廉政建设、生态环境保护、巩固拓展脱贫攻坚成果同乡村振兴有效衔接、防范化解重大风险和安全发展、质量强县工作，就《关于加强新时代水土保持工作的实施方案》等事项进行讨论研究。

第47次常务会议 10月30日召开，专题研究经济运行、农业农村、防范化解重大风险和安全发展、政务服务工作，就《关于成立会泽黑颈鹤国家级自然保护区省级生态环境保护督察发现问题整改工作领导小组的通知》《〈会泽县国民经济和社会发展第十四个五年规划和二〇三五年远景目标纲要〉实施情况中期评估报告》等文稿和事项进行了讨论研究。

第48次常务会议 11月16日召开，会议传达学习第六届市人民政府第55次常务（扩大）会议精神，专题研究云南省第二轮第三批第二生态环境保护督察组曝光典型案例反映问题整改工作、巩固拓展脱贫攻坚成果同乡村振兴有效衔接工作，就《会泽县2023年高质量发展综合绩效评价考核实施细则》《会泽县2023年支撑地区生产总值12项重要指标考核实施细则》等文稿和事项进行讨论研究。

第49次常务会议 11月24日召开，会议传达学习习近平总书记对山西吕梁市永聚煤矿一办公楼火灾事故作出的重要指示精神，专题研究防范化解重大风险和安全发展、省委第三巡视组巡视会泽反馈问题整改、经济运行、城乡建设、耕地保护和东西部协作工作，就《会泽县深入贯彻落实省政府曲靖现场会精神实施方案》《会泽县住房和城乡建设局关于开展县城污水处理厂三期扩建建设特许经营项目的请示》等文稿和事项进行讨论研究。

第50次常务会议 12月3日召开，专题研究县域经济发展等工作，就《会泽县国有企业债务管理办法（暂行）》《会泽县民政局关于请求同意村民委员会调整合并的请示》等文稿和事项进行讨论研究。

第51次常务会议　12月18日召开，会议传达学习《中共云南省委办公厅　云南省人民政府办公厅关于印发〈严格落实过紧日子要求切实硬化预算管理二十条措施〉的通知》精神，专题研究奋进新征程推动新跨越先进集体和先进个人推荐评选表扬、2024年“10+N”重点工作、防范化解重大风险和安全发展、信访、耕地保护、巩固拓展脱贫攻坚成果同乡村振兴有效衔接等工作，就《会泽县财政局关于审定〈会泽县国有企业改革深化提升行动方案（2023—2025年）〉的请示》等事项进行讨论研究。

【专题会议】　2023年，会泽县人民政府召开专题会议83次。

1月18日，召开春节期间安全生产和消防安全工作会议。

1月30日，召开者海化工园区工作现场推进会议。

1月31日，召开县城安置点审计反馈问题整改工作专题会议。

2月4日，召开国家重点帮扶县产业政策落实及资金审计会议。

2月5日，召开易地扶贫搬迁县城安置点征地拆迁补偿资金管理使用审计反馈问题整改工作会议。

2月6日，召开马路磷矿矿权转让事宜专题会议；召开会泽县2023年烟叶生产暨打击涉烟违法犯罪工作会议。

2月7日，召开会泽县者海化工园区建设工作指挥部第一次全体会议。

2月8日，召开会泽县2023年农村供水保障工作会议。

2月13日，召开渝昆高铁会泽站点站前广场建设工作推进会议；召开蔓海湿地公园建设工作推进会议。

2月14日，召开会泽县供地会审领导小组第十三次（2023年第1次）会议，会泽县国土空间规划委员会第八次（2023年第1次）工作会议；召开县食品安全委员会2023年第一次全体会议暨国家食品安全示范城市评价验收动员会。

2月19日，召开会泽县者海化工园区建设工作推进会议。

2月24日，召开国企改革工作推进会议；召开东西部协作项目启动会议。

2月27日，召开全县固定资产投资任务分解工作座谈会议。

3月3日，召开地震应急演练工作筹备会议；召开重点信访案件分析研判会议。

3月21日，召开全县交通、住建重点工作推进会议。

3月24日，召开全县创建国家卫生县城暨健康县城建设工作推进会议；召开会泽教育高质量发展座谈会议。

3月28日，召开者海化工园区建设工作推进会议。

4月2日，召开矿业权联勘联审及矿山生态环境综合评估联席会议。

4月6日，召开会泽县2023年度招商引资工作会议暨三年行动业务培训会。

4月7日，召开会泽县2023年生态环境保护工作暨三年行动推进会议；召开牛栏江、以礼河流域水环境综合整治（EOD）项目工作会议；召开会泽县创建国家卫生县城工作推进会议暨第35个爱国卫生月活动启动会议。

4月13日，召开关于加快推进全县新能源项目建设工作会议。

4月16日，召开研究部署会泽县民族团结进步示范县创建工作专题会议。

4月19日，召开全县发展乡村旅游工作会议。

4月20日，召开春耕抗旱保生产工作专题会议。

4月25日，召开2023年粮食安全暨粮食领域党风廉政建设工作会议。

5月4日，召开第十四次（2023年第2次）供地会审领导小组会议。

5月6日，召开《会泽县奖励激励教育人才六条措施》《会泽县基础教育学校校长职级改革工作实施方案》及教育资金等工作专题会议。

5月18日，召开全县产业招商工作座谈会议。

5月19日，召开全县经济普查工作动员会暨统计工作会议。

5月23日，召集召开砂石行业整合，矿山治理和退出清理整顿及砂石行业企业升规纳规工作推进会议。

5月25日，召开全县防汛抗旱工作视频会议、重大事故隐患专项排查整治2023行动部署视频会议、法治政府建设工作视频会议。

5月29日，召开2023年固定资产投资入库工作推进会议暨金融业银行不良贷款清收工作会议。

6月3日，召开科技创新示范县创建工作会议。

6月6日，召开老年大学、中医院合建项目专题会议，古城改扩翻项目专题会议；召开会泽县2023年汛期防汛安全大检查工作推进会。

6月7日，召开全县耕地流出第6次调度会议。

6月20日，召开全县土地供地会审领导小组第十五次（2023年第3次）会议，全县国土空间规划委员会第十次（2023年第3次）工作会议；召开会泽县创建省级慢性病综合防控示范区工作推进会议。

6月21日，召开会泽县2023年上半年经济运行调度会议、全县“310”工程第一次调度会议。

7月7日，召开者海化工园区建设工作调度会议。

7月13日，召开会议研究审计反馈新城还款问题新城商铺处置、研究金融机构支持地方发展重大项目贷款调整、研究重大项目财政拨款事宜。

7月14日，召开者海化工园区建设工作第2次调度会议。

7月24日，召开全县2023年汛期安全工作紧急视频会议。

7月25日，召开全县防汛救灾工作视频会议。

7月26日，召开者海化工园区建设工作第3次调度会议。

8月9日，召开会泽县绿美城市建设工作推进会议。

8月15日，召开2023年会泽县

妇女儿童工作委员会全体会议暨学习贯彻落实家庭教育促进法会议。

8月28日，召开会泽县“两污”治理工作推进暨业务培训电视电话会。

8月31日，召开全县防范化解道路交通安全风险隐患百日攻坚行动动员部署会。

9月1日，召开会泽县打击治理电信网络新型违法犯罪工作会议暨会泽县第五次全国经济普查工作推进会议。

9月11日，召开2023年下半年定兵会议。

9月14日，召开全县城市旅游规划图、工业规划图、交通路网图、旅游规划图、土地资源和农业产业空间布局图、综合交通示意图专题会议。

9月15日，召开会泽县打造手机充电器全产业链工作座谈会议。

10月9日，召开全县重点企业多经企业改制工作会议。

10月16日，召开会泽县“310”工程推进实施调度会议。

10月18日，召开全县防范化解债务风险专题会议；召开农村供水专项行动暨城乡供水一体化项目推进会。

10月25日，召开会泽黑颈鹤国家级自然保护区省级生态环境保护督察发现问题整改工作专题会议。

10月30日，召开会泽黑颈鹤国家级自然保护区省级生态环境保护督察发现问题整改工作推进会议。

11月2日，召开全县新型城镇化三年行动暨城乡“两污”工作推进会议。

11月7日，召开者海化工园区建设工作第4次调度会议。

11月8日，召开全县城乡“两污”治理工作推进会议。

11月14日，召开全县迎接国务院推动高质量发展综合督查工作会议暨省对市综合绩效考评指标第七轮跟进情况调度会议。

11月16日，召开渝昆高铁建设征迁工作推进会议。

11月22日，召开全县耕地保护工作专题会议。

11月30日，召开振兴街、会泽公园片区水体提升改造专题会议。

12月6日，召开者海化工园区评估认定工作专家座谈会议。

12月8日，召开会泽县文旅产业高质量发展座谈会议。

同日，召开会泽县根治欠薪冬季专项行动部署推进会议。

12月12日，召开省第二轮第三批第二生态环境保护督察曝光典型案例问题整改推进会议。

12月14日，召开2024年县政府工作报告起草工作领导小组会议。

12月16日，召开会泽县巩固拓展脱贫攻坚成果同乡村振兴有效衔接工作推进暨考核部署会议。

12月19日，召开会泽县创建国家卫生县领导小组工作会议。

12月22日，召开会泽县防震减灾暨防范应对低温雨雪冰冻灾害工作会议。

12月28日，召开西来寺旁农贸市场项目整改工作专题会议。

2023年会泽县人民政府通知、决定一览表

表1

发文文号	文件名称	发文时间
会政发〔2023〕1号	关于印发《县政府工作报告》的通知	2023.1.29
会政发〔2023〕2号	关于印发《2023年县政府工作报告主要工作任务分解》的通知	2023.1.8
会政发〔2023〕3号	关于印发《会泽县全民健身实施计划（2021—2025年）》的通知	2023.1.10
会政发〔2023〕4号	关于下达2023年度森林采伐限额的通知	2023.1.13
会政发〔2023〕5号	关于贯彻落实《云南省生产经营单位安全生产主体责任规定》的通知	2023.1.16
会政发〔2023〕6号	关于印发《会泽县人民政府领导同志工作分工》的通知	2023.2.3
会政发〔2023〕7号	关于印发《会泽县推动新能源汽车充电基础设施建设三年行动方案（2023年—2025年）》的通知	2023.1.18
会政发〔2023〕8号	关于印发《会泽片区旅游高质量发展三年行动方案（2022—2024年）》的通知	2023.2.10
会政发〔2023〕9号	关于表扬奖励2022年度会泽县见义勇为先进群体和见义勇为先进个人的决定	2023.2.10
会政发〔2023〕10号	关于HZ2022-41等86宗国有建设用地出让地价的决定	2023.3.2
会政发〔2023〕11号	关于印发《会泽县人民政府“310”工程实施方案》的通知	2023.3.14

续表 1

发文文号	文件名称	发文时间
会政发〔2023〕12 号	关于印发《会泽县畜禽养殖污染防治规划（2021—2025 年）》的通知	2023.3.23
会政发〔2023〕13 号	关于印发《市政协六届二次会议第 160 号提案办理工作方案》的通知	2023.3.31
会政发〔2023〕14 号	关于印发《会泽县者海化工园区建设项目征地拆迁安置补偿方案》的通知	2023.4.20
会政发〔2023〕15 号	关于做好第五次全国经济普查的通知	2023.4.27
会政发〔2023〕16 号	关于切实做好 2023 年农业农村工作的通知	2023.4.28
会政发〔2023〕17 号	关于公布乡（镇、街道）行政职权基本目录和赋予乡（镇、街道）部分县级行政职权事项清单的决定	2023.5.5
会政发〔2023〕18 号	关于开展 2023 年车用燃料油品市场专项整治行动的通告	2023.5.19
会政发〔2023〕19 号	关于印发《会泽县入河排污口监督管理工作方案》的通知	2023.5.18
会政发〔2023〕20 号	关于印发《会泽县创建云南省省级生态文明建设示范区工作方案》的通知	2023.5.18
会政发〔2023〕21 号	关于印发《县十八届人大三次会议代表所提第 1 号议案办理工作方案》的通知	2023.5.1
会政发〔2023〕22 号	关于 HZ2022–01、02、03 等 7 宗国有建设用地出让地价的决定	2023.7.20
会政发〔2023〕23 号	关于印发《会泽县“十四五”生态文明建设与绿色发展专项规划（2021—2025 年）》的通知	2023.8.11
会政发〔2023〕24 号	关于开展会泽县第三次全国土壤普查的通知	2023.8.15
会政发〔2023〕26 号	关于解除与会泽爽身服饰有限公司签订的扶贫工厂合作开发协议的通知	2023.9.14
会政发〔2023〕27 号	关于印发《会泽县教育体育发展基金管理办法（试行）》的通知	2023.10.10
会政发〔2023〕28 号	关于印发《会泽县人民政府领导同志工作分工》的通知	2023.8.1
会政发〔2023〕29 号	关于撤销张见奎等三户农村承包经营权证书的决定	2023.9.8
会政发〔2023〕30 号	关于成立“2021.1.16”道路交通事故调查组的通知	2023.9.28
会政发〔2023〕31 号	关于挂牌督办 2023 年度安全生产重大隐患的通知	2023.9.25
会政发〔2023〕32 号	关于会泽古城北门（义通河）片区提升改造房屋征收的决定	2023.10.10
会政发〔2023〕33 号	关于印发《会泽县常态化开展安全生产打非治违的实施意见》的通知	2023.10.18
会政发〔2023〕34 号	关于印发《加快推进绝对气象高质量发展的实施意见》的通知	2023.10.18
会政发〔2023〕35 号	关于开展三轮车及老年代步车交通乱象治理工作的通知	2023.10.19
会政发〔2023〕36 号	关于印发《会泽县矿产资源总体规划（2021—2025 年）》的通知	2023.10.27
会政发〔2023〕37 号	关于挂牌督办 2023 年度安全生产重大隐患的通知	2023.12.6
会政发〔2023〕39 号	关于印发《在学习贯彻习近平新时代中国特色社会主义思想主题教育中开展县城城区雨污混流问题专项整治实施方案》的通知	2023.12.4
会政发〔2023〕40 号	关于公布第四批县级非物质文化遗产代表性项目名录的通知	2023.12.25

（徐洪锐）

政府办公室

【概况】 2023年，会泽县政府办公室以“提质、提速、提效”为目标，以加强能力建设为保障，充分发挥参谋助手、督促落实、综合协调的职能作用，围绕服务，突出服务，用心服务，确保县政府各项工作高效有序运转。

【综合协调】 2023年，会泽县政府办公室紧紧围绕县委、县政府的中心工作和年初既定的工作目标，切实抓好综合协调服务工作，加强纵向和横向两个层面的沟通协调，充分发挥办公室在县政府日常运转中的桥梁和纽带作用。

【公文办理】 2023年，会泽县政府办公室实行公文处理闭环高效管理，收转公文8592件、制发公文1465份，开展全县政府系统公文点评，提高全县政府系统公文处理工作水平。

【会务服务】 2023年，会泽县政府办公室坚持精简高效办会，全面规范县政府常务会、县政府党组会及重要会议报告等制度，承办中央、省、市级电视电话会议181次、全县性会议146次、县政府常务会议及党组会议50次、县政府领导办公会议80余次。协作承办重点工作观摩会议11次。

【政务信息】 2023年，会泽县政府办公室坚持代入式、沉浸式、延伸式、链条式、层级式思维，积极搭建决策、调研、信息“三位一体”以文辅政路径，倡导“短实新”文风，累计完成各类文稿1500多篇。深度挖掘信息线索148条，采编上报高质量信息325篇，被省市采用193篇，全县政务信息工作排全市第5、全省第16。编辑刊发《政情交流》《信息专报》《会泽要情》77期。

【政务公开】 2023年，会泽县人民政府网站宣传服务功能日益完善，政府门户网站、政务微信、微博，成为政务公开、办事服务、政民互动的权威渠道。全年，县人民政府官方微博共发布信息127条，政府门户网站发布信息7500余条。

【督查督办】 2023年，会泽县政府办公室围绕中心，盯住大事，突出“三个重点”开展督查活动，力促工作落实。印发《2023年政府工作报告主要工作任务分解的通知》，制定《2023年年度督查考核计划》，建立2023年政府工作报告任务完成情况清单128项、会泽县“310”工程任务推进情况清单30项。开展专项督查41次，配合省市开展督查17次，联合县委、县纪委等部门开展督查26次。办理云南省“互联网＋督查”交办件22件，撰写《督查报告》27期、《督查通报》14期。定期对县政府常务会、碰头会、专题会议定的事项、县长交办的重点事项和县领导批示的具体问题等跟踪问效，印发督查促办理事项通知单70期，交办会议安排事项135项，向政府分管领导提出工作报告单49期，做到事事有回音，件件快落实。扎实办理好县人大代表议案1件、建议122件，办理政协提案162件。

【应急值守】 2023年，会泽县严格落实24小时值班、领导带班等值班制度，进一步规范节假日、重大活动和灾害性天气等特殊时期的值守工作，确保全县政府系统政令畅通。认真履行突发应急事件处置综合协调和信息汇总职能，不断提高应急综合协调处置能力，处置较大以上突发事件和敏感事件9件，编报值班信息12期；发布值班工作提醒和预警信息124次，积极参加省、市无线电通信应急演练及每周1次卫星电话联通测试；对乡（镇、街道）和县直部门值班值守，实行每个节假日全覆盖电话抽查、每月两轮抽查，每月对灾情会商系统进行联调测试。

（徐洪锐）

人力资源和社会保障工作

【概况】 2023年，会泽县人社局紧盯县政府工作报告、会泽县奋进新征程推动新跨越工作目标和市级下达目标任务，扎实做好“六稳”工作，全面落实“六保”任务，积极担当作为，奋勇攻坚克难，交出一份人社事业高质量发展的答卷。

【就业创业】 2023年，会泽县人社局始终把就业工作摆在第一位，千方百计抓好“稳就业”“保居民就业”工作。全县累计提供城镇就业岗位4782个，城镇新增就业3850人，城镇失业人员再就业1294人，就业困难人员实现就业1300余人，青年就业见习310人，城镇登记失业率3.95%。会泽县有劳动力59.42万人，实现转移就业45.2万人（省外9.43万人、县外省内21.4万人、县内14.37万人）。其中，有脱贫劳动力18.45万人，实现转移就业16.58万人（省外2.60万人、县外省内8.57万人、县内5.41万人）。有易地搬迁劳动力5.62万人，实现转移就业5.06万人（省外8400余人、县外省内2.48万人、县内1.74万人）。县城易地搬迁安置劳动力4.47万人，实现转移就业4.26万（省外7200余人、县外省内2.02万人、县内1.51万人）。全年组织开展职业技能培训322期1.46万人次。其中，脱贫劳动力1.38万人次。全县发放创业保贷款951户金额1.7亿元，创业带动就业2300余人。大学生一次性创业补贴2名6万元，带动就业5人。返乡入乡一次性创业补贴3户2.82万元，带动12人就业。拨付82个帮扶车间吸纳就业奖补361.16万元。

【社会保障体系建设】 2023年，会泽县以深化改革为突破口，以保发放为底线任务，突出扩面、统筹、提待、降费、兜底五个重点，社会保障体系不断完善。全面推进参保扩面，养老、工伤、失业三大保险参保74.84万人次。其中，基本养老保险参保68.26万人（城镇职工基本养老保险参保6.35万人，城乡居民基本养老保险参保61.91万人），工伤保险参保3.67万人，失业保险参保2.91万人。全力保障待遇发放，共发放养老保险待遇9.49亿元（共发放机关事业单位养老保险待遇3.91亿元；发放企业职工养老保险待遇2.87亿元；发放工伤保险待遇1652.20万元；发放失业保险待遇999.06万元；发放城乡居民养老保险待遇2.45亿元）。严格风险防控，建立社会保险基金和专项资金按月巡查季度检查日常监督管理工作制度，加大社会保险稽核工作力度，进一步提升社会保险基金风险防控水平。截至年末，各项社会保险基金滚存结余14.66亿元，实现利息收入3867.72万元。提升管理服务水平，以养老保险为重点的社会保障记录一生、保障一生、服务一生，管理服务标准化、规范化、信息化建设进一步加强，群众社保事务就近办、线上办、快速办更加方便快捷。年末，全县社会保障卡持卡人数103.8万人，申领电子社保卡人口覆盖率52.55%。申请工伤认定案件登记286件，已组织评议件267件，其中，认定为工伤或视同工伤254件，不予认定为工伤或视同工伤13件。

【人事人才】 2023年，会泽县把人才工作摆在更加突出的位置，着力抓改革、强队伍、优服务、促创新，人才活力持续激发、人事管理不断优化。机关事业单位工人技术等级申报104名，其中技师68人，高级工23人，中级工13人。全年招聘事业单位工作人员29人，接收录用175名公费师范生，接收录用28名农村订单定向免费医学毕业生。累计审批工资福利津贴补贴58260人次，办理退休手续387人。

【劳动维权】 2023年，会泽县人社局针对农民工讨薪、劳动者维权等重难点问题，不断创新劳动关系协调机制，畅通职工诉求渠道，努力解决人民矛盾。全年受理群众举报投诉701件，为1100人追回工资1506.56万元。法定时限内，劳动保障监察举报投诉案件结案率100%，拖欠农民工工资举报投诉案件结案率100%。回复云南省信访信息平台信件24件，办理“12345”政务热线件388件。受理劳动人事争议案件196件，不予受理案件18件，为劳动者挽回劳动报酬等各项经济损失共计1197.25万元，案件法定期限内结案率100%，案件调解成功率73.98%。劳动合同备案新签6222份，续签3340份，解除终止5159份，变更557份，企业劳动合同签订率98%。

（赵靖威）

2023年6月8日，县人力资源和社会保障局召开农民工维权专项培训会、工伤业务流程培训会

（县人社局　提供）

信访工作

【概况】 2023年，会泽县信访局按照控增量、减存量、防变量的总体工作思路，切实维护群众合法权益，稳步推进各项重点工作。全年会泽县信访总量794批874人次，同比批次下降31.43%，人次下降34.24%，其中初信访340件，重复信访454件；来访204件，来信181件，网上信访409件。全县信访总量下降到全市第五，取得总量下降、积案下降，涉访事件和负面炒作为零的良好局面，公开开门大接访经验得到省委领导批示在全省推广，信访接待下基层在全省主题教育现场会上作交流发言，县联合接访中心被评为“全省如家信访示范窗口”。2023年度市对县信访工作综合考核排名第二，被评定为“优秀”等级。

【信访源头治理】 2023年，会泽县信访局坚持动态排查、动态清零原则，实行网格化管理，常态化开展矛盾风险隐患排查和预警，重点时期实行零报告制度，及时获取和处置矛盾纠纷。对全县矛盾纠纷和信访形势实行周研判、月通报制度，对重点信访事项实行县级每月一督查、乡（镇、街道）每周一调度，信访事项得到及时有效处理。全面提高信访事项办理效率。通过不断提升，全县信访及时受理率和按期答复率均为100%，群众满意率为93%。

2023年10月7—8日，会泽县在体育公园开展信访公开大接访暨人民建议征集活动
（代龙俊　摄）

【领导接访下访】　2023年，会泽县创新发展“枫桥经验”，深入贯彻四下基层制度，研究制定《领导干部接访下访工作方案》，深入开展领导干部接访、下访、约访和包案回访，全年县级领导共接待176批409人次。采取“访前调研摸底+提前发布公告+现场精心组织+访后跟踪问效”工作模式，10月7—8日在体育公园开展公开大接访，共接访群众41批次。公开大接访经验得到省委领导批示在全省推广，并编发到《云南信访信息》第19期，各地各部门认真学习借鉴会泽经验，在主题教育中普遍开展公开接访活动，推动群众合理诉求及时就地解决。信访接待下基层在全省“四下基层”五级书记为民办实事现场会上作交流发言。

【信访积案化解】　2023年，会泽县信访局研究制定《会泽县2023年信访积案化解专项行动方案》等，集中开展积案化解和重复信访专项治理攻坚行动，推进市联办交办189件信访积案的化解工作，已化解181件，信访积案存量得到有效减少。中联办、省联办交办的29件重复信访件，全部办结。对巡视巡察反馈交办件，采取集中交办、限时办结、集中审核、实地督办等方式，推动信访办理和问题整改，办结省委第三巡视组移交信访件96件，办结市委第三巡察组移交信访件44件。领导带头包案化解。2023年化解省级领导包案会泽县信访件2件，化解市委、市政府领导包案6件，化解县级领导包案54件。

【构建大信访工作格局】　2023年，会泽县信访局研究制定《会泽县贯彻落实〈信访工作条例〉构建“大信访”工作格局实施方案》、全面压实各方责任，完善矛调体系建设。全县共建立县级矛盾纠纷联合接访调处中心1个，乡（镇、街道）25个、村级370个；25个乡（镇、街道）建立乡级信访工作联席会议制度，对信访形势实行每周一研判，对矛盾纠纷实行联合调处；对信访治理成效纳入县委“10+N”重点工作考核内容，每月进行量化考核通报。全县矛盾纠纷调处体系，大信访工作格局逐步形成。

（代龙俊）

政务服务管理

【概况】　2023年，会泽县政务服务管理局坚持以人民为中心，以优化提升营商环境为主线，不断完善政务服务中心大厅功能，切实提升服务能力和水平，力争将会泽政务打造成“全市一流、全省领先”的行政审批和政务服务新阵地。全年办理行政许可事项1.18万件，同比增613件。

【政务服务规范化】　2023年，会泽县政务服务管理局以优化提升营商环境为主线，不断完善政务服务中心大厅功能，切实提升服务能力和水平。会泽县投入资金3000余万元，8月25日将县政务服务中心搬迁至县城东边电子产业园区，零距离服务企业。政务服务中心大厅建筑面积7934平方米，设置前台窗口工位158个，后台办公室33间，设有13个基础服务区，2个特色功能区（24小时综合自助服务区、导办服务区），全面满足政务服务事项“应进必进”需求。将社保、医保分中心、交警大队分中心和住房公积金分中心统筹整合到县政务服务中心，做到“大厅之外无大厅”，实现企业和群众办事“只进一扇门”。按照党建引领基层治理相关要求，完成全县25个乡级便民服务中心与党群服务中心整合融入。按照“1+N”要求规范窗口设置，实行“前台综合受理、后台分类审批、综合窗口出件”服务。整合党建、民政、社保、养保、医保、计划生育、劳动保障、退役军人事务、建房审批、户籍办理等16个行业部门的公共服务、行政权力事项的办理，事项进驻率90%以上。打造乐业镇、以礼街道、钟屏街道等一批示范点。2023年通过全省政务服务平台统一申办受理系统办件数量59.43万件。按照党建引领基层治理相关要求，指导381个村级便民服务站整合融入村级党群服务中心，在村级党群服务中心规范设置便民服

2023年8月25日，会泽县政务服务中心搬迁新址揭牌仪式（尹永权　摄）

务功能区，配齐办公电脑、打印复印一体机等基础设备，合理配置会客桌椅、沙发，免费提供饮用水、充电、无线网络等服务，以及笔、纸、胶水等便民物品。梳理公布村（社区）代办政务服务事项13项，政务服务事项进驻率100%。每个村（社区）选优配强不少于2名政务服务事项代办人员，常态化开展政务服务事项代办，2023年开展代办5.63万件。

【政务服务智能化】　2023年末，会泽县政务服务中心共配备158台智能“好差评”终端、窗口呼叫终端6台、高拍仪、等候显示屏、智能查询引导、智能排队叫号、自助填单、打证、取证设备，运用智慧大厅管理系统及“秒批秒办”软件，极大地提升线上线下服务企业及群众的效率；统筹协调公安、社会保障、市场监管、医疗保障、税务等相关部门将部门自有身份证自助申领机1台、身份证自助照相机1台、自助签证机1台、自助取件柜1台、自助打证终端2台、自助查询机4台、自助办税终端7台自助服务终端进驻到县级政务服务中心，为企业和群众提供自助化服务，实现24小时政务服务不打烊。

【行政权力事项调整】　2023年，会泽县政务服务管理局严格落实行政审批制度改革工作。制定并公布《会泽县行政许可事项清单（2023年版）》，清单242项，其中承接法律、行政法规、国务院决定设定的在会泽县实施的行政许可事项240项，承接云南省地方性法规、省人民政府规章设定的在会泽县实施的行政许可事项2项。

【企业开办服务】　2023年，会泽县政务服务管理局按照曲靖市市场主体倍增领导小组办公室下达的目标任务，全年企业净增长率32.73%，应完成企业净增长2987户，实际完成企业净增长3284户，超额完成全年目标任务。

【政务服务中心窗口设置】　2023年，会泽县政务服务管理局公布《会泽县县级政务服务中心进驻事项负面清单（2023年版）》，对比省、市编制负面清单，全县负面清单事项从省政府公布的75项减少至69项。县政务服务中心进驻窗口单位48家，窗口工作人员共162人，政务服务事项1211个，“一门进驻率”100%。按照“前台综合受理、后台分类审批、综合窗口出件”的要求，设置综合咨询窗口，统一提供咨询、引导等服务；设置综合办事窗口，逐步整合部门单设的办事窗口，设置无差别或分领域综合办事窗口，实现“一窗受理、综合服务”；设置“潮汐窗口”，满足特殊时间办事高峰需求；设立“一件事一次办”窗口，对7项企业政务服务“一件事一次办”主题及9项个人政务服务“一件事一次办”主题事项开展代办服务，通过快递申请、快递送达、网络送达等方式，实现一、二、三级办理深度事项100%“零跑腿”；设立“跨省通办”“省内通办”窗口，年末会泽县“跨省通办”实现140项，“省内通办”实现420项，全年办理“跨省通办”办件近25万件，“省内通办”办件20余万件，新增“跨省通办”事项数6项。为企业和群众提供异地办事服务，围绕企业和群众关注的民生领域，针对重点高频事项，开展一网式集成套餐服务。在大厅显著位置设置“办不成事反映窗口”，提供兜底服务，解决企业和群众办事过程中遇到的疑难事项和复杂问题。设立惠企政策窗口，将原先分散在各部门的惠企政策兑现业务，集中到服务大厅“一个窗口”收件，按照一窗综合受理、后台分类审批、部门落实反馈的运行机制，让惠企政策兑现由“多次跑”变为“一次跑”，从“多头办”变为“一窗办”。

【网上政务平台工作】　2023年，会泽县政务服务管理局在县政务服务中心和各乡（镇、街道）党群服务中心推广运用云南省政务服务一体化平台，完善县本级发布政务服务事项1211项，完成25个乡（镇、街道）381个村（社区）政务服务事项完善。乡（镇、街道）便民服务中心线上、线下办理政务服务事项数92项、村（社区）便民服务站线上、线下办理政务服务事项数42项，全年乡（镇、街道）累计办件3.08万件，村级2.72万件。依托全省政务服务平台，对本地网上支付事项进行梳理、核查，实现网上支付事项数量108项，完成网上支付事项动态调整，确保已发布的网上支付事项与实际办理一致，推动更多涉费事项实现网上支付。政务报表系统办件数据按月汇聚，全年办件数据汇聚率（2023 年度汇聚办件数据 / 2022 年度本系统办件量）59%。

（刘志泽）

公共资源交易

【概况】 2023 年，会泽县在公共资源交易工作中，以优化营商环境为主线、阳光诚信交易为抓手，坚持“公开透明、公平竞争、公正诚信、廉洁高效”的原则，切实加大场地标准化建设力度，不断优化交易业务流程和服务时限，全面推进项目交易提质增效。全年，完成交易项目 468 个，交易金额 63.35 亿元。其中：工程建设项目交易 200 个，交易金额 40.57 亿元，节约资金 7320 万元；政府采购交易 99 个，交易金额 1.75 亿元，节约资金 830 万元；综合交易项目 159 个，交易金额 20.61 亿元，节约资金 6039.02 万元；土地矿业权拍卖 10 宗，交易金额 1.42 亿元。政采云平台共完成供应商入围资格审核 31 家、商品上架审核 9000 余件。

【交易场地标准化建设】 2023 年，会泽县委、县政府坚持以人民为中心，深入贯彻落实“放管服”改革精神，持续优化营商环境，投入资金 3000 余万元，将服务企业最核心、最直接的政务服务中心和公共资源交易中心选址搬迁到会泽电子产业园区，零距离服务企业。在公共资源交易场地标准化及工位制建设工作中，会泽县严格按照省、市相关要求，以“全市一流、全省领先”为目标，及时研究部署，高位推进建设工作。会泽县公共资源交易中心建筑面积约 1500 平方米，在规划设计时，严格按照《云南省公共资源交易平台服务标准（试行）》，规范设置了公共服务区、开标区、评标区、述标谈判区、监督见证区、辅助评标区等六大功能区。全面取消投标报名和招标文件收费，全面实行网上智能开标，切实降低企业投标成本。规范建设 2 间开标室，1 间多功能交易室，2 间述标谈判室，工位制评标工位 16 个（其中工程建设项目评标工位 9 个，政府采购项目评标工位 7 个），代理机构工作室 3 间 6 个工位。设置单独专家通道、通信探测门、双向闸机、专家签到系统，实现全流程不见面封闭评标。配置了在线开标、评标监督终端、语音呼叫系统和档案存储系统，实现进场交易项目“一项一档”自动存储。设置电子见证室、电子监督室，配备音视频在线见证系统，满足见证、取证、存证的数字化见证业务需求，实现交易、服务、监管全程留痕，行为可溯，责任可究。制定门禁管理制度，安排专职门禁管理员，负责值守门禁，维持门禁区域秩序，按制度授权相关人员进出评标区，督促进入评标区人员在评标区外存放随身携带的通信设备和背包、手提包、公文包等，按要求佩戴身份标识牌，有效统一规范评标区人员的行为秩序。

【隐性壁垒排查】 2023 年 6 月 8 日，县公共资源交易联席会议办公室通过电子公文交换系统将省、市专项整治工作方案转发到 7 家行业主管部门，要求 7 家行业主管部门牵头排查。6 月 19 日，县政府办公室组织县纪委监委、县公共资源交易领域清除隐性壁垒专项整治工作专班成员、其余公共资源交易联席会议成员单位分管领导、在会泽县注册的 25 家招标代理机构召开 2023 年会泽县公共资源交易工作联席会议暨公共资源交易领域清除隐性壁垒专项整治推进会议，要求代理机构对所代理的项目辅助行业主管部门排查。6 月 26 日，市检查组随机抽取 64 个项目进行排查，排查后反馈新的隐性壁垒。6 月 30 日，召集 25 家招标代理机构及行业主管部门分管领导及业务人员开展交叉排查，对 200 万元以上的交易项目由招标代理机构交叉排查，明确招标代理机构的任务和责任，对排查不到位的严肃追责。全县共排查 124 个项目（含多标段为 146 个），有 113 个项目存在不同形式的隐性壁垒问题。

【远程异地评标】 2023 年，会泽县将远程异地评标作为公共资源交易的一项重要工作，坚持常态化进行。实施全市评标专家随机抽取产生，推动优秀评标专家资源跨区域共享，全县所有进场交易项目实现 100% 远程评标。10 月 16 日开始，会泽县工程建设项目与昭通市及各县（市、区）进行远程异地评标，截至 11 月 10 日，共完成远程异地评标项目 42 个，其中主场项目 28 个，客场项目 14 个。11 月 9 日，会泽县与省交易中心顺利完成 1 个风电监理远程异地评标项目。

【惠企政策落实】 2023 年，会泽县强化“事事都是营商环境，人人代表会泽形象”的意识，全方位落实、便捷化推进惠企政策。1 月 1 日起，全面取消政府采购投标保证金。全年完成政府采购项目 99 个，投标人次 591 人，为供应商免去投标保证金约 580 万元。在省、市要求政府投资项目投标保证金减免一半的基础上，会泽县要求再减免 0.2%，投标保证金收取不超过 0.8%。全年减免政府投资项目投标保证金 4.85 亿元，减免率 70% 以上。进场交易项目大力推广投标保函，进场交易项目 95% 以上的项目均采用保证保险的方式提交投标保证金，为企业释放 4 亿多元的资金使用压力。规范资格条件设置，降低中小企业参与门槛，灵活采取项目整体预留、合理预留采购包、要求大企业与中小企业组成联合体、要求大企业向中小企业分包等形式，确保中小企业合同份额。

（刘志泽）

机关事务管理

【概况】 2023年5月，成立会泽县机关事务管理局，系会泽县人民政府直属事业单位，为正科级，内设办公室（公共机构节能管理科）、公务用车管理科、公务用车管理科、公务用车管理科共4个科室，事业编制8名（人员参照公务员法管理），设局长1名，副局长3名，股所级领导职数4名。

【公车管理】 2023年，修订《会泽县党政机关公务用车管理实施细则》《会泽县公务用车服务平台车辆运行及驾驶员管理实施细则》，严格派车流程，明确责任分工，做到公务用车集中管理、定向保障、统一调度，杜绝游离于流程之外的用车和公车私用的现象，实现公务用车监管“一张网”。在重点保障县上重大任务、环保督察、创卫迎检等活动公务用车的同时科学调度，保证各单位日常公务用车需求，全年累计出车3770车次，安全行驶里程89.19万千米。

【公务接待】 2023年，会泽县机关事务管理局完成国家、省、市来宾的接待任务。认真落实中央八项规定及其实施细则精神，坚持“有利公务、务实节俭、严格标准、行动自觉、不搞变通、高效透明、不碰红线”的原则，通过完善公务接待流程、提升现有公务接待场所服务能力、全力挖掘地方特色，注重把接待服务与区域形象宣传、区域资源推介、区域文化展示有机结合，使公务接待工作成为会泽加强对外交流、聚集人气、优化发展环境、扩大招商引资和展示对外形象的重要平台，力促公务接待水平有效提升。全年完成公务服务接待89批次3665人，其中，国家级领导2人次、省部级领导39人次。

【公共机构节能】 2023年，会泽县强化公共机构能源资源统计，重新核实全县公共机构数量，能耗数据网上直报率100%。持续开展节约型机关创建，开展以“节能降碳，你我同行”为主题的公共机构节能宣传周活动，传播节能降碳和绿色发展理念，倡导绿色低碳生活方式，充分发挥公共机构在全社会绿色低碳发展中的示范引领作用。印发《会泽县2023—2024年公共机构生活垃圾分类工作实施方案》，全面实现公共机构生活垃圾应分尽分、应收尽收，推动形成以党政机关做表率，学校医院做示范，党员领导带头、干部职工参与的良好格局。

（陈　一）

［责任编辑　龙全和］

中国人民政治协商会议会泽县委员会

综 述

【坚持党的领导】 2023年，会泽县政协认真落实《中共会泽县委关于加强和改进人民政协政治协商工作的实施方案》，严格执行重大事项及时请示、重要工作及时报告、协商成果及时呈送要求，坚持一切工作都在县委领导下开展，一切重要活动都围绕县委、县政府中心任务进行，一切重要安排都在报县委审批后实施，始终做到与县委在思想上同心、工作上合力、行动上合拍，通过政协制度运行、民主程序和有效工作，把党的主张转化为社会各界广泛共识和自觉行动。始终坚持“第一议题”抓学习，“第一遵循”抓贯彻，结合“书香政协”活动，在全体委员和社会各界中组织开展学习贯彻党的二十大精神征文活动，自觉做习近平新时代中国特色社会主义思想的坚定信仰者、积极传播者、忠实践行者。全年开展集中警示教育4次、谈心谈话120余人次，节前集中提醒3次，让党员干部做到“心有所畏、言有所戒、行有所止”，营造风清气正的政治生态。

【参政议政】 2023年，会泽县政协以守正创新践行政协履职之责。围绕会泽发展“三个定位”“四大会战”的大事，构建以全体会议协商为龙头、专题议政性常委会会议协商为重点、其他各类协商为常态的协商议政格局，围绕“一府两院”工作、经济社会发展及财政预决算等重要事项开展全体会议协商，提出10个方面的意见建议163条。围绕巩固拓展脱贫攻坚成果有效衔接乡村振兴工作召开议政性常委会，分别围绕“三类对象”监测及帮扶、高标准农田建设，形成关于巩固拓展脱贫攻坚成果同乡村振兴有效衔接专题协商议政报告，提出两个方面的意见建议19条提交县委、县政府。全年开展协商19次。其中，全体会议专题协商2次，专题议政性常委会会议协商1次、常委会重点协商4次、对口协商1次、界别协商1次、重点提案办理协商10次。深入推进民主监督，县政协常委会认真听取实施“310”工程推进情况、全县党风廉政建设和县“法检”两院工作情况通报，对县工业信息化和商务科技局工作进行民主评议，对2022年民主评议县自然资源局工作整改落实情况进行跟踪问效，对全县10个乡（镇、街道）重点工作情况开展综合督查。围绕县委主要领导所点课题，对农村“厕所革命”推进、农村集体经济发展、小额信贷逾期、高标准农田建设、夏播马铃薯和秋播燕麦轮作等11个重点课题开展专题调研，提出28个方面的意见建议79条，建言成果得到高度重视和采纳。出台《“开展院坝协商·建设文明村寨”行动方案》，围绕基层社会治理难点、人民群众关心热点等5个方面基层治理难题精心选题，在全县基层治理重点乡（镇、街道）开展了19场院坝协商，有力助推了农村基层治理、移风易俗、人居环境改善等工作。向省市政协上报反映社情民意信息66条，其中：《村（社区）人民调解委员会存在的问题不容忽视》《当前社会组织存在问题亟需关注解决》《关于农村养殖业污染亟待整治的建议》被省政协采用，《当前森林草原防灭火工作存在的问题及对策建议》等8条被市政协采用。

【深化团结联谊】 2023年，会泽县政协强化与上下左右之间的履职联动。强化与党外知识分子、新社会组织、新经济组织、新就业群体、少数民族和宗教界委员等的沟通联络，加强团结联谊，广泛凝聚共识，促进各阶层同心同德、同向发力，形成团结一心谋发展的生动和谐局面。积极探索“履职联动”模式，加强向上级政协的汇报联系，密切同河北蔚县、四川阆中市等全国八省“双帽”九县（市）和其他地方政协的沟通联络，组织部分委员到福建长汀考察名城建设和乡村振兴工作，形成《关于重点支持全国八省九县（市）国家历史文化名城保护利用，巩固脱贫攻坚成果、助力乡村振兴的提案》向全国政协提交。与巧家、会东等5个县（市）组成联合视察组，以“同护一江水·共圆中国梦”为主题，对金沙江白鹤滩水电站库区漂浮物治理工作开展联合专项视察，共同推动金沙江白鹤滩库区生态环境治理迈上新台阶。2023年，累计接洽省内外政协调研考察组28批417人次，高质量完成省市政协领导莅临会泽视察调研16次，在考察接洽、参与调研、交流互动中展示会泽改革发展成果，扩大影响力，拓宽“朋友圈”。完成《会泽古籍选介》60篇12万字文稿征集编纂和4期《会泽政协》编辑出版工作。围绕规范和加强老旧小区物业管理民生热点难点开展协商，提出4个方面的意见建议12条。从委员中选取专业素养高、有社会情怀、群众有需求的律师委员，成立会泽首个委员工作室（陆锦潼委员工作室），让广大人民群众切实感受到政协委员就在身边、委员也能办事。

（李　建）

重要会议

【县政协十届二次会议】　2023年1月2—5日，中国人民政治协商会议会泽县第十届二次会议召开，应到会委员335名，实到298名。会议听取、审议和通过李晴作的常委会工作报告、朱兴宏作的提案工作情况报告和县人民政府副县长作的提案办理情况的通报，协商讨论政府工作报告、法检“两院”工作报告和其他相关报告。会议组织政协委员围绕特色农业提质、新型工业提速、旅游产业提档、党建引领提升“四大会战”，紧扣巩固拓展脱贫攻坚成果接续乡村振兴、推进农业产业组织化等八项重点工作和建设“宜居、宜业、宜游的美丽会泽”奋斗目标撰写议政发言78篇，其中8名委员作大会发言。会议通报表扬先进政协委员活动组9个、优秀政协委员32名、优秀提案15件。会议增选政协会泽县第十届委员会副主席1名，增选黄友高、李建、唐桂琼3名常务委员。

【县政协十届三次会议】　2023年4月13至14日在会泽会堂召开。应到会委员339名，因病因事请假41名，298名委员出席会议，会议增选肖兴作为政协会泽县第十届委员会副主席。中共会泽县委书记、副书记、县委常委，人大常委会主任，县人民政府副县长，其他现任副县级以上实职领导出席会议。县委书记丁东平在中共党员负责人会议上讲话，县政协主席李晴主持闭幕会并讲话。

【县政协十届五次常委会会议】　2023年3月24日在会泽县五机关综合办公区2号楼五楼会议室召开。应到会常务委员会组成人员48人，因病因事请假4人，实到会44人。会议由县政协主席李晴同志主持。预备会议通过《政协会泽县第十届委员会常务委员会第五次会议议程（草案）》。会议传达学习全国“两会”精神，书面传达学习县政协2023年工作要点和协商计划。审议通过中国人民政治协商会议会泽县第十届委员会第三次会议有关事项，协商讨论通过县政协秘书长张国鑫提请会议审议的《关于肖凯同志任职的建议》《关于同意苏兴春等七位同志辞去中国人民政治协商会议会泽县第十届委员会委员职务的建议》《关于增补肖兴等十一位同志为中国人民政治协商会议会泽县第十届委员会委员的建议》《关于朱美江等七位同志任免职的建议》。

【县政协十届六次常委会会议】　2023年6月30日在会泽县五机关综合办公区2号楼五楼会议室召开。应到会常务委员会组成人员49人，因病因事请假5人，实到会44人。会议由县政协主席李晴主持。预备会议通过《中国人民政治协商会议会泽县第十届委员会常务委员会第六次会议议程（草案）》。第一次全体会议上，县人民政府副县长孙禹到会通报巩固拓展脱贫攻坚成果有效衔接乡村振兴工作情况，县政协调研组分别作“三类对象”监测及帮扶、高标准农田建设协商调研情况汇报，杨世才等5名委员分别围绕“巩固脱贫攻坚成果有效衔接乡村振兴”开展专题作议政性协商建言，县农业农村局、县乡村振兴局等6家县直单位的领导到会听取意见建议。第二次全体会议民主评议县工信商科局工作，县政协经济和农业农村委作评议前调研情况汇报，陈蕾、李绍云两名委员分别发言，县人民政府副县长徐永黎应邀出席第二次全体会议并作讲话，县农业农村局、县乡村振兴局、县工信商科局等7家县直单位相关负责人和云南（炬锋）电焊机公司、会泽县民悦农业科技公司、会泽县博文幼儿园3家企业负责人列席并参加对县工信商科局评议工作。会议通报开展“学思践悟党的二十大精神　奋进新征程推动新跨越”征文活动评选情况。县政协副主席朱兴宏、黄杰、肖兴和秘书长张国鑫参加会议，县政协机关各委（室）副主任，政协各委员活动组组长、部分活动组联络员及部分县政协委员列席会议。

【县政协十届七次常委会会议】　2023年10月16日在会泽县五机关综合办公区3号楼四楼会议室召开。应到会常务委员会组成人员49人，因病因事请假6人，实到会43人。会议由县政协主席李晴主持。预备会议通过《中国人民政治协商会议会泽县第十届委员会常务委员会第七次会议议程（草案）》；第一次全体会议上，县纪委副书记、县监委副主任蒋明升到会通报全县党风廉政建设工作情况，县人民法院院长陆平到会通报了县人民法院工作情况，县人民检察院检察长林龙到会通报县人民检察院工作情况，县政协党组成员、秘书长张国鑫对有关人事事项进行说明。会议分3个组开展专题协商讨论，2023年第20次主席会议听取分组讨论情况。第二次全体会议审议通过《关于周丽萍等二位同志任免职的建议》《关于同意白贵斌等十一位同志辞去中国人民政治协商会议会泽县第十届委员会委员职务的建议》《关于增补邓忠原等九位同志为中国人民政治协商会议会泽县第十届委员会委员的建议》《关于邓忠原等十四位同志任免职的建议》，邀请县政协二级主任科员、会泽民间唐继尧研究会会长陈晋以《诗文大家唐继尧》为题讲授，开展县政协常委会第一次专题学习讲座暨2023年第五次“书香政协”活动。

【县政协十届八次常委会会议】 2023年12月25日召开。第一次全体会议应到会的常务委员会组成人员47人，因病因事请假2人，实到会45人。会议由县政协主席李晴主持。会议通过《中国人民政治协商会议会泽县第十届委员会常务委员会第八次会议议程（草案）》。第一次全体会议上，审议通过中国人民政治协商会议会泽县第十届委员会第四次会议有关事项，听取县人民政府副县长马艳莉关于县人民政府实施“310”工程推进的情况通报，听取县委统战部常务副部长邱光锐同志所作县政协委员增减情况说明，听取县政协党组成员、秘书长张国鑫同志有关人事事项的说明，听取县政协机关各委（室）述职报告。第二次全体会议上，民主评议十届二次会议重点提案办理工作；县人民政府副县长马艳莉到会并讲话，审议通过《关于王晨宇同志任职的建议》《关于朱培成免职的建议》《关于撤销朱培成中国人民政治协商会议会泽县第十届委员会委员资格的建议》《关于同意黄友高同志辞去中国人民政治协商会议会泽县第十届委员会常务委员职务的建议》《关于同意黄友高等八名同志辞去中国人民政治协商会议会泽县第十届委员会委员职务的建议》《关于增补徐永黎等九位同志为中国人民政治协商会议会泽县第十届委员会委员的建议》《关于房正明等十位同志任免职的建议》。县委常委、县委统战部部长、县政协党组副书记徐永黎同志和县政协副主席朱兴宏、黄杰、肖兴及秘书长张国鑫出席会议，县政协各委（室）副主任，政协各委员活动组组长、副组长或联络员列席会议。提案专门委员会及其成员，县委组织部、县文旅局、县教体局、县交通局、县发改局、县住建局6家单位10个重点提案承办单位领导，8名重点提案的牵头委员列席第二次全体会议。

（李　建）

协商议政

【概况】 2023年，县政协围绕“一府两院”工作、经济社会发展、财政预决算、党政重大决策、党风廉政建设及人事安排等重要事项开展全体会议协商，召开专题协商会议专题协商县人民政府工作报告和法检两院工作报告，在县政协十届二次全会上提出十大方面163条意见建议。聚焦巩固拓展脱贫攻坚成果同乡村振兴有效衔接，深入调研全县“三类对象”监测及帮扶、高标准农田建设情况，分2个专题开展协商并召开专题议政性常委会会议，提出10方面34条意见建议供县委决策参考，6名委员作专题议政发言。召开常务委员会议开展重点协商，听取县人民政府实施“310”工程推进情况通报和县人民法院、县人民检察院工作情况通报，听取县纪委县监委通报全县党风廉政建设情况。围绕加强和规范老旧小区物业管理工作开展界别协商，提出4方面12条意见建议。扎实开展十届二次会议提案的审查立案与交办协商，审查立案166件，研究确定10件重点提案，由主席、副主席领衔开展提案办理协商。

（邹泽进）

【民主监督】 2023年，县政协认真贯彻落实中央和省市县委要求，强化《中共曲靖市委办公室印发关于加强和改进人民政协民主监督工作的实施意见》精神落地落实落细，把民主监督融入于政治协商、参政议政和经常性工作之中，通过精准发力、靶向建言、高效监督，助推全县重大项目、重点工作落地落实，一批社会关注、群众关心的热点难点问题得到及时解决。开展履职监督，听取县政府、县法院、县检察院工作情况通报，为委员知情识政、参政议政提供平台；组织委员参加重大决策听证、重大案件庭审旁听、信访接待陪同及其他全县性重要会议和活动202人次。开展提案办理监督，及时将政协十届二次全会审查立案的166件提案予以交办，县政协领导班子成员领衔协商督办重点提案10场次，对6家县直部门重点提案办理工作进行民主评议，提案建议得到解决或采纳的占78.31%。开展民主评议监督，对县工业信息化和商务科技局工作进行民主评议，对2022年民主评议县自然资源局工作整改落实情况进行跟踪问效。推动院坝协商成果转化监督，按照“精选切口小、关联度大、与群众切身利益密切相关”的原则，围绕基层社会治理难题精心选题，在全县基层治理重点乡（镇、街道）开展了19场院坝协商，促进解决农村基层治理、移风易俗、文明建设等方面的问题42个。开展社情民意信息监督，向省市政协上报反映社情民意信息66条，其中：《村（社区）人民调解委员会存在的问题不容忽视》《当前社会组织存在问题亟需关注解决》《关于农村养殖业污染亟待整治的建议》被省政协采用，《当前森林草原防灭火工作存在的问题及对策建议》等8条被市政协采用。开展常规性监督，县政协领导班子成员共开展林长制督察9次，河长制督察14次，卫生县城创建督查20次，食品安全督查24次。

（吴广进）

【建言献策】 1月3—6日，出席政协会泽县第十届委员会第二次会议的政协委员和特邀、列席人员，围绕县人民政府工作报告建言献策，共提出

2023 年 5 月 10 日，县政协在古城街道边河社区组织召开“完善矛盾纠纷化解机制 推进和谐社区建设”院坝协商议事会（王吉芬 摄）

96 条工作意见和建议；围绕县人民法院工作报告、县人民检察院工作报告建言献策，共提出 67 条工作意见和建议。会议期间，委员撰写议政发言 54 篇，9 名委员在全会上作交流发言。3 月 13 日，《关于全县土地撂荒及土地流转情况的调研报告》提出“坚持分类指导，提高土地利用率；提升组织化程度，引导土地有效流转；强化政策机制应用，推进土地有效利用”3 个方面、10 条意见建议报县委。4 月 11 日，《关于农村“厕所革命”推进情况的调研报告》提出“加大改建力度，激发群众内生动力；科学合理布局，选择适宜改厕模式；采取有效措施，抓好粪污收集治理；健全完善机制，压实管护责任”4 个方面、10 条意见建议报县委。5 月 19 日，《关于全县农村集体经济发展情况的调研报告》提出“强化党建引领，筑牢集体组织发展合力；注重系统谋划，完善经济政策管理制度；拓宽发展路径，推动集体经济错位特色发展”3 个方面、9 条意见建议报县委。7 月 14 日，《关于全县高标准农田建设情况的调研报告》提出“提升规划设计水平；提高产业组织化程度；加大项目建管力度；加大资金整合力度”4 个方面、12 条意见建议报县委。7 月 19 日，《关于民主评议县工信商科局工作的报告》提出“推动工业经济结构调整，做大做优经济总量；推动工作创新发展，提升企业发展层次；推动发展环境升级，切实优化营商环境”3 个方面、15 条意见建议报县委。7 月 24 日，《关于全县旅游服务体系建设情况的调研报告》提出“完善基础配套；构建服务体系；打响旅游品牌；注重人才培养；加快智慧建设”5 方面意见建议报县委。8 月 15 日，《关于巩固拓展脱贫攻坚成果同乡村振兴有效衔接专题协商议政情况的报告》提出“抓实动态监测，确保‘三类对象’精准；强化政策保障及帮扶，防止规模性返贫；加强思想教育，激发群众内生动力；加大乡村产业协调发展，促进农民增收；坚持人才引领，推动乡村振兴；加大乡村投入建设力度，提升人居环境”6 个方面，22 条意见建议报县委。10 月 25 日，《关于全县小额信贷逾期情况的调研报告》提出“强化逾期贷款清收工作力度；加大司法强制执行力度；加强宣传教育引导；做好今年新增贷款的发放工作”4 个方面意见建议报县委。12 月 5 日，《关于加强和规范老旧小区物业管理界别协商报告》提出“统筹规划，着力提升老旧小区居住品质；分类施策，统一规范老旧小区物业管理；建章立制，持续加强老旧小区后续监管；宣传引导，增强居民对物业管理的认识”4 个方面、12 条意见建议报县委。12 月 27 日，《关于全县夏播马铃薯与秋播燕麦轮作情况的调研报告》提出“做好相应服务，助力产业轮作；选育优质品种，选准适宜品种；统筹项目建设，完善配套设施”3 个方面意见建议报县委。

（邹泽进）

【视察调研】 2023 年，县政协坚持把视察调研作为建言资政的基础，并围绕县委主要领导所点课题，对农村“厕所革命”推进、农村集体经济发展、小额信贷逾期、高标准农田建设、夏播马铃薯和秋播燕麦轮作等 11 个重点课题开展专题调研，提出 28 个方面的意见建议 79 条，建言成果得到县委县政府高度重视和采纳。县委常委会 7 次对政协调研、协商报告等履职成果作出安排，有力地促进了巩固拓展脱贫攻坚成果、建设美丽乡村、产业发展等事关长远的经济社会发展和民生工作。同时，积极对全县工业园区企业发展、全县医共体建设情况、坚持宗教中国化方向等情况开展视察工作，与巧家、会东等 5 县（市）组成联合视察组，以“同护一江水·共圆中国梦”为主题，对金沙江白鹤滩水电站库区漂浮物治理工作开展联合专项视察，共同推动金沙江白鹤滩库区生态环境治理迈向新台阶。2023 年，累计接洽省内外政协调研考察组 28 批 417 人次，高质量完成省市政协领导莅临会泽视察调研 16 次，在考察接洽、参与调研、交流互动中展示会泽改革发展成果，扩大影响力，拓宽“朋友圈”。

（吴广进）

专门委员会工作

【提案委员会】 2023 年，会泽县政协提案委员会坚持“围绕中心、服务大局、提高质量、讲求实效”的提案工作方针，切实提高站位，不断探索创新，履职成效实现新提升。共收到

2023 年 10 月 30 日，县政协调研组到大桥乡调研秋播燕麦和夏播马铃薯轮作情况
（王吉芬　摄）

2023 年 4 月 12 日，县政协主席李晴到者海镇七五卡村开展普法强基宣讲
（王吉芬　摄）

提案材料 201 件，经审查立案 166 件，交由 39 个职能部门 15 个乡（镇、街道）承办和协办，提案办结率 100%。办理结果为：提案所提意见、建议得到解决或采纳的（A 类）130 件，占 78.31%；列入计划解决的（B 类）16 件，占 9.64%；被承办单位留作参考的（C 类）20 件，占 12.05%。在提案办理过程中，筛选“选题好、内容实、分量重、价值高”10 件重点提案由主席、副主席领衔开展办理协商工作。12 月 25 日，县政协召开十届八次常委会，对重点提案办理工作进行民主评议，共发放民主评议表 88 份，收回 88 份，提案办理满意率均达 93% 以上。评选表扬年度优秀提案 16 件，充分展现政协委员通过提案履职建言的良好成效。

（王　晶）

【社会和法制委员会】　2023 年，会泽县政协社会和法制委员会深入开展专题调研和视察工作。5—6 月，组织部分政协委员组成调研组，到 12 个乡（镇、街道）和县直部门，对全县 2021 年以来“三类对象”监测及帮扶情况开展商前调研，撰写调研报告，提出意见建议 4 条。8—9 月，根据县委主要领导点题，对全县小额信贷逾期情况进行专题调研，并向县委常委会作专题汇报，提出意见建议 4 条。组织政法民宗界委员活动组 20 余名委员，11 月 30 日开展 2023 年集中学习暨专题研讨座谈活动。集中学习习近平新时代中国特色社会主义思想、习近平法治思想；习近平对做好宗教工作重要讲话精神。对县普法强基办领导介绍全县普法强基补短板工作情况，进行座谈研讨。指导者海、乐业、迤车三个委员活动组开展“协商在基层”工作，并按要求上报相关材料。积极参与相关执法活动。积极参加或组织委员参加执法检查、听证、庭审旁听等执法活动。全年共组织县政协委员 30 余人次参加相关单位的执法活动，充分发挥民主监督和建言献策的作用。

（夏体都）

【经济和农业农村委员会】　2023 年，会泽县政协经济和农业农村委员会围绕群众关心关注的土地撂荒和土地流转中存在的问题开展调研，撰写上报《关于全县土地撂荒和土地流转情况的调研报告》；完成五星、娜姑等四乡（镇、街道）的烤烟生产移栽面积、中耕管理等工作的督查检查；完成金钟、大海等五个乡（镇、街道）的重点工作督查。到驰宏公司会泽冶炼公司、川渝水电等 10 家企业开展重点调研，召开县政协常委会会议对县工信商科局工作进行民主评议，撰写上报《关于民主评议县工信商科局的报告》。做好县政协十届二次、三次全会会务工作，撰写上报《委员对政府工作报告所提意见建议的报告》和《委员对法检两院工作报告所提意见建议的报告》；做好县政协十届六次常委会专题议政性协商，撰写上报《关于县政协十届六次常委会会议专题协商议政发言情况的报告》；深入联系的金钟街道做好“院坝协商”，对群众提出的 4 个方面的问题进行充分协商酝酿，现场处置解决。上报社情民意报告 5 篇。

（李有哲）

【教科卫体委员会】 2023年，会泽县政协教科卫体委员会开展全县高标准农田建设情况调研、全县秋播燕麦与夏播马铃薯轮作情况调研和推动全县高中教育高质量发展调研，形成《关于全县高标准农田建设情况调研报告》《全县秋播燕麦与夏播马铃薯轮作情况调研报告》和《推动全县高中教育高质量发展调研报告》上报县委；加强与对口联系乡（镇、街道）委员活动组的沟通协调力度，积极开展“院坝协商”工作，在钟屏街道鱼洞社区召开“根治乱搭乱建　建设和美家园”院坝协商议事会议，在老厂乡田尾巴村召开“提升群众法律意识构建和谐文明村寨”院坝协商议事会议，指导大井镇委员活动组开展“提升牛栏江沿岸污水治理成效　建设绿美家园”院坝协商议事会议；组织召开《关于优化农村小规模学校布点的提案》重点提案办理协商工作，提高办理成效、促进工作落实。撰写社情民意信息5篇上报办公室。协助做好省政协提升基层卫生机构服务能力、市政协紧密型县域医共体改革情况等调研及外县市政协到我县学习考察教育、卫生等相关工作，积极配合各委室的调研、视察和民主协商活动及民主评议工作。积极参与民主监督。积极参与教育、卫生系统教师、医护人员考录、选调工作的监督和高考、中考的巡考及县级医院行风评议等工作。

（郭炳堂）

【民族宗教和港澳台侨外事委员会】 2023年，会泽县政协民族宗教和港澳台侨外事委员会聚焦会泽县农村集体经济发展情况开展专题调研。撰写《政协会泽县委员会关于全县农村集体经济发展情况的调研报告》，指出会泽县农村集体经济发展中存在的三个方面9个问题，针对性地提出三个方面9条意见措施。在马路乡旁官地村，以“充分发挥网格员‘眼耳喉舌’作用，助推普法强基走深走实”这一主题，进行院坝协商，助推普法强基走深走实，在全村形成全民办事依法、遇事找法、解决问题用法、化解矛盾靠法的社会氛围。精心组织开展重点提案协商工作，对《关于提升和完善以礼街道易地搬迁安置区配套基础设施的提案》进行协商；加强社情民意撰写报送工作，围绕群众关心关注的热点问题，积极向省市政协报送社情民意信息。全年共向市政协报送社情民意信息5条。

（杨静华）

【文化文史和学习委员会】 2023年，会泽县政协文化文史和学习委员会完成《会泽文史资料》第二十一辑《会泽古籍选介》编印工作；协助市政协完成《曲靖古籍》征稿工作；完成4期《会泽政协》的组稿、编辑和校对出版工作；参与校审《名城研究》第九辑。聚焦会泽“文旅兴县”战略目标，开展《全县旅游服务体系建设情况》专题调研；集体提案2件列为重点提案办理协商；2篇作十届二次全会大会发言；完成4件重点提案督办工作；指导联系委员活动组开展“院坝协商”3件。完成42篇议政发言材料编辑工作；完成学思践悟党的二十大精神主题征文评选工作；完成县委办文旅专题征稿信息1篇；上报社情民意信息5篇；组织开展“书香政协”学习活动6期。

（唐桂琼）

【人口资源环境委员会】 2023年，会泽县政协人资环委员会根据县政协年初工作要点及协商计划，组织开展“一项调研、三项协商（界别协商、提案办理协商、院坝协商）”。即对全县农村“厕所革命”推进情况开展调研，对加强和规范老旧小区物业管理开展界别协商，对关于加强城郊结合东部片区污水整治、关于进一步加快农村生活垃圾收运处理的提案办理情况开展协商，在挂联的待补、雨碌、大桥联动开展院坝协商，撰写调研协商等报告4个、提出14个方面的意见建议29条上报县委。参加昭通市巧家县政协组织开展以“同护一江水·共圆中国梦”为主题的五县（区）政协联合专项视察活动。在县政协十届二次全会上撰写提交提案、议政发言材料各2件（篇），即《关于毛家村水库水资源保护的提案》《关于加强古城街道小直河污染治理的建议》《加快新能源充电桩建设　推进能源结构向绿色清洁低碳方向转型》《加强毛家村水库水资源保护刻不容缓》。

（李国琴）

2023年5月18日，县政协召开民主评议县工信商科局动员会（王吉芬　摄）

［责任编辑　龙金和］

中国共产党会泽县纪律检查委员会 会泽县监察委员会

综 述

【管党治党责任压实】 2023年，县纪委监委贯彻落实县委全面推进“清廉会泽”建设的部署要求，深入推进“十个专项行动”，一体推进学习贯彻习近平新时代中国特色社会主义思想主题教育和纪检监察干部队伍教育整顿，全县纪检监察工作高质量发展，“清廉会泽”建设全域共进、全线共进、全面成势。坚持惩前毖后、治病救人，精准运用“四种形态”处置562人次，其中第一种、第二种形态占比95.2%。年内，3个先进集体、10名先进个人受到省、市纪委表彰，成功创建省级民族团结进步示范单位。

【省委巡视整改】 2023年，会泽县委组织部针对省委第三轮巡视反馈问题，坚持将整改落实与推动组织工作提质增效结合起来。制定《省委第三巡视组专项检查会泽县委选人用人工作反馈意见的整改方案》《省委组织部重点问题挂牌督办整改方案》《巡视发现涉组涉干重点问题市级挂牌督办整改方案》3个整改方案，3月10日、4月6日分别召开巡视巡察整改工作培训会、巡视巡察反馈涉组涉干问题整改调度会，重点解决各党（工）委（党组）在推进组织工作中学习不深、政策不清、程序不熟、效率不高等问题。严格对照省委组织部“七个一”措施，按照时间节点建立问题清单、任务清单、责任清单，完成20个反馈问题整改工作。坚持举一反三、整体推进，出台《关于进一步加强巡察整改日常监督工作办法（试行）》《会泽县受处理处分干部使用分析研判工作办法（试行）》，开展干部档案专审“回头看”工作，对全县828卷实职科级干部档案进行“回头看”，推进巡察与其他制度有机衔接、贯通融合。制定《关于开展领导干部在社会组织和企业兼职清理规范工作的通知》，办结“12380”系统信访举报4件、涉组涉干信访举报11件，化解信访积案2件，完成1240余名县管领导干部负面信息收集整理、建档和办理出国（境）证件情况与出入境记录情况比对工作，对全县2374名公务员经商办企业相关信息进行查核，组织51名县处级领导完成个人有关事项报告，对37名领导干部进行约谈，给予诫勉2人，对9人进行组织处理，对11名党政主要领导干部开展经济责任审计。

【纪检监察干部队伍教育整顿】 2023年，县委常委会3次研究纪检监察干部队伍教育整顿工作，县委主要负责同志3次专题听取工作汇报。县纪委常委会强化组织领导，一体推进主题教育和教育整顿，把理论学习、调查研究、推动发展、检视整改、建章立制等工作有机融合。中央纪委国家监委、省纪委监委督导组4次到会泽督导，市纪委监委督导组常态化督导，层层传导压力和责任。全县纪检监察干部同频共振，主动检视整改，积极融入工作。严格对照“六个是否”“六个追问”，聚焦“十三小”“五官不正”“五过”现象等机关亚文化，坚持刀刃向己、动真碰硬，开展三轮自我检视，208名教育整顿对象共查找问题3610个。全覆盖开展谈心谈话和“自查从宽、被查从严”政策宣讲，1人主动向组织说明问题。全面起底党的十八大以来纪检监察干部问题线索，立案3人，党纪处分3人。以专项整治为抓手深化主题教育和教育整顿，教育整顿8个专项整治查摆问题736个，查找“三转”不到位问题98个，主题教育梳理问题15个，教育整顿上级督导反馈问题79个，实行“清单式”整改，“销号式”管理，全面整改清零。

【纪检监察队伍建设】 2023年，完成全县纪检监察组织监察官等级首次确定工作，激发干部荣誉感、使命感和责任感。健全管理机制，落实干事创业严管厚爱要求，制定“八小时外”监督、廉政风险防控实施办法等8项制度。选派169名纪检监察干部参加专题培训、专案实训，选送13名干部到中国纪检监察学院培训，组织全县乡（镇、街道）纪（工）委书记和村（居）务监督委员会主任培训356人次，提高干部综合素质和斗争本领。年内，提拔、重用、轮岗交流、职级晋升干部48名。

【学习教育主题活动】 2023年4月28日，会泽县组织全县纪检监察干部开展“凝心铸魂保持政治定力，坚定信念永葆铁军本色”学习教育主题活动，让全县纪检监察干部接受思想淬炼和精神洗礼。5月12日，会泽县纪委监委开展“扬时代清风 养浩然正气 铸丹心忠魂 做钢铁卫士”主题党日暨义务植树活动，以实际行动践行“绿水青山就是金山银山”的理念，为生态文明建设贡献纪检监察力量。9月28日，会泽县纪委监委在水城扩红文化生态园开展学习贯彻习近平新时代中国特色社会主义思想主题党日活动，深入开展好革命传统教育，在学习教育中淬炼对党忠诚的政治品质，着力锻造忠诚干净担当、敢于善于斗争的铁军队伍。10月12日，县纪委监委开展以“听红色故事 强使命担当”为主题的道德讲堂活动，内容包括讲道德故事、诵道德经典、传道德诗篇、送平安祝福四个环节。

【业务大讲堂】 2023年6月25日，会泽县纪委监委第二期业务大讲堂正式开讲，大讲堂围绕纪检监察信访举报工作展开，信访室主任对信访举报处置中需要注意的问题、检举举报平台操作使用流程、失实检举控告澄清正名工作进行了详细讲解。11月13日，会泽县纪委监委2023年度纪检监察第五期“业务大讲堂”暨十三届第六轮巡察工作业务培训会正式开讲。通过业务培训进一步强化干部履职能力，提升监督效能，实现纪检监察工作、巡察工作与干部成长的双促进、双提升。

【监察官等级首次确定仪式】 2023年9月1日，会泽县纪委监委举行监察官等级首次确定仪式，首次确定145名，并进行集体宪法宣誓。县委常委、县纪委书记、县监委主任何政樘领誓并讲话。

2023年1月30日，中国共产党会泽县第十三届纪律检查委员会第三次全体会议在会堂召开 （县纪委监委办 提供）

重要会议

【中共会泽县纪委十三届三次全会】 2023年1月30日，中国共产党会泽县第十三届纪律检查委员会召开第三次全体会议。县委常委，县人大常委会、县政府、县政协领导班子成员，县人民法院院长、县人民检察院检察长，其他在职处级领导，第十三届县纪委委员、县监委委员等出席会议。会议传达学习二十届中央纪委二次全会、省纪委十一届三次全会和市纪委六届三次全会精神，听取何政樘代表县纪委常委会向大会所作的题为《深入学习贯彻党的二十大精神，为奋力开创新时代会泽社会主义现代化建设新局面提供坚强保障》的工作报告，会议对巡察、信访、审查调查安全、纠治“四风”、集体“三资”管理监督、“清廉会泽”建设、工作纪律和会风会纪等工作作安排。

【清廉会泽建设暨会泽县正风肃纪警示会议】 2023年4月17日，清廉会泽建设暨会泽县正风肃纪警示会议召开，贯彻落实党的二十大关于全面从严治党重大部署和省、市清廉建设暨正风肃纪警示大会精神。县委书记丁东平强调，要全域推进清廉会泽建设，推进管党治党进一步走深走实，持续巩固风清气正的政治生态和干事创业的发展环境，全面形成想干事、能干事、干成事、不出事的良好局面。

【中共会泽县纪委第十三届常委会会议】 2023年，会泽县纪委县监委共召开十三届党委会（监委委员）会议35次，研究部署相关工作。

监督执纪

【政治监督】 2023年，县纪委监委紧紧围绕党中央重大决策部署、省委“3815”战略发展目标，以及市委、县委奋进新征程推动新跨越三年行动工作要求，深入推进政治监督“护航行动”，开展政治监督38次，发现问题476个，督促整改335个，对7名责任人严肃追责问责，集体约谈40人。深入实施党的十八大以来巡视巡察、环保督察、监督检查等反馈问题整改“清零行动”，督办问题43个，

2023 年 7 月 3 日，会泽县召开违反中央八项规定精神专项整治工作会议
（县纪委监委办　提供）

推动整改 33 个。推动优化营商环境“暖心行动”走深走实，开展 9 轮监督检查发现问题 52 个，党纪政务处分 8 人，通报典型案例 3 件 3 人。直查直办农村乱占耕地违纪违法问题线索，受理耕地保护领域问题线索 5 件，处理 4 人。

【案件查处】 2023 年，县纪委监委始终保持高压惩腐态势不放松，全县纪检监察组织共接收处置信访举报 610 件，处置问题线索 617 件，立案 171 件，留置 9 人，党纪政务处分 140 人，移送检察机关审查起诉 3 人。开展水利、农信社、耕地占补平衡等领域专项集中整治，紧盯工程领域腐败问题，查处黄吉福、吴婷芬、陈福邦等严重违纪违法案，承办 3 件市纪委监委指定管辖案件。

【民生领域问题整治】 2023 年，县纪委监委深入推进“小切口”整治民生领域突出问题“惠民行动”，聚焦群众身边亟待解决的系统性、现象性、群体性问题，重点围绕职业技能培训、养老、村集体“三资”、工程建设等领域开展专项监督、下沉监督，发现问题 202 个，受理、处置线索 35 条，批评教育帮助和处理 49 人，通报典型案例 5 件 17 人，让人民群众的获得感、安全感更加充实、更有保障。全面梳理典型性可查性的初次检举控告以及重复信访举报 15 件，由班子领导包案督办，限时办结。组织对各类信访举报箱、意见箱进行拉网式自查，发现并整改问题信箱 92 个；畅通群众诉求反映渠道，加强基层小微权力“监督一点通”平台推广，受理群众信访举报 12 条。

【纠风固堤行动】 2023 年，县纪委监委深入推进以“小”见严纠“四风”“固堤行动”，认真落实一月一研判、一月一督查机制，分季度分领域开展集中纠治。开展违反中央八项规定精神、超标准使用办公用房、下基层不交伙食费专项整治，监督发现问题线索 25 件，受理问题线索 40 件，党纪政务处分 6 人，批评教育帮助和处理 6 人，清退违规违纪费用 23 余万元，补交伙食费 19 万余元。

【失实检举控告公开澄清正名】 深入开展激励干部担当作为暨诬告陷害专项整治，联动召开失实检举控告公开澄清正名通报会，为 26 个集体和 7 名干部澄清正名，奖励实名检举控告 4 人，暖心回访 28 人，释放为担当者担当、为负责者负责的强烈信号。

（肖飞燕）

廉政教育

【日常监督】 2023 年，县纪委监委运用“三单两函”，向党组织（单位）发出重点工作督办函 14 份、主体责任提醒函 2 份，向纪检监察组织发出监督专责任务单 7 份、监督重点提示单 2 份，推动职能部门建立健全规章制度 4 个，督促主体责任、主管监管责任有效落实。推动与人大监督、民主监督等贯通协调，开展 2 轮联动监督，发现问题 6 个。

【述责述廉】 2023 年，会泽县纪委监委深入开展“一把手”和领导班子监督“引领行动”，健全完善党风廉政建设责任制检查考核机制，组织 88 名县直部门、乡（镇、街道）“一把

2023 年 5 月 15 日，曲靖市清廉学校建设现场会在会泽县召开
（县纪委监委办　提供）

2023年7月23日，会泽县纪检监察干部走访娜姑镇石咀村生菜种植基地，了解惠农政策落实情况 （王怀青 摄）

手”在县委常委会扩大会议上述责述廉、接受评议；组织听取乡（镇、街道）纪（工）委、派驻（出）机构负责人同级监督情况。

【廉政谈话】 2023年，会泽县纪委监委对党风廉政建设责任制考核排名靠后的8家单位党政主要领导及纪检监察机构负责人进行约谈。县委常委、县纪委书记、监委主任与90后年轻干部和新任职领导干部开展廉政谈话412人次。

【清廉文化建设】 2023年，会泽县纪委监委坚持问题导向，针对腐败案件暴露出的制度漏洞、廉洁风险点和监督的薄弱环节，推动出台《关于进一步规范招标投标有关事项的通知》等11项制度，不断扎牢不能腐的笼子。组建“三员两者”5支队伍70人传播清廉文化，以示范点带动9个清廉单元建设，打造市级清廉村居3个。娜姑镇白雾村以清廉村居助力产业发展做法在全市推介推广，全市清廉学校现场会在会泽召开。用好纪律建设讲习所、“初心廉语团”、本地警示教育片《警钟》，常态化开展纪法宣传教育，以“身边事”教育“身边人”，2.15万人受到教育。

（肖飞燕）

巡察工作

【概况】 2023年，会泽县委巡察工作坚持以习近平新时代中国特色社会主义思想为指导，全面贯彻巡视工作方针，坚决落实政治巡察要求，按照党的二十大关于巡视巡察工作部署要求以及省市县委关于巡视巡察工作安排部署，以省委巡视办巡察工作县级联系点为契机，认真总结固化县委巡察工作基础建设年成果，围绕提质增效年各项任务落实，不断总结提炼提升巡察成效，持续推进政治监督具体化、精准化、常态化。

【年度巡察】 2023年，会泽县委坚持将巡察工作作为推进全面从严治党的重要抓手和“书记工程”来抓，县委巡察工作领导小组加强对巡察工作的统筹协调和督促指导。综合运用提级交叉巡察、乡村一体巡、分类直接巡、一拖二等方式，共对10个县直部门、5个乡（镇、街道）和64个村（社区）开展常规巡察，对1个县直部门开展巡察“回头看”，共发现问题1617个，集中整改期满1617个，整改完成1566个，整改率96.8%；巡察移交问题线索39件49人，立案27人，处分17人，移送司法1人。

【巡察村（社区）党组织】 2023年，会泽县申报“对村（社区）巡察”试点项目，制定《关于进一步深化对村（社区）党组织巡察的意见》，明确对村（社区）党组织巡察的重点和要求。制定《会泽县对村（社区）党组织分类评价工作操作办法（试行）》，将370个村（社区）按示

2023年9月4日，县委第四巡察组巡察老厂乡入户走访（县委巡察办 提供）

范、一般、关注3个类别进行评价分类。第五轮巡察首次对村（社区）党组织负责人形成问题清单；首次建立对村（社区）巡察33个监督指引；首次实行只集中动员一次、集中反馈一次、形成一个报告附问题清单、形成一个整改方案附整改清单“四个一”，原则上减去民主测评、问卷调查、见面沟通会、座谈会4个环节，为巡察组和被巡察党组织减负、增效；首次探索领导小组“巡中下沉谈”和“中期听汇报”在一线合并开展，放大同题共答效应；首次探索“分类直接巡”方式，对2022年以来被确定为软弱涣散党组织的18个村级党组织，组建一个巡察组进行巡察，助力加强基层治理。

【巡察方式方法创新】 2023年，会泽县立足国家乡村振兴重点帮扶县实际，探索“差异化组织、土办法切入、集约型流程、清单式监督、闭环式整改”的“乡土巡察”模式，提升对乡村巡察质效。探索赋予巡察组组长立行立改审批权限，第五轮巡察移交立行立改38件，巡察期间为群众挽回损失44.9万元，超出前四轮总和。探索“不驻组副组长”做法，第五轮、第六轮巡察授权县纪委监委相关纪检监察室负责人担任各巡察组副组长，巡前预检助力、巡中会商线索、巡后督促整改，但不参与具体巡察业务；创新运用“巡察二维码”，方便群众扫码反映问题，最大限度保护隐私消除顾虑，提高群众参与度。

【整改责任压实】 2023年，会泽县制定加强巡察整改和成果运用的二十条措施、巡察整改成效评估办法、巡察和巡察整改约谈办法、巡察整改专题民主生活会实施细则等制度，构建县委统一领导、被巡察党组织主责、纪检监察和组织部门监督、职能部门成果运用、村监委民主监督、全面发动群众监督的责任体系，将巡察整改情况列为民主生活会、述责述廉、党风廉政建设责任制检查考核重点。

【整改监督和成果运用】 2023年，会泽县纪检监察机关制定对各级各类反馈问题整改加强政治监督的工作指引，派发巡察整改《监督专责任务单》，将日常监督任务清单化、时限具体化。组织部门加强职责加强对涉组涉干和方面问题的日常监督。纪检监察、组织、巡察机构联合会审整改方案、整改情况报告，开展巡察整改成效评估，评定等次并进行通报，提升巡察整改监督质效。县纪委监委在巡察反馈会上讲廉政党课作为固定动作，以反馈问题讲责任、以身边案例讲纪法。对巡察发现的共性问题、突出问题，提交专题报告8份，向县级部门发出巡察建议书11份，由职能部门督促指导、审核把关，并举一反三开展公益岗、低保、违规出借财政资金、违规发放值班费等领域的排查整治，推动健全完善村级小微权力清单、差旅费管理等方面的一批制度，深化巡察整改和成果运用。

【巡察队伍建设】 2023年，会泽县始终把加强队伍建设作为巡察工作高质量发展的重要保障。2名巡察干部被提拔使用。动态更新巡察人才库，共组建300人的巡察人才库和135人的改非领导干部人才库。严格落实“三会一课”制度、主题党日等，组织巡察干部积极参加党支部活动，认真完成教育整顿各环节目标任务，坚持对巡察组纪律作风开展问卷调查和评估工作。巡察期间规范开展临时党支部活动，全体巡察干部签订保密承诺书和零持有报告，健全完善抽调人员激励机制，通报表扬优秀巡察干部15名。选派2名巡察组组长、1名纪检监察干部、1名党工委组织委员参与省委巡视工作，抽调9名巡察干部参与市委专项巡察，巡察干部巡前集中培训不少于3天，在间歇期参加县纪委监委专项监督、线索处置等，在学习、培训、实战中提升能力。

（徐瑞娟　唐红）

［责任编辑　龙全和］

群众团体

会泽县总工会

【概况】 2023年，会泽县总工会坚持以习近平新时代中国特色社会主义思想为指导，深入贯彻落实党的二十大精神，围绕中心、服务大局，开拓进取、砥砺奋进，各项工作取得较好成绩。

【工会干部培训】 2023年4月，会泽县总工会举办全县工会干部培训班，邀请省工青妇干校送教培训，270名工会干部参加学习。向市总工会争取80万元，组织全县乡（镇、街道）工会主席等60人，到上海交通大学学习。与县委宣传部联合开展“学习二十大　建功新时代”线上知识竞赛活动。8018名职工群众参加，累计答题3.86万次。

【职工福利消费中心建设】 2023年，会泽县总工会在新城建设职工福利消费中心，向工会系统发出“四个爱心助推行动”倡议书，促进本地农特产品销售和向外推介，充分发挥工会作用，助力全县产业发展，乡村振兴。全年，有35家工会组织到职工福利消费服务中心为工会会员采购商品及土特产品，采购金额180.49万元。

【文体活动】 2023年8月，会泽县总工会与县教体局联合承办钱城杯篮球争霸赛，来自昆明市东川区、曲靖市麒麟区等县内外39支代表队458名运动员参加比赛。11月上旬，举办为期10天的全县职工运动会，设置篮球、乒乓球、拔河等项目，覆盖全县各基层工会，有77支代表队3000余人次参加。

【产业工人队伍建设改革】 2023年，会泽县总工会出台一系列“产改”制度性文件。同广东锐智教育科技有限公司等5家企业开展产教融合工作，引进云南维康等种植养殖企业吸纳就业，扶持51家扶贫车间（工厂），承办全市第五届职工综合技能大赛汽车修理工技能竞赛。投入资金5万元，在县电视台和七彩云端等新媒体开设“劳动者”专栏。开设微信公众号产改专栏，推送14期《产业工人队伍建设改革职工知识50问》。举办技能培训3个工种640人。投入30万元在县职校和道成集团开展培训，累计输出劳务45万余人。产改工作获评全市示范县，道成集团等5家公司获评市级示范企业，产业园区被表彰为全市3家示范园区之一。“一户一产业工人”就业模式在全省推广并在工人日报等媒体上宣传。

【职工维权】 2023年，会泽县总工

2023年8月25日，县总工会、团县委、县妇联联合组织开展会泽县“不负青春　不负卿”单身职工交友联谊活动在会泽公园举行　（罗春路　摄）

会开展企业集体协商，签订集体合同637份，推进厂务公开和职代会制度落实，完成道成集团和钱城集团新建工会、召开职代会审议薪酬制度等改革任务。举办普法活动6场次，维护职工合法权益。

【先进评选】 2023年，会泽县评选出市级“五一劳动奖章”5人，“工人先锋号”4家，“五一劳动奖状”4家；推荐上报“珠源工匠”4人，“三室一站”4家。会泽县获得曲靖产改示范县称号，会泽县总工会获得曲靖市民族团结进步示范单位、县级捐资助学先进集体、“三星级”模范机关等荣誉称号。

【送温暖】 2023年，会泽县总工会争取省市总工会资金66余万元，开展元旦春节送温暖、夏日送清凉、国庆中秋等慰问活动10场次，慰问困难职工、新就业形态劳动者等1700余人。

【职工服务】 2023年，会泽县总工会连续三年举办单身职工相亲活动；分3批组织49名市级以上劳模、一线职工到海南等地疗休养；开展第四、五轮职工群众普惠服务。争取上级补助296万元，完成1840余名职工（农民工）技能培训。

【职工互助医疗】 2023年，第十九期参互单位186家4.20万人，总金额50.23万元。截至12月31日，全县补助6223人，金额469.60万元，最高补助5.01万元。

【女职工工作】 2023年，会泽县总工会组织全县女职工通过微信群，线上学习习近平新时代中国特色社会主义及党的二十大精神、习近平总书记同全国妇联新一届领导班子成员集体谈话时的重要讲话精神；学习在中国工会第十八次全国代表大会上的报告精神和在中国妇女第十三次全国代表大会上的报告精神。组织宝云、以礼、钟屏街道300余名女农民工参加养老护理员、家政服务员培训；组织者海镇40余名女农民工参加肉猪肉牛饲养培训；组织100余名女职工开展心理健康知识讲座。组织141名新就业形态劳动者（女职工）按照300元/人的体检标准，开展免费健康体检服务活动，总计4.23万元。组织39名新就业形态劳动者（女职工）按照200元/人的体检标准，开展“乳腺癌和宫颈癌”（简称“两癌”）筛查工作，总计7800元。对特困女职工、单亲困难女职工，贫困女农民工进行走访慰问，发放慰问金2.28万元。帮助33名困难女职工子女成功申报秋助学，助学金总金额19.22万元。号召全县女职工参加省总工会开展的以“阅读新时代 铸就新辉煌”为主题的“玫瑰书香”女职工主题读书征文活动。

【阵地建设】 2023年，会泽县总工会将县工人文化宫新建工程纳入全省2024年重点建设项目，争取150万元新建金钟街道、钟屏街道、者海镇、乐业镇、雨碌乡等乡镇职工之家5个。申报市级职工之家表彰2家，补助4万元。在新城易地搬迁安置点新建一星级工会驿站23个、三星级工会驿站2个、四星级工会驿站4个、五星级工会驿站3个，全国司机之家1个。

（权一峰）

共青团会泽县委

【概况】 2023年，共青团会泽县委员会（以下简称“团县委”）全面贯彻落实习近平总书记关于青年工作的重要思想，围绕新时期共青团的根本任务、政治责任和工作主线，聚焦主责主业、服务中心大局、深化改革攻坚、全面从严治团，推进县域共青团基层组织改革，带领广大青年开拓进取、实干担当，不断提升服务中心大局的含“青”量和融入度，为奋力谱写会泽现代化建设新篇章贡献青春力量。1个集体荣获“全国五四红旗团委”称号，1个少先队大队获评“全国优秀少先队集体”，3个少先队中队获评“全国红领巾中队”，1个集体、30名个人获评云南省“红领巾奖章四星章”，3家单位获评曲靖市青年文明号。

【基层团组织建设】 2023年，团县委坚持党建引领、团建跟进原则，扩大团组织覆盖面。12月26—27日，面向全县各乡（镇）团委书记、各中学（中职）团组织负责人开展专职团干部培训班。根据各校已满14周岁学生数量，结合各校“青年大学习”参与率、“主题教育”学习率、“学社

2023年1月13日，会泽县共青团学习党的二十大精神主题宣讲

（团县委 提供）

衔接”完成率、“升学衔接”完成率及团属活动开展等工作推进情况分配团员名额，全年发展团员2360名，其中，社会领域发展团员50名。按照“过程考核+年终评价相结合”方式对团干部进行考评，加强团干部成长观教育，引导各级团干部树立正确的政绩观、事业观。

【青少年思想政治引领】 2023年，团县委组织开展“学习二十大、永远跟党走、奋进新征程”“争做新时代好队员”、学习贯彻习近平新时代中国特色社会主义思想等主题活动48场次，组织“青年讲师团”“红领巾巡讲团”开展宣讲40余场次，宣传贯彻党的二十大精神，加强青少年思想理论武装。动员广大团员青年、少先队员主动参与“青年大学习”“红领巾爱学习”网上主题团课、队课20期，参学人数3.2万人次，在1314个团支部开展团员和青年主题教育。在“五四”“六一”期间集中开展以爱国主义、社会主义教育为核心的入团、入队仪式和团员重温入团誓词活动474场次，引导青少年树立对党、对祖国、对人民的朴素政治情感。

【乡村振兴青春行动】 2023年，团县委争取希望工程等各类公益项目28个，资金共计838.15万元。其中，4所校园附属设施建设项目资金212万元，4所校园教学设备购置资金42.5万元，爱心物资购置资金338.43万元，奖（助）学金245.22万元、资助困难学生1502人。举办乡村振兴青年先锋、产业发展带头人培训班2期，培训学员100人，组织66名大学生到会泽开展“三下乡”社会实践活动。

【普法强基补短板专项行动】 2023年，团县委专题培训法治志愿者577人，组织开展法治进校园、进社区、进企业、进农村、进家庭80场次，覆盖群众3.6万人；组织动员各级团组织开展普法宣传活动142场次；公众号发布各类法律知识60篇。

【志愿服务青春行动】 2023年，建立团县委直属的钱王之乡社工组织和青年志愿者协会，有专职社工7人、会员153名、813名大学生志愿者开展常态化服务。建设县级青年之家7家，常态化开展爱国主义教育、家庭教育、童心港湾、夏（冬）令营等活动。广泛动员团员青年注册成为志愿者，组织开展春运暖冬、学雷锋、敬老爱老、义诊义剪等志愿服务82场次。组建“文化和旅游”“河小青”“湖小青”等专项青年志愿服务队，开展“我为家乡代言”、爱卫宣传、环境卫生清洁、全民健康生活等志愿服务活动120余场次，助力创建国家卫生县、慢性病综合防控示范区建设和健康会泽行动。

【青少年健康成长护航】 2023年，团县委在全县所有中小学开设“护苗行动”青春期健康教育课程739场次，受益学生38832人；联合县法院、县检察院、县公安局、县教体局、县妇联、县科协等部门，开展青少年心理辅导主题活动22场次、“青春呵护·防溺水”专项行动50场次、科普活动5场次，走访慰问困境青少年21人。

【关心关爱留守儿童】 2023年，团县委在暑期组织60余名志愿者在全县5个村（社区）开设“七彩假期 益起成长”爱心暑托班，服务农村留守儿童和易地搬迁社区儿童2890人次。争取团中央资金45万元，在钟屏、以礼街道6个易地搬迁社区实施“伙伴计划”项目，为社区留守儿童提供陪伴辅导服务，累计开展课程活动200场，服务时长974小时，服务7201人次。

【优秀青年培育】 2023年，团县委推动青年突击队、青年志愿者、青年文明号等品牌建设，建立青年突击队5支200余人，建立青年志愿服务队9支420人，开展各类志愿服务活动200余场次。全年各级团组织共向党组织推荐入党积极分子115人，其中70人成为发展对象。

【青年就业创业服务】 2023年，团干部一对一帮扶就业6人，组织67人参加省市县电商培训，发放个人创业担保贷款40户515万元，带动就业103人，发放“贷免扶补”贷款55户1065万元，带动就业185人。开展大学生“返家乡”社会实践活动，协调联系县内各级各类机关、企事业单位为会泽籍返乡大学生提供实习岗位98个，招募实习学生294名，其中103名大学生到村（社区）工作。

【县域共青团基层组织改革】 2023年，团县委聚焦组织领导、团干部队伍建设、体制机制、要素保障、工作规范等内容，推动11项改革举措、35项改革任务落地见效。完成25个乡（镇、街道）381个村（社区）基层团组织改革，配齐配强基层团干部。落实团组织书记述职评议考核制度，依托智慧团建系统，规范管理全县1350个团组织。

（董靖琳）

会泽县妇女联合会

【概况】 2023年，会泽县妇女联合会（以下简称“会泽县妇联”）坚持党建带妇建，妇建促党建，聚焦引领、联系、服务三大工作职能，团结带领全县妇女在中国式现代化道路上阔步前行，凝聚妇女力量，宣传工作入选2023年度《中国妇女报》宣传舆论阵地建设优秀榜。2名执委被表扬为省级“最美妇联执委”，10名执委被表扬为市级“最美妇联执委”，12名妇联干部被表扬为“曲靖市妇联系统工作先进个人”。

【基层妇联组织建设】 2023年，会泽县妇联在机关、企事业单位和“三新”组织中新建改建妇联组织 85 个，实施“执委履职赋能提升行动”，培训县、乡、村（社区）基层妇联执委 600 余人次。

【巾帼心向党引领行动】 2023 年，会泽县妇联依托新时代女性课堂、妇女之家等活动阵地，开展“巾帼大宣讲”“巾帼心向党·奋进新征程”“弘扬好家风”等学习教育 73 场（次），参与妇女群众共 2.5 万人次。在广大妇女中发现、培养、选树新时代女性榜样，表扬 2022 年度“三八红旗手”20 人，三八红旗集体 5 个。拍摄“爱在我家　和美会泽”展示片，用榜样的力量激励引导全县广大妇女学榜样、学先进、谋发展、建新功。

【家庭服务巾帼行动】 2023 年，会泽县妇联争取联合国儿童基金会项目在会泽落地，组织开展“幸福家”父母支持计划——初级师资培训，为 510 名妇女提供一对一、面对面、有针对性的家庭教育指导支持服务。联合相关部门开展“清风满家　廉政相伴”专题讲座、举办家庭家教家风主题展演、开展亲子阅读活动等 32 场次。调整县“家健康”行动领导小组，制定 2023 年“家健康”行动工作方案，动员广大妇女和家庭自觉整治家庭环境卫生，积极参与“最美家庭”“健康家庭”等创建活动，全县共涌现各类优秀家庭 293 户，其中，全国“最美家庭”1 户，省级各类家庭 7 户，市级各类家庭 218 户。

【巾帼维权行动】 2023 年，会泽县妇联与公检法司等部门联系，充分发挥妇联干部、律师等多方力量，组建普法讲师团、家庭教育讲师团等队伍，以板凳会、院坝会等形式开展普法宣传 47 场。依托妇女儿童一站式维权服务中心（站）、家事纠纷调解站、婚姻家庭矛盾纠纷调解委员会等，开展婚姻家庭矛盾纠纷排查，推动妇女儿童维权工作全方位融入网格化管理。依托 12338 妇女维权热线，接待处理来信来电来访 42 起，办结率 100%，接受妇女儿童问题咨询 24 起，开展法律援助 1 起。

【巾帼创业服务行动】 2023 年，会泽县妇联深化开展“创业创新巾帼行动”等活动，为妇女创业搭建平台、提供服务。举办妇女能力素质提升培训班 12 期 1519 人；在“巾帼帮扶车间”开展巾帼电商、手工技能培训 15 期，培训搬迁妇女 2400 余人。发放妇女创业小额贷款 143 笔共 2310 万元。组织 120 名妇女到产业园区用工企业参观学习，与曲靖市女企业家协会会泽联络处会员面对面协商妇女用工事宜，助推妇女创业就业。

2023 年 3 月 6 日，县妇联在会泽公园开展家庭家教家风主题展演活动

（县妇联　提供）

【巾帼暖心行动】 2023 年，会泽县妇联组织各级妇联执委，在春节、三八妇女节等重要节点，有针对性地开展走访慰问，为她们带去爱心包、母亲邮包等爱心物资。开展“把爱带回家”儿童关爱服务活动 148 场次，结对帮扶困境儿童 1400 余名，1.2 万名儿童及家长从中受益。实施农村妇女“两癌”筛查项目，为低收入患病妇女申请“两癌”救助金 40.4 万元。争取 60 万元的母亲水窖集中供水（水质提升）项目和 10 万元物资。开展“巾帼爱老、巾帼普法、巾帼清洁”等系列服务活动 57 场（次），服务群众 3 万余人。

（高春莲）

会泽县科学技术协会

【概况】 2023 年，会泽县科学技术协会（以下简称“会泽县科协”）按照“政府推动、全民参与、提升素质、促进和谐”的工作方针，以《全民科学素质纲要》为统领，强化科普宣传、组织科普活动、加强科普阵地建设、完善保障机制等一系列措施，加大科学技术普及工作力度，提升公民科学素质。

【公民科学素质提升行动】 2023 年，会泽县科协围绕“青少年、农民、产业工人、老年人、公职人员”五个重点人群的特点和需求，实施以提升重点人群科学素质带动全民科学素质提升行动。围绕提高未成年人科学素养和创新能力，开展科技传播、科普讲座、科普体验、科普大篷车进校园等活动 24 场次，组织中小学校参加各类赛事活动 8 场次，荣获各类奖项 101 人次。实施乡村振兴科技支撑行动，开展文化科技卫生“三下乡”、普法宣传、防灾减灾等群众性各类科普宣传活动13场次，发放各种宣传资料1.5万份，受众人数1.8万人次。围绕打造劳动密集型产业基地，以全县产业工人改革队伍建设改革为抓手，以提升技能素质为重点，提高产业工人职业技能和创新能力，开展职业竞赛、健康知识专题讲座2期200余人。邀请公检法人员开展法律宣传活动，向农民工发放《农民工维权手册》《中华人民共和国安全生产法》及《职业病防治》等各类宣传材料700余份。针对老年人群体，开展“食品安全”“防震减灾”“健康生活”“崇尚科学、打击邪教”“防电信诈骗”“使用智能产品”等主题的系列科普知识讲座和科技咨询8场次，受益居民6000余人次。

【科普宣传】 2023年，会泽县科协围绕“四服务”职责，聚焦群众需求，利用气象、环保、林业、农业、卫生、教育、交通、消防等单位的教育场所，为广大群众，尤其是青少年提供多种亲历、参与、体验科学的机会，推动科普资源互联互通、科普活动共抓共促、科普平台共建共享，构建大联合、大协作、大宣传的科普发展新格局。到乡镇、社区、农村、校园、企业开展文明倡导、卫生环保、乡村振兴、防灾减灾等科普宣传活动24场次，组织开展“科技活动周”“全国科普日”科普活动12场次，发放各种宣传资料1.5万份，受众人数2万余人次，邀请6名专家到6所中小学开展“2023年科技教育乡村行”活动6场次。

【科普示范引领创建工程】 2023年，会泽县科协按照“示范引领、点面结合、协调推进”原则，推进科普示范基地、科普示范学校等示范创建工作，创建省级科普示范学校1所、省级科普示范社区1个、市级示范农技协1个。1月，会泽县创建为2021—2025年第二批全国科普示范县。建设校园科技小馆1个，中国科协区域换展价值200万元科普展品展具落地会泽，会泽科技馆实体化运行。编制简明生动的科普宣传读本1500册，全年发放各类科普宣传资料3万份。中国工程院侯立安院士团队捐赠价值1.8万元科普图书500册。实施“互联网+科普”行动，向广大群众推广“科普中国”App注册运用，注册科普信息员2.5万人。

【农函大培训】 2023年，会泽县农函大招生培训工作，按照“突出重点产业、倾向新兴产业、兼顾传统产业”的招生要求，开展以乡村振兴和脱贫攻坚成果巩固对象为主的基层党员、干部、妇女、少数民族、农民工、回乡青年以及热爱科技、相信科学、依靠科技致富的带头人为主体的农村实用科技培训，助力全县乡村振兴、农业产业培育和科普示范基地创建。全年农函大办开展肉牛、生猪、果蔬、草莓等实用技术培训20期1000余名。

（潘志艳）

会泽县工商业联合会

【概况】 2023年，会泽县工商业联合会（简称县工商联）突出抓好“万企兴万村”行动工作，在全国“万企兴万村”行动台账系统中录入信息48条，参与企业27个，实施项目48个，“兴村”35个，投资总额2936万元，捐资捐物373.7万元。工商联界别的人大代表、政协委员提交议案、提案20余件。

【思想教育】 2023年，县工商联紧扣“不忘创业初心、接力改革伟业”主题，持续开展民营经济人士理想信念教育活动，引导民营企业家不断坚定“四个自信”，自觉做爱国敬业、守法经营、创业创新、回报社会的表率。采取“请进来”“走出去”等方式，全方位、多层次开展素质培训，坚定企业发展信心、把准企业发展方向。组织40余名执委赴焦裕禄干部学院开展为期5天的学习培训，组织2场100多人次参加的电影党课。

2023年7月11日，县工商联组织开展企业互访活动　（邱光富　摄）

【重要会议】 2023年6月2日，县工商联（总商会）十届三次执委会暨会泽光彩会一届二次理事会召开，46名执委出席，会议传达学习党的二十大精神和习近平总书记在看望参加全国政协十四届一次会议的民建工商联界委员时的重要讲话精神，审议通过《执委会会费缴纳管理办法》，通报2022年执委履职情况，并对普法强基补短板、民族团结进步创建等工作作安排部署。11月7日，召开县工商联（总商会）十届四次执委会，50名执委出席，会议传达学习习近平总书记在中华全国工商业联合会成立70周年时的贺信和全省民营经济高质量发展大会精神，组织开展“万企兴万村”行动及企业问卷调查、涉企经济案件法律知识宣讲等活动。

【服务会员】 2023年，县工商联通过执委会、微信、QQ等平台，将与企业发展相关的政策和信息宣传到各会员企业，全年发送信息140余条。加大云南省“融信服”、云南政企通、全国工商联调查问卷库等企业服务平台的宣传力度，分别动员民营企业完成注册238户、440户、121户，实现政策信息、融资服务、招商引资直通直达企业；动员引导87户企业，提前完成2023年民营企业评议政府职能部门工作。定期收集民营企业存在的困难问题和意见建议，汇总编辑《信息专报》上报县委、县政府，全年上报6期，反映困难问题32个，提出意见建议21条，涉及企业30余家。在明尧律师事务所设立“会泽县工商联（总商会）法律维权服务中心”，营造办事依法、遇事找法、解决问题用法、化解矛盾靠法的良好环境，推动构建“亲”“清”新型政商关系。年内承办10户创业担保贷款，发放贷款130万元，带动就业30余人。

【交流活动】 2023年，县工商联以解决企业发展的瓶颈问题为重点，先后组织10余家民营企业分2批到罗平、陆良等地考察农文旅结合发展情况，到建水、弥勒等地考察紫陶、农旅及水业发展情况，与昆明瑞金商会、江川区工商联等缔结为友好工商联（商会），并签订友好合作协议。11月7日，组织开展2023年“访民情、解企忧、聚人心”互访互学调研活动，40余名执委及机关干部参加，先后走访5家民营企业。

【光彩事业】 2023年，县工商联携手会泽睛刚商贸有限公司为大井中学等8所中学捐赠1561副爱心眼镜，价值94万元；携手恋晓佰（中山）智能科技有限公司为各乡镇及村社区捐赠冷暖移动空调451台，价值58万元。六一儿童节期间，组织部分执委企业参加庆祝活动，合计捐资捐物6万余元。云南会泽东兴综合回收科技有限公司捐赠茚旺高级中学科技楼设施设备配置90万元，捐赠大井一中学校阅卷系统建设10万元；会泽县乾靖房地产开发有限公司捐赠茚旺高级中学校史馆建设20万元。

（邱光富）

2023年7月21日，县科协在县乐业镇团坡村开展知识性、趣味性的“七彩假期 益起成长”青少年防溺水和防交通事故科普活动 （潘志艳 摄）

会泽县文学艺术界联合会

【概况】 2023年，会泽县文学艺术界联合会（以下简称“会泽县文联”）坚持“二为”方向和“双百”方针，围绕培养文艺人才，繁荣文艺创作，努力打造文艺精品，配合中心工作等方面开展工作，发挥文联“联络、服务、协调”以及团结引领、自律维权等方面的职能作用，为繁荣文艺发展作出积极努力。

【美术作品】 2023年，会泽县美术协会组织30人44件作品参与“我们的中国梦·文化进万家”书画作品展播，杨晓宇作品《俄亚纳西族·盼》入选“中国梦·劳动美”第八届全国职工书法美术作品展。吕兴明《盆中煤》、段莉苹《山村新颜》水彩作品入选踔厉奋发·2022中国水彩粉画年度学术作品展，并入编《水彩粉画研究与创作》第十五期。孙菲《南瓜》、赵国强《家家都在花丛中》、余向荣《七色乌蒙》《青石山》入选“学习宣传贯彻党的二十大精神·描绘宣威新景象”曲靖市小幅油画作品展。组织骨干有序推进《会泽十景》油画创作。

【书法作品】 2023年，会泽县书法协会组织老年大学、老书协、书协会员开展迎春书法作品展。组织8名县书协会员申报加入市书协；张正桂书法公益培训楷书、隶书结业作品展在会泽公园举行，展出楷书、隶书作

2023年9月20日至10月20日，县文联在公园举办"赓续、感恩、奋进"同心共筑中国梦庆国庆书画展（县文联　提供）

品（临创作品）135幅，出版隶书、楷书临、创作品集150余本；会泽县9名会员作品入选市委宣传部、市委市直机关工委、市总工会、市文联、曲靖日报社联合主办的"翰墨书清廉清风润机关"书画作品展，并在曲靖市美术馆展出；张正桂书法作品参加"爨氏故里·中国陆良"第一届全国书法大赛书法作品邀请展，在陆良县展出。举办"赓续感恩　奋进同心共筑中国梦"迎国庆书画展览活动，展出作品100余幅。

【摄影作品】　2023年，会泽县摄影协会组织会员参加爱曲靖——镜头下的幸福快乐年新春网络摄影展和"绿水青山　最美曲靖"摄影短视频大赛，4人4幅作品获一等奖，多人多幅作品获二、三等奖和优秀奖。在探秘云南会泽微信公众号编发5期会员作品。在OPPO非凡记忆——云南非物质文化遗产影像大赛上，李永星《非遗传承擀毡》获银奖，解治龙《会泽挖泥寨土陶非遗技艺》、王良忠《苗家婚俗》优秀奖。李永星《走出大山》、解治龙《乌蒙山十万人大迁移——会泽县易地扶贫搬迁纪实》获第九届云南文学艺术奖·摄影奖（纪实类）。吴正权《老酒坊（组照）》等4人5幅（组）作品入展第九届云南摄影艺术展。解治龙作品《春风化蝶乡村振兴》组照，入选第十一届全国农民摄影大展。李永星、王良忠、解治龙的3幅作品刊登于《中国国家地理》杂志2023年第8期；王良忠《水龙穿街庆端午》、李永星《乌蒙天街》、解治龙《百年土陶萌心意》入展第十届大理国际影会。9月，李永星作品《稻草人》入选"学习强国"云南学习平台"霞客行之江山多娇·有一种叫云南的生活"摄影、短视频作品展（网络）；金华春作品《大山春耕》入选第6届"中国农民丰收节"摄影作品展；作品《高高在上》获云南省昆虫学会第七届昆虫摄影展三等奖。刘光信《狂欢的火把》《亚洲第一土坝》《云端》，王邦镔《古城理发店》入选首届云南省青年摄影作品展。

【文学作品】　2023年，会泽县本土作者在国家级刊物《诗歌月刊》等重点刊物发表文学作品20余篇（组、首），在《曲靖日报》等省市报刊发表文学作品250余篇。

【观赏石盆景根艺作品】　2023年，会泽县观赏石盆景根艺协会会员张伟在参加全国盆景艺术师初选比赛中荣获全省第三名，被评定为云南省盆景艺术师。在国际奇石展中，荣获国际铜奖4个。组织150件精品作品参加"庆丰收促和美奇石盆景根艺展"活动。

【摄影交流活动】　2023年，会泽县摄影家协会到老厂乡举行魅力老厂摄影采风创作活动。邀请中国摄影家协会会员、全国摄影艺术展览纪录类金奖获得者、著名摄影家耿云生进行《昆明往事》《乌蒙矿工》《哈尼纪事》拍摄和创作过程专题讲座。县摄影家协会会员先后到以礼河大峡谷、老厂乡播落卡、白沙等村、德康斑铜厂开展采风创作活动，聚焦老厂乡优美的峡谷风光、特色产业、春耕生产、传统村落、斑铜工艺进行摄影创作。曲靖市摄影家协会到会泽召开年会及理论培训会，围绕念湖、擀毡、布多、会泽文庙开展采风活动。县摄影家协会组织10余人分别参加县政协组织的布多小江、纸厂迤车采风创作活动。

【志愿服务活动】　2023年，会泽县文联联合县民宗局等单位承办以"学思践悟二十大，翰墨丹青迎新春"为主题的春节文化志愿服务活动，免费为搬迁群众书写春联800余副，拍摄全家福200余张。

（陈艳）

会泽县残疾人联合会

【概况】　2023年，会泽县残联围绕残疾人康复、教育文体、创业就业、农村实用技术和职业技能培训等开展各项工作，推进全县残疾人事业持续发展。

【残疾人创业就业】　2023年，会泽县残联完成各乡（镇、街道）申报的59家创业示范户，6个创业就业示范基地实地检查审核工作；向省、市推荐35户残疾人创业示范户和1个示范点，争取上级创业就业补助资金40万元。扶持创建县级残疾人创业示范户22户，投入扶持资金24万元；扶持创建县级残疾人就业示范基地2个，投入扶持资金10.2万元，扶持、吸纳90余人就业。

【困难重度残疾人家庭无障碍改造】2023年，会泽县残联争取资金182.52万元，为雨碌乡、五星乡、火红乡和迤车镇342户实施困难重度残疾人家庭无障碍改造，帮助受益残疾人消除或减少居家生活障碍，改善居家环境。

【"阳光家园计划"项目实施】2023年，会泽县残联争取资金108万元，在娜姑镇、老厂乡、驾车乡为767名就业年龄段（年满16～59周岁）肢体、智力、精神一二级重度残疾人实施"阳光家园"托养服务，为受益残疾人提供生活起居、卫生、康复等日间照料以及上门开展家政、简单体检、心理疏导，就业指导等服务。

【残疾人技能培训】2023年，会泽县残联投资32.70万元为大井镇治补、里可、刘家山、蚂蟥塘4个村委会、五星乡和大海乡泥德坪村委会237名残疾群众或残疾人家庭成员开展农村残疾人实用技术培训，以"肉牛养殖""冬早蔬菜种植"技术培训为主，让参训的残疾人或残疾人家庭成员掌握肉牛养殖、饲草种植、家畜家禽养殖、蔬菜育苗、施肥、搭架、嫁接等实用技术，为培训人员提供籽种、化肥、薄膜、防病虫害药物等生产资料，并进行地块整理、蔬菜育苗、移栽、嫁接、中期管理、采收包装等技术指导。6月，联合钟屏街道举办1期残疾人特色小吃技能培训班，培训32名残疾人学员，增训期15天。邀请昆明市呈贡区顺谢技能培训学校老师进行授课，培训科目包含创业就业理论辅导、48种地方特色小吃制作实操培训，并进行职业技能等级认定考试，参训人员全部获得职业等级认定合格证书。

【残疾人服务】2023年，会泽县残联投入资金58万元，委托会泽县精神病康复医院和人民医院精神科到25个乡镇街道集中为869名重度精神残疾人免费开展健康体检、服药和康复指导；向上级申请为573名有需求的残疾人免费配备轮椅、拐杖等辅具；落实5名残疾聋儿完成人工耳蜗手术康复救助项目；59名符合条件的残疾儿童享受救助政策，每年给予康复训练的儿童2万元补助。从7月起按新的残疾儿童康复救助政策做好审核转介服务；联合县民政局集中为108名截肢残疾人免费装配假肢；联合县民政局邀请省民政厅辅具中心的技术人员集中在县民政局为全县截肢残疾人开展假肢装配工作，其中装配上肢假肢18人，下肢大腿假肢41人，装配小腿假肢49人。

2023年6月12日，会泽县2023年残疾人职业技能培训——特色小吃制作培训班在钟屏街道举办（柳成怀 摄）

【助听器捐赠】2023年，会泽县残联争取上海复星公益基金会为学校捐赠20台助听器，价值57.8万元。9月24日，爱心助残助听器捐赠活动在会泽县特殊教育学校举行，上海复星公益基金会秘书长张翼飞和西万拓技术（苏州）有限公司代表出席会议。

【"绿美会泽·助残行动"网络筹款活动】2023年5月8日，会泽县残联联合县红十字会、县文明办、县民政局、县融媒体中心共同发起"绿美会泽·助残行动"网络筹款活动，全县参与活动人次3.3万人，接收公众网络捐款48.81万元（含配捐），所捐资金全部用于救助不符合残疾儿童康复救助新政策的残疾儿童家庭。

（柳成怀）

会泽县红十字会

【概况】2023年，会泽县红十字会履行红十字会法赋予的各项职责，遵循"人道、博爱、奉献"人道主义宗旨。完成13个乡（镇、街道）红十字会工作站、工作小组建设，发展红十字特色志愿服务队1支、个人会员550人、注册志愿者67人。

【"三救""三献"工作】2023年，会泽县红十字会在大成高中、娜姑中学、以礼街道先锋社区等重点部门开展应急救护知识宣传16场（次）普及6060人。发放《应急救护知识宣传读本》2万余册，免费培训春晖小学持证救护员120人，在会泽云能投新能源开发有限公司分会场和华电云南发电有限公司以礼河发电厂开展持

2023年3月30日，会泽县"99公益日"网络筹款发放仪式在会泽以礼河联合学校举行　（赵　琼　摄）

证救护员培训和应急救护知识宣传普及活动，培训持证员工80余人，在金钟街道培训持证人员120余人。相关工作在省红十字会网站、会泽融媒等媒体报道信息21篇；接收科尼特净水机30台、汰渍洗衣液526箱、万达自然美油烟机125台，价值39.19万元，在乡（镇、街道）、村（社区）配送和安装；与县教体局、昆明爱尔眼科医院共同实施"红十字爱眼护眼工程——乡村少年亮眼计划"活动，对全县20所小学21488名小学生进行眼睛健康检查，免费验配公益眼镜。免费接送8名家庭经济困难，患眼病学生到昆明爱尔眼科医院进行医疗救治。参与、推动无偿献血、遗体和人体器官及造血干细胞捐献工作，完成165名人体器官捐献志愿者的网络登记工作，超额完成78份造血干细胞的采样并送中华骨髓库入库。

【扶弱济贫工作】　2023年，会泽县红十字会深入困难群体、孤寡老人、残疾人群和敬老院等开展慰问救助活动。开展"博爱送万家"活动，涉及8个乡（镇、街道）6600余人，送去价值55.72万元的家庭包210个、浅秋毛衣800件和冻疮膏1000盒。

【"博爱家园"项目建设】　2023年，会泽县投资690万元，实施5批15个"博爱家园"项目，涉及10个乡（镇、街道）15个村（社区）。年内，投入资金100万元，完成娜姑镇大闸村和盐水村2个项目。

【募捐筹资】　2023年，会泽县红十字会募集筹资516.79万元。其中，捐款400.09万元，捐物折资116.7万元，"5·8绿美会泽·助残行动"网络筹款48.59万元，33691人次参与募捐，获云南省红十字会"5·8"人道公益日网络筹款活动县级成绩突出单位第二名，募捐资金由残联执行，用于救助残疾儿童。

【大病救助】　2023年，会泽县红十字会登记上报先天性心脏病儿童和0～14岁白血病儿童资料，并申请审批救助患儿。2023年上报先天性心脏病儿童8人，帮助联系云南阜外心血管医院接受手术治疗；上报0～14岁白血病患儿资料4例，审批救助4例，救助金额12万元。

（赵琼）

［责任编辑　郭宝洪］

法　治

政法委与综治

【概况】　2023年，会泽县委政法委坚持以习近平新时代中国特色社会主义思想为指导，坚决贯彻落实党中央决策部署和省委、市委、县委工作要求，忠诚履行职责使命，全力以赴防风险、保安全、护稳定、促发展、惠民生，为全县高质量跨越式发展做出政法贡献。会泽县探索出党建强县域治理、促法治政府建设新路子，打造会泽县“一站式”询问与救助办案区，构建“便捷化、市场化、法治化”营商环境，创成第一批全省法治政府建设示范县。木城社区创新推进红黄绿“三色”精细化管理，2023年荣获“全国民主法治示范村（社区）”称号。

【政治建设】　2023年，会泽县委政法委深入学习贯彻党的二十大精神，扎实开展学习贯彻习近平新时代中国特色社会主义思想主题教育，坚持“第一议题”制度，坚定捍卫“两个确立”、忠诚践行“两个维护”。认真贯彻落实《中国共产党政法工作条例》及省委实施细则，严格执行重大事项请示报告制度，跟踪督促县级政法各部门认真贯彻落实，推动全县政法系统政令警令畅通。县委常委会、县政府常务会专题听取和研究政法工作50余次，全县政法系统开展理论学习中心组学习41次，专题读书班10期，开展政治轮训6次。

【扫黑除恶】　2023年，会泽县结合《中华人民共和国反有组织犯罪法》集中宣传月活动的开展，全县各级各部门共开展宣传活动1.47万次，受众人数245万余人次。持续推进十二大行业领域乱象和“村霸”整治及“三治三建”工作。共收到问题线索11条，办结11条，未发现“关系网”“保护伞”及腐败问题线索。全县现行案件同比下降8.06%、“两抢一盗”发案同比下降14.37%、“八类案件”同比下降23.08%，打击治理电信网络诈骗实现“两降两升”，全省反诈“断流”专项行动县（区）考核取得第一名。全力推进“歼击1号”“夏季行动”“冬春攻防”等系列专项行动，破各类刑事案件1720起，刑事拘留1514人、逮捕330人、移送起诉1191人，同比分别上升1.36%、56.57%、18.71%、24.32%。

【信访工作】　2023年，会泽县建立统筹有力的组织体系、责任共担的包保体系、多元共治的调解体系，建强县乡村三级社会矛盾纠纷接访调处中心，健全带案下访、主动约访、督办回访机制等“大信访”工作格局。

2023年11月27—28日，会泽县2023年度政法系统领导干部政治轮训暨综合素质提升培训班在县委党校举办　（县委政法委　提供）

公开大接访经验被省委领导批示在全省推广，信访接待下基层在全省“四下基层”五级书记为民办实事现场会上作交流发言。全年受理群众来信来访947批1027人次，同比下降18.85%，初信初访量471件，同比下降41.71%。办结省委领导包案化解信访案件3件，市级领导包案化解6件，县级领导包案化解54件，化解率均为100%；市“310”办交办的信访积案189件已化解181件，化解率95.7%。

【基层治理】 2023年，会泽县构建“建强治理中心、建实全科网格、建活指挥平台、建大群防群治队伍”融合联动的县乡村三级社会治理中心（综治中心），持续深入开展“平安家庭”等平安细胞培育选树，不断夯实基础社会治理根基。4月，会泽县被评为省级“先进平安县”；五星乡黑土村探索的“521”基层治理模式，11月被评为全国“乡村治理示范村”；《会泽县钟屏街道“14580”治理模式，打造“四安”家园样板》获得云南省农村基层治理优秀案例一等奖。

【普法强基补短板】 2023年，会泽县48位县处级领导干部到58个重点村（社区）全覆盖宣讲。县级36个部门、25个乡镇（街道）、381个村（社区）书记，在本系统或本辖区内开展普法宣讲活动442次。市县两级专项普法工作队开展6轮普法宣讲活动，覆盖全县381个村（社区），发放普法法治宣传教育读本27.2万册，制作宣传标语3416条，建设法治图书角381个，培养“法律明白人”2031名，认证“知法明理人”27.22万人，完成率超额14%。推荐原创产品20余件报送市级资源库。

【矛盾纠纷排查化解】 2023年，会泽县坚持和发展新时代“枫桥经验”，深入开展矛盾纠纷大起底大排查大化解工作，对分析研判的20件高风险纠纷和106件中风险纠纷，按“一户一档”原则，开展包保化解，对工作排位后三位的在全县每月重点工作通报会上通报点评。全县共排查受理各类矛盾纠纷1.65万件，调解成功1.36万件（含结案、撤诉），调（结、撤）率82.76%。其中，人民调解累计排查和受理各类矛盾纠纷2296件、占13.93%，累计调解成功2293件，综合调处率99.87%；行政调解累计受理各类矛盾纠纷9099件、占55.20%，调解或结案8678件、调解或结案率95.37%；司法调解累计受理各类矛盾纠纷5088件、占30.86%，调解或撤诉2671件、调解或撤诉率52.5%。

【政法队伍建设】 2023年，会泽县委政法委持续巩固深化政法队伍教育整顿成果，严格执行“三个规定”，开展“躺平式”干部专项整治活动。对县人民法院开展政治督察，对县人民检察院开展政治督察“回头看”。完成市委第三巡察组对会泽县委政法委开展安全生产和社会稳定专项巡察反馈的6个方面31个问题整改；市社会治安综合治理大督查反馈的10个方面28个问题，完成整改27个问题，1个问题在推进整改。完成市委政法委对县委政法委政治督察反馈的4个方面57个问题整改。召开县委政法委员会全会4次、专委会21次，会同县委组织部开展政法队伍调研1次，县委政法委到政法各单位开展干部队伍调研8次，政法系统提拔科级干部58人次，职级晋升42人次，推动3名法检司干部交流任职班子成员，推荐4名优秀干警到其他部门任职，配齐配强乡（镇、街道）政法委员12名。全县政法系统建立健全内部控制、队伍建设等制度规定25项。

（余顺吉）

法治政府建设

【概况】 2023年，会泽县积极推进法治建设议事协调机构建设，构建由委员会、办公室、协调小组、联络员齐抓共管的“四级工作机制”，召开县委全面依法治县委员会第五次会议。印发《会泽县2023年法治督察工作计划》，将习近平法治思想学习宣传和贯彻落实情况纳入督察计划进行跟踪督察，组织开展专题述法和现场述法，各级党政主要负责人履行推进法治建设第一责任人职责，全年组织3次法治专项督察。实现乡（镇、街道）、村（社区）法律顾问全覆盖。

【行政决策机制完善】 2023年，出台《会泽县重大行政决策程序规定》《会泽县重大行政决策范围事项标准规定（试行）》，编制重大行政决策事项目录并实行动态管理。全年，审查县政府重大行政决策事项38项，审查县政府及部门合同（协议）43份，提出合法性审查建议、意见400余条。

【规范公正文明执法】 2023年，对全县58个单位部门进行行政执法主体资格确认公布，明确乡（镇、街道）法定职权86项，第一批下放赋权74项。推进乡（镇、街道）“一支队伍管执法”改革，组建25支综合执法队，每支配备不少于10人。加强行政执法培训，2000余名行政执法人员取得全国统一行政执法证。严格落实行政执法“三项制度”，不断提升执法质量和效率。开展道路交通安全和运输执法领域突出问题专项整治，梳理核查各类线索135条，查证属实77条，自查整改问题线索69起。

【证明事项告知承诺制推行】 2023年，会泽县取消证明事项38项，保留166项、办理量5000余件，清理行政规范性文件195个，保留涉及《优化营商环境条例》的规范性文件3个、废止2个。

【法治化营商环境优化】 2023年，会泽县明确“跨省通办事项”56项，“跨省通办”线下办件1.2万件、线上办件1.5万件。推行“一件事”模块化运行改革，组建8个产业招商专班，实现招引项目“一件事”集成办理。开展涉企检查报审报备，规范涉企执法检查活动。全县共报送涉企检查计划21份，涉企检查审批表5份，涉企检查明白卡719份。

【依法行政能力提升】 2023年，会泽县建立党委（党组）理论学习中心组学法制度，制定完善国家工作人员学法用法、旁听法院庭审活动等制度，把法律学习纳入干部教育培训计划和年度述法考核重要内容，开展领导干部任前法律考试，实现领导干部学法用法制度化、规范化、常态化。全年组织开展领导干部法治讲座5场3000余人次、行政执法人员通用法律知识培训2场1800余人次、宪法集中宣誓5次、领导干部任前法律知识考试16人次。

【行政复议矛盾纠纷】 2023年，会泽县司法局调配具有法律职业资格证书的专业人员，新设行政复议与应诉科。全年受理行政复议案件14件，办结10件；一审行政诉讼案件2件，出庭应诉2件，行政机关负责人出庭应诉率100%，全年已裁决案件县政府无一败诉。

（张庭瑞）

公　安

【概况】 2023年，会泽县公安局围绕“123456”工作思路，扎实开展主题教育，深入推进系列专项行动，坚定不移学思想、强队伍、提质效、树公信、保安全、促发展，各项公安事业稳步推进。在全市公安工作综合考评中连续2年排名第三，县公安局被表彰为“曲靖市优化营商环境促进市场主体倍增工作先进集体”“会泽县奋进新征程推动经济社会高质量发展先进集体”，政工室被评为“全省成绩突出政工集体”。提拔调整干部5批次98人，职级晋升2批次55人，25个集体、169名民辅警受到各级各类表彰。落实购买团体意外伤害险、定期体检、节日慰问、解决民警子女入学入园等爱警措施，举办系列警营文化活动，办理侵犯民警执法权益案件19起。

【案件侦破】 2023年，会泽县公安局精心组织“歼击1号”“夏季行动”等系列专项行动，刑事破案数、抓获数、提请逮捕数、移送起诉数同比分别上升1.36%、56.57%、18.71%、24.32%，现行命案实现全破并攻克命案隐案3件，“2015·4·20”命案隐案受到省公安厅表扬，侦破贵州紫云籍人员跨省盗窃燃油案。电诈案件实现“两降两升”，全链条打掉“两卡”、偷渡团伙11个，破案173起、抓获183人，冻结止付资金2780.6万元，返还被骗资金176.66万元，“断流”专项行动考核排名全省第一，经验全省交流。查处“黄赌毒”案件401起，抓获2096人，收缴赌资137.46万元，查获、收戒吸毒人员。破经济犯罪案件76起，抓获嫌疑人25人，挽回损失330余万元。破环食药侦领域案件53件，打处28人，侦破“12·18”生产销售有毒有害食品案，环食药侦大队被公安部表扬为“依法严厉打击长江流域非法捕捞犯罪专项行动表现突出集体”。

【公共安全保障】 2023年，会泽县公安局制定《会泽县道路交通安全管理工作实施办法》《道路交通安全管理七条措施》，推进“人车路企”隐患整治，推动完成180千米农村公路生命安全防护工程建设任务，推动各乡（镇、街道）采取“木桩隔离堵”“砂石阻挡堵”等措施低成本治理公路隐患280余千米，管控高风险驾驶人3318人，查纠交通违法行为36万起，整治货车非法改装改型做法在全省推广，治理城区三轮车、老年代步车交通乱象初见成效，全县道路交通安全形势稳中向好，道路交通亡人事故有效压降。严格危爆物品监管，未发生丢失被盗、炸响打响情况，打击整治枪爆违法犯罪经验在全市交流，迤车所被评为“全省打击整治枪爆违法犯罪专项行动成绩突出集体”。

【执法服务】 2023年，会泽县公安局推进政务服务事项进驻各级政务服务中心，21项车驾管业务实现全覆盖，开展“送考”下乡送证上门服

2023年6月15日，会泽县公安局宝云派出所举行被骗资金返还仪式

（黎华昆　摄）

务，考证5800余人次。全年累计找回走失人员1622人，帮助群众解决实际困难1.8万件，2023年全省安全感、满意度测评排名全市第四，县直部门社会评价满意率99.06%。争取资金105万元推进县局执法办案管理中心及派出所智能化案管室建设，刑事案件集中办理率99.8%；严格落实执法办案“四个一律”“六个必须”等制度规范，常态开展“一案一审一评”“一周一通报”等监督考评机制，实现绝对不诉、存疑不诉、行政败诉、行政复议被纠错案件4个“零发生”，2023年执法满意度全市第一。

【公安改革深化】 2023年，会泽县公安局以“情指行”一体化机制为牵引，健全完善政工、情报、主防、内控“四个体系”，升级改造情报、防控、合战、内控“四个中心”，建立运行“1+3+N”模式，构建公安党政“两个闭环”，推进以5类20种重大敏感警情为重点的警情治理。

【基层基础建设】 2023年，会泽县公安局争取资金1641.45万元推进数据中心及装备建设，投入166.89万元推进业务大楼建设和派出所基础设施维修维护，为派出所更新执法执勤用车4辆。64名选调和新录用民警全部充实到派出所；建立局领导挂包、机关部门捆绑派出所考核机制，积极融入党建引领基层治理，牵动基层治理力量，排查化解矛盾纠纷7916起，采集更新维护“一标三实”数据190万余条，老厂派出所创建为市级“枫桥式公安派出所”。

（付兆林）

检　察

【概况】 2023年，会泽县人民检察院围绕会泽建设“一区一城一地”三个定位发展方向，聚焦主责主业，锚定奋斗目标，把社会主义核心价值观融入“高质效办好每一个案件”。坚持政治建检、从业治检、人才强检，以项目化、清单化推进各项检察工作取得新成效。

【刑事检察】 2023年，会泽县人民检察院监督立案20件、撤案25件，纠正漏捕2人、纠正漏诉32人。强化审判监督，办理抗诉2件。全面加强对刑罚执行、刑事强制措施和监管活动的监督，提出收监执行检察意见11件，均已收监执行刑罚。

【民事检察】 2023年，会泽县人民检察院办理民事检察监督案件105件，提出再审检察建议18件。依法维护农民工、残疾人、家庭暴力受害人等弱势民事主体的合法权益，办理支持起诉87件，协助农民工追回欠薪26万余元。妥善化解民事检察环节矛盾纠纷40余件。

【行政检察】 2023年，会泽县人民检察院提出检察建议9件。办理行政争议实质性化解5件。开展护航民生民利、护航法治化营商环境、农民工讨薪等专项活动，办理案件40件。开展行刑反向衔接监督，向行政机关提出检察意见11件。

【公益诉讼检察】 2023年，会泽县人民检察院立办行政公益诉讼案件63件，发出检察建议53件，通过诉前磋商程序办结10件。办理的规范村务信息公开行政公益诉讼案入选曲靖市人民检察院典型案例。

【未成年人检察】 从严惩治侵害未成年人犯罪，批捕26人，起诉23人。最大程度挽救涉罪未成年人，对犯罪情节轻微并积极悔罪，不批捕20人，不起诉7人。对于主观恶性深、犯罪手段残忍、后果严重的未成年人批捕18人、起诉8人。拓宽监督渠道，办理未成年人综合履职案件8件。履职法治副校长开展“法治进校园”活动，线上线下授课60余次，覆盖辖区内50余所中小学、幼儿园，惠及师生2万余人次。

【控告申诉检察】 受理群众来信来访99件105人，落实群众来信件件有回复制度，实现所有来信来访七日内程序性答复和三个月内结果答复率“双百分百”。办理司法救助案件50

2023年5月11日，会泽县人民检察院开展“法治进校园”活动

（代　理　摄）

件51人，发放救助金39.7万元。

【平安建设】 坚持总体国家安全观，批准逮捕各类刑事案件231件334人，提起公诉540件719人。坚持“严”的一手毫不动摇，常态化推进扫黑除恶斗争。保持对故意杀人、故意伤害、强奸等严重暴力犯罪高压态势，批捕81人，起诉99人。加大边境安全维护力度，起诉涉嫌妨害国（边）境犯罪8件19人。深度参与道路交通安全专项整治，起诉涉危险驾驶罪140人，涉交通肇事罪30人。对“两抢一盗”等多发性侵财犯罪批捕78人，起诉102人。严厉打击危害社会安定的“黄赌毒”违法犯罪，批捕21人，起诉53人。

【普法强基】 线上拍摄法治教育宣传片3部，推出“安全上网”“自护锦囊”等短视频，线下聚焦婚姻家庭、青少年、务工人员等重点领域和重点人群，量身定制精细化“普法菜单”，开展专题讲座等200余场次，受教育群众3万余人次。

【优化营商环境】 2023年，会泽县人民检察院办理保障和服务营商环境案件2件，起诉破坏社会主义市场经济秩序犯罪10人，对3件3人破坏营商环境的职务犯罪案件依法提起公诉。开展涉企民事执行专项监督，推动进一步规范对企业经营者适用失信惩戒和限制消费措施。通过开展检察开放日活动，聚合护航企业健康发展工作合力。

【打击电诈】 2023年，会泽县人民检察院起诉帮助信息网络犯罪活动罪89件115人，起诉掩饰、隐瞒犯罪所得罪9件45人，办理2起电信诈骗集团犯罪，涉案人数40人。

【依法治县】 2023年，会泽县人民检察院提出社会治理类检察建议4件。深入推进认罪认罚从宽制度落实，办理此类案件651件826人。依法开展羁押必要性审查，对不需要继续羁押的犯罪嫌疑人建议或决定变更强制措施17人。

【清廉建设】 2023年，会泽县人民检察院持续加强与监察机关的办案衔接配合工作，提前介入职务犯罪7件7人。对涉嫌违纪违法的36名党员和国家工作人员，及时向县纪委监委移交线索。

【阳光检务】 2023年，会泽县人民检察院邀请人大代表、政协委员、人民监督员参加公开听证35件次。组织开展走访、座谈、检察开放日活动21次，为人大代表、政协委员赠阅《检察日报》。公布检察工作信息116期，微博3502条。依法及时发布案件程序性信息1340条，为群众提供电话查询150余件次，为律师提供免费阅卷服务200余件次。

（许雪）

法　院

【概况】 2023年，会泽县人民法院围绕省委“3815”战略、全市“奋进新征程推动新跨越三年行动”和会泽“三个定位”发展战略，切实履行维护国家政治安全、确保社会大局稳定、促进社会公平正义、保障人民安居乐业的职责使命。共受理案件7743件，审、执结7284件，同比分别上升15.09%、12.11%，综合结案率94.07%，审限内结案率99.22%。

【审判执行】 2023年，会泽县人民法院审结刑事案件549件，综合结案率96.83%。加大对跨境犯罪、故意伤害、强奸、盗窃、抢劫、电信网络诈骗、帮信等犯罪打击力度，推动平安会泽建设。加强未成年人司法保护，与检察院、教体局等9家单位建立协作机制，开展“向阳花”司法护“未”行动，成立全省法院首家少年法庭标准化心理健康服务中心。审结涉未成年人案件59件，其中未成年人犯罪案件7件9人，件数和人数同比分别下降68.18%、59.1%。审结民商事和行政案件4412件，综合结案率92.9%，调解撤诉率68.45%。建立涉企案件诉前调解、立案、审判、执行绿色通道，涉企案件办理周期比上年减少41.31天。开展会泽农产品地理标志司法保护，建立防范化解金融风险联席会议机制。依法审理建院

2023年6月1日，全省首个少年法庭标准化心理健康服务中心——“向阳花心理健康服务中心”在会泽法院挂牌成立　　（张海蓉　摄）

以来首例“执转破”案件，推动“僵尸”企业有序退出市场。审结涉环境资源案件25件，与14家县直单位建立执法司法联动机制，打造“鹤舞念湖·法护家园”司法保护品牌。参与“全省法治政府示范县”创建，推进行政争议实质化解，诉前调解行政非诉审查案件4件，诉讼办结5件。集中审理婚姻家事案件1976件，为当事人出具离婚证明1060份。排查出中高风险离婚案件320件，实行全过程监管，向县委政法委报送风险线索，并同步推送到基层组织，全年没有发生因风险隐患排查化解不到位而引发的案（事）件。执结案件2323件，综合执结率95.68%，执行到位1.65亿元。开展涉民生专项执行活动，解决欠薪“执行难”。健全守信激励和失信惩戒机制，实施司法拘留61人，纳入失信被执行人名单1055人，限制高消费1176人，移送公安机关进行网上追缉58人。对生活困难的26名申请人发放司法救助金56.7万元。

【诉前调解】 2023年，会泽县人民法院开展“法庭进村社、法官进网格”工作，以“六个一”举措为抓手，通过建群入网、联系网格、入户走访，发现潜在的矛盾纠纷，着力把矛盾解决在源头。配备网格法官26名，实现法官挂包村（社区）全覆盖。探索扩大案件调解前置范围，坚持能调则调，应调尽调，诉前委派调解案件4618件，调解成功2547件，调解成功率55.2%，司法确认案件2197件。组建会泽法院普法工作队和“向日葵”青年普法团，以“百校千村”活动为抓手，向在校师生、企业和农村群众提供“点单式”“沉浸式”“互动式”法治宣传服务，累计开展普法活动361场次。积极推进审务进村（社区），巡回审判168场次，群众旁听3000余人次。建立“部门联动+条块结合”的“点对点”多元解纷联席机制，为全县劳动密集型产业、涉农民工工资等重点行业、重点领域矛盾纠纷多元化解提供“点对点”司法服务。开展小蜜蜂“网格+N”送达，网格员协助送达法律文书185次，提供当事人有效联系线索310条，协助调解案件516件。

【司法公信力】 2023年，会泽县人民法院加强“四类案件”监督管理，落实“阅核”制度，发挥审判委员会、专业法官会议作用，实行年轻法官列席审委会、案件评查等制度。实现类案推送、无纸化办案和电子卷宗同步生成，网上立案4517件，网上送达4715件，网上开庭792次。建成“24小时诉讼服务中心”，“八小时外”为581名当事人提供在线诉讼服务1162次。全面接受人大、政协监督，邀请代表、委员视察法院工作42人次，旁听案件庭审11件，办理代表委员建议18条。依法接受检察机关法律监督，检察长列席审委会讨论案件4次6件。贯彻落实人民陪审员制度，陪审员参审案件509件。自觉接受群众监督，邀请网约车司机、外卖小哥、居民旁听案件审理。

（朱金贤）

司法行政

【概况】 2023年，会泽县司法局围绕会泽“一城一区一地”建设目标，持续深入推进司法体制改革，加强人才队伍建设，扎实开展社区矫正、安置帮教、人民调解、法治宣传、法律援助、公证等业务，各项司法行政工作稳中有进。全年司法行政工作成效显著，会泽县被中共云南省委全面依法治省委员会办公室全省第一批法治政府建设示范县，县司法局被省司法厅、省人社厅表彰为“云南省司法工作先进集体”

【公共法律服务】 2023年，会泽县司法局立足人民需求，整合各类资源，为人民群众提供线上、线下法律服务。在全县铺设408台法律服务机器人，实现公共法律服务7×24小时全天候服务。全年办理各类法律援助案件153件，其中，刑事案件97件、民事案件50件、公证援助6件；办理公证事项291件，接受来电来访2122人次，提供上门服务7次。县司法局

2023年12月4日 国家宪法日，会泽县司法局人员走上街头普法

（李 涛 摄）

派驻1名律师进驻县矛盾调处中心，安排律师轮流接访，配合县信访局开展工作，全力推动律师参与信访案件化解。加强律师行业监管，确保律师行业风气向上向好。

【普法宣传教育】 2023年，会泽县司法局围绕“八五”普法规划，以“普法强基补短板”专项行动为抓手，开展形式多样的法治宣传活动。开展“知法明理·平安家庭”行动，发放《农村法律明白人》《普法进万家》等法律法规手册共计24万册，联合人社部门组织开展外出务工人员“劳务输出法治同行”宣传活动，开展“会泽县司法局乡村普法行”活动、“边远山区普法行”活动、“家庭和睦 邻里团结”主题法律宣传活动。严格落实“谁执法谁普法、谁管理谁普法、谁服务谁普法”普法责任制，以“三单一书”形式，提示或督促相关普法责任主体，切实履行普法职责。全年，向相关单位发出普法提示单5份，完成9家知法明理企业认证。注重基层参与，培养普法队伍，组织10期全体村社区干部参加法律明白人大课堂学习活动，组建1支206人（县级81人、乡镇125人）的“云小普”法治文化志愿者宣传队。

【安全稳定管理】 2023年，会泽县司法局依法依规做好“两类”人员监管，加强矛盾纠纷排查化解，强化基层人民调解队伍建设。抓严抓牢抓实社区矫正工作，共办理入矫354人、解矫381人，累计监管742人，办理执行地变更82人次，接受调查评估97件，对社区矫正对象进行训诫处罚39人次、警告9人次，向人民法院提请撤销缓刑10人，提请对暂予监外执行人员收监执行0人，全力推进“智慧矫正中心”创建工作。制定《会泽县安置帮教工作实施方案》，成立会泽县刑释解矫人员安置帮教工作领导小组，印发《进一步加强刑释解矫人员安置帮教规范管理工作方案》，形成无缝对接、摸排管理、引导帮扶三位一体的合力，安置帮教系统信息核查率99.9%，安置率98.93%，帮教率98.93%，重点安置帮教对象衔接率97.78%。全县有381个村级调解委员会，专职人民调解员381人，全年开展矛盾纠纷集中排查456次，调解纠纷2139件，成功调处2110件，调解成功率98.64%，其中疑难复杂案件145件。宝云街道人民调解员刘志安被司法部表彰为“全国模范人民调解员”。

（张庭瑞）

［责任编辑 张友全］

军　事

人民武装

【概况】　2023年，会泽县人武部坚持以习近平新时代中国特色社会主义思想为指导，深入贯彻习近平强军思想，把握稳中求进工作总基调，担当作为，狠抓落实，较好地完成各级赋予的各项工作任务，保持全面建设持续稳步发展。

【党管武装】　2023年，会泽县人武部推动党管武装各项工作制度严格落实。2次召开第一书记现场办公会，研究解决县人武部武装工作经费拨付、随军家属调动、新营区建设、职工配备等现实难题。6月8日，县委召开议军会议，总结工作，部署任务，提报需求，组织乡（镇、街道）党工委书记进行党管武装工作书记述职，娜姑镇党委、纸厂乡党委代表作经验交流，大海乡党委、驾车乡党委作检讨发言。

【练兵备战】　2023年，会泽县人武部积极构建大应急建设格局，努力推进全县民兵应急力量与专职消防、综合执法队伍共建。完成普通民兵和基干民兵编组调整，对25个乡（镇、街道）应急队伍和其余民兵支援分队开展整组点验，核准人员信息，同步展开档案资料收集整理。严格落实节假日和重要敏感期战备要求，规范作战值班、营门值班秩序，修订完善战备方案预案，结合民兵整组训练，加强值班分队应急演练。严格落实党委议战议训制度，科学制订军事训练计划，严密组织每月“训练周”活动。7月，组织应急队伍、支援队伍集中训练，强化对无人机、森林灭火、实弹射击、地震救援、抗洪抢险等装备器材的操作使用培训。

2023年9月30日，县人武部参加会泽县第十个烈士纪念日公祭活动

（傅朝双　摄）

【征兵工作】　2023年，会泽县人武部围绕大学毕业生和高原条件兵两个重点，压紧压实县征兵办工作人员和各乡（镇、街道）主体责任，专武干部和民兵连长进村入户精准宣传，完成新兵征集任务，大学毕业生征集比例较上年提高5%，实现征兵“五率”（报名率、上站率、合格率、贡献率、退兵率）考评成绩大幅提升。

【国防教育】　2023年，会泽县人武部积极推动国防教育“五进”（进学校、进社区、进机关、进企业、进网络）活动，把习近平强军思想纳入县委中心组理论学习和党校培训内容。利用清明、全民国防教育日、烈士纪念日等，开展国防教育、缅怀英烈；完成8所高（职）中1.1万名学生军训任务；筹资2万余元帮建发启小学国防教育活动室。

【参建参治】　2023年，会泽县人武部选派1名职工担任帮扶村第一书记，常态落实消费帮扶，在帮扶村开展“3·5”学雷锋暨党支部结对帮扶活动，筹资24.5万元援建发基村滑石板水库建设。组织官兵参与会泽县“绿美会泽”义务植树、创文创卫。组织应急民兵分队参与县抗震救灾演练，参与森林防火巡逻、森林灭火等行动。

【后勤保障】 2023年，会泽县人武部严格按照建设标准，推进乡（镇、街道）“三室一库”（办公室、资料室、会议室、战备器材库）建设，协调县政府进一步筹资增购战备救援器材。投入10万元帮建大海、大桥2个乡的青年民兵之家。严格落实党委理财制度，推进军地交叉地带自查自纠，后勤行业领域清理整治。

（王法严）

交通战备

【概况】 2023年，会泽县按照“保通搞建设、保战做准备”的要求，围绕增强交通战备能力抓机构设置，以做好应急作战准备和交通运输保障为主线，坚持“平战结合、军民结合”的方针，强化服务、应急、应战一体化建设理念，加强组织领导，坚持交通工作与交通战备齐抓并举。

【国防交通建设】 2023年，会泽县围绕“出境高等化、通村畅通化、公路网络化、运管体系化”的发展目标，优化交通网络布局，加快建设现代综合交通运输体系，全力推进高速公路、国省干线、农村公路建设进程，努力提高全县公路等级率、通达率和通畅率。

【规范化建设】 2023年，会泽县根据《中华人民共和国国防法》《国防交通条例》相关要求，拟制《交通战备应急处置制度》《战备训练制度》等规章制度，完成战备正规化实施方案的更新工作、交通战备保障方案的更新编制工作，制定会议、请示报告、战备值班、动员潜力调查、目标管理、资料管理、教育、训练演练、成员单位工作、保密等制度。严格按照规章制度、工作职责和工作程序各司其职、有序开展，做到各项战备工作配合密切，确保应急状态下的道路畅通。分类建立健全交通战备业务的基本资料、基础资料、应用资料、参考资料和文书资料，规范档案管理，促进各项工作落到实处，使交通战备工作在规范化、程序化、科学化的轨道上运行。

【业务培训】 2023年，会泽县组织爱国主义教育活动，对战备人员进一步加强《中华人民共和国国防法》《国防交通条例》《中华人民共和国国防教育法》《中华人民共和国人民防空法》等法律法规的学习培训，增强国防安全观念和法律意识，增强职工的忧患意识，做好交通保障准备。强化内部管理，加强业务学习与研讨，增强凝聚力、战斗力和执法能力，提高职工交通战备的法律意识，明确交通战备的任务和目标、权利和义务的关系，树立交通战备职工的国防观念，完善军地一体化保障系统，促进各项工作落到实处。年内，会泽县人武部组织全县民兵开展军事训练，增强民兵集体荣誉观念，养成雷厉风行、办事干练的工作作风。

【潜力调查】 2023年，会泽县交通运输局开展国防交通战备动员潜力调查，与会泽运政所、曲靖交通集团会泽分公司、交投乡会泽分处等单位配合，明确国防动员潜力调查重点，分清层次，突出重点，查准核实，对交通运输保障潜力、交通工程保障潜力、交通物资保障潜力、道路交通状况等进行调查。摸清国防动员资源的储备情况，掌握全县国防交通战备动员潜力底数，确保数据全面、真实、规范、最新。完善交通战备数据库，使国防动员潜力调查工作走向系统化、经常化、制度化的轨道。

（何赛弥）

武警会泽中队

【概况】 2023年，武警会泽中队始终坚持以习近平新时代中国特色社会主义思想为行动指南，深入贯彻习近平强军思想，严格按照三级党委扩大会议的精神要求，将争创“四铁”先进中队作为核心目标。中队注重用党的创新理论武装官兵的头脑，从一日生活制度入手，强化经常性基础性工作的贯彻落实；同时，从细节处着手，重视伙食保障和日常养成，致力于在培养亮点、聚焦重点、攻克难点等方面取得实效。

【思想政治建设】 2023年，武警会泽中队坚持深入学习宣传贯彻习近平新时代中国特色社会主义思想和中共二十大精神，落实微课教育和经常性思想教育相结合，积极探索教育环境和方式，采取班排讨论、个人总结、交流发言等形式，不断深化教育学习内容，切实把思想政治教育内容学懂弄通。同时，充分发挥地方资源优势，继续开展“图书进军营”活动，会泽县图书馆免费借阅图书3000余册，中队也购买相关书籍。

【军事训练】 2023年，武警会泽中队始终贯彻战斗力标准这个唯一性根本性要求，立足实战抓训练，苦练打赢之功，坚决完成使命任务。不断树牢实战意识，落实军事训练实战化要求，严格按照军事训练“四落实”（人员、时间、内容、质量）要求，完善登记统计资料，促进训练秩序正规。针对官兵身体状况，对训练科目、内容进行分阶段训练，提升训练的实效性。严格按纲施训，从落实兵力、内容、时间、质量上抓起，紧盯人员到课率，做到全员参训、干部跟班跟训，确保训练绝对安全，中队年度军事训练成绩达到优秀水平。常态组织学大纲、学教材、学指导法，全面提升教练员军事理论素养；通过每月开展军事体育竞赛，提升官兵军事体育训练比学赶帮超氛围。在日常训练中不断转化集训成果，发挥教练员酵母作用，组教施教过程中边学边研边练，有效克服不懂装懂、模棱两可凭感觉组织训练的问题。抓好训练“安全回头看”工作，加强安全防护教育，打牢官兵安全意识；坚持训练安全检查，确保训练设施安全牢固，防护器材完好有效；严密组织训练，干部全程跟训，对危险性高的科目亲自组训，确保训练组织不出问题。

【执勤处突】 2023年，武警会泽中队严格落实《中国人民武装警察部队执勤规定》《执勤设施建设标准》和《中华人民共和国人民武装警察法》，坚持以从严治勤为切入点，狠抓执勤制度的落实，持续加强节假日、重大节日和特殊时期的战备值班，不定期组织方案演练和战备值班力量拉动，实地检验人员编配携装情况，不断增强人员战备意识，严格落实执勤八项规定和值班“四全”（集中全部精力、保持全时在位、对勤务全面负责、对执勤工作全程指导）要求。中队严格按照军事训练大纲内容，严抓细抠训练标准，通过组织体能训练、射击训练、刺杀训练、执勤训练，切实提高中队官兵自身军事素质。全年中队干部共查勤1000余次，其中夜间查勤650余次，分别担负春节、全国两会、五一节敏感时期联勤武装巡逻勤务，确保固定和专项勤务安全托底。

【后勤保障】 2023年，武警会泽中队着力在“精抓制度管理、实抓队伍建设、细抓服务保障、严抓疫情防控”上下功夫、见成效，确保后勤管理正规高效。严格执行财经纪律，经费使用常态接受官兵监督。持续深入纠治隐患台账，资产大清查等工作，进一步正规后勤秩序，及时纠正问题隐患。严密组织开展枪弹安全隐患整治，进一步提高“五同”（同开、同进、同出、同锁、同作业签字）执行标准，枪弹每日必查，确保枪弹管理顶级安全。定期组织召开经济民主生活会，广泛收集官兵对伙食的意见建议，严密组织会餐，服务保障效果明显，官兵满意度高。

（武警会泽中队）

［责任编辑　张友全］

经济管理

经济宏观调控

【概况】 2023年，会泽计划管理工作坚持稳中求进工作总基调，落实省委“3815”战略，实施“三年行动”和“310”工程，10件民生实事顺利交卷、10个专项行动有效落实、10个重点项目有力推进，攻坚克难、实干笃行，稳经济、促发展、保民生、守底线，高质量发展迈出坚实步伐。

【国民经济和社会发展计划执行情况】 2023年，会泽县地区生产总值397.62亿元，同比增长7.1%。规模以上工业完成增加值84.17亿元，同比增长7.3%。固定资产投资完成222.67亿元，同比增长10.7%。社会消费品零售总额121.8亿元，同比增长10%。一般公共预算收入16.01亿元，同比增长4.37%。

【项目建设】 2023年，会泽县坚持把项目作为拉动经济增长的主引擎，储备中央投资项目85个，总投资229.57亿元，拟申请资金117.86亿元，储备专债项目48个，总投资367.98亿元，拟申请专债资金167.92亿元。争取中央和省市预算内资金0.73亿元，争取地方专债项目3个，资金5.7亿元。实施“清单化”管理项目88个，扎实推进渝昆高铁会泽段、宣会和会巧高速、重点产业项目。启动实施会泽县待补风电场二期、者海化工产业园区标准厂房及配套基础设施建设、2023年棚户区改造等重大项目。

【营商环境改善】 2023年，会泽县启动实施政务服务中心搬迁工作，实现公共资源交易中心场地标准化、政务服务中心大厅管理智能化、政务服务中心智慧政务便捷化，企业和群众办事“只进一扇门”“最多跑一次”。全年市场主体新增3.07万户，其中，企业净增3284户，个体工商户净增2.67万户，个转企756户，“四上”企业新增45户。实现政务服务事项实际办理时限压缩至法定时限的一半以内，企业开办时间压缩至0.4个工作日以内，企业简易注销公告期压缩至20天。培优培强龙头企业，落实稳增长28条、扩内需26条等政策措施，累计退减降缓税费1.7亿元。实施龙头企业引领、规模以上企业提效、中小企业培育工作，推进全县实体经济壮体量、扩规模、强筋骨。完善招商体系，建立项目管理、交办、督办等5项机制，调整优化6个产业招商工作组，编制招商项目116个，市委、市政府主要领导出席会泽县招商活动13次。省外产业到位资金99.6亿元，引进外资302万美元，新落地10亿元以上项目3个。

【现代产业体系构建】 至2023年末，会泽县因地制宜、错位竞争、分层分带规划布局产业，实现肉牛、生猪、草莓全产业链发展。引进河南鼎元建成西南地区最大的种公牛站和核心育种场、云南伊胜建设年交易20万头的交易市场和年屠宰5万头的加工厂，出台“牛八条”扶持措施，建成肉牛养殖示范村36个，培育50头以下小规模养殖户5.4万户。建成7个种猪场、211个育肥场、154条规模养殖生产线和年产25万吨饲料加工厂，入列全国生猪养殖大县和调出大县。引进6个新品种试验示范，繁育种苗150万株，开展连作障碍和病虫害绿色防控研究；全县草莓种植面积由8.1万亩扩大到9万亩，投资1.5亿元的夏季草莓交易中心建成投入运营。卷烟、铅锌冶炼等传统支柱产业稳步发展，完成4个磷矿探采矿权整合，者海化工园区进入全省第二批化工园区确认名单。引入德方纳米20万吨磷酸锰铁锂前驱体一体化项目，待补风电一期、金钟风电一期及火红马路15万千瓦光伏、娜姑云峰及李家包包光伏、老厂发土光伏等项目并网投产，全年实现并网100万千瓦。11家发电企业发电量21.28亿千瓦时，同比增33.88%。

物价管理

【概况】 2023年，会泽县物价管理工作围绕县委、县政府中心工作，履行价格管理职能职责，服务民生、保障价格总水平稳定，稳妥地推进价格改革；注重价格调控和保供稳价，运用价格杠杆促进经济结构调整，保障和改善民生，对市场价格的引导和规范，管理好价格预期调控目标，突出价格监管重点，努力搞好价格服务，维护正常的市场价格秩序，促进全县经济和社会发展发挥积极作用。

【价格管理】 2023年，会泽县贯彻落实价格调控监管措施，清费减负、优化环境，履行价格管理职能，推进价格改革。运用价格杠杆促进经济结构调整，及时贯彻落实电力、中小学教材教辅资料价格等政策文件；落实上级减税降费有关工作部署，确保降费成果惠及终端；“建立主体明确、责任落实、持续运行的农田水利工程运行机制”，完善政策体系与体制机制，推进会泽农业水价综合改革工作。

【收费管理】 2023年，会泽县把保障和改善民生放在更加突出的位置，规范全县收费项目和标准，使收费行为有法可依。落实上级各项降低、取消的价格收费政策，创造优良收费环境；落实权力清单制度，实行收费目录清单管理，自觉接受社会监督；规范行政事业性收费项目和标准，加强对行政事业性收费的事前、事中、事后监管。5月20日完成全县各收费单位收费信息的收集、整理、上报，收费管理工作向制度化、标准化、规范化发展；按照相关要求完成生活垃圾、林业工程勘察、农业灌溉、民办幼儿园等各类经营服务性收费单位备案，完成各类收费备案138家。

【价格调控监测】 2023年，会泽县围绕服务改革，稳定物价总水平，强化新常态下的价格监测预警，加强对粮食、食用油、肉禽、蔬菜、蛋、奶、燃料等居民生活必需品，以及为巩固易地扶贫搬迁开展的建材价格等各项价格监测工作，适时掌握了解物资动态，发现异常，分析原因，提出应对措施。对关系人民生产生活的重要商品、粮油、副食品、化肥、成品油、液化气、水产品、蔬菜等价格实行日报、周报及月报制度。监测重要商品类94个、建材类11个、重要农产品类2个，37个菜篮子价格监测品类进行价格监测，每周三进行上报。落实猪肉价格监测及报告制度，做到‘有事快报告，无事报平安’，确保各项监测信息准确上报。及时准确掌握昭通市及毗邻地区建材、食品、农资等重要商品市场价格变动情况，实现价格监测信息资源共享，为地方价格调控监管和经济社会发展服务，分别由云南省昭通市、曲靖市及所属会泽县，贵州省毕节市、六盘水市，四川泸州市、宜宾市，参与重要商品价格监测信息共享平台，开展以建材类、食品类、农资类三大类18个品种为主的价格监测分析预警，实行一月一报制度，分别上报曲靖市发改委和昭通市发改委。

【成本调查】 2023年，会泽县按照“好、中、差”和“三点九户”的选点定点原则选定调查户，对烤烟品种进行调查，会泽县烤烟品种为普通品种，并按照相关要求完成烤烟的农本调查及相关分析工作。

【价格认定】 2023年，会泽县贯彻执行《云南省物价局转发国家发改委关于印发价格认定规定文件的通知》，做好涉案财产及涉烟价格认定工作，为公安机关（或行政执法机关）提供办案依据。完成各类涉案、涉烟案件数463余件，涉及金额190余万元。

（柳成桂）

自然资源管理

【概况】 2023年，会泽县自然资源局围绕县委、县政府决策部署和市自然资源和规划局重点工作安排，做好要素保障，贯彻绿水青山就是金山银山的生态理念，严守生态和耕地保护红线，开拓奋进，主动担当，积极服务会泽高质量跨越式发展。

【土地要素保障】 2023年，会泽县自然资源局聚焦自然资源要素保障堵点难点，通过优化结构提高资源配置能力，确保重大项目及民生建设项目落地落实。受理并办结《建设项目用地预审预选址意见书》25件，转报《建设项目用地预审预选址意见书》2件，完成农用地转用及土地征收报批组件共63个；编制完成成片开发方案2个，面积2524.95亩。全年取得城镇建设用地批次报件批复2个、村庄批次报件批复3个、农村宅基地批次报件批复47个、单独选址项目报件批复9个，共计9838.50亩；供应各类国有建设用地41宗2219.55亩，其中划拨供地8宗2323.05亩，出让供地33宗301.65亩公顷（招拍挂出让16宗299.7亩，划拨补缴出让金即协议出让17宗1.8亩），收取出让金1.8亿元，全面保障全县各类项目用地需求。开展批而未供和闲置土地专项处置行动，处置批而未供土地2542.95亩，处置率51.13%；处置闲置土地457.05亩，处置率37.64%。获批城乡建设用地增减挂钩项目4个，产生节余指标548.65亩，其中耕地指标330.35亩。

【耕地红线保护】 2023年，会泽县自然资源局落实永久基本农田保护制度，严格耕地用途管制，守牢耕地和永久基本农田保护红线。实施补充耕地项目3个，计划入库1292亩，实际入库778亩；垦造水田项目3个，计划入库440亩，实际完成系统报备212亩。管控新增养殖类设施农业用地占用耕地，引导用地企业（个人）使用未利用地，落实“进出平衡”。设施农用地上图入库74宗，面积612.54亩，其中耕地158.48亩。上级下达会泽县耕地流出图斑面积2.03万亩（有合法用地手续、符合退耕还林政策、小于50平方米以下面积6304.38亩），整改任务1.40万亩。

已整改1.56万亩，其中，永久基本农田整改4229.17亩、整改率101.31%，一般耕地整改1.14万亩、整改率116.34%。

【矿产资源管理】 2023年，会泽县自然资源局通过市级智能审批系统上报采矿权变更（扩大矿区范围）2个，采矿权延续1个，采矿权新立1个，探矿权变更1个，探矿权注销4个，采矿权注销15个；通过省级智能审批系统上报探矿权变更2个；完成压覆重要矿产资源查询45个，备案3个；完成2022年全国矿业权勘查信息公示系统登记非油气类勘查项目25个，非油气类开采项目61个；通过自然资源统计直报系统平台填报采矿权60个；完成磷矿资源4个探矿权、1个采矿权整合。

【生态保护修复】 2023年，会泽县自然资源局推进生态保护修复工作，强化源头保护和全过程修复治理，持续优化自然生态环境。制定《会泽县历史遗留矿山实施方案》，分期分批推进历史遗留矿山生态修复，完成110个历史遗留矿山图斑修复，共计2210.4亩；确定3个未修复矿山纳入公益诉讼案件。矿山地质环境治理与土地复垦监管。全县采矿权62个，已编方案60个，建立基金账户计提基金53个，计提基金总额3452.05万元；52个矿山预存土地复垦费6008.48万元。上报云南驰宏锌锗股份有限公司麒麟厂进行技术评估，推荐纳入省级绿色矿山名录。

【地质灾害防治】 2023年，会泽县自然资源局系统推进地质灾害防治工作，持续提升地质灾害监测防治能力，最大限度减少灾害带来的人民群众生命财产损失。成立6个检查巡查组，对自然资源领域安全生产及地质灾害防治工作开展持续的检查巡查，累计派出巡查组11组149人次，巡查地质灾害隐患点596次，经排查核实，全县有隐患点283处，涉及175个村288个村民小组。推选监测员296人，对重点地质灾害隐患点实施“五位一体”网格化管理，明确县、乡、村、组等各级责任人员；在重点、次重点、新发生的隐患点发放地质灾害工作明白卡283份，地质灾害防灾避险明白卡5578份；对全县91处滑坡隐患点进行普适性监测，共安装监测设备420台（套），有效提升监测预警精准性和监测预警体系运行效能。

【确权登记服务】 2023年，会泽县自然资源局夯实确权登记工作基础，推进自然资源确权登记和不动产确权登记，增进人民幸福感。完成2012年至2023年9299宗集体土地所有权确权登记成果更新；预审收件7828件，办结7828件，办结率100%，其中颁发不动产权证4818本，发放不动产抵押证明1881本，收取不动产登记费46.12万元，工本费9020元，不动产抵押注销1050件，司法查封79件，查询房产信息3万余人次；设置企业财产登记专窗，平均耗时0.42个工作日，均在目标值1个工作日内办结。

【执法监督检查】 2023年，会泽县自然资源局开展“打非治违”动态巡查125次，出动执法车辆129辆（次），人员373人次，发现土地矿产违法案件36件，下发《责令停止违法行为通知书》15份，下发《责令改正违法行为通知书》20份；立案查处土地矿产违法案件29件，炸封或填埋矿洞29个，遣散教育违法人员40余人。下发会泽县非农违法占耕图斑641个，违法占耕面积1017.09亩，已完成整改图斑423个890.56亩，未完成整改图斑218个，占耕地面积126.53亩，违法占耕比例降至5.37%。

（郭顺飞）

国有资产管理

【概况】 2023年，会泽县国资委实施全县国资国企改革重组、曲靖市“310”工程国有企业提质增效、全县国有资产清查等行动，在推动全县国有企业改制重组的前提下，不断完善国有企业监管体系和条例；成立县委国资工委，代县委统一管理县属国有企业，逐步形成以管资本为核心的监管模式。

【国有企业管理体系建设】 2023

2023年7月11日，会泽县召开国资国企改革专题会议　（赵天祥　摄）

年，会泽县国资委以国资国企改革工作为契机，制定印发《会泽县县属企业领导人员管理办法》《会泽县县属企业管理办法（暂行）》《会泽县县属企业薪酬管理办法》《会泽县县属企业经营业绩考核管理办法》《会泽县进一步规范县属国有企业参与政府投资项目有关事项的通知》等改革配套政策，建立健全有效的激励和约束机制，引导县属国有企业高质量发展，持续做强做优做大。

【国资国企改革重组】 2023年，会泽县国资委按照县委、县政府统一部署及《会泽县国资国企改革重组实施方案》要求，对全县国有企业进行全面摸底、系统梳理、规范整合，推进县属国有企业压缩管理层级、减少法人户数，企业管理层级控制在3级以内；完成全县16个主管部门下属34家涉改企业的改制重组工作。按照“产业相近、行业相关、主业相同”原则，组建会泽县道成开发投资集团有限公司和会泽县钱城建设投资集团有限公司，完成集团公司管理层的人员任命，按照工作组织架构调整思路，优化集团公司部门和子公司业务板块；通过竞聘上岗实现中层管理人员的优化重组和基层人员的人岗匹配，加强集团公司人员配置的高效性。

【国有企业提质增效】 2023年，会泽县国资委按照曲靖市“310”工程实施国有企业提质增效专项行动要求，强化担当落实，制定《会泽县2023年国有企业提质增效专项行动工作方案》，对照下达的各项任务指标，压紧压实责任，推进7个项目33项重点任务取得实效，完成每个季度的重点工作目标，配合市国资委完成各项督导考核工作。健全完善《党委会前置研究讨论事项清单》《党委会议事规则》《董事会议事规则》等8个主体权责清单，推进集团公司董事会等管理层级建设，规范决策程序。

【防风化债工作】 2023年，会泽县国资委坚持“盘清底数、严控增量、分类处置、以化促防”的原则，控制债务总量，确保只减不增；逐项落实偿债资金来源，确保不发生连锁性债务风险；实施“一企一策”“一债一策”债务项目清单式管理，确保牢牢守住风险底线。截至年末，县属国有企业负债率低70%。

（徐青）

财　政

【概况】 2023年，会泽县财政局始终把开源节流、助推发展作为财政工作的重中之重，落实稳经济一揽子政策措施，促进经济稳中向好。全县一般公共预算收入完成16.01亿元，同比增长4.37%。其中，税收收入完成12.37亿元，同比增长10.11%；非税收入完成3.64亿元，同比下降11.36%。非税收入占比较上年下降4百分点。一般公共预算支出完成73.77亿元，同比增长5.39%，财政支出保持较高强度，教育、卫生、社会保障、农林水等重点领域得到保障，全年民生支出63.29亿元，占一般公共预算支出的85.8%，同比增长2.17%。全年争取上级转移支付补助61.14亿元，同比增长6.35%。争取新增专项债5.7亿元，保障重点项目的顺利推进。加大统筹，收回部门存量资金0.37亿元，统筹用于债务偿还等重点项目。

【兜牢民生底线】 2023年，会泽县财政局落实政府过“紧日子”的要求，担负起财政兜底保障主体责任。全年安排教育支出17.4亿元，统筹资金6.67亿元用于教育领域清欠，保持教育投入“两个只增不减”。全年拨付职业培训补贴710万元，发放创业担保贷款1.7亿元，兑现创业担保贷款贴息0.15亿元，发放乡村就业、城镇公益性岗位补贴0.21亿元、社保补贴55.4万元，吸纳带动6823人实现就业。拨付城乡居民养老保险补助2.26亿元，城乡居民医疗保险补助4.85亿元，残疾人补助金0.4亿元；筹措安排困难群众生活补助、临时救助、医疗救助5.08亿元，保障困难群众基本生活。统筹安排财政涉农资金17.7亿元，其中，衔接资金投入11.69亿元，沪滇协作资金0.63亿元，其他涉农专项资金5.38亿元，重点支持产

2023年7月10日，会泽县召开2023年部门预算公开反馈问题整改工作培训会议

（赵天祥　摄）

业发展、基础设施、人居环境、乡村治理、农村综合改革等项目支出，持续巩固脱贫攻坚成果。统筹安排粮食风险基金、储备粮轮换、贷款利息补贴等资金 0.35 亿元，兑付耕地地力保护补贴 1.05 亿元、实际种粮农民一次性补贴 0.09 亿元，拨付高标准农田建设资金 0.32 亿元。安排卫生健康事业支出 5.98 亿元，提高城乡居民医疗保险、基本公共卫生服务人均财政补助标准，巩固国家卫生县城、省级文明城市创建成果。

【产业发展服务】 2023 年，会泽县落实税费优惠政策，全县累计退减降缓税费 1.79 亿元。会泽县财政局围绕全县重点项目建设要求，统筹安排项目前期经费 512 万元，统筹安排招商引资经费 165 万元。争取工业园区基础设施建设新增专项债券资金 4 亿元，中央和省预算内基建投资 0.73 亿元，统筹安排资金 0.81 亿元支持渝昆高铁会泽段、宣会和会巧高速、者海化工园区等重点项目建设。落实服务企业“三项制度”，推进政府采购“一张网”建设，减流程、减成本、优环境，推广政府采购合同融资服务，发挥政府采购政策功能，营造良好的营商环境，推进中小企业更快更好发展。依托云南省农担公司和“融信通”平台，搭建农业信贷服务“绿色通道”，为中小微和“三农”企业提供资金支持，全年新增担保企业 341 户，发放小额担保贷款 1.17 亿元。

【财政风险防范】 2023 年，会泽县财政局严守“三保”底线，履行“三保”保障主体责任，执行“三保”保障范围、标准、财政事权和支出责任，坚持“三保”在预算编制和执行中的优先顺序，坚决兜牢“三保”底线，支出完成 40.4 亿元。建立完善风险防范机制，执行地方政府债务限额管理，稳妥化解存量债务，全年化解政府性债务 9.3 亿元。落实一揽子化债方案，多渠道筹措资金，严格按时间节点要求清偿政府拖欠企业账款，牢牢守住不发生区域性系统性债务风险的底线。进一步强化政府和社会资本合作（PPP）项目监管工作，密切跟踪项目单位设立和融资到位情况，加强项目绩效考核，落实按效付费机制，确保公共服务安全、稳定、高效供给。

【财政管理改革】 2023 年，会泽县财政局围绕建立现代财政制度目标，深化改革。按照省、市统一部署，健全财政一体化管理，实现预算编制、执行、政府采购、核算一体化全流程管理，提升财政治理能力。围绕国库集中支付制度系列改革，推进预算指标核算、总会计制度、差旅费网上报销改革，保障财政资金安全高效运行。启动财政电子票据和非税收缴电子化管理改革，实现财政票据全流程电子化管理和非税收入收缴业务自动化控制。按照“整合重组一批、规范提升一批、注销清算一批”的思路，对全县国有企业进行全面摸底、系统梳理、规范整合，聘请第三方机构对 34 家涉改企业开展清产核资工作，全面盘清国有资产资源家底，按“一企一策”制定改制重组方案。

（夏雪菲）

税　务

【概况】 2023 年，会泽县税务局严格落实税务总局、省局党委、市局党委和县委、县政府的目标要求，攻坚克难、履职尽责、担当作为，抓牢党建引领这个根本，扛实干好税务主责主业，聚力带好队伍激发活力，统筹做好服务全县经济社会发展工作，推动全县税收工作迈出新步伐、取得新成效。

【税费收入】 2023 年，会泽县税务局有注册登记户 2.77 万户。其中，单位纳税人 7349 户（一般纳税人 1021 户、小规模纳税人 6328 户）、纯扣缴义务人 449 户、个体纳税人 2.04 万户。全县组织税费收入 74.94 亿元，同比增收 5.58 亿元，增长 8.06%。完成地方一般预算收入 16.01 亿元，同比增收 0.67 亿元，增长 4.37%。全年累计征收社保及其他收入 15.35 亿元，非税收入 8.49 亿元。办理新增减税降费及退税缓税缓费 3.76 亿元。做好涉税信访工作。

2023 年 7 月 6 日，会泽县税务局工作人员向退役士兵及军属宣传税收优惠政策

（柯　雯　摄）

【纳税服务提升】 2023年，会泽县税务局持续开展“便民办税春风行动”，落实好细化分解的81条便民服务举措，推送税收政策4.13万条，推送操作指南、税务提醒31.44万条，面向纳税人召开各类政策宣传、操作讲解培训会5次，到机关、学校宣传税费知识3次；发挥“银税互动”信用增值效能，精准纾解小微企业资金困难，全年有90户纳税人以“银税互动”的方式获得1.10亿元的银行贷款。推出“远程协办”“30分钟＋延时办”的“双办”服务，以“双办”促异地享、延时享，打通异地难题“最后一公里”。从落实“三化”建设、提升智慧办税、设立税费争议中心等多角度发力，办税大厅“三化”建设验收达标，第一税务分局被命名为“枫桥式”税务分局。

【税费治理提升】 2023年，会泽县税务局在全县范围内推广“数电票”，向数电纳税人推送《云南省可视答疑》共计39期，印制发放《发票服务平台操作手册（简易版）》3000余份；10月8日在办税服务厅正式成立二级集约处理中心，顺利承接375项事项清单工作，运行期间各类事项处理速度均得到有效提升，压缩总体办税时间、缩短纳税人办税路程，实现办税只进“一扇门”。建立“检察＋税务”协作机制，强化涉税领域公益保护。加强与退役军人事务局和工业园区管委会沟通联系，组织20余家企业参加“戎耀云岭、就业起航”退役士兵及军属专场招聘会，为80余名退役军人及军属进行税费政策解读。

【税务队伍建设】 2023年，会泽县税务局开展作风纪律检查24次，通报曝光违反作风纪律规定行为18人次，并严肃追究责任；深化“人才兴税”战略，委托云南大学举办2期综合能力提升培训班，共计150名干部职工参与培训。邀请会泽县委县直机关工委常务副书记和云南民族大学教授为120余名干部作专题讲座；开展职级晋升38人次，提拔股级干部5人，轮岗交流11人。

（白文涛）

审　计

【概况】 2023年，会泽县审计工作聚焦主责主业，依法全面履行审计监督职责。全年累计完成审计项目25项，查出问题金额5.24亿元，其中，违规金额1249.61万元，管理不规范金额5.12亿元。核减投资额97.13万元。发现非金额计量问题52个，损益（收支）不实6814.55万元。审计期间整改金额2.36亿元。促进整改落实有关问题资金1.03亿元，其中，上缴财政604.73万元，归还原渠道资金1.96万元，调账处理金额3287.97万元。促进拨付资金到位6434.77万元。

【县级财政预算执行、决算草案编制及其他财政收支管理审计】 2023年，会泽县审计局推进预算管理体制改革，以破解支出格局固化、项目资金部门化、财政资金统筹难、预算约束不强等难题为目标，开展2022年度地方一般公共预算执行和决算草案编制、政府性基金预算执行和决算草案编制、国有资本经营预算执行和决算草案编制、社会保险基金预算执行和决算草案编制、重大政策措施落实、深化财政管理体制改革、项目库和预算绩效管理、防范化解政府债务风险、国有资产管理监督等9方面的审计。

【部门预算执行审计】 2023年，会泽县审计局规范部门预算管理、项目实施管理、国有资产管理，提高财政资金使用效益。开展会泽县文化和旅游局2022年度预算执行及决算草案编制、会泽县者海镇中心学校、会泽县待补中心卫生院、会泽县钟屏中学校2022年度财政财务收支情况审计。

【国有企业审计】 2023年，会泽县审计局规范国有资产使用，促进国有企业改革和管理，开展会泽县道成开发投资集团有限公司（以下简称道成集团公司）2019年至2022年8月资产负债损益及其他财务收支审计，延伸审计道成集团公司下辖的会泽县山喜农业科技开发有限公司、会泽县乾振建筑工程有限公司、会泽县劭锦实业有限公司、会泽道成嘉品供应链管理有限公司、会泽县致晟工贸有限公司5个全资子公司，抽审宝云、古城、钟屏、金钟、以礼5个分公司，对1个合资公司会泽县靖东机动车检测有限公司收益分配情况进行抽查。

【专项资金审计调查】 2023年，会泽县审计局围绕上级审计机关的统一安排部署，开展会泽县职业教育专项资金管理使用及专项债券项目资产管理使用情况专项审计调查。

【国有资产管理审计】 2023年，会泽县审计局围绕国有资产家底清，保值增值的目标，将国有资产管理情况纳入重点审计范围，贯穿到审计各项目全过程。

【审计整改】 2023年，会泽县审计局落实县委审计委员会和县人民政府审计整改工作要求，按照县人大常委会有关审议意见，履行审计整改跟踪检查责任。聚焦重点，加大对审计发现突出问题整改情况的跟踪检查力度。强化分析研究，分类提出审计整改要求，对能够立行立改问题，督促指导被审计单位及时整改，对尚未完成整改的问题，印发《审计整改督查催办单》，推动被审计单位明确整改计划，定期报送整改情况直至完成整改，严格核查整改结果，确保审计整改真实、完整。

【“两报告”】 2023年，会泽县审计局依法向县人大常委会报告《会泽县2022年度县级财政预算执行和其他财政财务收支审计工作报告》和《会泽县2022年度县级财政预算执行和其他财政财务收支审计中查出问题的整改情况报告》，“两报告”反映的29类47项70个问题已整改28类45项68个问题。

（管浩）

统　计

【概况】 2023年，会泽县统计局着力推进科学统计，重视基础资料搜集、整理、积极提供全县性的基本统计资料，开展统计普查调查核算，推进重点领域统计改革，强化经济形势监测分析研判，夯实统计基层基础，抓实抓好“五经普”和各项统计调查核算，为全方位推进会泽高质量跨越式发展提供坚强统计服务保障。

【国民经济核算】 2023年，会泽县统计局对全县国民经济各项指标进行全面收集、整理、统计和测算。全县实现地区生产总值（GDP）397.62亿元，同比增长7.1%。其中：第一产业实现增加值90.2亿元，增长4.3%，对经济的贡献率为15.8%，拉动经济增长1.1个百分点；第二产业实现增加值114.85亿元，增长9.2%，对经济的贡献率为34.6%，拉动经济增长2.5个百分点；第三产业实现增加值192.54亿元，增长7.4%，对经济的贡献率为49.6%，拉动经济增长3.5个百分点，三次产业的比重为22.7 ∶ 28.9 ∶ 48.4。第三产业支撑指标完成情况：批发业商品销售额现价增长10.4%；零售业商品销售额增长8.6%；住宿业营业额现价增长10.5%；餐饮业营业额增长15.4%；公路运输总周转量增长5.3%；水上运输总周转量增长0.2%；管道运输业营业收入增长8.1%；多式联运和运输代理业营业收入增长15%；装卸搬运和仓储业营业收入下降32%；邮政业务总量增长4.7%；人民币存贷款余额增长14.6%；保费收入增长4.9%；商品房销售面积下降26.8%；电信业务总量增长15.6%；租赁和商务服务业营业收入增长117.1%；居民服务、修理和其他服务业营业收入增长23%；文化、体育和娱乐业营业收入增长21.6%；科学研究和技术服务业营业收入下降42.6%；房地产业工资总额现价下降15.9%；科学研究和技术服务业工资总额现价下降5.7%；租赁和商务服务业工资总额增长24.1%；居民服务、修理和其他服务业工资总额增长6.6%；文化、体育和娱乐业工资总额增长13.5%；水利、环境和公共设施管理业工资总额增长22.1%；教育工资总额增长8.1%；卫生和社会工作工资总额增长35.8%；公共管理、社会保障和社会组织工资总额增长4.2%。

2023年12月21日，会泽县召开第五次全国经济普查部门会议

（县统计局　提供）

【经济普查】 2023年，会泽县成立县、乡、村三级普查机构，开展五经普各项工作；定期向县政府汇报五经普工作情况，将五经普工作纳入每季度重点工作督查内容；开展单位清查和采集工作；通过新媒体、广播电视、电子显示屏、QQ、微信等多方位、多角度开展第五次全国经济普查宣传。

【统计信息】 2023年，会泽县统计局通过政务信息公开网及不同渠道和方式公开政府信息，撰写和发布统计分析。按月编印《统计监测手册》，并把主要经济指标数据及经济运行情况分析，送县五大机关领导及办公室人员。按年编印《统计年鉴》，发送到县直各单位及乡（镇、街道）200余册。年内向各类媒体报送统计信息80余篇（条），被各类媒体采用的60篇（条）。

（张丽琴）

统计调查

【概况】 2023年，国家统计局会泽调查队（以下简称“会泽调查队”）围绕提高统计数据质量核心，立足本职，夯实统计工作基础，改进工作作风，提升工作效能，有序开展单位党建、全面从严治党、法治、调查业务、单位管理和办公室等工作，推进统计事业发展，发挥统计调查职能作用，为会泽社会经济发展贡献力量。

2023 年 7 月 22 日，国家统计局会泽调查队到五星乡竹箐村开展畜禽监测调查

（王　超　摄）

【农业调查】　2023 年，会泽调查队开展农业调查包括遥感面积调查和农作物产量调查。会泽县涉及 11 个乡镇 15 个村委会，45 个取样地块，调查点严格执行国家调查制度，将遥感面积调查及实割实测落到实处，反映客观现实。会泽县全年粮食种植 1.11 万公顷，同比增长 1.8%，产量 48.54 万吨，同比增长 1.46%。其中，夏粮 1.98 万公顷，同比增长 2.3%，产量 4.73 万吨，同比增长 2.2%；秋粮 9.09 万公顷，同比增长 1.7%，产量 43.81 万吨，同比增长 1.4%。

【畜禽监测调查】　2023 年，会泽县畜禽监测调查涉及 60 个大型生猪养殖场，25 个中型生猪养殖场（户），731 个小型生猪养殖户；25 个中型牛养殖场（户），582 个小型牛养殖户；3 个大型羊养殖场，27 个中型羊养殖场（户），200 个小型羊养殖户；7 个中型禽养殖场（户），561 个小型禽养殖户。年末，生猪存栏 117 万头，同比降低 5.02%，其中能繁母猪存栏 11.2 万头，同比增长 0.90%，全年生猪出栏合计 174.35 万头，同比增长 2.28%。

【居民收支调查】　2023 年，会泽调查队住户调查涉及 10 个乡（镇、街道）13 个调查点，共 130 户记账户。会泽调查队于 3 月、6 月、9 月、12 月开展季度和年度培训会，在 3 月、5 月完成国家统计局云南调查总队要求的两轮遍访工作。全年会泽县 130 户记账户中有 125 户电子记账户，5 户纸质记账户，电子记账覆盖率 96.15%。调查显示，会泽县城镇常住居民人均可支配收入 40899 元，增长 3.7%；农村常住居民人均可支配收入 15877 元，同比增长 8.6%。

【其他调查工作】　2023 年，会泽调查队执行国家调查制度、规范调查流程、强化数据审核评估，组织完成全国月度劳动力调查、贫困监测调查、农民工监测调查、主要农产品中间消耗调查、农产品生产者价格调查、新设立小微企业和采购经理调查等调查工作，科学分析预测会泽县经济社会发展情况。

【调查信息服务】　2023 年，会泽调查队强化信息宣传工作，积极报送各类信息稿件。国家统计局云南调查总队内网发表会泽调查信息 111 篇；国家局内网发表会泽调查信息 14 篇，其中工作交流 10 篇，调研分析 2 篇；县级媒体发布会泽调查信息 4 篇；积极参与会泽县委政府约稿，参与完成调研 17 次；会泽县委、县政府办公室采用 35 篇，撰写调查分析县领导批示 8 次。会泽调查队参与国家统计局云南调查总队组织的约稿，参与调研的多篇文章被有关部门采用和多名副省长批示。

（常曦）

市场监督管理

【概况】　2023 年，会泽县市场监管局紧扣会泽县奋进新征程推动新跨越三年行动和“310”工程确定的目标任务，持续推进作风革命、效能革命，讲政治、强监管、促发展、保安全，推动全县高质量跨越式发展作出应有的贡献。

【市场主体培育】　2023 年，会泽县落实中央和省市优化营商环境促进市场主体决策部署，加强领导，压实责任，统筹调度，优化营商环境，推进市场主体培育，制定《会泽县市场主体培育三年行动计划（2022—2024 年）》。严格落实《市场主体登记管理条例》及其实施细则，优化完善登记注册业务流程，推进经营主体登记标准化、规范化。清理规范行政审批事项前置条件和审批标准，实行许可事项清单管理。落实《曲靖市关于强化反垄断深入推进公平竞争政策实施的 27 条措施》等公平竞争政策，成立公平竞争委员会。开展妨碍全国统一大市场和公平竞争的政策措施专项清理，审查文件 34 件，查办不正当竞争案件 1 件。全年，企业需报送公示总数 7618 户，已报送公示 7319 户，未报送公示 299 户，年报公示率 96.08%。农民专业合作社需报送公示 1412 户，已报送公示 1357 户，未报送公示 55 户，年报公示率 96.10%。并严格按照有关标准、程序、时限等开展信用修复管理工作，为经营主体申请信用修复提供指导服务，助力经营主体重塑信用。帮助个体工商户移出经营异常名录共442户605条，累计移出经营异常名录1539户2139条。会泽县市场主体培育，企业完成净增长3282户，完成率109.88%，达1.12万户；个体工商户完成净增长3.07万户，完成率119.20%，达9.55万户；个转企工作完成774户，完成率105.45%。市场主体倍增3.40万户，达10.67万户。

【质量强县建设】 2023年，会泽县实施质量强县战略，推进质量提升行动，助力经济社会高质量发展。着力营造“党委政府重视质量、企业追求质量、社会崇尚质量、人人关注质量”的良好氛围。第46个全国“质量月”，组织15家县直单位和25个乡（镇、街道），开展以“增强质量意识，推进高质量发展”为主题的“质量月”启动仪式和集中宣传活动。全年开展质量主题宣传148场次，制作播放各类公益广告263次，张贴宣传画1311张，发放宣传资料1459份，制作展板29块。组织县内73家工业产品生产和销售单位，开展落实质量安全主体责任监督管理规定专题培训；组织会泽金塬水泥有限公司等5家生产企业负责人参加曲靖市首席质量官培训；组织县内10家在产和保留待复产的砌块、烧结砖、实心砖生产企业负责人或质量管理人员，参加曲靖市建材行业质量提升培训。开展质量技术服务进企业活动，走访县内92家质量基础设施“一站式”服务工作站企业，指导企业加大地方标准制定和修订力度，加强质量基础设施保障能力建设。全县16家企业累计上报32项标准，涵盖119种产品，其中，国家标准13个、行业标准2个、地方标准1个、企业标准16个。申报曲靖市地方标准5个，完成市级专家组立项评审现场走访。以“盐水石榴”“乐业辣椒”等地理标志产品为重点，开展“打假护牌”专项行动；紧扣食品药品、特种设备等安全监管重点，加大市场执法监管力度，严厉打击侵犯知识产权和制售假冒伪劣商品违法行为。查获疑似销售商标侵权大米177袋，立案查处行政执法案件6起；查扣假“Nike”“Adidas”商品1100余件，涉案价值210余万元，破获销售假冒注册商标的商品刑事案8起。畅通12315、12345等消费投诉举报渠道，开展创建放心消费环境。办理各类投诉、举报851件，争议金额15.8万元，挽回经济损失4.7万元。

【食品安全监管】 2023年，会泽县委常委会会议听取食品安全工作汇报4次，县政府常务会议听取食品安全工作汇报4次、专题研究食品安全工作2次，县政府分管领导主持召开食安委全体会议3次，统筹推进食品安全工作，印发《会泽县食品安全事故应急预案（试行）》《会泽县推进健康县城建设三年行动方案（2022—2024年）》《会泽县推进健康县城建设之“食安心”三年行动方案（2022—2024）》。会泽县把落实“两个责任”工作机制纳入年度食品安全评议考核，组织召开落实食品安全“两个责任”相关会议4次。完成B级（44户）、C级（1243户）、D级（7448户）食品生产经营企业主体基础数据录入等工作；培训包保干部、监管人员2297人次；录入责任清单366份，承诺书1095份，配备食品安全总监和食品安全员9606人。全县各级包保干部督导完成率100%，督导发现问题整改率100%。全年出动执法人员686人次，下发责令整改通知书129份，对创城区餐饮服务单位进行全覆盖监督检查。县市场监督管理局与县教体局、法院、检察院、公安局等部门的协同联系，加强对餐饮服务单位的宣传教育，引导做好餐厨垃圾干湿分离。做好学校食堂检查、学生考试期间食品安全保障等工作。与有关部门协同联动，组织开展联合检查和案件会商，打击“三无食品”“劣质食品”等违法犯罪行为，全年立案食品领域刑事案件12起、破案12起，打处犯罪嫌疑人2人。食品立案行政处罚案件137件。

【药品安全监管】 2023年，县市场监督管理局完成80家药品经营企业经营许可，医疗器械经营许可、备案现场检查工作；规范药学技术人员从业登记，完成150人次药师协理、药士等药学技术人员的注册登记、变更及注销；完成到期换证药品经营企业38家。与检察院联合开展监督检查，出动检查人员15人次，检查疫情防控物资经营、使用单位20家次，责令整改3家次，立案查处15件。完成药品不良反应监测报告723例，医疗器械不良事件监测上报258例，化妆品不良反应上报79例，药物滥用调查表上报1例；完成药品（中药饮片、中成药、化学药制剂、抗生素）9批次、医疗器械4批次、化妆品5批次抽样任务。开展特殊药品专项监督检查工作，重点对使用麻醉药品、精神药品（一类、二类）的医疗机构，含麻黄碱复方制剂的药品零售企业，使用美沙酮口服溶液的戒毒维持治疗点使用、经营情况进行检查；开展中药饮片质量集中整治，整治中药饮片市场秩序；开展疫苗储存、运输及预防接种质量监督检查；开展药品零售企业远程审方专项检查；开展婴幼儿化妆品及美容美发场所经营使用化妆品安全专项整治工作；开展药店分级分类管理工作“回头看”，出动执法检查人员500余人次，检查药店300余家（次）；开展医疗器械风险隐患排查专项整治，出动检查人员300余人次，检查医疗器械经营使用单位200余家；开展医疗器械网络销售整治工作，对区域内有医疗器械网络销售的企业和单位进行整治和检查；开展医疗器械经营企业分级分类监管工作，按照“风险分级、科学监管，全面覆盖、动态调整，落实责任、提升效能”的原则，运用“三个零”监管模式，统筹监管力量，对全县医疗器械经营企业开展分级分类监管，出动检查人员250余人次，检查医疗器械经营160余家。

【特种设备安全监管】 2023年，会泽县共有特种设备使用单位数达356户，在用登记特种设备2922台，其中在用特种设备中锅炉31台、起重机械325台，电梯1485台、压力容器805台，场内机动车49台，大型游乐设施12台，压力管道214条，客运索道1条，全年未发生特种设备安全生产事故。加强特种设备日常安全监督检查和“打非治违”工作，对检查中发现的隐患和问题，能现场整改的责令现场整改，对于不能立即整改的，责令限期整改并开展“回头看”工作，督促整改。全面推进“双随机、一公开”监管工作，将危险程度高、安全风险大、社会影响广的特种设备列入检查的范围，加大对重点行业、重点区域、重点场所、重点设备和公众集聚场所特种设备的安全监管和检查，对6家充装单位100%进行监督检查。在全县范围内全面开展燃气重大安全隐患专项整治，督促城镇燃气相关特种设备使用单位全面开展隐患排查整治，以天然气输送、液化石油气瓶充装领域为重点，对辖区燃气相关特种设备安全状况等情况进行全面摸排，督促企业落实主体责任。针对会泽县大通天然气有限公司使用未经检验压力管道等的违法问题，按照《中华人民共和国特种设备安全法》相关规定，依法下达《特种设备安全监察指令书》，责令立即停止使用未经定期检验的压力管道，并采取有力措施认真加以整改。

（徐桂林）

知识产权保护

【概况】 2023年，会泽县知识产权保护工作围绕宣传、培训、管理服务、行政执法保护开展。全县有效专利为546件，其中发明专利26件，实用新型专利488件，外观设计专利32件，注册商标有效量3861件，荣获国家知识产权优势企业3户，云南省知识产权优势企业8家，荣获云南省中小学知识产权试点学校荣誉称号4所，荣获云南省知识产权高质量发展示范企业2户，2023年会泽县产业园区荣获云南省知识产权推动高质量发展示范园区，全年查处商标侵权案件29件，罚款18.6万元，会泽县公安局立案侦查知识产权案件6件，会泽县文化旅游局查处版权侵权案件2件，罚款4000元。

【宣传普及】 2023年，会泽县各相关部门分别利用“街天”开展主题为“全面开启知识产权强国建设新征程”的各种宣传活动。通过悬挂横幅、标语、街头咨询、悬挂张贴宣传画、展板等多种形式，开展面向群众、贴近生活、有针对性的“知识产权”宣传活动，集中宣传国家保护专利权工作的法律法规及保护商标专用权，整顿和规范专利的使用行为，严厉打击假冒伪劣侵犯知识产权行为，规范专利市场经营秩序等。悬挂横幅、标语21条，散发宣传资料1000余份，接受咨询的群众278人次，受教育的群众3000余人。9月，召开会泽县第六届丰收节的“珠源品牌”地理标志司法保护暨“护丰收”会泽县农产品地理标志司法保护活动启动仪式，强化知识产权保护宣传工作，提高社会公众的知识产权保护意识。

【知识产权服务】 2023年，会泽县市场监督管理局围绕会泽产业发展重点，加强知识产权服务工作，将知识产权工作融入农业等产业管理中。围绕特色农产品和有机食品产业，做好知识产权保护服务工作。针对企事业单位的知识产权工作存在的问题，深入各企业、民营科技企业进行服务。通过座谈、研讨等形式，加大宣传力度，增强企事业单位知识产权保护意识。协助专利实施企业申报专利立项或科技立项。做好专利管理工作，在做好已取得专利统计的同时，积极正确引导专利权人实施专利技术，鼓励有创新的科技人员积极申报专利。

【协同配合建机制】 2023年，会泽县市场监督管理局加强与县委宣传部、县人民法院、县人民检察院、县公安局、县司法局、县农业农村局等部门执法协作与执法信息交流，积极参与整顿规范知识产权市场经济秩序保护工作。由曲靖市麒麟区人民法院、会泽县人民法院、会泽县人民检察院、会泽县公安局、会泽县司法局、会泽县市场监督管理局、会泽县农业农村局、会泽县林业和草原局联合出台《关于建立会泽县地理标志保护执法司法联动机制的意见》，切实加强地理标志保护，推动区域特色经济发展、助力乡村振兴，形成“工作举措共商、平台载体共建、司法资源共享”的工作格局，不断提高会泽县地理标志保护执法司法能力，以更加优质的执法司法服务经济社会高质量发展。会泽县人民政府知识产权战略实施工作联席会议办公室印发《会泽县跨部门知识产权协同保护机制实施方案》，明确工作重点及相关部门职责，进一步增强全社会的知识产权保护意识，打击假冒侵权知识产权违法行为，维护权利人及消费者的合法权益，促进会泽县知识产权市场的健康协调发展，加快知识产权强县建设。8月，会泽县公安局、县市场监督管理局、县农业农村局联合开展为期1个月的“盐水石榴”专项整治的行政、司法保护活动。

【行刑衔接】 2023年，会泽县市场监督管理局与会泽县人民检察院衔接配合，对会泽县各行政执法单位进行“两法衔接”信息共享平台操作培训，共同推进依法行政和公正司法，实现行政执法和刑事司法的无缝衔接，加强对会泽县域内的品牌商标、老字号、企业专利、商业秘密的司法保护，强化知识产权行政执法司法联动协作，明确案件的移送程序、检验鉴定程序和检察监督程序，深化知识产权领域“行刑衔接”。

（段玉云）

信用体系建设

【概况】 2023年，会泽县社会信用体系建设工作以推进全县社会信用体系高质量发展促进形成新发展格局为主线，全面提升信用信息归集共享，推进“双公示”向“十公示”拓展，配合市信用办不断丰富和完善曲靖市信用信息共享平台，持续推进“信用中国（云南曲靖）”网站提质扩能，全年归集城市信用信息监测数据13万余条，累计查询单位或法人自然人30余单位、2500余人次，社会统一信用代码重错码率0.1128%，累计在“信用中国（云南曲靖）”网站录入行政许可事项4.01万条、行政处罚事项280条、信用承诺事项21条、公共信用信息9.40万条、五类行政管理数据66条、联合奖惩案例10例；持续推进13个重点领域失信专项治理；多渠道开展诚信宣传活动，在信用中国（云南曲靖）网站上传诚信宣传新闻97条。

【健全信用制度体系】 2023年，按照《会泽县关于推进社会信用体系建设高质量发展促进形成新发展格局的实施方案》任务分工要求，围绕市场经济运行的各领域各环节，针对行业（领域）特点推进社会信用体系建设，为促进形成新发展格局提供有效支撑。贯彻实施《云南省社会信用条例》，制定配套规章政策、标准规范，指导协调各行业（领域）依法依规开展社会信用体系建设。结合行业（领域）和地方实际，运用线上线下多种方式，广泛开展“进机关、进社区、进企业、进校园”等宣讲培训活动，重点抓好各行业（领域）从业者和各类社会主体培训，切实履行法定职责，积极推动《条例》落地落实。

【信用数字化支撑体系优化】 2023年，会泽县社会信用体系办依据国家数据归集标准，配合市信用办不断丰富和完善曲靖市信用信息共享平台（以下简称“市信用信息共享平台”）功能，加强信用信息数据归集整合、统计分析能力，优化信用数据上传、查询、统计等功能。持续推进“信用中国（云南曲靖）”网站提质扩能，扩展司法判决、信用承诺、行业（领域）信用评价结果、经营异常名录、严重失信主体名单等信用信息公示，不断提升网站关注度和访问量。

【信用信息归集共享质效提升】 2023年，会泽县社会信用体系办根据《曲靖市公共信用信息基础目录》，按照现有数据归集标准及时、准确、完整地向曲靖市信用信息共享平台推送信用信息。依据《曲靖市融资信用服务平台信息目录》数据归集标准，加强生态环境、不动产、水电气费缴纳、科技研发、知识产权、新型农业经营主体信息等各类信息报送。推进“双公示”向“十公示”拓展。严格落实《云南省社会信用体系建设部门联席会议办公室印发云南省行政许可和行政处罚等行政管理信息报送工作管理办法的通知》要求，将行政许可和行政处罚“双公示”拓展到行政许可、行政处罚、行政强制、行政确认、行政征收、行政给付、行政裁决、行政补偿、行政奖励和行政监督检查“十公示”。

【网络和信息安全】 2023年，会泽县社会信用体系办严格落实《中华人民共和国民法典》《中华人民共和国个人信息保护法》《中华人民共和国网络安全法》《中华人民共和国数据安全法》等法律法规，建立完善信用数据安全保障体系，制定完善网络安全、信息安全管理规范制度，网络运行安全预警、网络安全检测自查、网络风险评估；建立网络安全责任制，强化网络和信息安全技术人员、技术资源保障，强化系统、平台安全管理能力和风险处置能力。

【信用监管】 2023年，会泽县深化信用承诺机制，各行业管理部门建立健全信用承诺制度，结合部门权责，厘清承诺事项清单，明确承诺书格式文本，规范开展信用承诺工作。推广信用承诺应用，推动各类审批服务事项广泛使用信用承诺制，将签订信用承诺书作为信用监管前置环节，实现信用承诺全覆盖。加强承诺履约监管，完善信用承诺跟踪机制，依法依规将履约践诺情况纳入信用记录，作为信用监管的重要依据，形成信用承诺管理闭环。全面推进全县重点领域信用分级分类监管落地见效，在食品药品、工程建设、招标投标、安全生产等领域深入推进信用分级分类监管，实现监管资源的优化配置。已建立机制的行业（领域）主管部门，结合工作实际，不断更新完善评价标准或模型，不断提升监管质效；尚未建立机制的行业（领域）主管部门，推动建立符合行业特征、监管需求的评价标准或模型，对监管对象实施差异化分类监管措施。推进公共信用综合评价结果运用，将公共信用综合评价与行业信用评价相结合，构建“行业+公共信用评价”体系推进市场主体诚信健康发展。落实信用联合奖惩工作，完善信用修复机制。

【信用运用能力建设】 2023年，会泽县社会信用体系办有效发挥市融资信用服务平台功能作用。加大曲靖市融资信用服务平台暨“信易贷”平台的宣传和推广力度，引导更多金融机构和有融资需求的中小企业入驻市融资信用服务平台。做好市涉农信用信息系统建设，加快涉农信用信息数据库建设，构建完善的新型农业经营主体信用体系，提升新型农业经营主体的首贷率和信用贷款比例，助力乡村振兴。在政府采购、招标投标、行政审批、市场准入、资质审核等事项中，主动查询使用信用信息报告、公共信用评价结果等信用产品或信用信息。电子政务服务大厅、各部门审批系统全面接入市信用信息共享平台，将信用信息嵌入政府部门审批、办事流程，实现“逢批必查”“逢办必查”，推进“信易批”“信易办”“信易投”等信用应用场景落地，探索实施在医疗、养老、家政、旅游、购物、就业、交通出行等领域实施“信用+”工程，实现信用惠民便企。

【政务诚信建设】 2023年，会泽县充分发挥政府在社会信用体系建设中的表率作用，强化政务诚信建设，不断提升政府行政效率和公信力。依托市信用信息共享平台，研究建立各级人民政府机构、事业单位及国有企业信用档案；依托公务员管理信息系统，将公务员在履职过程中因违法违规、失信违约被行政处罚、纪律处分、问责处理、司法判决等信息纳入公务员失信记录，形成公务员诚信档案，作为干部选拔任用、调任转任、职级晋升、评先评优的参考。加强公务员诚信教育，将信用建设纳入公务员培训和领导干部进修课程，在公务员初任培训、任职培训、在职培训中加大诚信教育的培训力度，不断提升公务员职业道德水平和诚信意识。按照《会泽县集中治理诚信缺失突出问题提升全社会诚信水平的实施方案》要求，持续开展电信网络诈骗问题、互联网信息服务领域失信、涉金融领域失信、医疗卫生领域失信、拖欠工资问题、逃税骗税和“假发票”问题、论文造假和考试作弊问题、交通运输失信、骗取社会保险问题、法院判决不执行问题、非法社会组织、慈善捐助失信、“不合理低价游”等13个重点领域专项治理，各相关部门建立失信治理常态化工作机制，加强失信事件预防、处理和反馈力度。重点围绕食品药品、安全生产、流通、金融、税务、价格、工程建设、政府采购、招标投标等领域，建立完善各领域诚信制度，推进各领域诚信建设，加强信用监管，建立和完善个人信用记录形成机制，及时归集有关人员在相关活动中形成的信用信息，建立健全家政服务人员、企业法定代表人及相关责任人等重点人群信用档案。充分发挥社会组织特别是行业协会商会专业性强、熟悉行业、实践经验丰富等优势特点，鼓励引导行业协会商会围绕行业领域信用体系建设，积极开展政策法规宣传、行业调研、行业公约等活动，加大政府购买社会组织服务力度，有效发挥社会组织参谋助手和桥梁纽带作用。

【信用氛围营造】 2023年，会泽县各部门切实履行行业（领域）信用体系建设主体责任，完善工作机制，明确分管领导、责任科室、责任人，加强信用工作队伍建设，狠抓任务落实，增强做好全县社会信用体系建设工作的自觉性和主动性。落实《曲靖市2023年社会信用体系建设宣传活动实施方案》，充分利用“3·15”活动、“6·14”信用记录关爱日活动、“质量月”活动、“安全生产月”活动、“诚信兴商宣传月”活动、“12·4”全国法制宣传日等行业活动，持续开展“诚信建设万里行”等主题宣传活动。

（严春梅）

招商引资

【概况】 2023年，会泽县投资促进局按照省委、省政府“3815”战略部署，市委、市政府“3+6+2”产业布局，紧扣“三个定位”，持续完善招商机制、创新招引方式、拓宽招引渠道，强化项目引育全周期管理、项目落地全要素保障。党政主要领导外出招商16次，引进省外产业招商到位资金115.38亿元，实际利用外资302万美元，新增外资主体5户（净增3户），引进超10亿元产业项目3个，新签约项目29个、协议投资额423.28亿元，新开工项目20个、计划投资额88.16亿元。

【领导招商】 2023年，会泽县委、县政府主要领导充分发挥示范带头作用，坚持做到重大招商活动亲自参加、重要客商亲自接洽、重大项目亲自推动落地、重点问题亲自协调解决。全年，接待来访企业50余批次，16次带队到北京、上海、广东、湖南

2023年9月25—26日，会泽县委书记丁东平带队到北京新发地农产品股份有限公司考察 （彭泽红 摄）

等地开展考察招商，实地考察和联系对接60余家企业及5家商协会组织。采取召开项目对接协调会、现场办公会等方式，帮助企业解决问题20余个。分管领导及其他政府领导班子根据分工，聚焦主导产业，紧盯重点企业，选准细分领域，全面做好分管领域的招商引资工作。

【制度建设】 2023年，会泽县印发《关于进一步落实大招商工作机制的实施方案》，建立招商引资项目管理、交办、督办、退出等5项机制，完善招商委、招商委办定期会议、联席会议等5项制度，推进招商引资工作制度化、规范化。制定出台产业链招商专项行动工作方案、招商引资考核细则、产业招商工作组管理及考核办法，把主要领导外出、省外产业到位资金等指标分解细化到乡镇（街道）、县直产业主抓部门、招商工作组，充分发挥考核的激励和导向作用，最大限度调动招商干部的积极性、主动性和创造性。

【队伍建设】 2023年，会泽县将招商引资重点工作推进专班改为会泽县产业招商工作组，7个招商专班合并为6个产业招商工作组，从工信、农业等产业主抓部门抽调人员充实到产业招商工作组。围绕招商引资技能技巧和法律法规，对产业招商工作队开展业务培训5次。组织产业招商工作组人员参加南博会、进博会，到湖南、湖北等学习考察产业园建设、服装产业链条发展等成功经验。坚持一月一调度，定期听取各招商工作组情况汇报，及时协调解决招商过程中遇到的困难和问题。

【项目谋划和管理】 2023年，会泽县紧扣“8+3”现代产业体系，结合国家产业政策和企业投资导向，通过向乡（镇、街道）、县直部门征集、实地调研等方式，谋划储备投资412亿元的118个规模较大、质量较高、带动能力较强的项目，提高项目成熟度。从项目库中筛选出古城会馆活化利用、钟屏文旅小镇建设、高品质酒店建设、娜姑白雾村田园综合体、养老康养服务中心建设运营等18个项目，申报为市级重点包装储备项目。加强会泽县大海草山旅游景区开发建设、年产11万吨新型磷酸盐系正极材料生产基地、会泽白雾先锋书店等7个重点项目调度，提升招商质效。

【精准招商】 2023年，会泽县结合现有产业配套，研究绘制招商路线图，定期更新完善目标区域和目标企业“两清单”。紧盯影响带动力强的国内知名龙头企业、同行业领军企业，聚焦500强企业、发展势头强劲的民营企业、“独角兽”企业，重点攻关企业，高频次对接，引进深圳德方纳米、云南旅游投资、南京先锋书店、深圳盛之发、湖北汉川可依朵等一批行业龙头、领军企业，推动全县产业结构优化升级。围绕打造“巩固拓展脱贫攻坚成果同乡村振兴有效衔接示范区”，加大农特产品精深加工企业招引，肉牛、草莓全产业链全面形成。围绕打造“劳动密集型产业基地”，到广东、湖南等东中部产业转移重点省市，大力引进电子元器件、服装生产等劳动密集型企业，手机充电器基本形成产业链。

【招商路径】 2023年，会泽县建立与广东轻工联合会、中国蔬菜流通协会、上海蔬菜集团等商协会的常态化联系机制，依托南博会、中国草莓品牌大会、中国（青岛）国际辣椒交易博览会、重庆火锅节等大型活动开展专题招商，多渠道捕捉企业信息，撬动市场化招商力量。发挥国有平台公司发展优势，强化平台公司与重点企业沟通合作，构建“产业运营+资本运作”发展格局，释放国有平台公司招商活力和潜力。加强与会泽已落户企业的联动，充分利用落户企业的信息、人脉资源，引导落户企业协助招商。举行招商推介3场次，加强会泽优势资源和重点项目推介。精准摸排外资项目，采取一企一策措施，推进在会外资企业增资扩股和注册外资（合资）企业。

【企业服务】 2023年，会泽县投资促进局制作会泽县招商宣传片、PPT，印制招商引资项目册、宣传折页，动态更新完善“大招商”数据，定期梳理土地、闲置厂房等资源信息，收集梳理汇总土地、用工、供电、资金扶持等方面的相关政策，为投资客商提供精准服务。全面宣传和落实省市县招商引资优惠政策，全面落实服务企业“三项制度”，全面实行招商项目证件办理、税务登记等事项领办代办。全年，受理各类代办事项100余件，解答业务咨询100余件，为21家企业帮办代办公司注册、用地等事项。大力开展走访企业活动，全面了解企业生产经营情况，听取企业意见建议，协调解决相关问题。走访企业60余家，帮助企业解决问题30余个。

【产业招商工作组招商】 2023年，会泽县6个产业招商工作组锚定主导产业，瞄准主攻方向，采取“走出去”“请进来”等方式，大力开展延链补链强链招商，充分发挥招商“先锋队”作用。全年，拜访目标企业201家、完成134%，邀请178家企业到会泽县实地考察，牵头引进新签约项目27个，新开工19个。其中，劳动密集型产业（含电子信息产业）招商工作组，外出招商12次，拜访目标企业60家，邀请40家企业赴会泽县考察，招引落地劳动密集型企业9家，其中电子产业6家、服装企业2家、精神病医院1家，解决1600余人的就业务工问题；文旅产业招商工作组，外出招商8次，拜访目标企业58家，邀请38家企业赴会泽县考察，新签约项目5个、协议投资额15.7亿元，新开工项目3个；新能源产业招商工作组，外出招商5次，拜访目标企业18家，邀请45家企业赴会泽县考察，新签约项目9个，新开工项目4个，完成《会泽县水资源开发利用规划（2020—2035）》报告编制；养殖业招商工作组，外出考察招商7次，拜访目标企业22家，邀请23家企业赴会泽县考察，新签约项目2个，新开工项目2个。种植业招商工作组，外出招商12次，拜访目标企业33家，邀请22家企业赴会泽县考察，新签约项目1个，新开工项目1个；绿色磷化工产业招商工作组，外出招商活动6次，拜访目标企业10家，邀请10家企业赴会泽县考察，新签约项目1个。

（彭泽红）

会泽县道成开发投资集团有限公司

【概况】 会泽县道成开发投资集团有限公司原名“会泽县道成扶贫开发投资经营管理有限公司”（以下简称“会泽县道成集团”），是县委、县政府为贯彻落实“三联”机制、提高产业扶贫组织化要求组建的县级国有独资公司，公司于2019年1月8日挂牌成立，注册资本10亿元，2022年10月14日更名为会泽县道成开发投资集团有限公司。主要职责是：兴建产业实体，带动群众发展产业增加就业；发展壮大村集体经济，破解集体经济薄弱难题；运营管理好县委、县政府划入的国有资产，促进保值增值；发挥好融资投资功能，保障公司做大做强。业务范围：重点打造农业产业、资产运营、工程建设、粮油商贸、教育发展、资源开发、文旅开发7个业务板块，对应成立7个一级子公司和6个合资公司，托管4个公司。2023年，公司设党委、董事会，董事会下设战略投资委员会、提名薪酬委员会和审计风险委员会3个委员会。党委与董事会、经理层间实行“双向进入、交叉任职”的领导体制。下设董事会办公室（党群宣传部）、总经办办公室（综合管理部）、党委组织部（人力资源部）、纪检监察部、战略投资部、计划财务部、股权管理部、法律风控部、产业发展部、运营事业部10个部门。集团合同制员工218人。

【合资公司业务】 2023年，会泽县道成集团投资新能源、矿产、碳汇、公路资源开发等行业，引进华电集团成立合资公司，主要负责光伏清洁能源开发；引进德方纳米成立合资公司，磷矿资源开发及加工；与市公路资源公司成立合资公司，高速公路砂石资源供应、加油站开发；与市机动车检测站成立合资公司，主要开展机动车检测业务；与中德高路云南公司成立合资公司，主要开展工程技术服务、工程咨询服务；与广东数字碳秤公司成立合资公司，主要进行生态资源开发。

【托管企业业务】 2023年，会泽县道成集团托管会泽县聚隆工业投资开发有限公司、会泽县泽鑫投资开发有限责任公司、会泽县兴安粮油购销公司、会泽县开发投资有限责任公司4家公司。

【资产情况】 2023年，会泽县道成集团实现营业总收入7.04亿元，净利润3003.34万元。截至年末，累计实现营业总收入14.09亿元，营业利润1.64亿元，净利润5133.92万元，贡献税收5477.71万元，账面资产总额113.69亿元。

【生产经营】 2023年，会泽县道成集团围绕提升产业组织化程度，推进产业链、供应链、价值链、流通链“四链重构”，建设农业产业基地、产业园区、加工厂、综合市场等产业实体。通过自营、合作、租赁等方式，对县政府划转注入的易地搬迁县城安置区商铺、移交的城区商铺进行管理运营。整合村集体经济发展资金1.9亿元，建成171个村级光伏电站、5条生猪养殖生产线和全县学校食堂食材配送中心，提升改造城区综合市场。累计拨付村集体经济和村级光伏电站收益、到户收益2.15亿元；通过务工、带动创业、开发公益性岗位等方式实现就业1.2万人，人均年收入2.5万元以上。

【招商引资】 2023年，会泽县道成集团省内外招商到位资金目标12亿元，完成15.71亿元，完成率130.9%；主要领导省外招商目标4次，完成13次。

（张尚安）

［责任编辑 张友全］

农业・农村

综　述

【农业综合执法】　2023年，会泽县加强农业综合执法工作。农业投入品专项执法，出动执法人员400余人次，检查农业投入品市场58个次，农资经营单位及门市382个，核查农药品种标签222个、种子品种标签172个、肥料品种标签86个，下达责令整改通知书86起，查获涉嫌超过农药质量保质期农药20千克；立案6起违法案件，其中，假种子案件3起、农药案件1起、农产品质量安全案件2起、行刑移送案件1起；罚没款合计6.61万元，移交其他执法部门案件2件，开展行政约谈1件。落实长江10年常年禁捕工作，出动执法人员1069人次、执法车辆189车次，检查农贸市场233个次，商场超市227个次，检查涉渔餐饮服务单位1369家次、水产制品生产企业、加工小作坊47个次；清理违规网具73张/顶，查办涉渔行政案件3件，行政处罚金额0.6万元。组织农机安全检查63次，出动农机监理执法人员271人次，检查耕作型拖拉机193台次，注销变型拖拉机69台，排查合作社、销售点、修理点等有关场所69次，处理农机违法违规9起。其中：无证驾驶1起，其他违规8起，对1起无证驾驶给予行政处罚200元，对其他8起违规违法行为进行批评教育和责令改正，并发送催办通知书和限期整改书，整改率100%。

【高标准农田建设】　2023年，会泽县投入财政资金1.49亿元，实施高标准农田建设项目11个，涉及10个乡（镇、街道）28个村（社区），建设高标准农田面积9.92万亩。其中：老厂乡投入930万元，在卡龙、老厂村建设0.62万亩；五星乡投入1500万元，在红石岩、干松林村建设1.0万亩；矿山镇投入1950万元，在二关营、拖翅、扯落村建设1.3万亩；新街乡投入1500万元，在哈卡、龙潭、闸塘、联合村建设1.0万亩；娜姑镇投入1050万元，在则补、大闸、云峰村建设0.7万亩；火红乡投入1500万元，在桥边、勺冲角村建设1.0万亩；宝云街道投入1200万元，在卡郎、三道村建设0.8万亩；马路乡投入750万元，在荒田、新山、旁官地村建设0.5万亩；迤车镇投入1500万元，在石板、高笕村建设1.0万亩；乐业镇两个项目共投入3000万元，在乐业、丫口村、二顺、务嘎、阿布卡村建设2.0万亩。

【农业改革】　2023年，会泽县新增土地流转面积3.55万亩，累计流转农村土地承包经营权78.68万亩，占耕地总面积的38.66%。全面完成农村集体产权制度改革清产核资工作，强化农村集体“三资”管理，全县25个乡（镇、街道）代管资金（银行存款）3.75亿元，经营性资产2.01万件，价值8.92亿元；年末村组集体经济收入达7596.25万元。制定印发农村宅基地申请审批办理程序和申请审批表格，启动25个乡（镇、街道）农村宅基地审批工作，完成审批8973宗。

【农业科技】　2023年，会泽县加大力度开展农业科技创建工作。与国家燕麦荞麦产业技术研发中心、云南省农业科学院等8家涉农科研院校合作，创建17个省级农业专家工作站，3个“科技小院”（燕麦、草莓、肉牛）。组织基层农技人员260人接受连续5天以上的脱产业务培训，参与省、市的各类培训8期40人次，举办县内各类培训班56期，培训7332人次，开办高素质农民培育11个班次561人次。全年农业主推技术6项，培育农业科技示范主体4个，建设6个农业科技示范展示基地。推广实施良种及配套技术、测土配方施肥、水肥一体化、病虫害专业化防治等9项重点科技措施420.98万亩；主要粮食作物和特色经作统防统治绿色防控105万亩，完成测土配方施肥65万亩、增施有机肥45万亩、秸秆还田42万亩、水肥一体化3.2万亩、绿肥种植40万亩，化肥施用量同比减少2%。

（陈　云）

种植业

【概况】 2023年，会泽县严格实施藏粮于地、藏粮于技战略。坚持“稳面积、攻单产、提产能”，加强耕地保护，持续开展撂荒地复耕复种，加大“冬闲田”“冬闲地”综合利用率，深挖可用耕地潜力，建设高标准农田，加大粮食增产集成技术推广力度，推进粮经协作试点，配套良种、良机、良艺，大力开展高产示范创建，扩种大豆油料，带动粮油综合生产能力全面提升。全年完成粮食作物总播种面积166.19万亩，同比增收1.8%，实现粮食总产48.54万吨，同比增长1.46%，人均有粮449.5千克，粮食生产实现二十年连增。

【特色经济作物】 2023年，会泽县发挥规划引领作用，主导产业向最适宜区集中，农业区域化布局和规模化生产程度进一步提高，高原特色农业发展多元化突显。马铃薯种植面积83.75万亩，总产117.46万吨，产值19.64亿元。新种植樱桃、李子、草莓、石榴、苹果等水果0.73万亩，水果累计种植面积15.73万亩，占计划数15万亩的104.87%，同比增长3.55%，水果产量19万吨，产值13.84亿元。1月，娜姑镇盐水石榴基地被农业农村部认定为第二批全国种植业“三品一标”基地。完成各种蔬菜种植面积56.8万亩（绿色蔬菜42.5万亩），产量81.5万吨（鲜重），产值25.19亿元；完成中药材种植3.5万亩，占计划数的100%，实现产量1.2万吨，产值3.2亿元；完成花卉种植1.89万亩，占计划数105%，实现鲜切花产量7980万枝，食用玫瑰等鲜花产量625吨，产值2.5亿元。

【特色种业培育】 2023年，会泽县认真开展特色种业培育工作。开展玉米、水稻、杂粮新品种选育和高质高效栽培技术试验15组、示范推广共2300余亩，全年审定云岭玉757、会玉979、太阳花等玉米新品种4个；开展马铃薯DUS、DNA抗性鉴定和品质分析，完成会薯8号、会薯13号、会薯16号、会薯17号、会薯18号、会薯19号、会薯20号、会薯22号等8个自育马铃薯新品系的登记申报。

畜牧业

【概况】 2023年末，会泽县完成生猪存栏117万头，其中能繁母猪11.2万头，出栏174.35万头，肉产量14.05万吨，产值37.5亿元。肉牛存栏47.3万头，出栏20.92万头，肉产量2.72万吨，产值26.64亿元。肉羊存栏66.69万只，出栏81.3万只，肉产量1.3万吨，产值16.4亿元。家禽存栏242.11万羽，出栏438.1万羽，肉产量0.86万吨，禽蛋产量0.6万吨，禽类产值4.6亿元。肉类总产18.93万吨，畜牧业总产值88.44亿元，占整个农业总产值165.69亿元的53.38%。

【肉牛全产业链发展】 2023年，会泽县引进河南省鼎元种牛育种有限公司在会泽注册成立华育生物科技有限公司。公司投资1.5亿元，建成占地343亩，设计存栏160头种公牛、1000头种母牛的国家级种公牛站和核心育种场，并于3月正式投产运营。饲养西门塔尔牛、华西牛、利木赞牛、安格斯牛等9个品种种公牛142头，种母牛218头，全部达产后年可生产冻精800万剂。引进云南伊胜穆斯林商贸有限公司，共同投资2.2亿元启动建设年交易20万头的肉牛交易市场和年屠宰加工5万头的肉牛屠宰加工厂。与中农垦草业有限公司达成协议，在会泽县建设牧草研发中心、高标准优质牧草种植示范基地和饲草料收储交易中心。坚持“小规模、大群体”的发展思路，扶持有条件的农户和经营主体发展适度规模养殖，以肉牛养殖示范村建设为抓手，围绕“牛八条”措施的落实，在示范村内大力推广肉牛养殖“6523”模式（即一个养殖户新建标准化牛舍60平方米、每年饲养5头、加工利用秸秆20吨、年收入3万元）。整合财政涉农资金3800万元，在新街、乐业、驾车3个乡（镇）中选择16个村试点肉牛养殖示范村建设，新增规模养殖户1066户；投入3640万元衔接资金在五星、老厂、纸厂、矿山、古城5个乡（镇、街道）实施20个肉牛养殖示

宝云街道会泽德牧农业有限公司养殖场 （尹永权　摄）

范村建设，培育示范户 1043 户。

【生猪稳产保供】 2023 年，会泽县积极参与国家、省级畜禽养殖标准化示范场创建，持续推进生猪规模养殖场建设，全力抓好投产达产，提高养殖规模效益。年末，全县建成种猪场 7 个，设计养殖规模 5.32 万头；建成规模育肥场 212 个，设计年出栏规模 75.52 万头，投产率 100%，达产率 80.12%，其中大型生猪规模养殖场 154 个，占最低保有量 142 个的 108%；全县承保能繁母猪 4.29 万头、育肥猪 60.48 万头。

【重大动物疫病防控】 2023 年，会泽县贯彻落实国家、省、市对重大动物疫病防控工作的部署和要求，围绕不发生区域性重大动物疫情总目标，坚持防疫优先，抓好以非洲猪瘟、牲畜口蹄疫、高致病性禽流感、小反刍兽疫等重大动物疫病防控以及牲畜布鲁氏杆菌病、结核病、狂犬病等重点人畜共患病的防治，重大动物疫病强制免疫密度达到应免畜禽的 100%，免疫抗体合格率 75% 以上，全县猪、牛、羊、禽疫病死亡率分别控制在 3%、1.5%、2%、6% 以内，未发生区域性重大动物疫情。全年共免疫畜禽 988.49 万头（只、羽），监测样品 1.64 万份。年内，会泽县动物疫病预防控制中心兽医实验室通过省级考核；田坝奋斗种猪场和者海种猪场 2 个无非洲猪瘟小区创建通过部级检验；推进全县兽医社会化服务和政府购买动物防疫服务工作，完成 8 个乡镇的社会化服务组织（合作社）创建、2 个企业申报动物免疫“先打后补”试点工作。

【动物卫生监督及兽药饲料监管】 2023 年，会泽县严格畜牧兽医综合执法，开展专项整治行动，从源头上确保畜产品质量安全，确保不发生重大畜产品质量安全事件。年内，监督 2 家生猪定点屠宰场和 1 家家禽集中屠宰场严格按照国家规定屠宰，监督屠宰场对检疫检验出的病害畜禽及其产品 100% 进行无害化处理，生猪屠宰场入场生猪产地检疫持证率 100%、入场动物耳标佩戴率 100%，共检疫猪肉胴体 7.66 万具、家禽 11.31 只，检出病害肉 3130 千克，均已作无害化处理。产地检疫生猪 21.44 万头、牛 8.41 万头、羊 0.04 万只；屠宰环节“瘦肉精”抽检 1551 份，养殖环节 3000 份，检测结果全部为阴性；共办理畜牧兽医执法案件 21 件；抽取饲料样品 30 个、兽药样品 30 个，畜产品兽药残留检测样品 63 份；累计监督检查兽药经营户 212 户、饲料经营户 756 户、畜禽规模养殖场（户）350 户。新建动物产地检疫报检点 14 个。

【病死畜禽无害化处理】 2023 年，会泽县严格执行农业农村部不准屠杀、不准食用、不准出售、不准转运，必须进行无害处理的“四不准，一处理”措施，全年无害化处理病死畜禽 3.73 万头（只），其中专业无害化处理 6022 头（只）。

【科技措施推广应用】 2023 年，会泽县与省畜牧兽医科学院、省草地动物研究院等专家团队合作，强化科技措施推广应用，推广非洲猪瘟防控、肉牛养殖、动物疫病防控等先进实用技术。全年，完成畜种改良 29.22 万头（窝、匹、只），完成种畜精液品质抽检 100 份，完成良种禽推广 161.86 万羽。全县推广饲用燕麦、青贮玉米种植 25 万亩，推广青贮饲料 37.6 万吨、氨化饲料 12.75 吨、工业饲料 11.2 万吨。开展各类培训 30 余期 2000 余人次，发放养殖技术手册 1000 余册、技术资料 5 万余份。

【畜牧业重点项目建设】 2023 年，会泽县完成中央财政投资 1324 万元的生猪调出大县奖励资金项目建设任务；推进中央财政投资 1100 万元的 2022 年云南省肉牛优势特色产业集群会泽县联农带农示范区建设项目；编制中央财政投资 900 万元的 2023 年云南省肉牛优势特色产业集群会泽县联农带农示范区建设项目方案；推进 2023 年肉牛示范村建设项目，计划投资 1.14 亿元培育示范主体 3268 个（户），其中第一批实施 5 个乡镇、20 个示范村、1043 户示范户；推进投资 1470 万元在田坝乡李子箐实施的会泽火红山羊保种场项目以及投资 2.2 亿元年交易 20 万头的牛羊交易市场和年屠宰加工 5 万头的肉牛屠宰加工厂项目。

（张国华）

渔　业

【概况】 2023 年，会泽县围绕建设“省级外向型高端冷水鱼出口基地强县”总目标，重点打造鲟鳇鱼、鲑鳟鱼、土著鱼 3 大产业体系，把握基地建设、品牌打造、加工出口 3 个关键环节，着力从技术创新、科技服务、项目拉动、监督管理 4 项工作入手，巩固提升集约化流水养殖、常规池塘精养、大水面净水渔业、稻渔综合种养 4 大主养模式，保持会泽渔业持续向好发展。年末，全县水产养殖面积 4.3 万亩，产量 1.65 万吨，实现渔业经济总产值 9.27 亿元。其中，渔业产值 4.62 亿元。池塘 5602 亩（冷流水养殖 1170 亩），产量 1.48 万吨（冷流水产量 1.05 万吨，鲟鱼 1.02 万吨，虹鳟鱼 340 吨），产值 4.06 亿元（冷流水产值 3.19 亿元）；水库 33.74 万亩，产量 1000 吨，产值 1850 万元；稻鱼综合种养 8000 亩，产量 680 吨，产值 3757.5 万元。渔业工业和建筑业产值 3.63 亿元（水产品加工 30 吨，产值 6180 万元）。渔业流通和服务业产值 1.02 亿元。

【基地建设】 2023 年，会泽县获得中央渔业发展补助项目资金 222 万元，促进 14 个实施主体投入自筹资金 95 万元，在金钟街道、乐业镇、鲁纳乡、者海镇、迤车镇的养殖基地，进行鱼池标准化改造及尾水治理面积700亩。通过项目的实施，养殖基地整体形象设施得到提升，流水养殖产业带养殖尾水治理覆盖率达85%。

【会泽虹鳟鱼】 会泽虹鳟鱼体型侧扁，口较大，鳞小而圆，刺少，肉色橙红。肉质细嫩鲜美，既可直接生食，又能烹制菜肴，富含蛋白质维生素等多种营养物质，蛋白质达19.8%，产品销往省内外，越南、缅甸等周边国家。2023年，会泽虹鳟鱼价格均价比上年上涨20元/千克，年产340吨，产值1258万元。

【会泽鲟鱼】 会泽鲟鱼身体细长，体表无鳞片，五行骨板分布于背部、侧面和腹部。肌肉中的蛋白质含量达16.2%，其蛋白质中含有17种常见氨基酸，脂肪含量相对稳定在0.6%。会泽鲟鱼富含高度不饱和脂肪酸和DHA（二十二碳六烯酸）及辅酶Q10。会泽鲟鱼鱼子酱，其颗粒饱满，卵膜厚实，卵质充盈，色泽乌亮，香味浓郁。蛋白质含量丰富，富含氨基酸、维生素、矿物质等多种营养成分。自2021年起，会泽鲟鱼鱼子酱年均实现产量20吨以上，销往法国、日本、西班牙、比利时、瑞士、阿塞拜疆等国，实现创汇收入750万美元。2023年，会泽鲟鱼价格均价比上年上涨5元/千克，年产1.23万吨，产值3.51亿元。

【技术创新及服务】 2023年，从养殖场的产前进水、产中用水、产后排水三个阶段，形成会泽县集约化流水水质提升集成技术。产前采取垃圾自动拦截和尾水处理前置，产中采用底排污设施直接融入生产建设，产后用三池二坝及水生生物净化，在生物净化池种植耐寒、常绿、可食用的西洋菜等植物，创新在高海拔低纬度冷凉地区尾水生物净化模型。

【水生生物资源养护】 2023年，会泽县以渔业增殖放流和长江十年禁渔作为水生生物资源养护的两大重要举措，实现牛栏江渔业水域生态环境和渔业种质资源的有效修复，获得中央农业生态资源保护项目资金23万元，由会泽县水产工作站组织实施渔业增殖放流活动。在牛栏江鲁纳段、上村段进行市级水生生物自然保护区养护，投放土著鱼3.2万尾，在田坝苏斗河水库和新街花鱼洞水库进行保水渔业增殖，投放鲢鳙鱼32.9万尾。全年投放鱼苗36.1万尾。

上村乡鲟鱼养殖基地 （尹永权 摄）

【水产人才申报】 2023年，会泽县水产工作站成功申报2名云南省“三区”科技人才；获批云南省会泽县水产工作站石永伦专家基层科研工作站；曲靖市国家金线鲃种质资源场项目通过省级验收；成功创建2023年国家级水产健康养殖和生态养殖示范区；申报“水产养殖大户”1户，“水产养殖病害防治能手”1人。

（卯玲）

林业和草原

【概况】 2023年，会泽县坚持以习近平生态文明思想为指引，以全面推行林长制为抓手，以国土绿化和资源管护为重点，以林草产业高质量发展为导向，主动思变谋变求变，聚力攻坚、迎难而上，加快推进绿美会泽建设，全县林草湿生态系统功能和综合效益全面提质增效，绿水青山成色更足。全县林地面积462.08万亩，湿地面积0.95万亩，草地面积111.38万亩，活立木总蓄积1532.62万立方米，森林覆盖率40.91%，林草综合产值36.89亿元。

【林长制工作】 2023年，会泽县健全完善县、乡、村三级林长工作体系和“一长两员”管理架构，设县、乡、村三级林长671名，划定责任区1143个，设村组专管员3192名，累计开展巡林2.98万次。严格落实“一函三单”制度，累计交办并解决问题476个。践行“林长+警长”“林长+检察长”机制，设立“林长+湿地”管理模式，构建属地负责、党政同责、部门协同、全域覆盖、源头治理的林长制组织体系，林草工作成效得到全面提升。

【林政资源管理】 2023年，会泽县持续开展打击非法猎捕野生蚯蚓违法行动。年内，集中开展清查非法收购、售卖野生动植物行动5次，没收非法售卖野生植物8种268株，共查处林政案件105件，立案处罚103件，收缴罚款190.46万元，移送公安机关2件，处理信访案件13件。完成破坏森林资源疑似图斑核查477个，核实整改草原变化图斑148个、湿地疑似问题图斑16个。聚焦重大民生工程项目，累计上报征占用林地项目70个，其中永久使用林地42个面积174.15公顷，缴纳植被恢复费1537.85万元；临时使用林地26个，面积135.39公顷，缴纳植被恢复费638.99万元；直接为林业生产条件服务2个，面积48.01公顷。配合行政审批局审批临时占用林地项目12个，共缴纳植被恢复费82.39万元。

【绿化修复】 2023年，会泽县聚力攻坚困难立地造林、严重退化草地等实际困难，完成造林生态修复5715亩、草原生态修复治理1.5万亩、义务植树355万株，投资992.5万元开展县城南面山墓地绿化造林876亩。城乡绿化美化使用本县生产苗木597.4万株，苗木自给率99%，使用乡土树种苗木64个，乡土树种使用占比85%。

【森林草原防灭火】 2023年，会泽县认真贯彻落实中央和省市各项决策部署，坚持预防为主、严防严控的工作要求，狠抓责任落实、火源管控、应急处置等工作，全年省、市、县共投入森林草原防灭火资金865.5万元，签订各类责任书9986份，发放户主保证书24万份，安装自动感应广播设备205套，制作和刷新森林草原防火宣传标语1.5万余条。全年发生12起火情，发生的森林火情均得到安全高效处置，森林火灾受害率≤0.9‰，成为有记录以来旱情最重、火情最少、损失最低的一年。

【林草产业发展】 2023年，会泽县立足林业资源禀赋，加快林业产业转型升级和提质增效，完成1000亩核桃丰产示范样板建设6个、核桃初加工建设奖补项目2个、核桃仓储建设奖补项目1个，实施核桃提质改造2.59万亩，华山松松子产业培育试点1310亩。全县核桃产量8.01万吨，产值12.25亿元；花椒产量3529吨，产值1.2亿元；松子产量2649吨，产值1.36亿元；林菌、林药、林禽等林下经济产值25.9亿元，林草综合产值36.89亿元。

2023年3月3日，县林和业草原局在会泽公园开展“世界野生动植物日”宣传活动 （杨　慧　摄）

【野生动植物保护】 2023年，会泽县落实462.08万亩林地管护，划分责任单位25个，管护责任区387个，落实管护人员8644人，签订管护协议8644份，实现森林草原湿地网格化管理全覆盖。受理981起3650亩野生动物肇事保险案件，全部办结。以“世界野生动植物日”“世界环境日”等为契机，累计集中开展林草科普宣传活动8次，发放宣传资料1万余份。聚焦资源保护等热点在各级媒体网站上发表文章34篇、宣传视频3个。

【森林草原病虫害防控】 2023年，会泽县组织完成林草湿入侵物种普查工作，总踏查路线里程2334.56千米，覆盖面积4.69万公顷，完成1979个样地、853个样方调查。全县发生并有效防治云南松小蠹虫有害生物面积0.54万亩，草原有害生物面积9万亩，均为轻度危害。

（杨慧）

水　利

【概况】 2023年，会泽县围绕“东水西输，南水北调，高水活用，低水高提，水系相连，库渠相通”水网建设思路，科学规划利用水资源，全力推动水利工程建设，深化推进“河长制”工作。防汛抗旱救灾减灾能力进一步增强，城乡饮水安全更有保障，农村水价改革取得新进展，水土保持工作成效显著。

【水利重点工程建设】 2023年，会泽县完成水利固定资产投资3.06亿元。完成总投资8700万元的会泽县城备用供水工程二期主体工程建设，总投资1.06亿元的162件2023年统筹整合财政涉农资金水利项目，投资500万元的2023年度国家水土保持重点工程炉房小流域工程，总投资480.79万元的大坪子和介胜2座小型水库除险加固项目主体工程建设，总投资236万元的白马箐水土保持及水源地治理工程，总投资646万元的228处2023年中央水利发展资金饮水工程维修养护工程。总投资4.67亿元的18件农村供水保障三年专项行动项目，完成投资2.9亿元，完成1座水库、4座水厂建设。

2023年7月7日，会泽县红旗水库工程输水隧洞贯通　（何顺福　摄）

【水资源利用】　截至2023年底，会泽县建成水库42座（含小岩头、水槽子、大岩洞、龙洞、以礼河三级、四级6座电站水库）。其中，大型水库1座、中型水库3座，小（1）型水库14座、小（2）型水库24座，坝塘26座，正常蓄水的42座水库及23座坝塘，总库容6.88亿立方米；建成窖池9.8万座、水电站18座、泵站93座、水闸工程9处、机电井816个、水厂35座、集中式供水工程1757件；灌区26个，其中中型灌区3个（跃进灌区10.2万亩、娜姑灌区5万亩、者海灌区3.5万亩），小型灌区23个共8.77万亩。

【河长制工作】　2023年，会泽县各级河长累计巡河2.14万次，累计下发河长令5个、季度考核通报3期、专项督办函13个。全县深入推进“河湖清四乱”“河长清河行动”等专项行动规范化常态化，累计投入4.8万人次、2402台次机械，清理河道沟渠1820条次，清理整治河道4144千米，清理河道污染物1.96万吨。聚焦牛栏江、县城及周边河道为重点的水系保护修复，投资1200万元实施会泽县古城街道中河、梅子河等人居环境综合整治项目。深化“河长+”协作机制，进一步推动“河（湖）长+检察长”“河（湖）长+警长”“河（湖）长+校长”“河（湖）长+护河员+护林员（公益岗）”以及“党建+河（湖）长制”等五项机制的落实，认定并整改销号35个“四乱”问题。全面开展“绿美河湖”建设工作，跃进水库被评为云南省2022年度绿美河湖标杆典型对象，以礼河钟屏段评为2023年度市级“绿美河湖”。对《毛家村水库建设纪实》《会泽娜姑上水洞传奇故事》等具有历史价值的水文化，进行挖掘和整理。

【防汛抗旱】　2023年，会泽县5次连续较大降雨，共造成12个乡（镇、街道）不同程度受灾，受灾人口42917人，转移人口330人，农作物受灾面积2.68万亩，直接经济损失6207.91万元。年内，全县共投入救灾资金35.6万元，出动抢险人数1119人次，专家工作组365人次，投入机械设备51台次，使用编织袋1.7万条，砂石料2820立方米，抗灾用油3.58吨、抗灾用电0.22万度投入抢险工作，共减少受灾人口4680人，减淹耕地3135亩，防洪减灾经济效益551万元。投资50.84万元实施山洪灾害防治项目，新建9个自动雨量站、2个自动水位、4个简易雨量站，更新改造2个水位站，购买铜锣、手摇报警器、高音喊话器6套；投资31万元，实施山洪灾害防治非工程措施设施维修养护项目。全县有7座水库、5座坝塘发生干涸，17条河流发生断流，部分库塘蓄水不足。年内，启动抗旱Ⅳ级应急响应1次，共有21个乡（镇、街道）114个村，因旱饮水影响3.45万人，因旱饮水困难1.70万人、大牲畜0.74万头，80.85万亩作物不同程度受旱。全年共下达四批中央及省级抗旱资金367万元，群众自筹投入抗旱资金421.54万元，投入抗旱人数1.93万人、机电井11眼、泵站21处、机动抗旱设备566台套、机动运水车辆44辆，临时解决抗旱浇灌面积0.94万亩，临时解决1.70万人0.74万头大牲畜的饮水困难问题。

【饮水安全保障】　2023年，会泽县完成水库坝塘蓄水1.26亿立方米。通过实施整合使用财政涉农资金水利项目、会泽县农村供水保障3年专项行动项目等工程建设，全县107.66万总人口中，水厂集中供水解决64.6万人，管引工程集中解决39.2万人，水窖辅助供水解决2.71万人，纯水窖供水解决1.15万人。城乡供水一体化覆盖率提升到60%，新标准农村自来水普及率70.02%，农村集中供水率96.02%。通过全面压实“主体责任制”，建立“包保工作制”，实行“联合抽查制”，健全“资产移交制”，推行“服务承诺制”，严格“水费收缴制”，建立“监督举报制”，实行“问题通报制”和“限时整改制”等九项制度，全县农村供水保障工作得以有序开展，饮水保障责任全面落实。

【农村水价改革】 2023年，会泽县完成投资174万元的2022年度农业水价综合改革项目建设，建成33套在线式流量监测设备、1套后端服务平台及1套调度指挥中心设备；完成投资102万元的2023年度农业水价综合改革项目建设，通过远传终端、可视化监控，搭建节水智能预警监管平台，完成56.32万亩农业水价改革县级验收。

【水土保持】 2023年，会泽县完成水土流失治理面积128.38平方千米，占市级下达任务120平方千米的106.98%。完成12个生产建设项目水土保持设施验收报备工作、10个生产建设项目水土保持方案的审批工作、40个疑似扰动图斑现场复核、10件生产建设项目水土保持现场监督检查指导、3件生产建设项目水土保持设施自主验收核查工作。完成炉房小流域治理项目建设、朝阳小流域治理项目竣工通过市级验收。

（何顺福）

乡村振兴

【概况】 2023年，会泽县认真贯彻落实中央和省市决策部署，以实施巩固拓展脱贫攻坚成果同乡村振兴有效衔接三年行动计划暨示范区建设和促进脱贫人口持续增收三年行动计划为抓手，全力以赴推动“责任、政策、工作”三落实，全县脱贫攻坚成果巩固成效明显，守住不发生规模性返贫的底线，乡村振兴工作稳步有序推进。创造“黄红绿”分类管理模式，娜姑镇“白雾经验”在全省推广学习。

【脱贫成果巩固】 2023年，会泽县“三保障”和饮水安全保障质量得到进一步巩固提升。继续压实“双线四级”责任，义务教育阶段农村脱贫家庭辍学学生实现“动态清零”。全县脱贫人口及监测对象全部参加基本医疗保险，实现基本医保“应保尽保”。实施农村危房改造及农房抗震改造777户（其中，农村危房改造243户，农房抗震改造534户），确保脱贫人口和监测对象等重点群体新增危房“动态清零”。投资1.06亿元，实施水利项目162件，巩固提升6.33万户20.23万人饮水问题，全县农村集中供水率96.02%，做到农村供水问题“动态清零”。

【脱贫人口增收】 2023年，会泽县坚持把促进脱贫人口持续增收作为重中之重，实施脱贫人口持续增收三年行动，突出产业就业帮扶，全面总结推广“白雾村”经验做法，根据农户劳动力、土地资源等情况，将农户分成“发展产业类”“劳务输出类”“土地流转类”“兜底保障类”，通过分层分类精准落实帮扶措施，有效推动脱贫人口持续增收。截至12月31日，2023年度脱贫户和监测对象人均纯收入1.28万元，较上年同期增加1928.49元，增幅17.8%，其中：人均工资性收入9406.69元，占比73.70%，较上年同期增加1583.45元，增幅20.24%；人均生产经营性净收入1887.47元，占比14.79%，较上年同期增加200.43元，增幅11.88%；人均转移性收入1415.90元，占比11.09%，较上年同期增加132.43元，增幅10.32%；人均财产性收入53.69元，占比0.42%，较上年同期增加12.19元，增幅29.37%。通过“红黄绿”分层分类管理，会泽县2022年底万元以下脱贫户及监测对象共计3.13万户13.54万人，2023年度万元以下脱贫户及监测对象共计1479户3568人，较上年万元以下脱贫户及监测对象减少2.98万户13.19万人。2022年底人均纯收入8500元以下且有劳动能力的脱贫户及监测对象1.63万户7.61万人已“动态清零”。

【衔接乡村振兴】 2023年，会泽县积极争取乡村振兴重点帮扶县系列支持政策措施，统筹兼顾，有效衔接推进乡村振兴重点工作。年内，累计到位中央、省财政衔接资金11.69亿元，除易地扶贫搬迁贷款财政贴息资金1.34亿元直接用于偿还贷款利息外，其余资金10.35亿元全部纳入整合统筹，用于460个项目建设，开工

钟屏街道渔洞社区红石岩小组宜居宜业和美乡村建设　　（刘光信　摄）

率100%，资金支出率100%，完成工程总体进度的100%。争取上海市宝山区帮扶资金6329万元，实施乡村振兴示范点建设、产业发展、基础设施建设、校园建设、美丽村庄、劳务协作等16个项目。截至12月31日，全年新增发放脱贫人口小额信贷7836户4.63亿元，贷款发放金额居全市第一位，完成“稳中有增”目标的198.23%，完成“全省100亿元”目标的102.21%。抓好全国乡村振兴重点帮扶县“富民贷”试点发放工作，累计发放“富民贷”810户1.13亿元，大力支持“三农”经营主体发展生产和开展经营，持续巩固拓展脱贫攻坚成果、助力乡村振兴。全年培养农村致富带头人1233人，达到每个脱贫村培养3至5名致富带头人的目标，带动52880名群众增收致富。启动实施钟屏街道鱼洞社区红石岩小组、娜姑镇白雾村白雾街四组、古城街道水城社区6组3个宜居宜业和美乡村建设。

【突出问题整改】 2023年，会泽县坚持问题导向，对各级各类反馈问题主动认领，全面接受，举一反三，触类旁通，坚决整改落实到位，以问题整改促进工作落实。2022年度巩固拓展脱贫攻坚成果同乡村振兴有效衔接考核评估反馈问题（含排查发现的问题）18个，全部整改完成。市级2023年督查发现5个方面16个问题，全部整改完成。2023年省对曲靖市巩固拓展脱贫攻坚成果同乡村振兴有效衔接工作督查问题反馈，指出会泽存在3个方面5个问题，全部整改完成。2022年曲靖市审计局对会泽县开展乡村振兴重点帮扶县相关政策落实和资金审计反馈五类32个问题，完成整改32个。

（李庆华）

［责任编辑　朱灿仑］

工业 · 信息业

产业园区

【概况】 2023 年，云南会泽产业园区认真贯彻落实省委、省政府做实做大“三个经济”的重大决策部署，全面贯彻省市党建引领开发区高质量发展和开发区振兴三年行动要求，深入落实奋进新征程推动新跨越年度工作安排，坚定不移实施“工业强县”战略，努力克服经济发展方式转变、产业结构调整升级、资源要素保障等各方面的困难和挑战。年末，纳入省统范围内企业 52 家，其中规模以上企业 23 家。全年完成工业总产值 156.71 亿元，同比增长 14.56%；完成工业增加值 81.7 亿元，同比增 7.4%。固定资产投资提质增效，全年完成规模以上固定资产投资项目入库 7.76 亿元，完成出数 9.45 亿元。全年完成省外投资项目（含省外国内）到位资金 9.45 亿元。园区成功创建为全市第三批新时期产业工人队伍建设改革示范园区，被省工信厅拟推荐认定为 2023 年度绿美园区；者海化工园区被省工信厅等 9 家单位列为全省第二批化工园区设立（确认）名单。

【园区管理】 2023 年，云南会泽产业园区总体规划通过审查，规划面积 9.08 平方千米，空间布局“一园三片”，确定“一主三辅”产业发展方向。实行“党工委（管委会）+ 事业单位 + 企业”的体制，优化管理模式、规范机构设置、明确机构职能，有序推进体制机制改革各项工作。聚焦党的建设、经济发展、招商引资、规划建设、安全环保、综合保障等职能，科学设置副科级“1 室 4 科 2 中心”5 个内设机构和 2 个事业单位。干部队伍得到加强，结合新一轮机构改革，重组领导机构，选优配强领导班子，加强干部队伍建设。配齐党政领导班子及科级干部 10 名，核定行政和事业编制 35 名。

【基础配套设施建设】 2023 年，云南会泽产业园区在基础及配套设施建设方面共投资 4.9 亿元，开工项目 2 个，已完成投资 2.5 亿元。启动宝云绿色食品加工区标准厂房及配套设施建设项目（二期）土地成片开发方案编制工作；在电子科技信息产业园区，建成 11 栋标准厂房 16.7 万平方米、2 栋后勤服务楼 2.98 万平方米和 1 栋产品展示中心 1.05 万平方米，厂房公共部分装修、产品展示中心、食堂及北区后勤服务楼装修、景观绿化工程全面完工；在五星片区，投资 0.8 亿元的专项债券标准厂房及配套设施建设项目（一期）主体工程完成工程量的 100%，投资 1.1 亿元的专项债券（二期）项目主体工程完成工程量的 50%。投资 2000 余万元，种植雪松、樱花、玉兰等 3500 余株，绿化面积达 45 万平方米，绿地率 19.23%。者海化工园区，第一批 919 亩城镇用地建设方案获省政府审核，第二批 582 亩土地成片开发方案报省自然资源厅审核。森林防火通道完成路基施工，建成应急消防服务站、供水厂，完成主

五星特色轻工及高新技术产业区 （侯明省 摄）

干道1220米雨污管网、强弱电管网埋设及部分路基回填，智慧化平台建设正在进行软件优化调整，污水处理设施初步完成建设方案编制。

【招商引资】 2023年，云南会泽产业园区全面落实“大招商”工作机制。坚持走出去、请进来，全面推行专业化招商、平台化招商，对重大项目由专班专人紧盯不放、一抓到底。全年签约入园项目4个，投资额28.2亿元；落地开工项目3个，投资3.2亿元；在建项目6个，投资6.06亿元；在谈项目9个，投资额16亿元。

【企业纾困解难】 2023年，云南会泽产业园区全面落实“三法三化”和“三个马上”要求，坚持以提升服务质量为核心，以优化营商环境为抓手，助推作风转变和服务效能提升，3家入园企业被认定为县级第14批就业帮扶车间。组建园区服务企业联络员队伍，1家企业由1名领导和1名职工挂联，34名干部职工共挂联企业83户，全年召开企业家座谈会4次，走访联系企业100余次，解决问题48个。协调对接县财政局、农业银行会泽支行，推动中小微企业贷款风险补偿机制落地，帮助企业解决融资难题。联系对接县道成嘉品供应链公司，打通中小微企业供应链体系，2家企业与县道成嘉品供应链公司建立合作关系，代为采购原材料由企业加工，解决企业资金周转困难问题；积极争取各类扶持资金和项目贷款，整合易地搬迁后扶资金1680万元与企业合作共建产业项目，采取租买结合的方式提供给企业使用，缓解企业扩产投入压力。

（侯明省）

地方工业

【概况】 2023年，会泽县地方工业围绕做大磷化工产业、做强建材产业、做深冶金产业，推进重点项目，谋划“十四五”项目，以高质量项目建设推动经济社会高质量发展。年末，规模以上工业实现总产值165.61亿元，同比增9.77%。

【经济指标】 2023年，会泽县有规模以上工业企业44户，实现总产值165.61亿元，同比增长9.77%。其中：烟草制品业实现总产值74.90亿元，同比增长6.58%，占比45.22%；有色金属冶炼和压延加工业实现总产值62.63亿元，同比增长15.18%，占比37.82%；电力、热力生产和供应业实现总产值7.07亿元，同比增长24.83%，占比4.27%。烟草、有色金属冶炼、电力三个行业实现工业总产值144.6亿元，占规模以上工业总产值87.31%。全县规模以上工业增加值84.17亿元，同比增长7.3%。其中：烟草制品业实现增加值62.22亿元，同比增长4.2%，占比73.9%；有色金属冶炼和压延加工业实现增加值12.20亿元，同比增长22.5%，占比14.5%；电力、热力生产和供应业实现增加值5.14亿元，同比增长26.8%，占比6.1%；烟草、有色金属冶炼、电力三个行业实现增加值79.56亿元，占比94.5%，其他行业实现增加值4.61亿元，占比5.5%。

【固定资产投资】 2023年，会泽县完成工业投资76.47亿元，比上年同期增长105.6%，其中制造业完成投资20.02亿元，比上年同期增长52.8%。

【重点工业项目建设】 2023年，云南驰宏锌锗股份有限公司会泽矿业分公司选矿厂提质增效建设项目地磅房、事故池、硝酸库、锌精矿厂房等推进实施，完成相关设备供货。会泽冶炼分公司年产6万吨锌合金技改项目1号线完成锌片输送加料机采购，推进锌合金炉、通用设备制造，施工图设计工作；2号线建成试投产。半导体高端电子元器件项目、智能显示屏生产线建设项目、泽瑞盛智能元器件建设项目、泽邦智能元器件建设项目建成投产。会泽县工业园区者海化工产业区标准厂房及配套基础设施建设项目日供1万立方水厂建设完成，启动临时防洪设施建设，完成卷槽河中支及东支线永久性防洪设施项目方案编制、报批等前期工作。

（张鹏）

驻会工业企业

【红云红河（集团）会泽卷烟厂】 2023年，红云红河（集团）会泽卷烟厂（以下简称“会泽卷烟厂”）工厂占地面积21.5万平方米，从业人员（在岗职工）622人，配备3000千克/小时制丝线1条、1000千克/小时制梗丝线1条，卷接包装机组14台（套），年卷烟生产能力30万箱。会泽卷烟厂深入开展“产品质量提升年”活动，形成卷包机组“一机一策”“过程质量日分析制度”等管理实践。

（杨舒）

【云南驰宏锌锗股份有限公司会泽冶炼分公司】 2023年，云南驰宏锌锗股份有限公司会泽冶炼分公司（以下简称“驰宏会泽冶炼分公司”）设定2亿元利润总额、18万吨锌锭历史最高目标，精管理促高产、控成本增效益、防风险强保障，利润、成本、产量、指标等全面刷新历史纪录，实现成本利润、产品产量、技术指标、安全环保4个重大突破。驰宏会泽冶炼分公司全年利润总额超近4年总和，净利润同比提升189%，C3成本下降率20.97%；锌锭产量突破18万吨，锌片产量超历史最高水平2.21万吨；锌湿法直收率、锗湿法直收率、粗铅综合能耗等5个指标处于行业先进水平，自发电量9362.6万度，创造单日、单月、全年三个历史最高纪录；安全生产标准化一级企业创建通过考评，为国内铅锌冶炼行业首家、模范

2023年9月6日，驰宏会泽冶炼分公司举行6万吨锌合金技改项目试生产启动仪式 （龚俊丞 摄）

工厂创建装备模块达一流水平。

（龚俊丞）

【云南驰宏锌锗股份有限公司会泽矿业分公司】 2023年，云南驰宏锌锗股份有限公司会泽矿业分公司（以下简称“驰宏会泽矿业分公司”）有在岗员工1063人，资产总额31.34亿元，资产负债率62.76%。全年完成硫化矿产量72.02万吨；完成精矿金属量17.17万吨，年度目标达成率114.64%；自主采矿量16.3万吨，同比增长50.23%；压缩检修时间至14天内，实现零非停，安全环保事故为零；实现净利润13.51亿元，年度目标达成率105.14%；职工收入同比增长4.39%。驰宏会泽矿业分公司硫化矿产量年度目标达成率116.16%；硫化矿铅+锌出矿品位完成25.45%，年度目标达成率98.64%；铅回收率完成88.36%，年度目标达成率100.18%；锌回收率完成95.6%，年度目标达成率100%；尾矿含铅锌完成1.13%，年度目标达成率101.74%；铅锌精矿金属量年度目标达成率114.62%；铅锌精矿单位成本完成4358.5元/金属吨，年度目标达成率120.34%；净利润年度目标达成105.14%；两金压降完成1317.65万元，年度目标达成率111.26%。

（李凤）

【华电云南发电有限公司以礼河发电厂】 2023年，华电云南发电有限公司以礼河发电厂完成水电发电量8.05亿千瓦时，累计安全天数7800天，获评全国安全文化示范企业称号和会泽县“健康企业”称号。排查出安全隐患133项，完成治理126项，整改率94.74%。通过“安全生产月”、消防宣传月等方式，不断强化安全教育，提升从业人员安全意识。与会泽县政府联合开展毛家村水库防汛应急演练，全年共开展应急演练79次，参练905人次。制定2023年度防非停工作方案和设备健康提升年专项行动方案，排查发现设备缺陷74项，完成整改68项，整改率91.89%。围绕“远程集控，无人值班，少人值守”运维管理模式开展设备精准评估，编制五年设备技改规划。完成待补风电一期189兆瓦工程，实现全容量投产；完成待补风电二期182.3兆瓦工程升压站主变压器等附属设备安装。

（徐春芹）

重点工业企业

【会泽滇北工贸有限公司】 会泽滇北工贸有限公司注册资本1.16亿元，资产总额5.26亿元。银行信用等级AA，在册员工352人，是曲靖市重点骨干企业60强之一。下辖滇北冶炼总厂、滇北水泥厂、会泽诚成锌电实业有限责任公司，在昆明设立办事处。生产的“金钟山”牌电铅、“滇北”牌水泥获云南省著名商标称号。公司具备精铅5.2万吨，精锌1万吨，水泥熟料60万吨的年生产规模。2023年，冶炼厂完成锌氧粉767.33吨，产值1317.24万元；水泥厂完成熟料56.71万吨、水泥67.71万吨，产值2.92亿元；诚成锌电实业有限责任公司完成粗锌3443.68吨、精锌2372.77吨，产值0.51亿元。全年完成工业总产值3.43亿元，比上年同期下降21.15%。其中：冶炼厂完成7672万元，下降5.74%；诚成锌电实业有限责任公司完成0.51亿元，下降60.16%；水泥厂完成2.16亿元，下降4.42%。年末，产成品及半成品库存总额约2320.97万元。其中：冶炼厂776.12万元，水泥厂410万元，锌电公司1134.85万元。全年完成利润5405万元，增值税816万元。

（会泽滇北工贸有限公司）

【会泽金塬水泥有限公司】 会泽金塬水泥有限公司注册资本金1亿元，有职工308名。是云南省百户优强民营企业，云南省高新技术企业，云南省专精特新中小企业，云南省劳动关系和谐企业，曲靖市60户重点骨干工业企业之一，生产的“金塬”牌水泥获云南省著名商标称号。2023年，5兆瓦纯低温余热发电站发电量3927.15万度，比上年增364.49万度。投资1.15亿元建设的水泥窑协同处置生活垃圾项目投入运行，设计处置生活垃圾规模300吨/天，9万吨/年，安置20余人就业。利用水泥窑协同处置会泽县城及周边乡镇生活垃圾 7.76 万吨，比上年增 1.43 万吨。全年生产水泥熟料 80.81 万吨，生产销售水泥 116.42 万吨，实现销售收入 3.26 亿元，缴纳各种税费和基金 5311.27 万元，比上年增 848.17 万元。

（会泽金塬水泥有限公司）

【会泽云能投新能源开发有限公司】 会泽云能投新能源开发有限公司是云南省能源投资股份有限公司全资子公司，注册资本金 7.72 亿元，有职工 27 人。负责开发会泽范围内的新能源项目，投产的大海风电总装机 9.6 万千瓦，总投资 8.9 亿元，实现年产值 1.2 亿元，累计完成纳税 1.3 亿元。2023 年，完成发电量 2.99 亿千瓦时，完成售电量 2.90 亿千瓦时；全年平均电价 0.50 元 / 千瓦时（含增值税），实现营业总收入 1.29 亿元。负责建设的金钟风电场总装机 350.4 兆瓦，计划投资 30 亿元，年发电量约 10 亿度。投产后会泽公司总装机容量达 44.64 万千瓦，可实现产值 4.6 亿元，年发电量可达 13 亿度，年平均纳税 1500 万元。

（会泽云能投新能源开发有限公司）

【云南滇能会泽牛栏江水电开发有限公司】 云南滇能会泽牛栏江水电开发有限公司注册资本金 1.64 亿元，公司注册地云南省曲靖市会泽县马路乡巴图村。主要从事电力开发投资，电力生产及销售，工程承包及建设，电力设备及零部件销售，电力、建设安装及检修，电力技术服务咨询。2023 年，完成发电量 2.49 亿千瓦时，同比下降 17.71%，营业收入 6775 万元。

（云南滇能会泽牛栏江水电开发有限公司）

【会泽县川渝水电开发有限公司】 会泽县川渝水电开发有限公司属重庆龙珠电力集团控股的子公司，注册资本金 5 亿元，有职工 48 人。年平均发电量 4.78 亿千瓦时，售电量 4.61 万千瓦时。年销售收入 1.23 亿元。上缴税费 1417 万元，水资源费 488.31 万元，库区基金 242.75 万元。2023 年，完成发电量 2.7097 亿千瓦时，其中龙洞水电站完成 3007 万千瓦时、大岩洞水电站完成 2.41 亿千瓦时，同比负增长 18.67%。完成售电量 2.67 万亿千瓦时，其中龙洞水电站完成售电量 2924 万千瓦时、大岩洞水电站完成售电量 2.37 万亿千瓦时，同比增 17.9%。完成电费回收售电收入 7290.21 万元，其中龙洞水电站完成售电收入 514.85 万元、大岩洞水电站完成售电收入 6761.65 万元，电费回收率 100%。

（会泽县川渝水电开发有限公司）

【会泽县大通天然气有限公司】 会泽县大通天然气有限公司属中国天伦燃气控股有限公司旗下，注册资本 3738 万元，占地面积 1.3 万平方米。主要经营天然气加工、销售，燃气管道、管网、管件、仪表、器具的安装、销售、维修，液化天然气 LNG、压缩天然气、CNG 槽车运输、汽车加气站等。2023 年，投资 19 万元，建设城市管网 2.85 千米。完成居民户内安装 1341 户，累计安装用户 2.28 万户，累计已通气居民用户 7251 户、商业用户 276 户、工业用户 13 户、CNG 车辆 70 辆。全年实现销气 1372 万立方米，比上年同期减 14%。经营收入 5930 万元，比上年同期减少 25%。利润总额 717 万，比上年同期增 17%。平均用工人数 30 人。

（会泽县大通天然气有限公司）

【会泽鲟鱼谷鱼子酱有限责任公司】 会泽鲟鱼谷鱼子酱有限责任公司注册资本金 500 万元，是云南省高新技术企业，云南省最大的鲟鱼产业出口企业。2023 年，生产的“鱼子酱”出口到 22 个国家和地区，产品销售遍及国内 29 个省（自治区）的 147 个地级市。全年生产鲟鱼子酱等鲟鱼产品 19.5 吨，实现销售收入 5152 万元，缴纳各种税款 147 万元。

（会泽鲟鱼谷鱼子酱有限责任公司）

【中电建十四局（会泽）新能源装备制造有限公司】 中电建十四局（会泽）新能源装备制造有限公司位于会泽县五星乡五星特色轻工及高新技术产业区，是中国电建集团旗下中国水利水电第十四工程局有限公司全资控股子公司，注册资金 5000 万元，制造基地总投资约 1.2 亿元，有职工 145 名。拥有 11 条数控光伏支架构件冷弯生产线，自动焊接机器人 2 套，行车 6 台，叉车 4 台，冲压设备 4 台，激光切割机 2 台等，年产能 10 万吨光伏支架。2022 年度成为“规上工业企业”。2023 年，荣获云南省科学技术厅、云南省财政厅、国家税务总局云南省税务局联合颁发的“高新技术企业”、中共曲靖市委颁发的“知法明理示范企业”，所售光伏支架产品获得 4 个项目颁发的“样板工程”称号，拥有发明专利 1 项，实现新型专利 5 项，注册商标 1 项。全年光伏支架产品生产制造量 53969 吨，最高月产能 5429.6 吨，平均日产能 175.15 吨，最高日产能 210.6 吨。完成营业收入 3.60 亿元。

［中电建十四局（会泽）新能源装备制造有限公司］

信息业

【概况】 2023 年，会泽县积极推动通信基础设施建设，加强规划管理，强化要素保障，将铁塔、通信基站等通信基础设施及配套资源纳入政府整体规划，做好通信基础设施建设协调服务，推动公共资源和社会资源向 5G 建设开放，全面提高保障水平，带动传统经济发展、助力乡村振兴工作。

【通信基础设施建设】 2023 年，会泽县继续完善通信网络体系，缩小城乡差距、逐渐形成有线无线相结合、宽带交互全覆盖的融合性网络，数据与多媒体通信等先进技术得到广泛应用。全年电信业务总量完成 96 亿元，投资4200万元建设5G基站371座，建设4G基站37座。5G网络实现县城区域、乡（镇）、部分村委会、工业园区、国家AAAA级旅游景区等重点区域覆盖。1000兆光纤网络已覆盖城区、乡镇所在地。行政村移动宽带覆盖率100%，自然村覆盖率80%。

【无线电管理】 2023年，会泽县严格执行《中华人民共和国无线电管理条例》，依法对无线电台（站）进行监督管理，组织并参加全县网络安全攻防演练、网络安全检查和政务外网排查工作。在各类重大活动中，协调无线电通信应急保障，配合相关部门开展无线电安保和维稳工作，依法组织实施无线电管制，配合网信、公安等部门做好全县网络安全保障工作。

（张　鹏）

［责任编辑　朱灿仑］

商贸服务业

商贸流通

【概况】 2023年，会泽县商务系统深入贯彻中央扩大消费相关决策部署，紧盯“1+4”主要经济指标，统筹开展促内贸、稳外贸相关工作。全县商贸流通业限额以上在库企业130户，在库企业数量批发业18户、零售业65户、住宿业11户、餐饮业36户，新入库限额以上商贸企业21户。全年社会消费品零售总额完成123.6亿元，同比增长11.6%。其中，限额以上商贸企业批发业完成销售额8.4亿元，同比增18.5%；限额以上商贸企业零售业完成销售额7.1亿元，同比增13.7%；限额以上商贸企业住宿业完成销售额0.6亿元，同比增15.1%；限额以上商贸企业餐饮业完成销售额1.2亿元，同比增30.1%。

【在库项目】 2023年，会泽县固定资产投资在库项目38个，完成固定资产投资12.5亿元。

【外贸进出口】 2023年，会泽县外贸进出口任务900万美元，完成进出口727万元，占计划的80.78%，成功申报省级外贸转型升级项目。

【成品油管理】 2023年，会泽县共有营业加油站55座。其中：中石油12座，中石化16座、民营加油站27座。年经营万吨以上有3座。

电子商务

【概况】 2023年，会泽县加快推动农村电子商务深入发展，吸引掌中文化、云天传媒、民悦农业等12家企业、4个创业个体入驻县电子商务公共服务中心，开设信息化服务平台，推送项目建设进度、电商资讯、创业案例等相关文章778篇。打造网红直播基地，改造5个专业化直播间，吸纳并培养本地“网红”主播团队，推动会泽电商直播逐步规模化、专业化发展。与一家圆、永祥、昊亿、民悦等企业深度合作，借助抖音、拼多多、淘宝、微信小店等平台开设店铺销售会泽农特产品，带动县域农特产品电商化。

【直播活动】 2023年，会泽县商务局组织参与“会泽百家”马路乡水口村玛瑙樱桃助农直播活动、“会泽县火把节电商直播”活动、“第7届南博会”——会泽百家线上直播、“会泽县2023年‘丰收节’系列活动——自媒体电商直播大赛”、云南国际餐饮美食暨预制菜产业博览会、2023第十五届中国（重庆）火锅美食文化节暨火锅产业博览会、“云南美好生活”2023电商直播节等多场线上线下联合的助农促销活动。

【电商服务】 2023年，会泽县商务局组织开展“快递进村”电商服务站管理、“会泽县2023年‘丰收节’”自媒体电商直播培训、2023年“石榴丰收节”物流保障培训等专项培训活动。

供销合作

【概况】 2023年，会泽县供销社系统有独立核算企业18个。其中：县社直属公司6个（会泽县农业生产资料有限责任公司、会泽县土产日杂废旧物资公司、会泽县创合资产管理有限公司、会泽县金色乡村电子商务有限公司、会泽县供销合作发展基金公司、会泽供销供应链管理有限公司），基层供销中心合作社8个（娜姑、金钟、者海、迤车、乐业、待补、驾车、大桥），基层供销社4个（新街、矿山、上村、纸厂）。全系统共有资产总额4731万元，其中，固定资产（原值）2462万元，流动资产2210万元。负债总额3259万元，其中，流动负债2954万元，长期负债303万元。所有者权益1472万元。

【经营情况】 2023年，会泽县供销社商品购进总额完成18.4亿元，同比15.35亿元，上升19.8%。其中：从农业生产者购进的农产品9.12亿元，同比 6.28 亿元，上升 45.3%。销售总额完成 19.94 亿元，同比 16.93 亿元，上升 17.7%。商品交易市场交易额完成 15.32 亿元，同比 13.02 亿元，上升 18.4%。全系统所属企业实现利润 4 万元，同比上升 200%。

【综合改革】 2023 年，会泽县供销社完成规范农民专业合作社 5 个（会泽乐业镇乐业村广集养殖专业合作社、会泽县民乐养殖专业合作社、会泽民印生态养殖专业合作社、会泽娜姑盐水龙钦石榴种植专业合作社、会泽县干海子种植专业合作社），改造升级农村综合服务社 5 个（金钟竹园村综合服务社，迤车五谷村综合服务社，五星铅厂村综合服务社、者海箐口塘综合服务社、娜姑镇白雾村综合服务社），高质量发展基层社 1 个（娜姑供销中心合作社），改造提升薄弱基层社 1 个（会泽县者海供销中心社），建设乡镇为农服务综合体 1 个（农之友商贸有限公司）。盘活各中心社闲置长久的社有资产。利用矿山、火红分社资产与矿山镇政府、火红乡政府合作对集镇农贸市场进行提升改造完工并投入使用。对县土产公司综合市场进行提升改造，项目按四星级农贸市场标准建设，建立一个综合性智慧化平台，集市场内部数字化管理、数据处理运用、线上线下同步销售三大板块，解决市场物业及商业统一化管理。完成迤车供销中心社 60 套棚改房的建设及分配安置工作。

【农资保障】 2023 年，会泽县供销社加强对农资市场行情和市场供求的分析研究，多渠道组织货源，保障农资商品供应不脱销断档；严格执行有关价格政策，实行微利销售；配合相关部门加强对农资市场和经营网点的监管、协调、服务工作，提高为农服务的质量和水平。全年销售各种化肥 5.04 万吨，化学农药 233 吨、农膜 197 吨。

【消费帮扶】 2023 年，会泽县供销社继续加大农特产品宣传推介力度，推动云品出滇“云品入沪”和“832 平台”购销。入驻“832 平台”累计供应商 26 个，可售商品数 182 款，累计成交额 3504.12 万元。其中，县供销社依托会泽供销供应链公司，上架“832 平台”线上销售盐水石榴、乐业辣椒、者海面条等本地农特产品 40 余款，线上累计销售本地农特产品 586.66 万元。选派 1 名工作人员到县农产品销售专班参与本地农特产品销售。2 月 19 日，组织会泽供销供应链管理有限公司到罗平县参加“相聚曲靖、畅游花海”罗平马拉松农特产品展销活动，展示会泽荞麦产品、核桃仁、燕麦乳、草莓、核桃乳等 30 余个地标产品。组织会泽富天农业科技有限公司、德康斑铜等 2 个企业于 7 月 17—23 日参加第六届上海对口地区特色商品展销，展出干菌子系列、燕麦系列饮品、斑铜工艺品、铜制品等会泽农特产品，2 个企业展会期间直接销售 3.99 万元，签订意向订单 7 单，订单金额 70 万元。组织会泽云新阁农产品开发有限公司、会泽林然商贸有限公司等 6 个企业于 11 月 10—22 日参加 2023 年曲靖市消费帮扶农特产品展销推介会，展出 60 余个农特产品。组织会泽如登商贸有限公司、会泽云新阁农产品开发有限公司 2 个企业于 11 月 27—30 日参加 2023 年云南省供销合作社第二期产销对接活动，展出 50 余个农特产品。

（朱涛）

改造后的会泽供销综合农贸市场　（朱　涛　摄）

粮油和物资购销

【概况】 2023 年，会泽县粮食系统下辖 1 家国有独资和 6 家国有控股粮食购销企业。资产总额 1.29 亿元，其中，固定资产 4831 万元（净值）、无形资产（土地资产）2261 万元、流动资产 5781 万元。负债总额 8463 万元，其中，流动负债 7474 万元。所有者权益合计 4410 万元，其中，国家资本 1800 万元、民营资本（职工个人股本）540 万元。资产负债率 65.74%。

【粮油购销】 2023 年，会泽县县级成品粮、成品油按照粮（油）权明确、即出即入、库存充足的原则，对成品粮、成品油实行动态轮换。

【储备粮油管理】 2023 年，会泽县粮食部门严格按照县级储备粮管理办法，严格执行储粮技术规范，完善各项管理制度，做到储备粮专账、专卡、标识建立完备，确保各级储备粮数量真实、质量良好、储存安全。

【救灾救济粮】 2023年，会泽县粮食部门配合应急管理部门，对全县生活困难的受灾户、重灾户等困难群体进行救灾救济粮供应，全年完成救灾救济粮供应1.5万千克。

【粮食应急供应网点建设】 2023年，会泽县按照“合理布点、全面覆盖、平时自营、急时应急”的原则，推进粮食应急供应网点建设工作。截至12月底，全县完成粮油应急保障中心2个，应急加工企业1个，应急储运企业1个，应急配送中心2个，粮油应急供应网点38个。粮食应急供应网点全部挂牌，按时报送销售月报表，出台《会泽县粮食应急供应网点监管办法（暂行）》加强监管。

【粮食库存清查】 2023年，会泽县制定印发《会泽县2023年粮食库存检查工作实施方案》，从县发改、财政、农发行抽调相关人员组成粮食库存检查工作领导小组，同时抽调熟悉财务、保管、统计与市级组成实物检查组、账务检查组5个联合检查组，负责政策性粮食库存数量和质量检查工作。组织全体人员学习查库的时间节点、要求、方法和步骤，市县联合检查组对全县政策性粮食进行全面检查。

【粮食安全行政首长责任制考核】 2023年，会泽县建立完善粮食安全行政首长责任制联席会议制度。定期召开会议研究粮食安全工作，强化粮食安全行政首长责任制考核，把加强落实粮食安全行政首长责任考核作为实现新突破的主要抓手，全面查找短板弱项和差距不足。完成市对县考核评分表中10个大项43个小项的考核评分和依据材料收集工作及考核自检自查报告的撰写，对年度考核中发现的问题，进行认真梳理，及时总结经验，健全和完善保障粮食安全的长效机制。2023年度会泽县粮食安全考核总分98.7分，位列全市各县（市、区）第三名，考核为“优秀”等次。

（陈凯）

烟草专卖

【概况】 2023年，会泽县烟草专卖局（分公司）融入会泽县构建现代化产业体系三年行动规划、“打造百亿级产业”战略部署和乡村振兴发展大计，坚持稳中求进总基调，实现烤烟税收8851.13万元，卷烟税收746.71万元。

【烟叶工作】 2023年，会泽县烟草专卖局（分公司）推进职业烟农培育390余人，在规划核心烟区10.44万亩的基础上新规划烤烟基地9.56万亩。2—3月，抽调各乡镇分管领导带队采取交叉核实的方式再次对种植面积、品种纯化工作进行检查。根据核实情况把计划面积向种植积极性高、水平高、产能足的区域倾斜，县域内调整面积2450亩。统筹抗旱资金176.2万元，因地制宜采取蓄、引、抽、提、截流等措施开辟抗旱水源，推广使用有机肥、滴灌、冬耕晒垡、绿肥种植、农家肥堆捂、面源污染样板治理累计8.4万亩，废旧地膜回收420吨，无人机飞防1.4万亩，物理防治病虫害、100%蚜茧蜂防治蚜虫，推进实现烟叶绿色生产。投入使用生物质燃料烤房233座，生物质颗粒燃料补贴1500吨，落实烤房“去煤化”，在雨碌乡新建电烤房15座。全县种烟乡（镇、街道）15个、村92个、小组232个、2720户，合同种植面积5.25万亩，收购烟叶14.31万担，其中指令性计划13.56万担，出口备货0.6万担，新增出口备货1400担，丰产烟叶112担。实现收购总值2.357亿元，同比增加0.085亿元，增幅3.74%；收购均价32.95元，同比增加0.86元，增幅2.68%；实现烟叶税5186.43万元，同比增加185.98万元，增幅3.72%；上等烟比例67.45%。在工商交接中，会泽县烟叶合格率71%，全市排名第三。继续推进100亩高端雪茄烟叶开发工作，收购雪茄烟叶2150.84担，收购总金额76.23万元，销售收入194.8万元，盈利55.9万元。

【卷烟营销】 2023年，会泽县烟草专卖局（分公司）围绕“稳销量、提结构、增效益”要求推进卷烟营销提质增效。全年销售卷烟30715.92箱，同比减少346.6箱，实现含税销售收入11.73亿元，同比增长7.21%，单箱销售收入3.82万元，同比增长8.42%，实现毛利（含税）3.56亿元，同比增加0.18亿元。以组建诚信互助小组143个作为调状态、增盈利、促规范的重要抓手，保障零售户合理获利。零售户覆盖率达96%以上，毛利率达13%以上。通过全覆盖检查整改，加强现代终端扫码管理，提升运行质量。全县使用云香印象扫码系统零售户共1387户，占总数41.34%，卷烟零售现代终端832户，占24.81%，其中加盟终端8户。全年一类烟销量增长11.68%，二类烟单条值增长8.38%。加强卷烟物流第三方管控，采取定期不定期方式进行全程跟踪，共回收废旧PE膜14.12吨。

【专卖管理】 2023年，会泽县烟草专卖局（分公司）出动执法人员5420人次，查获涉烟案件136起，其中烟叶案件14起，大要案件13起，查获涉案烟叶、烟丝29.8吨，查获涉案卷烟193.27万支，其中真品卷烟183.44万支，假烟9.65万支，走私烟0.18万支。年末，零售许可证有3355个，电子烟零售许可证1个，其中新办36个，累计退出57个。

（任莉）

［责任编辑　孔金香］

金融业

金融监管

【概况】 2023年，会泽县有银行业金融机构11家：人民银行1家、政策性银行1家、中资全国性银行4家、农村商业银行1家、地方性股份制银行3家、村镇银行1家，全县银行业机构网点数量52个。非银行业金融机构1家：会泽县艺龙小额贷款有限责任公司。政府性融资平台5家：会泽县投资开发有限公司、会泽县泽鑫投资开发有限责任公司、会泽县聚隆工业投资开发有限公司、会泽县乌蒙山旅游开发投资有限公司、会泽县万鑫城市投资开发有限责任公司。

【小额贷款公司监管】 2023年3月，会泽县金融办对会泽县艺龙小额贷款有限公司开展小额贷款公司监管分类评级工作，促进小额贷款公司依法合规经营，进一步提高小额贷款公司经营管理水平。小额贷款公司注册资金较小，规模不大，自主经营，自担风险，未发生吸收公众存款非法集资、高利贷、非法讨债、暴力催贷等涉黑涉恶行为及违法行为，支农贷款所占贷款总额比例达50%以上。县金融办根据公司上报的会计报表加以分析，按照可能出现的金融风险进行专项核查，确保小额贷款公司在支持小微企业和“三农”发展的同时，公司也得到长足的发展。

【融资担保公司监管】 2023年，会泽县金融办对县域内设立的融资性担保公司进行监管，完成会泽县金源融资担保有限公司注销工作。

【防范和处置非法集资】 2023年，会泽县金融办坚决打击和遏制非法集资活动，保护人民群众合法权益，维护全县平安和谐稳定的社会环境，净化融资市场环境，从源头上防范非法集资，保护人民群众利益，推动建立完善疏堵并举、防治结合的综合治理长效机制和预防、预警、打击、处置四位一体的防治工作体系的思路，加强非法集资陈案积案处置，规范第三方财富管理公司经营行为。

【稳妥处置房地产风险】 2023年，会泽县金融办建立健全房地产开发全流程监管制度，从土地、规划、设计、施工、监理等各环节完善监管，严格执行法律法规中关于土地、规划、商品房预售等规定，做好施工过程监管和抽查等工作。严格执行项目资金和房屋预售资金监管制度，进一步完善多方审批、资金流向审查措施，切断恶意抽逃、挪用项目资金和房屋预售款渠道，杜绝新增烂尾楼情况发生。加强全县房地产市场风险排查，全县无办理用地、规划手续，项

2023年6月15日，县金融办在新时代文明实践中心开展防范和处置非法集资宣传活动 （赵天祥 摄）

目开工后，因开发商无力建设、继续投资建设或陷入债务纠纷，停工1年以上的项目；无动工后停止项目；无工程完工，未交房的项目。

【国有企业风险化解】 2023年，会泽县金融办全面清理调查县属国有企业户数层级。截至12月，县级国有企业（单位）共计41户，其中，国有企业（全民所有制）25户、事业企业双法人12户、经营性事业单位4户。所有企业均由行业主管部门监管，大部分企业管理较为粗放，企业资产总量小、资产质量差、经营规模小、利税水平低。全面梳理债务风险较高的企业，建立高风险国有企业名单。开展深化国资国企改革工作，按照整合重组一批、转企改制一批、清算注销一批的改革思路，将“会泽县道成扶贫开发投资经营管理有限公司”更名为“会泽县道成开发投资集团有限公司”，新组建“会泽县钱城建设投资集团有限公司”，以2个集团公司为载体，按照“债权债务随资产走，人随企业走”的方式，将主业明确、资产状况良好、账务清晰、营业收支基本平衡、人员包袱不重的企业统筹划转注入集团公司；将长期未开展经营活动、名存实亡的企业，进行清算注销；将经营性自收自支的事业单位进行转企改制、规范提升后进行整合重组。通过对县属企业的整合重组、规范提升，提高企业综合实力，完善国有资产的配置效率和有效监管，发挥国有资本在区域建设和经济发展中的“引领”作用，不断提高企业的核心竞争力，防范和化解企业存在的风险。

【融资平台违约风险防范】 2023年，会泽县金融办狠抓财政收入，全力保障偿债资金来源。贯彻落实经济稳增长政策，发挥财政资金引导带动作用，扶持实体经济发展，加大企事业单位经营收入管理，推进财政收入增长点建设，增强地方可用财力，提高债务化解的资金保障。统筹预算安排，防止到期债务违约风险。严格执行地方政府债务限额管理和预算管理，在财政预算中足额安排当年到期政府债务本息，新增财力和盘活的存量资金优先安排用于清偿到期债务，防止债务逾期无法偿还造成的财政金融风险。加强源头管控，规范举债渠道，保障合理融资需求，坚决制止违法违规融资担保行为，严控新增政府债务。加强风险评估，积极构建规范的地方政府举债融资机制，对财政运行情况进行动态监测，对债务风险进行预警和提示。推进政府增信机制，依托曲靖市融资信用服务平台，整合各渠道企业数据，形成企业精准画像，与金融产品智能匹配，助力中小微企业经营发展，形成“政府主导，普惠金融，共建共享”的金融服务业务闭环。全年，全县在融资信用服务平台注册、认证企业179家，授信贷款2074笔，授信金额4.22亿元，发放贷款2006笔，发放贷款金额3.94亿元。

【地方法人金融机构风险化解】 2023年，会泽县金融办加强机制建设，成立打击和防范金融风险领导小组。建立相关风险应急预案，确保风险发生时第一时间快速化解各种风险，确保地方金融稳定。建立反洗钱监管走访机制，对辖内所有银行业金融机构和保险公司每年开展一次走访，对其办理业务的相关制度建设情况进行检查，规范其业务的同时避免金融风险事故发生。严格业务办理，对于客户在办理5万元以上（含5万元）存取业务时，客户须提供本人有效的身份证件并进行公民信息联网核查方能办理业务。全县金融系统把组织员工认真学习相关法规制度，开展金融风险防范宣传活动，防控违规违纪行为作为一项常态化的工作来抓，通过学习宣传增强员工判别是非和诱惑自控能力。全县金融机构积极与县公安局、金融办和工信等部门配合，共同参与到非法金融活动的整治、清理和整顿工作。会泽县金融保持稳定发展，未发生重大金融风险，长期保持较低贷款不良率，截至年末，全县金融系统贷款不良率1.42%。

【金融领域专项整治】 2023年，会泽县金融办持续推进地方金融领域专项整治，组织开展防范处置非法集资宣传月、涉嫌非法集资风险专项排查、涉嫌非法集资广告排查清理、互联网金融领域重大风险隐患排查活动，持续开展交易场所清理整顿、防控虚拟货币交易炒作风险、“伪金交所”专项整治、企业债权清理排查，规范第三方财富管理公司等工作，对在检查中发现的可能涉及非法集资的一些苗头性问题及时进行督促整改。加强与公、检、法等部门沟通协调，对重大非法集资案件提前介入，加强取证指导，统一执法标准，畅通诉讼通道，进一步规范非法集资案件办理。

（戴虬）

金融服务

【概况】 2023年，会泽县地方金融运行平稳，金融结构优化，服务水平进一步提升。截至年末，全县银行金融机构存款余额310.01亿元，同比增长14.95%，各项贷款余额229.35亿元，同比增长13.82%，贷存比73.98%。

【创业担保贷款财政贴息】 2023年，会泽县创业担保贷款放款768户，放款金额1.36亿元，带动就业1841人。其中，贷免扶补贷款396户7517万元，小额担保贷款372户，金额6125万元。按照小额担保贷款财政贴息资金管理办法，审核监管承贷银行申报的贴息资金申报表，兑付创业担保贷款贴息1540.85万元。

【农业保险财政补助】 2023年，收到保险公司申报农业保险补贴申请93.87万元，兑付93.87万元。

【金融支持地方经济发展】 2023

2023年9月20日，云南省地方金融监督管理局赴会泽县开展金融服务肉牛产业调研座谈会（赵天祥 摄）

年，会泽县金融办坚持“壮大规模，提升实力，加强协调，完善机制，推动改革，强化服务”的发展思路，以健全金融组织体系、壮大金融机构实力、加快金融改革创新、优化金融生态环境、提升金融支持和保障能力为重点，着力支持全县重点项目建设、特色优势产业、“三农”、县域经济、民营经济及中小微企业、文化旅游产业发展。提升县域金融机构对实体经济发展支持的力度，缓解实体经济发展融资难题，完善金融服务，增加信贷有效投入，促进全县经济持续、健康发展。引导银行业金融机构发挥融资主渠道作用，用好货币政策工具，争取信贷政策支持推动金融机构逐步扩大“首贷”“首保（担）”规模，争取创业担保贷款贴息政策服务“首贷”企业。支持银行类金融机构和担保、保险机构开展合作，推出更加契合的信贷创新产品，提高企业融资可得性。鼓励银行业金融机构合理确定利率水平，提供不同产品组合服务，尽可能实行基准利率或优惠利率，多渠道降低企业融资成本。

（戴虬）

中国人民银行会泽县支行

【概况】 2023年，中国人民银行会泽县支行（以下简称“人行会泽支行”）内设三部一室，即办公室、金融管理部、国库会计发行部、保卫部，有职工22人（含2名聘用制职工），支行党团工青妇等组织建立健全。围绕曲靖市分行“强作风、固优势、求精准、提质效”的工作主线，认真贯彻执行稳健的货币政策，不断提高金融服务质量，全面提升履职效能。年末，会泽县有银行业金融机构10家，其中政策性银行县支行1家，大型国有银行县支行4家，股份制商业银行县支行3家，地方法人银行2家。

【货币信贷】 2023年末，会泽县银行各项存款余额310.01亿元，比年初增加40.32亿元，增长14.95%。各项贷款余额229.35亿元，比年初增加27.84亿元，增长13.82%。常态化、多层次举办融资对接会，动态分析辖内企业融资供求实际状况，推动小微企业融资可得性和便利度。人行会泽支行联合政府部门、银行机构及43家民营企业召开民营企业及金融机构座谈会1次，牵头组织全县金融机构与会泽县道成开发投资集团有限公司开展银企合作座谈1次，为企业“牵线搭桥”。加大信贷投放，服务实体经济发展，通过政策引导、窗口指导、货币政策工具扶持等方式，指导银行机构做好项目准备，持续加大对普惠小微、科技创新、绿色发展、基础设施、扩大消费等领域的信贷投放。实施“阶段性减息”，为普惠小微企业办理减息业务14657笔，金额328.1万元。

【金融服务】 2023年，人行会泽支行围绕金融服务民生、服务经济发展的理念，以金融服务环境的改善、优

2023年2月15日，人行会泽县支行召开会泽县民营企业及金融机构座谈会（李 祥 摄）

2023 年会泽县金融机构人民币存款收支表

表 2

项目	年末余额（万元）	比年初增减额（万元）	比年初增减（%）
一、各项存款	3100115	403274	14.95
（一）境内存款	3100081	403262	14.95
1. 住户存款	2205810	299460	15.71
（1）活期存款	940957	117323	14.24
（2）定期及其他存款	1264853	182137	16.82
2. 非金融企业存款	242016	15729	6.95
（1）活期存款 2	204401	6976	3.53
（2）定期及其他存款 2	37614	8752	30.32
3. 机关团体存款	617991	66975	12.15
4. 财政性存款	34260	21098	160.29
5. 非银行业金融机构存款	4	0	–6.61
（二）境外存款	33	13	59.98
二、金融债券	0	0	0
其中：境外发行	0	0	0
三、卖出回购资产	0	0	0
四、借款及非银行业金融机构拆入	0	0	0
五、联行往来（净）	0	0	0
六、应付及暂收款	70522	1428	2.07
七、各项准备	112558	–1587	–1.39
八、所有者权益	113061	13471	13.53
其中：实收资本	38875	0	0
九、其他	–186581	106277	–36.29
资金来源总计	3209675	522863	19.46

2023 年会泽县金融机构人民币贷款收支表

表 3

项目	本月余额（万元）	比年初增减额（万元）	比年初增减（%）
一、各项贷款	2293524	278477	13.82
（一）境内贷款	2293524	278477	13.82
1. 住户贷款	1071758	163109	17.95
（1）短期贷款	436272	5731	1.33
消费贷款 1	119449	–6400	–5.09
经营贷款 1	316823	12131	3.98
（2）中长期贷款 1	635486	157378	32.92
消费贷款	243438	29600	13.84
经营贷款	392048	127778	48.35
2. 企（事）业单位贷款	1221767	115369	10.43
（1）短期贷款	60315	–36880	–37.94
（2）中长期贷款	943219	168332	21.72
（3）票据融资	218232	–16083	–6.86
（4）融资租赁	0	0	0
（5）各项垫款	0	0	0
3. 非银行业金融机构贷款	0	0	0
（二）境外贷款	0	0	0
二、债券投资	276693	110174	66.16
其中：境外债券	0	0	0
三、股权及其他投资	70	0	0
四、买入返售资产	0	0	0
五、存放非银行业金融机构款项	0	0	0
六、联行往来（净）	600957	131917	28.12
其中：境内存放二级准备金	4167	–1123	–21.22
七、金银占款	0	0	0
八、中央银行外汇占款	0	0	0
九、应收及预付款	27521	4376	18.91
十、投资性房地产	0	0	0
十一、固定资产	10909	–2081	–16.02
资金运用总计	3209675	522863	19.46

化为切入点，不断提高金融服务地方经济发展和民生改善的水平。联合政府办、农商行督导者海镇、雨禄乡等加快信用乡镇创建进度，全面督促压降不良率。借助“3·15”消费者权益保护日、“6·14”信用记录关爱日等时间节点组织开展征信知识宣传活动，增强农户还款意识。截至7月，国库业务上移，共完成收入45.04亿元，完成支出50.47亿元。

【金融稳定】 2023年，人行会泽支行为强化金融稳定风险监测，定期对辖内各银行业金融机构资产质量、资本充足水平、盈利和流动性变化进行按季分析，掌握银行业金融机构防范和化解不良资产风险的工作措施和成效，加强风险提示。加强与地方公安等部门的对接，加大对新型电信诈骗、民间借贷等活动的监测分析、打击力度。做好存款保险管理及宣传工作，开展反洗钱工作，做好地方法人金融机构分类评级工作。发挥曲靖市银行业人民调解委员会会泽调解中心作用，推进金融纠纷多元化解机制，为会泽县金融消费者提供“一站式”服务。全年成功调解79次金融纠纷，合计金额839.43万元。

【金融消费者权益保护】 2023年，人行会泽支行联合会泽县辖内10家金融机构及会泽县市场监督管理局等单位，到会泽县易地扶贫搬迁集中安置点开展“3·15”金融知识综合宣传；联合县金融办、公安局等部门开展“6·14”金融知识宣传。以案例、发放宣传折页、悬挂横幅、现场互动等方式解答群众关心的金融方面的问题，受众约1500人次。

（陈志娟）

银行业

【中国农业银行股份有限公司会泽县支行】 2023年，中国农业银行股份有限公司会泽县支行积极服务和融入会泽经济社会发展大局，持续打造“三张名片”，着力营造“三种文化”，狠抓执行力建设。荣获“中国农业银行云南省分行2023年度县域支行穿透式评价先进单位”“中国农业银行曲靖分行2023年度综合绩效考核第一名”称号。设支行营业网、环北分理处、堂琅分理处、者海支行4个对外营业机构，设离行式自助银行6个。全年，各项存款余额63.71亿元，比年初净增12.79亿元；各项贷款43.4亿元，比年初净增5.7亿元。实现营业收入1.57亿元，比上年增0.1亿元；实现净利润1.02亿元，比上年增0.17亿元。新发放大中型企业和事业单位贷款8.76亿元，支持县域风电、光伏等新型能源建设和宣会、会巧高速公路等重点项目建设及县域医院的设备购置；新发放民营和小微企业贷款0.74亿元；新发放农户贷款11.46亿元；新发放个人消费等贷款3.69亿元。截至12月，在全县各乡（镇、街道）设立普惠金融服务站36个，惠农服务点80个，惠农微商圈18户，乡镇覆盖率100%。年内，荣获“中国农业银行曲靖分行2023年度乡村振兴金融服务先进单位”“中国农业银行曲靖分行2023年度内控管理先进单位”“中国农业银行曲靖分行2023年度风险管理先进单位”称号。

（杨明书）

【中国建设银行股份有限公司会泽县支行】 2023年，中国建设银行股份有限公司会泽县支行下设营业室、会泽通宝支行2个营业网点，内设客户部。年末一般性存款余额35.92亿元，同比增4.38亿元；各项贷款余额20.20亿元，同比新增4.71亿元，其中，对公贷款余额15.62亿元，同比新增2.69亿元。全行实现营业收入5612.78万元，同比增加1167.41万元；实现营业利润5614.21万元，同比增加1171.57万元。持续以“物理网点＋裕农通＋平台生态”模式，以小微快贷、商户云贷、商叶云贷、善营贷、善担贷、首户快贷、个体工商户抵押快贷为主打产品，满足不同主体的普惠金融需求。截至年末，普惠贷款余额1.51亿元，同比新增0.68亿元；个人贷款余额4.16亿元，同比新增1.9亿元；信用卡透支余额1.42亿元，同比新增0.13亿元；个人全量客户146999万户，同比新增3352户；普惠贷款客户413户，同比新增176户。支行进一步压实风险管理主体责任，健全风险管理责任体系，持续开展声誉风险排查、公务用车排查、涉赌涉诈风险排查、员工征信及异常行为排查等专项行动。在日常工作中不断加强风险文化传导，推进风险文化建设，守牢资产质量生命线和内控合规底线，不断强化信用风险、操作风险、合规风险等全面风险管理工作。

（蒋先丽）

【中国农业发展银行会泽县支行】 2023年，中国农业发展银行会泽县支行深入推进中央巡视“回头看”整改，全力服务乡村振兴、粮食安全和稳住经济大盘，持续抓好风险防控和强化管理等各项工作。全年累计发放贷款10.35亿元，其中，发放农村路网建设贷款66762万元、人居环境项目贷款318万元、产业扶贫项目贷款4515万元、农村土地流转和土地规模化经营项目贷款29500万元、粮油购销流动资金贷款950万元、小微企业贷款1409万元。累计收回贷款1.48亿元，年末贷款余额23.47亿元，较年初净增8.87亿元，增幅60.73%，贷款余额突破20亿元，人均贷款达2亿元。实现FTP利润864.88万元，较上年末净增411.19万元，增幅90.63%。累计获批贷款14.26亿元，其中，获批宣威至会泽高速公路项目贷款14亿元、各类小微企业贷款2550万元。

（中国农业发展银行会泽县支行）

【会泽农村商业银行】 2023年，会泽农村商业银行坚持稳中求进工作总基调，贯彻新发展理念，统筹发展和安全。年末各项存款余额120.62

亿元，同比增 8.89 亿元；各项贷款 89.33 亿元，同比增 3.23 亿元，其中涉农贷款 59.26 亿元，同比增 8.34 亿元，普惠小微贷款 14.44 亿元，同比增 3.17 亿元。发放脱贫人口小额信贷 4235 户 2.27 亿元，发放金榜贷 81 户 0.11 亿元，发放消费贷款 4412 户 10.98 亿元，发放新市民创业贷款 1188 户 1.55 亿元，发放新市民住房贷款 54 户 0.23 亿元，发放新市民经营贷款 332 户 0.4 亿元。向困难行业市场主体发放纾困让利贷款 2.35 亿元，为 1079 户困难行业市场主体提供及时的贷款支持，贷款加权平均利率较年初下降 49 个 BP，向实体经济让利 0.36 亿元。全县有营业网点 29 个，乡镇金融服务覆盖率 100%，自助设备 127 台，普惠商户数量 246 个。其中：惠农支付服务点 163 个，普惠金融服务站 83 个。年内，会泽农商行完成 16 个乡镇，261 个行政村信用体系建设，完成全县乡（镇、街道）的 79.2%。全年新增授信个人客户数 1.96 万户，授信金额 26.08 亿元，提用授信金额 19.25 亿元。1 月 29 日，会泽农商行为外出务工人员讲解金融知识，宣传存款、贷款等金融产品，送上“爱心大礼包”，共计赠送方便面 4800 余桶，矿泉水 1600 余瓶，火腿肠 800 余份，便民服务袋 900 余份。4 月，荣获曲靖市总工会颁发的“曲靖市五一劳动奖状”。

（汪玉波）

【中国邮政储蓄银行股份有限公司会泽县支行】 2023 年，中国邮政储蓄银行股份有限公司会泽县支行以服务“三农”和乡村振兴为己任，加大金融知识宣传和金融业务发展。年末，各项存款年末余额 19.05 亿元，与上年同比增 1.12 亿元，增幅 5.9%。全年投放贷款 4.8 亿元，还款 4.6 亿，年末结余 6.75 亿元，与上年同比减少 0.95 亿元，降 12.44%。邮储银行会泽县支行以乡村振兴产业贷、农户小额信用贷款、农户安居乐业贷、极速贷等特色信贷产品，重点扶持辣椒、石榴、草莓、马铃薯、中草药、苹果、蔬菜、花卉、猪牛羊养殖、农产品批发零售等特色产业。全年收回不良贷款清收 850 万元，呆账核销 540 万元。

（李群先）

【曲靖市商业银行股份有限公司会泽支行】 2023 年，曲靖市商业银行股份有限公司会泽支行秉承“立足地方经济、支持中小企业、服务广大市民”的市场定位，支持“三农”、服务“三农”。年内，开展以“525 我爱我家”“清凉一夏”等主题营销活动，年末储蓄存款较年初新增 1.07 亿元。发放涉农贷款 5000 万元。年末，各项存款余额 8.54 亿元，贷款余额 2.70 亿元。

（黄圣洁）

2023 年 1 月 29 日，会泽农商行为外出务工人员送上“爱心大礼包”

（会泽农商行　提供）

【曲靖会泽长江村镇银行股份有限公司】 2023 年，曲靖会泽长江村镇银行股份有限公司（以下简称“曲靖会泽长江村镇银行”）设有总行营业部、待补支行、娜姑支行、迤车支行、钟屏支行等 5 个营业机构，在未开设网点的乡镇（社区）设立普惠金融服务站 5 个、联系点 12 个。年末，各项存款余额 10.15 亿元，贷款余额 7.48 亿元，贷款投放增速 12.66%。年内，曲靖会泽长江村镇银行加大脱贫人口小额信贷和重点领域信贷投放力度，支持种植业、养殖业等新型农业主体，支持软籽石榴、畜牧、林果、马铃薯、蔬菜、花卉、草莓等特色产业。截至年末，涉农贷款余额 6.83 亿元，较年初增加 9256.36 万元，增速 15.67%，其中普惠型小微企业贷款余额 3.52 亿元，贷款较年初增加 5266.64 万元，增速 17.62%。全年累计发放脱贫人口小额信贷 902 笔，金额 4695.4 万元，截至年末，脱贫人口小额信用贷款余额 7822.76 万元，余额户数 1578 户。开展消保权益保护宣传及普及金融知识，讲解反假币、反洗钱、防范金融诈骗等金融知识，向金融消费者发放宣传折页 15000 余份，覆盖群众 2 万余人次，倡导消费者增强风险防范意识和责任意识，理性维护自身合法权益。年内荣获“全国十佳服务乡村振兴先锋银行”“村镇银行金融强农杰出业绩典范案例”称号，被曲靖市总工会、中国人民银行曲靖市中心支行、曲靖市乡村振兴局表彰为“2022 年度曲靖市金融服务乡村振兴劳动竞赛”先进集体。

（张勇强）

【富滇银行会泽支行】 2023 年，富滇银行会泽支行积极跟进政府重点项目、产业园区资讯，立足区域市场，

2023年2月，富滇银行会泽支行工作人员到村组开展云农贷贷前调研

（王雨名　摄）

以政府平台公司资源为主攻点，紧盯企业刚性需求。与会泽县钱城建设投资集团有限公司达成合作协议；持续跟进会泽县万鑫城投回迁房收款项目；开投商贸有限公司授信额度项下支用4000万元；树人教育授信额度项下支用5000万元；会巧高速、宣会高速施工方企业对公账户开立，盛之发机电会泽有限公司新增工资代发510户，持续跟进会泽县东陆高级中学三期改扩建项目。创新普惠金融支农产品，加大对地方特色主导产业、重点企业项目的支持力度。积极响应国家普惠金融要求和惠农政策，提升乡村产业发展水平，推动农村产业融合发展，普惠金融站点作为服务“三农”的重要阵地和前沿触点，截至年末普惠金融站点数量新增至20个，金融服务触角从乡镇、街道延伸到村组。积极开展存款保险、反洗钱、支付结算，假币识别，非法集资、电信诈骗等金融知识宣传活动。年末，各项存款比上年新增1.7亿元，各项贷款余额比上年新增投放1.2亿元。富滇银行会泽支行获“富滇银行标杆网点”“曲靖市2022—2024年市级文明单位（四星级）”称号。

（赵泽峰）

【云南红塔银行曲靖会泽支行】2023年，云南红塔银行曲靖会泽支行在会泽县设银行网点1个。年末，各项存款余额7.23亿元，比年初增3.7亿元，增幅104.89%。其中，对公存款余额0.64亿元，比年初减少0.42亿元；个人存款余额6.59亿元，比年初增4.12亿元，增幅166.43%。各项贷款余额1.95亿元，比年初增加0.49亿元。其中，公司贷款余额150万元，比年初增加150万元；个人消费贷款余额1.22亿元，比年初增加0.07亿元；普惠贷款余额0.73亿元，比年初增加0.42亿元。实现FTP净收入1178万元，实现中间业务收入159万元，实现净利润743万元。农户贷款余额1591万元，个体工商户贷款余额6995万元；发放小微企业贷款150万元、余额309万元。年内，获“曲靖市银行业协会十佳网点”“曲靖市最美工会驿站”称号。

（云南红塔银行曲靖会泽支行）

[责任编辑　孔金香]

交通·邮政·通信

交　通

【概况】 2023年，会泽县将巩固拓展脱贫攻坚成果同乡村振兴有效衔接，优化乡村交通基础设施和运输服务布局，推进交通运输工作高质量发展。截至年末，全县公路通车总里程9803千米。按行政等级有国道4条443.04千米，省道3条136.89千米，县道33条836.74千米，乡道288条2119.63千米，村道1203条2288.82千米，通组道路2194条3978.43千米；按技术等级有高速公路175.72千米，一级公路3.18千米，二级公路190千米，三级公路248.43千米，四级公路6919.9千米，等外公路2265.53千米；按路面类型有沥青路面1645.38千米，水泥路面3281.43千米，预制混凝土整齐块体弹石路面992.33千米，砂石路面3361.24千米，无路面522.42千米。全县25个乡（镇、街道）通油路率100%；370个行政村（社区、居委会）通硬化路率100%、通客车率100%、通邮率100%。

【重点交通项目建设】 2023年，渝昆高铁会泽县境内累计完成投资51.5亿元，占项目总投资的34.4%。会巧高速公路会泽县境内累计完成投资86.54亿元，占项目总投资的75.1%，会泽段隧道累计完成40.92米，桥梁桩基完成3012根。宣会高速公路会泽县境内累计完成投资79.52亿元，占项目总投资的56.2%，会泽段隧道累计完成40.12千米，桥梁桩基完成348根。待补至上村三级公路改建工程项目全长34千米，概算投资1.29亿元，9月底完工。通较大自然村道路硬化项目路线全长350千米，9月1日启动建设，12月底建设完成。安全生命防护工程处置隐患里程180千米，9月1日启动建设，11月20日完工。大海至炭棚公路修复工程全长26.99千米，估算总投资5026万元，8月底启动建设，12月底完成三电迁改和8千米路基工程。小菜园至老厂改建项目全长21.5千米，估算投资8691万元，9月启动建设，12月底完成15千米路基工程和13千米路缘石浇筑。

2023年2月28日，会巧高速公路田尾坝隧道右洞顺利贯通（刘　熙　摄）

【公路运输】 2023年，会泽县公路客货运运输总周转量完成46.44亿吨千米，同比增长22%。加强对从业人员的教育学习，增强从业者的服务意识和安全意识。加强对出租车行业的诚信考核工作，规范出租汽车驾驶员的服务行为，建立完善出租车驾驶员诚信考核体系，提升出租汽车服务水平。开展运输领域扫黑除恶斗争，与交警、城市综合执法局联合开展运输行业乱象整治，进一步强化市场监管，推动运输行业秩序持续向好。组织开展城区公交线路规划，优化公交线路布局和站点设置。

【公路养护】 2023年，会泽县交通运输局围绕“畅、安、舒、美”的公路养护管理目标，强化组织领导，细化目标任务，落实工作措施，推进农村公路管理养护常态化、规范化建设。开展农村公路养护示范创建活动。健全完善管养信息化制度、资金使用管理、监督考核、养护巡查、信息报送制度，推进绿美交通建设工作，243个项目的绿美交通项目全部完工。将农村公路养护工作列入县委、县政府《会泽县2023年督查检查考核计划》，明确养护指标、办法、措施。坚持每月有巡查、每季有检查。强化检查考核结果运用，将通报与上级养护补助资金挂钩。坚持雨前查隐患、雨中查排水、雨后查修复“三查”工作原则，完善汛期应急保通预案，建立应急抢险队伍，及时抢修水毁受损公路，提高公路的好路率和通行能力，保障公路畅通。坚持定期不定期督促检查农村公路管理养护情况，做到每月有巡查、每季有检查。全年完成上级下达修复性养护工程计划22.91千米和预防性养护工程计划152.58千米。会泽县交通运输局集中整治农村公路路政违法案件查处力度，保障农村公路路产路权完好。全年发放宣传资料1000余份，为90余人次群众现场解答释疑，纠正占道经营15处，现场督促清理乱堆乱放41处，发放违法通知书5份，清理排水沟1500余米，修复8处公路护栏损坏（缺失），1处边坡垮塌，完成矿业权意见审查28件，检测车辆90802辆，处罚超限车辆1528辆，卸载1001辆，卸载吨位5195.65吨，处罚金额44.82万元，记分852起，打击非法改装车1627辆。会泽县交通运输局开展县乡公路安全隐患排查整治，建立健全一路一档台账，在农村公路危险路段增设防护墙，抓实公路施工安全。抓好公路水毁抢修工作，确保公路安全畅通，抓好桥涵的排查整治、日常巡查，及时排除安全隐患，对客运站、运输企业的检查力度，掌握企业的档案管理、车辆情况、管理制度、驾驶员安全培训、安全生产会议情况，开展“两客一危”道路交通安全专项整治行动，确保全县交通领域安全形势持续稳定向好。全年累计派出检查组检查59次，检查项目（企业）148家次，排查发现隐患160条，整改150条，整改率94%。

（何赛弥）

2023年4月25日，松会线待上（待补至上村乡）三乡公路沥青混凝土铺设

（尹永权　摄）

邮　政

【概况】 2023年，会泽邮政以项目工作法拧紧责任链条，一线工作法推动任务落地，典型引路法焕新企业品牌，推动各项决策部署落地见效。全年，会泽邮政实现业务收入2866万元，较上年同期增长5.7%，绝对值155万元。

【便民服务】 2023年，会泽邮政设交管服务网点3处，邮乐购电商实体店136处。与各级党政机关沟通协调，推广“非触式”业务办理方式。选派邮政驾驶员和押运员护运中、高考试卷，采用有视频监控的邮车全程参与运卷。会泽邮政专门开通绿色通道，全力保障寄递安全，2023年全县高考录取通知书实现100%零误投、零丢失；与县税务局联合提供“网申税票、线下邮寄”服务；为广大人民群众提供“不见面”的税邮、警邮、法邮等政务便民服务。邮政普服营业网点26个，转型网点覆盖率100%。

【普遍服务】 2023年，会泽邮政建制村直接通邮率达100%，普遍服务网点经营规范、服务各项指标全面达标，乡镇党政机关当日见报率100%。普遍服务覆盖25个乡（镇、街道）、41个社区、329个村委会。建制村投递监测系统打卡率100%，巡视类专用邮政信箱管理全年无差错。

【邮政电商助力乡村振兴】 2023年，会泽邮政持续落实“以商流为牵引、物流为支撑，金融为保障、数据为驱动”全环节协同联动，全年社区团购开展16场次，邮乐平台直播6场，线上销售额首次突破5万元。盐水石榴线下引流分销56万余元。

（魏萍）

通　信

【电信】 2023年，中国电信会泽分

公司在开展巩固拓展脱贫攻坚成果同乡村振兴有效衔接工作中，累计投资3464万元，建设完成194个贫困行政村3328个村民小组的宽带、电视网络接入；建设完成126个4G基站，满足全县各村委会、学校、卫生室、群众的通信需求。中国电信会泽分公司承建并开通维护覆盖全县378个村委会的党建网，从基础网络方面保障全县基层组织建设。承建全县卫生医疗专网，覆盖全县28个医院、396个卫生院/所，实现县乡村各级医疗机构资源数据共享，减免村级卫生室的网络使用费，每年为全县村级卫生室节约经费40万余元。承建全县义务教育光网，实现全县395所中小学千兆到校百兆到班。电信IPTV接入曲靖电视台、会泽电视台的节目，在全县组织实施“平安乡村”“数字乡村”建设等，助力乡村振兴。

（杨　凯）

【联通】　2023年，中国联通会泽分公司实现收入环比增长32%。县内投资2115万元，新建4G基站267座，4G基站达772座。截至年末，城区新增5G基站245座，5G基站达435座。其中，城区5个街道有基站288个、新街乡16个、者海镇62个、矿山镇12个、雨碌17个、乐业镇43个、纸厂乡12个、驾车乡20个、田坝乡27、迤车镇72个、待补镇35个、大井镇19个、大桥乡23个、五星乡27个、娜姑镇28个、老厂乡13个、大海乡14个、鲁纳乡13个，上村乡14个，火红乡13个，马路乡9个。中国联通会泽分公司加大投入力度，实现城市核心区域的5G网络全覆盖，为用户提供了高速、稳定的移动互联网体验。积极推进5G技术在工业、医疗、教育等垂直行业的应用，助力产业数字化转型。

（中国联通会泽分公司）

【广电网络】　2023年，广电会泽分公司完成会泽县渝昆高铁会泽段广电光缆线路迁改工程、会巧高速建设会泽段广电光缆线路迁改工程、会泽金钟风电场会泽广电光缆线路迁改工程、宣会高速建设会泽段广电光缆线路迁改工程、渝昆高铁会泽段和会巧、宣会高速会泽段搬迁安置点和连接线的广电光缆线路迁改工程的业务合同签订和项目申报。广电会泽分公司继续加强192手机号卡销售工作，组织精干队伍，积极开展192手机卡的推广发展工作，截至年末，完成开卡2350张。广电会泽分公司组织开展安全生产、安全播出培训、应急演练，做好全国两会重保期广播电视安全保障工作。多措并举，确保元旦、杭州亚运会、春节等节假日重要时段安全播出、安全生产保障工作。

（杨　飞）

［责任编辑　孔金香］

城乡建设

城乡规划

【国土空间规划】 2023年，会泽县统筹谋划国土空间规划工作，推进《会泽县国土空间总体规划（2021—2035年）》优化编制工作。完成《会泽县国土空间总体规划（2021—2035年）》编制成果县级相关审批流程并通过市规委会审查；城镇开发边界优化调整工作通过省级审查并上报至自然资源部备案；推进20个乡镇国土空间规划编制工作，完成第一轮征求意见和草案公示。

【村庄规划编制】 2023年，会泽县完成除会泽黑颈鹤国家级自然保护区内涉及8个行政村，驾车省级华山松自然保护区内涉及驾车乡5个行政村共计13个行政村外的344个村（社区）县级审批、批后公告，完成150个村庄规划入库备案工作。

【城乡规划布局】 2023年，会泽县规划编制县城蔓海片区、抚军街以西片区、抚军街以东片区、古城片区等4个片区的城镇开发边界内控制性详细规划初步方案；召开4次国土空间规划委员会会议，审议会泽县金钟街道办居家养老服务中心、会泽县泽沣供水有限公司生产调度及水质检测中心、会泽县农产品交易中心、会泽县道成绿色食品加工园区规划方案调整、会泽县人民医院二期建设项目、蔓海华府和会泽县金钟镇第一中学综合楼建设等10个项目的建设工程设计方案；共办理建设用地规划许可证10件，总建筑面积共32.33万平方米，总用地面积共12.38万平方米；共办理建设工程规划许可证15件，总建筑面积78.85万平方米，总用地面积19.85万平方米；对建设竣工的天泽云庭小区二期、吉泓春晓小区、翠丰小区等3个建设项目进行核实验收，核发《建设工程规划核实意见》3本，总建筑面积44.01万平方米。

（郭顺飞）

城市建设

【概况】 2023年，会泽县住房和城乡建设局紧紧围绕县委、县政府工作要点，加快新型城镇化建设步伐，逐步推进基础设施建设、“两污”治理、房地产监管等各项工作。全年完成城市基础设施建设投资8亿元，同比增长78%；完成建筑业产值37.08亿元，同比增长15%。

【城市基础设施建设】 2023年，会泽县着力推进项目建设，逐步完善城市基础设施。完成泽惠路西段、文

改造后的会泽公园入口景观点 （尹永权 摄）

笔街北段道路和春晓街北段市政道路建设，启动瑞祥路东延线建设。完成中河路路基工程11.1千米，占中河路路基工程的95.6%，完成西入口建筑群主体工程95%，砖砌体工程完成100%，安装配水管线1.92千米、污水管线9.4千米。完成通宝路、抚军街、以礼大道绿化改造提升，改造或新增绿地面积3.26万平方米；完成文笔街节点公园建设、会泽公园入口节点景观提升改造、抚军街中段西侧节点公园、泽润龙都二期西侧节点公园、抚军街与通宝路交叉口四个交通安全岛节点景观建设，新增绿地面积2300平方米；完成木府书院一期、吉泓春晓小区、翠丰小区、木府家园小区绿化工作。

【建筑业市场监管】 2023年，会泽县逐步规范招投标管理，出台《关于进一步规范招标投标有关事项的通知》，进一步规范招标投标各方主体行为，消除招标投标领域不合理限制和隐形壁垒等问题，上半年共完成房屋建筑、市政工程及其他项目招标备案57个。

【房地产市场监管】 2023年，会泽县严把房地产行业发展关，抓好市场主体培育，完成“四上”企业培育2户，协助3户企业增项5个专业承包资质，新增二级建筑企业4户。完成房地产投资2.44亿元，同比下降61.99%；完成商品房销售面积7.57万平方米，同比下降34.37%。提升小区物业管理水平，积极打造“红色物业”，县城区内共有154小区，共成立98个小区业主委员会，成立56个小区物业管理委员会。

【城乡“两污”治理】 2023年，会泽县分类施策开展城市污水系统治理，研究制定《会泽县城市水环境治理项目投融资平衡方案》《会泽县“两污”特许经营项目实施方案》，采取特许经营方式对“两污”设施进行营运管护。实施控源截污，排查城区管网630千米、检查井1.62万个；开展清淤堵漏，实施金钟大沟清淤修复，完成东直街、西直街等路段截污管网清淤、堵漏工作，累计清理淤泥8200立方米，修复沟面500平方米；推动减量扩容，将清水接入河道实施分流减量，启动污水处理厂三期扩建项目，扩容1.5万立方米/天。因地制宜补齐农村“两污”短板，16个乡（镇）按照户减量、组保洁、村收集、乡转运、县处理的模式进行垃圾城乡一体化处理，4个乡（镇）按镇村一体化处理模式，采用小型垃圾热解站进行处理。强化集镇污水治理，对无污水处理设施的11个乡（镇）新建生活污水处理厂（站）13座，新增污水处理能力5950立方米/天；提升改造5个乡（镇）污水处理站，处理能力达到3500立方米/天，确保处理能力达标；对已建污水处理设施的乡（镇）动态排查、完善运行，确保达标排放。

【住房保障体系】 2023年，会泽县加快推进棚户区、老旧小区改造。实施老旧小区改造户数176户1.43万平方米，棚户区改造（古城核心“改扩翻”项目）1000户5.5万平方米。累计发放廉租住房租赁补贴536户117.40万元。全年投入资金1398.6万元，实施农村危房改造及农房抗震改造777户，其中，农村危房改造243户，农房抗震改造534户。全县共收取住宅专项维修资金1.22亿元（含利息收入255.7元），共涉及55个小区，商品住房专项维修资金16个小区支取使用1133.99万元。

【安全生产监管】 2023年，会泽县严抓行业监管，提升行业管理服务水平。加强建筑工地安全监管，共办理在建项目安全报建手续9家，累计开展安全检查50项（次）。强化燃气安全管理，共组织6次大规模的安全生产大检查，开展城镇燃气安全专项整治排查，全县燃气专项整治系统录入16类企业2030家，检查率100%；隐患台账录入系统580条（项），整改完成407条，未整改173条，整改率70.17%；加大“黑气”市场打击力度，共查获无证经营液化石油气214瓶。

【营商环境创建】 2023年，会泽县持续深化改革，树立良好服务窗口形象。加强窗口工作人员教育管理，严格日常督促考核，坚决防止出现纪律松散、状态不佳、态度冷漠等不良行为。优化审批流程，深化工程建设项目审批制度改革，推行证明事项告知承诺制，压缩审批时限，严格按照办理建筑许可指标、获得用水用气指标要求进行办理。开展企业挂联帮扶工作，对21个挂联企业实行每月定期走访，宣传惠企政策、收集并解决企业诉求，共收集并办理企业诉求7条，办结率100%，企业满意度100%。

【新型城镇化建设】 2023年，会泽县完成县级国土空间总体规划编制上报，城镇开发边界外实现行政村村庄规划全覆盖。完成泽惠路西段、文笔街北段道路和春晓街北段市政道路建设，推进瑞祥路东延线、蔓海环湖道路建设。对城区630千米管网全覆盖排查，对排查出的24个污水管道破损点、77个公共区域雨污混接点、652个单位（小区）雨污混接点开展整治。完成会烟街以东、通宝路两侧雨污分流管网改造、县城东片区污水提升泵站建设，污水处理厂三期项目启动建设，实施老旧小区改造176户1.4万平方米。城区通过实施控源截污、管网清淤堵漏、分流减量等工程，县城污水处理厂全面满足城区的污水处理需求。25个乡（镇、街道）垃圾处理设施实现全覆盖，迤车、新街、驾车等9个乡镇建成集镇焚烧热解垃圾处理站16座，五星、者海、待补等11个乡（镇、街道）垃圾转运至县城统一处理。13个乡镇污水处理站建设投入使用，建设农村“小三格”“大三格”等污水处理设施，实现集镇、农村生活污水收集处理全覆盖。推进农村人居环境整治提升和农村厕所革命，创建省级提升村309个，改建卫生公厕170座、户厕7633座，分别占全县改建任务的109%、117%。实施待补至上村公路改造项目、通较大自然村道路硬化350千米、生命安全防护180千米。马路新山水库、娜姑炉房小流域项目开工建设，推进农村供水保障专项行动、县城备用供水二期工程，总投资57亿元的会泽大型灌区通过水规总院评审。完成39千米10千伏线路、37千米低压线路、29台变压器，35千伏乌蒙变已投运、35千伏渔坝项目开工建设。

（王庭意）

城市综合管理

【概况】 2023年，会泽县城管局始终将队伍建设作为立身之本，把用好法、规范文明执法作为城管执法工作的生命线，适时组织全局干部职工学习“习总书记依法治国、依法行政相关论述”《城市管理相关法律法规汇编》《中华人民共和国行政处罚法》《中华人民共和国城乡规划法》等法律法规知识，不断深化“强基础、转作风、树形象”专项行动成果，开展“忠诚型、创新型、担当型、服务型、过硬型”五型城管建设，同时主动接受上级部门和社会监督，不断促进队伍正规化、标准化整体形象提升。

【市容市貌管理】 2023年，会泽县按照路网自然布局，坚持实施“片区＋路段”网格责任制和“机动＋徒步＋定点值守”动态管理巡查机制，抓好工作责任和各项制度“两个落实”，发现问题及时有效处理。全年查处占道经营、乱堆乱放、乱停乱放等不文明行为40534起，制止噪声扰民行为500余起，受理办结群众举报件201起。

【违建治理】 2023年，会泽县为进一步维护国家级历史文化名城形象，消除“两违”建筑带来的不良影响，会泽县城市综合管理局坚持从“保护好历史文化名城就是留存好会泽历史、服务好会泽人民、保护好会泽未来”的角度出发，创新推广“以块推城、以点推面、以户推区”的“三推”管理模式，督促各大队、中队认真落实辖区责任，与属地街道、小区物业密切配合，严把源头治理、巡查防范、强制拆除“三道关口”，完善畅通举报热线，实现24小时网格化巡查无缝隙、全覆盖。全年累计查处各类零星违建162起，其中拆除137起，拆除面积6561平方米，违建治理工作得到了市城管局的充分肯定和高度认可。

【工程监管】 2023年，会泽县城市综合管理局将建设施工行为监管由静态管理变为动态管理，除采取“定点值守＋机动巡查”外，应用交警部门的电子监控平台进行动态抓拍，实现渣土运输全过程动态监管，对违规运输行为精准打击。全年累计规范渣土运输车辆749车次，检查施工工地1000余次，查处违法违章施工行为7起。

【环保治理】 2023年，会泽县城市综合管理局针对群众反映突出的生活噪声和油烟污染扰民行为，制定《会泽县提升城市品质“百日攻坚行动”工作方案》，牵头联合公安交警、市场监督、生态环保、住建等部门，重点对生活噪声和油烟污染扰民行为进行专项治理，形成“城区油烟防治一张网”的长效监管机制。全年累计查处生活噪声扰民事件132起，油烟污染扰民行为31起。

【卫生保洁】 2023年，会泽县城区清扫保洁面积467.67万平方米，其中，机械化清扫面积379.37万平方米，道路机械化清扫率81.11%；不断扩充环卫设备，创新实施“以水为动力”“机动＋冲洗”“机动＋冲洗”清扫保洁方式，通过人机配合，基本实现无缝隙保洁。

【名城保护开发利用】 2023年，会泽县成立专班编制施行《会泽古城民居修缮建设指导手册（试行）》和《会泽古城民居修缮建设指导手册》，制定《会泽历史文化名城管理细则》，为民居修缮提供技术指导和遵循规范。委托西安建大城市规划设计研究院启动完成《会泽国家历史

临街商铺修缮改造　　（刘开荣　摄）

文化名城保护规划》修编工作，研究制定《会泽县打造历史文化名城实施方案》和《会泽县古城保护利用三年行动计划（2022—2024年）》，致力对名城保护与开发发展定位、建筑风貌等作全面规划。按照划定的古城保护范围、确定的保护对象和保护重点，依据《会泽古城民居修缮建设指导手册（试行）》，结合居民住户需求，采取“现场察看、现场办公、现场指导、定量修复、定人监管、资金担保、超量停工”的“一户一策”模式，全年累计组织各职能部门联合踏勘9次，审批落架修建行为36户、局部修缮行为81户。积极对接协调，拆除西直街移动会泽分公司、农村商业银行会泽支行不协调办公楼、会泽县税务局位于东内街的老办公楼、西内街老工商银行营业点不协调建筑4600余平方米。针对古城区电气线路敷设不规范、“蜘蛛网”、线路横架和飞线等突出问题，完成十字街片区和西外街片区471户电表改造和临街铺面室外电气线路穿管敷设，规范整治完成敷设不规范的线路1.63万米，隐藏或搬离电表箱等装置27个，督促整改线路横架、“蜘蛛网”等安全隐患问题13处。

（刘开荣）

公用事业管理

【概况】 2023年，会泽县城市综合管理局大力推进县城区“绿美县城”“卫生县城”建设，加强市政基础设施建设，致力提升城区绿化景观效果，督促会泽永裕城市综合服务有限公司做好城区清扫、保洁、清运工作，为县城区人民提供“干净整洁、舒适宜居、规范有序”城市环境。

【市政基础设施管护】 2023年，会泽县城市综合管理局开展市政设施安全隐患排查整治行动。完成通宝路、瑞祥路、瑞丰路等损坏沥青路面修复2500平方米、维修人行道小板1000平方米，消除道路交通安全隐患点11处。更换沉井盖104个、更换沟盖板11块。维修损坏路灯3000余盏、更换损坏电缆100余米，实现县城主干道、主街区路灯亮灯率达95%以上，重要节点楼宇亮化照明设施亮灯率100%达标。清淤沉井1280个（涉及涵管60千米）、雨水滤网1万余个、排水沟1000余米、清理淤泥400余方、安装雨水滤网96个、沉井防坠网250个。维修公厕灯35盏、安装防蝇帘300余平方米、安装纱网200余平方米、纱窗61道，及时维修蹲坑、马桶、门、锁、水箱、水管、龙头、洗手液盒子等公厕内部损坏设施，定期进行公厕吸污和消杀。

【园林绿化管理】 2023年，会泽县坚持以“增绿提质”为主线，以“绿美、宜居、特色、韧性”为目标，大力推进“绿美会泽”建设。投入建设资金2470万余元对抚军街、通宝路、以礼大道、钱城大道等4条主干道的绿化设施进行提质改造。新建4个口袋公园、3处节点景观，安装组合花箱180米，增加种植各类乔木4300余棵、灌木160万余株，提升改造绿化面积4万余平方米。新建口袋公园设置“嘉靖通宝”立体花坛6组，玻璃钢异型花箱19个；结合国家卫生城市创建工作，完成抚军街、通宝路、春晓街等主次干道树池改造30277个，其中树池铺装碎石1087个，铺装面积1100平方米；树池补种灌木2142个，补种面积2350平方米，绿化带缺塘补植补种1850平方米。年底，县城区基本实现“300米见绿、500米见园”，微改造扮靓城市微空间，市民“推窗见绿、出门入园”生活场景逐步成为现实。

【环境卫生】 2023年，会泽县城市综合管理局引入社会力量助力垃圾分类工作，争取社会资本（哈啰骑行公司）投入50余万元购买65个垃圾分类亭260只脚踏式垃圾桶完善县城区垃圾分类投放基础设施；督促会泽永裕城市综合服务有限公司加强环卫工作监督管理，做好县城区555名环卫工人、135辆环卫作业车辆安全生产、质量控制工作。对城区主次干道实行“一冲二扫三保洁”模式，严格按照“五无”（无砖、瓦、泥土、砂石，无粪便、枯枝，无纸屑、果皮、塑膜；无烟头、痰涕，无卫生死角及堆积物）、“六净”（街道路面净，人行道净，人行树塘净，花台、围栏周围净，交通围栏周围净，边角街沿净）要求做好县城区467.67万

抚军街口袋公园 （刘开荣 摄）

2023 年 2 月 21 日，会泽供电局组织开展线路特巡　　（曾招鑫　摄）

平方米道路面积垃圾清扫、保洁、清运工作。全年城市道路机械化清扫率达 81%，日收集、运输生活垃圾 200 余吨，密闭收运率和机械化收运率均达到 100%，生活垃圾无害化处理率 100%。

（刘开荣）

供　电

【概况】　2023 年，会泽县供电局下辖 6 个职能部门，20 个直属机构（其中 3 个中心，1 个配管所，16 个供电所），在编员工 656 人。主要担负会泽县 25 个乡（镇、街道）的供电任务，供电面积 5886 平方千米，供电客户 37.5 万户。全年，供电 13.41 亿千瓦时，比上年增长 8.32%。

【供电设施】　2023 年，会泽供电局有主网 220 千伏线路 13 条，长 436.89 千米；110 千伏线路 12 条，长 189.05 千米；35 千伏线路 39 条，长 488.47 千米；220 千伏公用变电站 3 座，主变台数 6 台，变电容量 900 兆伏安；110 千伏公用变电站 4 座，主变台数 8 台，变电站总容量 400 兆伏安；35 千伏变电站 19 座，主变台数 33 台，变电站总容量为 235.8 兆伏安。主变不满足 N–1 变电站 10 座、单线变电站 7 座。管辖配网 10 千伏线路 183 条，总长 5649.77 千米。其中，10 千伏公用线路 147 条，5401.40 千米；10 千伏专用线路 36 条，248.37 千米。管辖公变 4856 台，容量 87.28 万千伏安，专变 1748 台，容量 54.47 万千伏安；管辖低压线路 1.27 万千米。截至年末，10 线路联络 107 回、联络率 72.79%，中压线路可转供电线路 103 回、可转供电率 70.06%，配电自动化有效覆盖线路 125 条、有效覆盖率 100%，中压线路已投自愈功能的线路 67 回、配网自愈覆盖率 63.21%。中压客户平均停电时间 11.82 小时 / 户，同比下降 13.71 小时 / 户；供电可靠率 99.86%，同比提升 0.05%，电压合格率 99.89%，同比提升 0.16 个百分点。

【电网建设】　2023 年，会泽供电局建成投产 35 千伏乌蒙变、渔坝变，完成 35 千伏火红变电站增容扩建，启动 35 千伏新街变建设，开展 35 千伏鲁纳变前期工作。投资 4625 万元，实施 4 个批次共计 67 个单项，工程结算按时完成率 100%，解决 10 千伏线路过载 8 条、重载 1 条、报装受限线路 3 条、超 80 千米线路 3 条、中压线路末端低电压 3 条、线路联络分段不合理 22 条，解决末端低电压台区 42 台，充电基础设施乡镇全覆盖。投资 1238.55 万元，实施低压业扩配套项目 2681 项。

【安全生产】　2023 年，会泽供电局承接落实《曲靖供电局纵深推进本质安全型企业建设、落实人身风险重点管控措施行动计划》，制定承接措施 124 条，按期完成率 100%。修编印发《会泽供电局安全生产激励实施方案》，开展现场安全监督检查 3908 次，查处违章 1777 起，同比提升 131.08%。落实安全生产责任制，签订安全生产目标责任书 554 份，修编安全职责及到位衡量标准，并按期开展履职评价。按要求整改安全生产督察、巡查、检查发现问题 328 项，完成率 100%。累计发现安全隐患 4540 项，治理完成率 89.36%。修编完成 1+11+68（总体 + 专项 + 现场处置方案）应急预案体系，编制应急演练计划 109 项，按期完成率 100%。强化应急队伍技能常训常练，在曲靖供电局 2023 年组织的应急特勤队技能竞赛中获团体二等奖，实现 19 项重大保供电工作万无一失。

【供电服务】　2023 年，会泽供电局持续落实“三零”“三省”服务举措，切实提升“获得电力”服务水平，完成国家能源局现场监管问题自查及整改。实现政企协同办电信息共享平台互联互通，业扩服务时限合格率 100%，刷脸办电 99.08%，超额完成下达指标。划分 177 个网格，建立网格经理微信群 3313 个，自有服务渠道诉求占比同比提升 26%。完成高压客户接电 91 户、低压居民客户接电 1685 户、低压非居民客户接电 1662 户，时长同比分别压减 0.33 天、0.07 天、0.92 天。组建工作专班对 209 个老旧小区进行清理排查。及时召开第三监管周期输配电价政策宣贯客户座谈会，平稳过渡新电价执行。推进客户故障出门治理，同比降幅14.1%。

（张坤宏）

供　水

【概况】　会泽县禹科水务投资有限公司，2023年4月18日由会泽县泽源水务建设有限公司、会泽县城乡供水总厂及会泽县自来水厂撤并改制成立，是会泽县钱城建设投资集团有限公司的一级子公司。公司主要以水利经营性和准公益性资产为核心，整合和盘活水利国有资产。公司主要负责自来水生产与供应，天然水收集与分配，水力发电，城乡供排水一体化投资运营管理等工作。

【供水服务】　2023年，会泽县禹科水务投资有限公司在县城及各乡镇建立21个生产和营业网点，以供水厂供水主管联网，实现水源跨区域调度、统一水处理工艺及设备设施、智能收费软件的推广应用等方式形成以县城为中心、乡镇为基础，面向农村农户的集供水工程、供水管网设施为一体的布局。供水覆盖25个乡（镇、街道）、110个村委会，城区辖四座净水处理厂和一座原水输水泵站，分别位于金钟山以西的一水厂、金钟山以东的二水厂，白龙潭三水厂和以礼水厂，日处理能力达10.5万立方米。共有用水户11.47万余户、供水人口达55.65万人、年供水量1237.6万余立方米，实现总收入4964.70万元。

（黄双燕）

金钟水厂　（钱城集团　提供）

【农村供水保障项目】　会泽县农村供水保障专项行动项目涉及马路乡、大桥乡、娜姑镇、以礼街道等9个乡（镇、街道），计划建设13项工程，主要包括新建10座水处理厂、5座水源点，建设输配水管网及其他配套建筑物等，项目总投资4.68亿元。工程分年度实施，计划总工期36个月。工程于2021年11月25日陆续开工建设，截至2024年3月，13项工程已全部开工建设，预计2024年底完工。项目建成后可提升和改善7.11万人的饮水问题，其中解决纯水窖供水人口1.14万人，水窖辅助供水人口2.54万人。

（赵春梅）

［责任编辑　周芮冰］

生态保护

综　　述

【概况】　2023年，曲靖市生态环境局会泽分局（以下简称“会泽分局”）以整改落实生态环境保护督察反馈问题和突出生态环境问题整治为抓手，持续深入打好“蓝天、碧水、净土”保卫战，着力改善区域生态环境质量。中央第二轮环保督察反馈移交的51个问题，完成整改48个；长江流域生态环境保护修复情况巡视反馈25个问题，完成整改20个。省第二轮环境保护督察对全县22个点位进行现场督察，其中，11个点位存在问题，完成整改10个。其间，转交办的10件信访件全部办结。

【“蓝天保卫战”成效巩固】　2023年，会泽分局严格落实重点区域大气污染物特别排放限值要求，督促指导县域内4家铅锌冶炼企业严格执行重点区域大气污染物特别排放限值，督促县域内55座加油站规范油气回收装置运维，指导2家铅锌冶炼企业和1家水泥行业完成强制性清洁生产审核工作。推进工业炉窑深度治理及颗粒物、无组织排放专项治理，完成云南驰宏锌锗股份有限公司会泽冶炼分公司低浓度二氧化硫烟气脱硫尾气深度净化工程建设。指导会泽滇北工贸有限公司冶炼总厂等7家重点企业规范落实无组织排放要求。强化移动源排放治理监管，完成614台非道路移动机械编码登记、档案建立。年末，县人民政府所在地空气质量优良率99.7%（超年度目标任务0.8个百分点）。

【“碧水保卫战”成效巩固】　2023年，会泽分局开展乡镇级以下饮用水水源地保护区划分。推进宝云街道华泥社区白龙潭、马武水库及者海后冲水库等3个水源地保护区划分工作。分类分步开展以礼河入河排污口整治，对以礼河沿岸64个入河排污口分阶段开展整治。完成整治59个，5个排口正按时序推进整治。抓好重点流域水生态环境保护，围绕牛栏江会泽段、以礼河流域水环境综合治理，强化水质跟踪监测，谋划包装一批生态环境治理项目。推进医疗废水处置监管，按时序推进472家医疗机构废水短板整治销号工作。2个县级集中式饮用水水源地和5个“千吨万人”、14个乡镇级饮用水水源地水质达标率100%，2个国控、2个省控断面达功能区要求。

【“净土保卫战”成效巩固】　2023年，会泽分局因地制宜推进农村生活污水治理。9月，启动实施生态敏感区16个乡镇41个行政村农村污水治

2023年12月26日，曲靖市生态环境局会泽分局组织人员对农村生活污水治理项目进行核查　（邢艳玲　摄）

理已全部完成整治，其间，累计投入治理资金2460万元，先后完成农村户厕改造2638个，建设“小三格”2442个，“大三格”57个，覆盖收集1962户；建成氧化塘3个，覆盖收集266户；建成人工湿地6片，覆盖收集274户。建设农村污水处置“大三格”、氧化塘、人工湿地等设施66个。推进土壤污染防治和安全利用，依法依规推进实施会泽县者海片区已关停企业历史遗留污染场地调查评估及修复治理、会泽县者海镇钢铁河中下段历史遗留底泥重金属污染源风险管控等项目。推进固体废物堆存场所环境污染及风险隐患排查整治。

【环境执法】 2023年，会泽分局对问题企业下发整改通知9份。其中，立案查处8件，移交公安机关1件，处置群众诉求117件（次）；完成2家涉源单位、23家医院和7家快递企业辐射安全现场核查。帮扶指导85家获排污许可企业开展自行监测并加大检查、抽查力度。指导26家企业编制《突发环境事件应急预案》和备案工作，指导有关企业并组织开展应急演练3场次，积极应对和处置各类问题11起。开展生态保护红线疑似生态破坏环境问题点位核查工作，完成395个自然保护地人类活动变化遥感监测疑似问题线索点位核查。

（尹国松）

黑颈鹤保护

【概况】 2023年2月，会泽黑颈鹤国家级自然保护区被联合国湿地公约组织指定为“云南会泽念湖国际重要湿地”，10月被中国人与生物圈国家委员会批准纳入中国人与生物圈保护区网络。

【生物种类】 2023年，到会泽黑颈鹤国家级自然保护区越冬的黑颈鹤数量增至1389只。区内国家Ⅰ级保护动物9种，国家Ⅱ级保护动物29种，新纪录大火烈鸟、紫水鸡、彩鹮、反嘴鹬等物种，保护区鸟纲动物增至209种，4万余只。

【保护区基础设施改善】 2023年，会泽黑颈鹤国家级自然保护区编制完成保护区《云南会泽黑颈鹤国家级自然保护区总体规划（2022—2031）》并获得批复；编制《会泽黑颈鹤国家级自然保护区第二次科学考察报告》和《动植物图鉴》，从智慧保护区、越冬候鸟栖息地生境恢复、保护区巡护系统、黑颈鹤食源地科研项目、保护区能力建设、自然教育、乡村生态旅游等方面进行规划。开发建成9D沉浸式体验馆，运用数字化技术手段，结合现代化声、光、电技术以及计算机虚拟仿真技术等方式，把保护区自然生态环境、丰富的生物多样性可视化，达到将保护区的成果展示及生物多样性主题进行科普宣传的目的，形成具有会泽“黑颈鹤地域特色”主题科普体验馆。建成会泽黑颈鹤国家级自然保护区国家级陆生野生动物疫源疫病监测站，提高保护区内野生动物疫源疫病的监测能力。

会泽黑颈鹤国家级自然保护区大桥片区　　（肖利东　摄）

【湿地项目建设】 2023年，会泽黑颈鹤国家级自然保护区本年争取中央财政项目资金2050万元，对2个片区黑颈鹤栖息地生态环境进行修复，对长海子管理所进行功能提升；投资375万元在长海子片区实施湿地保护与恢复项目，提升改造2425米湿地保护巡护步道，种植6.99万平方米湿地水生植物，建设18亩候鸟食源地，为越冬候鸟提供更好的栖息环境；投资700万元提升保护区生物多样性保护宣教功能；修缮湿地巡护道路2.5千米、修缮湿地防护隔离围栏7.2千米，形成稳定、自然的湿地生态系统，改善湿地环境质量，扩大黑颈鹤等候鸟的觅食地和栖息地。推进投资150万元的电子围栏二期建设项目，提升管护工作数字化、智能化、规范化水平。

【生态环境问题整改】 2023年，会泽黑颈鹤国家级自然保护区推动长江经济带警示教育片反馈问题和省级环保督察曝光片指出问题整改，强化措施全面监管保护区违规建设、污水排放、经营活动等情况，加强对保护区内违规放牧、钓鱼、捕捞等行为的监督管理，坚决杜绝相关环境违法违规行为，全面管控外来人员进入保护区核心区，破坏生态环境。通过整改，长江经济带警示教育片反馈问题，11月23日通过省级验收销号。

（袁　嵘）

驾车省级自然保护区

【概况】 2023年，会泽驾车省级自然保护区管护局（以下简称“会泽驾车管护局”）围绕“加强生物多样性保护，切实提升保护区管护水平”这一中心工作，加强队伍建设，强化行政管理，开展资源本底调查，自然保护区管理与建设工作稳步推进。

【生态资源监管】 2023年，驾车管护局完成保护区含野生动植物在内的共8个专题的资源调查，更新、充实野生植物资源名录信息，采集植物标本，把握重点保护植物华山松的人工种植培育状况，布设监测点6处，设置红外相机10余部。共发现并鉴定种子植物106科367属571种，裸子植物3科4属5种，蕨类植物4科7属8种，植物物种多样性较丰富。其中包括2种国家Ⅱ级保护植物，24种中国特有种，其中13种为云南特有，9种为云南高原特有；大型真菌73种。哺乳动物9目18科36种，两栖爬行动物3目11科21属22种；鸟类12目44科116种，其中国家Ⅰ级保护鸟类1种和国家Ⅱ级保护鸟类9种。开展驾车省级自然保护区总体规划社会稳定风险评估，整理合法性审查等支撑性报件，为总体规划审查做好准备。

【生物多样性保护宣传】 2023年，会泽驾车管护局在“六五”环境日、世界野生动植物日等重要时间节点，通过发放宣传资料、设置自然保护区生物多样性展板、播放专题宣传音频等形式，到保护区涉及乡镇开展生物多样性保护宣传教育和科普活动8次，共发放宣传资料2100余份、宣传手提袋1000余个、悬挂标语11条，多渠道多形式宣传《中华人民共和国野生植物保护条例》《中华人民共和国野生动物保护法》《中华人民共和国森林法》《中华人民共和国自然保护区条例》等法律法规。到保护区周边小学开展森林保护教育，结合森林保护、生物多样性保护等知识的讲解，通过播放PPT、播放宣传视频、现场讲解、互动问答等多种方式，向师生们宣传生物多样性保护、森林防灭火等法律法规及相关知识。与市生态环境局会泽分局等多家单位联合开展低碳节能宣传活动，发放宣传环保袋300余个，宣传资料1000余份。到保护区取景取材，拍摄制作驾车省级自然保护区宣传片，为保护区生物多样性宣传奠定坚实的基础。持续做好“云南林业”“关注森林网”等宣传媒体的信息报送和网页管理，促进保护区宣传工作更上台阶。

【常态化巡护监测】 2023年，会泽驾车管护局严格按照巡护管理制度要求，层层压实监管巡护责任，利用手机App、林调通、云南省自然保护地综合管理信息系统等生物多样性监测和网络管理系统，加强保护区日常巡护频次和监测密度，共开展巡逻77次，巡护里程4929.79千米。

【人为活动管控】 2023年，会泽驾车管护局严格执行《自然保护区条例》，坚持保护区建设项目严格审批、严格把关，加大对破坏山体及植被、侵占自然保护区和生态红线违法行为的监管。紧盯渝昆高铁会泽段华山松隧道2号横洞弃渣场有可能破坏自然保护区生态红线隐患，联合协调曲靖市生态环境局会泽分局、县自然资源局、县林业和草原局3家单位到实地开展联合监管。

【管护能力建设】 2023年，会泽驾车管护局成立保护区森林防火办公室，严格落实森林防火值班制度，定责任、定任务，护林防火期间每周分组开展防火宣传、巡查、督促等工作，共开展森林防火专项巡逻42次。加强职能部门在生物多样性保护综合监管、协调管理中的职能，提前介入保护区涉及乡镇项目选址，提供科学合理技术支持，妥善处理保护与发展的矛盾，最大限度保障生物多样性资源安全。配合市生态环境局会泽分局开展省级生态文明示范区创建。抓好涉及本单位的生态环保工作落实，认真核查人类活动变化点位55个，纳入管理台账持续加强监管，55个点位已全部销号。

（金吉蕾）

［责任编辑　周芮冰］

2023年7月6日，会泽驾车管护局组织人员在保护区开展资源调查

（金吉蕾　摄）

教育·体育

教育管理

【概况】 2023年，会泽县有各级各类学校562所。其中：高中7所，初中38所，小学261所，职校1所，幼儿园254所（公办194所、民办60所），特殊教育学校1所。有在校学生17.24万人。其中：普高28621人，初中44261人，小学68407人，职业技术学校2586人，附设中职班2182人，幼儿园26157人，特教学校210人；有公办在职教职工10349人（在职在编10052人，工人176人，特岗教师121人），民办教职工（含外聘）1242人；校舍建筑面积217.3万平方米；有中小学党组织281个，党员教师4388人。

【示范引领】 2023年，会泽县教育体育局团结带领全县广大教育工作者持续发扬“苦字当头、实干兴教，改革创新、科学发展”的会泽教育精神，紧扣“均衡发展、品牌提升”两大主题，围绕“强师立本，教研提质”两大目标，精耕细作、苦干实干，全面贯彻教育优先发展战略，为教育改革谋篇布局，为教育发展尽心竭力，着力破解教育重大问题，提升教育治理能力，稳步推进教育改革和发展，全面提高教育教学质量，持续推动全县教育事业健康发展。9月，县教育体育局被中共云南省委云南省人民政府评为云南省教育工作先进集体。

【办学条件】 2023年，会泽县持续加大教育投入，筹集资金加强教育基础设施建设，划拨教育专项经费10.9亿元，足额拨付教学质量奖782万元。争取学校建设资金2.6亿元，规划新建、改扩建、附属工程等校舍面积15.46万平方米。完成6.67亿元拖欠企业账款清理工作。拨付各项资助、奖励资金1.66亿元，受助学生18.61万人次，推进全县190个长效机制项目和“310”工程建设。

【教育改革】 2023年，会泽县教育体育局制定出台《会泽县加快教育高质量发展十条措施》《会泽县教育高质量发展三年行动计划》《会泽县“教育强县人才支持计划”实施意见（试行）》等一系列措施办法，科学规划会泽教育“顶层设计”。加大中高考研究力度，固化教学模式，强化“5+N”教学研究，小学、初中学校积极主动适应中高考改革，确保各学段有效衔接。集团化办学“名校+”“领办制”等机制体制不断激发活力，高中学科中心教研室优化重组，“1+N”教育联盟挂牌成立。科学设置考核指标，形成客观、公正的激励机制。探索完善县内竞争机制，树立正确的评价导向，推动教师积极参与教学，提高广大教师工作积极性、主动性。优化撤并小规模小学35所，初级中学3所，分流学生1183人，整合教师194人。成立业余体校、体育总会，组建不同项目的学生竞技体育社团，推动校园体育和社会体育融合发展。

【教育品质】 2023年，会泽县全面落实“双减”政策，聚焦“双减”、推进“双升”、突出“五育并举”、落实“五项管理”，实现学生全面培养、全面发展。各类教育协调发展，大力构建公平普惠的基础教育体系，全县普惠性幼儿园覆盖率96.13%，公办幼儿园在园幼儿占比65.6%，九年义务教育巩固率98.56%，高中阶段毛入学率92.55%。现代职业教育发展体系不断完备，开设电子商务、数字媒体技术应用等14个专业。2023年中考，会泽县中考统招生录取最低控制线574分，中考录取最低控制线位居全市第一。“会泽模式”在全省推广，并被写入全国乡村教育发展报告，省、市多个教育发展现场会在会泽召开，会泽教育经验作为全县主题教育唯一一个正面典型案例。全年，央视媒体、省内媒体对会泽教育进行“组团式”宣传报道，会泽县教育体育类宣传在市级及以上刊物发表相关报道100余篇，其中，《人民日报》《中国教育报》《农民日报》《云南通讯》《社会主义论坛》《曲靖日报》等报刊媒体相继以《会泽县钟屏街道钟屏小学迎来新学期开学》《当县中开始自救》《会泽县深化教育综合改革——重教为本打造教育强县》《县域高中教育的“会泽模式”》《奋力书写会泽教育高质量发展新篇章》《推进县域高中教育教学质量提升——“会泽模式”在全省推广》《会泽：教育一体化发展惠泽万千学子》《会泽：教育均衡发展闯新路》《厚植教育沃土——“会泽模式”育新篇》为题报道会泽教育改革发展过程中的特色亮点，云南新闻联播以《一个教育落后县的“突围”》为主题，分《从“吊车尾”到“领头羊”》《百花齐放均衡发展》《办好人民满意的教育》《云视短评：让教育发展成果更多更公平惠及全体人民》4个专题连续4天报道会泽教育改革发展的进程。

【教育联盟】 2023年，会泽县持续实施教育强县战略，大胆改革，勇于创新，建立高中教育集团化办学新模式，成立24个“1+N”义务教育段和学前教育段的教育联盟，集团内学校建立35个县级学科中心教研室，统筹推进县域各类型、各学段教育一体化高质量发展，探索出县域教育优质、均衡、特色发展的新路子。学前教育段由县城区7所示范园与19所帮扶园签订《会泽县幼儿园1+N结对帮扶协议书》并实施帮扶活动，通过为期3年的活动，采取跟班学习、专题讲座、交流研讨、师徒结对等灵活多样的方式，进一步缩小城乡幼儿园之间的差距，提升全县各级幼儿园的办园水平及保教质量，12月，对结对双方的工作开展情况及成效进行考核。义务教育段学校按照“一城四片区”（县城区、东片区、西片区、南片区、北片区）划分，联盟学校由城区一所示范学校和片区成员学校共同组成，每个联盟区域分学科设置学科中心（初中9个学科，小学语文、数学、英语3个学科），学科中心设主任1名，副主任2名，成员、学员若干名，通过联盟学校校际交流、集体备课、课堂示范、联合竞赛、跟岗学习等方式，充分发挥示范学校辐射引领作用，促进全县义务教育段学校教育高质量发展。高中学校以茚旺高中为龙头，采取“名校+新建学校”“名校+民办学校”等方式，实行名校领办制，迁移复制原有高中办学经验，实现扩容和提质“双赢”；制定下发《会泽县高中学科中心教研室工作实施意见》，以9大学科中心教研室为依托，紧扣“强师立本、教研提质”目标定位，以“十研十定”为主要工作任务，加强7所高中学校各学科教育教学研究，着力提升学科中心教研室研究能力和水平，稳步提升高中学校教育教学质量。

【教育综合治理】 2023年，会泽县依法治校全面深化，修订完善教体系统系列制度办法，指导学校完善学校章程，加强法律顾问、法治副校长聘任与管理，组织全县各中小学开展法治教育专题讲座400余场、法治教育主题班会8000余节、“家长法治课堂”400余场次，评选认定688名同学为县级“法治小先锋”，茚旺高中等22所学校为“知法明理示范学校”，提升学校依法治理水平。印发《会泽县教育体育局安全工作三年行动计划》，常态化开展安全宣传教育，协调有关部门对重点领域开展重点治理和隐患排查治理。协调资金22.32万元对72所学校配套安装地震预警终端312套。创建平安校园15所，地震科普示范学校省级3所、国家级1所。督导评估全面推进，充实督学队伍，优化督学运行机制，扎实开展好教育热点难点问题和重点工作专项督导工作。东陆高中等6所学校顺利通过市级专家督导评估认定，古城街道盈仓小学评估认定为市级现代教育示范学校。落实“校财局管”，推进学校财务规范化管理工作。推行“明厨亮灶”网络化建设，全面巩固食堂“6T”实务管理。配齐学校食堂食品安全总监和食品安全员，加强对学校食品安全督查。迤车镇索桥小学顺利通过曲靖市创建国家食品安全示范城市国家评估组验收。

教师队伍建设

【概况】 2023年，会泽县各级各类学校有公办在职教职工10349人（在职在编教师10052人，工人176人，特岗教师121人），另外有民办教职工（含外聘）1242人。全县各级各类学校教职工分学段情况（含外聘）：普高2007人，初中3245人，小学4269人，职中（进校）184人，附设中职班（普高补习班）43人，公办幼儿园989人，民办幼儿园806人，特殊教育学校48人。

【人才引育管用】 2023年，会泽县实施“教育强县人才支持计划”，聚焦“引、育、管、用”，健全教师编制动态调整机制优化教师资源配置，引进教育高层次人才10人，省级公费师范生168人。严格按照《会泽县中小学校领导人员管理暂行办法》选拔聘用班子队伍，选拔聘用41名校级领导，新聘任校（园）长16人、副校（园）长25人，交流轮岗校长4人，选拔跟班挂职培训校长助理9人。根据《中共会泽县委会泽县人民政府印发关于会泽县教育强县人才支持计划的实施意见的通知》要求，县教体局成立工作专班，负责建立会泽县教育人才库，截至年末人才库总人次2547人次，总人数1743人，其中第一层次15人次、第二层次233人次、第三层次689人次、第四层次1610人次。全县调动教职工242名，其中，城区学校考试调动156名，城区学校考核调动45名，乡镇学校之间解决夫妻分居调动19名，乡镇学校考核调动22名，县外调入8名。

【教师全员培训】 2023年，会泽县开展全方位、各学段、多轮次的培训达4.5万余人次。围绕“集中示范”的目标，创新开展集中培训，面向全员开展分类、分层、分学科示范性培训，培训采取点餐式、参与式、体验式等培训模式，通过线上线下混合研修等方式，组织各类集中培训人数1万余人。按照“网络引领”的目标，抓实网络培训，突出新理念、新方法、新信息的引领，培训围绕“课标解读、优课示范、专家问诊”等主题，寒假网络研修9519人，心理健康研修6071人，暑期网络研修9721人。紧扣“校本为本”的目标，认真抓细校本培训，每月要求各学校按时上报校本培训简报，并定期评比；1月，到全县79所学校，通过实地查看、查阅资料和走访师生等方式对学校进行全面督查；3月，组织专题调研1次，促进后进学校重视校本培训工作；4月，组织400余人的全县校本培训推进会，校本培训人数达10605人。

2023年9月23日—24日，县教体局组织全县中小学教师参加2023年秋季学期教师集中培训　　（耿丽瑶　摄）

2023年会泽县各级各类学校情况统计表

表4

学校类别	学校数(所)	班级数(个)	毕业生数(人)	招生数(人)	在校学生数(人)	女生数(人)	少数民族(人)
合计	562	4333	50562	49626	172424	81121	12081
一、基础教育	560	4252	49699	48705	169628	80097	11938
1. 普通高中	7	540	8919	9628	28621	14148	1806
2. 初级中学	38	876	14082	14422	44261	20302	2892
3. 县直小学	7	302	2368	3321	15712	7416	1353
4. 县直幼儿园	7	130	2060	1926	5679	2663	555
5. 乡镇小学	254	1711	9763	8572	52695	24732	3647
6. 乡镇幼儿园	187	350	6252	6034	11627	5589	830
7. 民办幼儿园	60	300	4640	2620	8851	4111	679
8. 附设中职班		43	1615	2182	2182	1136	176
二、职业教育	1	65	853	881	2586	941	130
三、特殊教育	1	16	10	40	210	83	13
四、教师进修学校	1						

2023 年会泽县教职工情况统计表

表 5

学校类别	教职工数（人）	专任教师数（人）	女专任教师数（人）	其中：民办教职工（含外聘）数（人）
合计	11591	10778	6012	1242
学前教育	1795	1218	1045	
小学	4269	4248	2107	
初级中学	3245	3110	1616	
普通高中	2050	1980	1116	
职业技术学校	184	177	91	
特殊教育学校	48	45	37	
教师进修学校	14	11	6	

（耿丽瑶　丁　俊）

【教师培养路径】　2023 年，会泽县继续实施名校长、名教师等培养计划，培育“三名”教师工作室 17 个，建立 9 个县级学科中心教研室，培养本土专家 520 余名，培养骨干教师 3000 余人，培养 3 名“兴滇英才”教学名师，4 名“珠源英才”教学名师，10 名会泽教学名师。13 名教师获省教育厅乡村从教 20 年以上优秀教师奖励，18 名教师获曲靖市乡村从教 20 年及以上优秀教师奖励。完成校长职级评审认定基础教育学校校长职级 263 人，其中，一级校长 20 人，二级校长 43 人；完成 2023 年教师职称申报评审各级职称共 1654 人，其中，正高级教师职称 5 人，高级教师职称 1237 人。年末，全县教育系统有正高级职称 25 人，高级职称 5402 人。

【师德师风培育】　2023 年，会泽县教育体育局成立师德师风县级宣讲团，开展巡回宣讲 24 场次，覆盖教师 4000 余人。组织各学校开展警示教育 700 余次，筑牢师德底线；出台《会泽县教育体育局关于印发会泽县师德师风建设工作管理办法（试行）》，将教师思想政治和师德表现纳入教师聘用合同约束性条款和试用期考察内容，建立“一师一案”师德档案制度，对每位教师的师德行为进行记录，对申请教师资格和新聘用教师，均采取犯罪信息筛查，把好教师“入口关”；各学校认真开展法制纪律、师德警示、师德宣誓、师德承诺、师德自检自查、师德演讲比赛、师德表彰等宣传教育活动，引导教师树立高尚师风；面向社会公开师德师风举报电话，设立师德师风举报箱，建立学校、教师、家长、学生、社会“五位一体”的师德师风建设监督网络，制定师德失范行为负面清单，对教师师德失范行为“零容忍”。

【教师奖励激励】　2023 年，会泽县召开全县模范教师宣讲大会，选树并表扬 2 个老教师团队，授予 66 名老教师“红烛奖”，201 名青年教师“芳华奖”，发挥优秀教师的引领辐射作用。召开全县教育发展大会暨第 39 个教师节庆祝大会，表彰教育体育工作先进集体 50 个，教育体育工作先进个人 97 名，名校（园）长 60 名，名班主任 150 名，名教师 200 名，捐资助学先进集体及个人 23 个。全县荣获云南省教育工作先进集体 1 个，云南省优秀教师 2 名，云南省乡村学校从教 20 年以上优秀教师 13 名；荣获市级教育体育工作先进集体 8 个，教育体育工作先进个人 10 名，名校（园）长 3 名，名班主任 6 名，名教师 12 名，乡村学校从教 20 年以上优秀教师 18 名。

（耿丽瑶　丁　俊）

素质教育

【概况】　2023 年，会泽县深化五育

以礼河联合学校美术课　　（陈耀邦　摄）

并举，执行国家课程标准，开齐上好音体美劳、实验、阅读、书法、综合实践、优秀传统文化等课程。遵循教育规律，关心学生身心健康，科学安排作息时间，丰富学生体育锻炼。把“五育并举”、课后服务融入素质教育的方方面面，促进学生全面发展。

【红色教育】　2023年，会泽县因地制宜用好红色资源，把红色教育作为德育教育重要任务，通过每年一次中华优秀传统文化知识竞赛和诗词大会、每学期一次“书记校长同讲一堂思政课”、每周一次“国旗下的讲话”、每天收看新闻联播等活动，定期组织学生到龙潭烈士陵园、水城红军扩军旧址、滇东北第一个党支部等红色教育基地参观，讲好会泽1500余名英雄儿女踊跃加入红军的革命故事，让红色基因代代流传。2023年高考中，数百名学生报考军校、36名收到军校录取通知书、其中国防科学技术大学7人。

【活动育人】　2023年，会泽县各级各类学校举办丰富多彩实践活动，建立德育、美育、体育等工作室，编印《中小学生良好习惯常识》德育教材，严格执行国家课程标准，开齐上好音体美劳、实验、阅读、书法、综合实践、优秀传统文化等课程。开展学校“两操一课”和体育艺术“2+1”活动，鼓励各中小学成立文学社、体卫艺兴趣小组等中小学社团1300余个，把德育、智育、美术、劳动教育融入书画评比、诗词大会、校报评比、体育运动会、歌咏比赛、最美菜园等活动，让学生在参与活动中浸润心灵、陶冶情操。

【心理健康】　2023年，会泽县教育体育局创新体教融合发展新模式，成立业余体校、体育总会，组建不同项目的学生竞技体育社团，推动校园体育和社会体育齐头并进、融合发展，以中长跑和竞走两个项目为优势，共培养输送4个世界冠军，40个全国冠军，创建3个国家级后备人才基地。高度重视心理健康教育，特别是对易地搬迁留守儿童，建立“学校＋社区＋家庭＋社会”四位一体协同育人机制，通过“挂包＋走访”“资助＋帮扶”“百名党员教师进千家暖万心”等措施，全方位做好留守儿童思想引导、心理疏导、学业辅导和生活指导，让留守儿童心向阳光、快乐成长。

【科学教育】　2023年，会泽县教育体育局制定《会泽县教体系统青少年素养提升行动方案》，将“科学实验”“科学创造”“科技地带”等纳入科技类课程，开设无人机创意编程、智能设计、七巧板、科学实验等兴趣社团，强化做中学、用中学、创中学，激发青少年好奇心、想象力、探求欲，发展学生科学素养。依托县博物馆、少年宫、气象局、地震局、文旅局、公司企业等科普实践基地，定期开展科技节、科技小发明、科普读书等活动，引导学生树立科学理想，积极开展科学创新实践活动。分别创建国家、省、市科普示范校1校、6校、15校，在各类科技竞赛中屡获佳绩。

【阅读教育】　2023年，会泽县各级各类学校分学段开发品牌阅读项目，指导学生进行高品质阅读。深耕阅读教学教研，开展教研活动要融入阅读专题教研，指导提升学生阅读水平和能力。注重中华优秀传统文化的教育和本土优秀传统文化教育，组织开展中小学汉字听写大赛、诗词大会、书法竞赛等活动。各学段每周确保1～2节阅读课，全天候开放图书室，班级建立图书角，校园设置读书角等，让学生随时随地阅读，培养学生批判性思维、创新精神和实践能力。

（耿丽瑶　丁俊）

学前教育

【概况】　2023年，会泽县共有幼儿园254所（公办194所〈含班改幼157所〉，民办60所），有幼儿园大中小（含学前）班780个，在园（班）幼儿2.62万人；有幼儿专任教师1218人（公办777人，民办441人）；学前三年儿童毛入园率86.35%。普惠性幼儿园有244所，占比96.13%。公办园在园幼儿1.73万人，占比为

66.16%，居全市各县（市、区）第一。会泽县第一幼儿园被评为曲靖市学前教育艺术领域教学研究基地学校，会泽县第二幼儿园被评为曲靖市学前教育语言领域教学研究基地学校，会泽县中国中铁第三幼儿园被评为曲靖市学前教育健康领域教学研究基地学校。会泽县加大投入力度，加强幼儿园建设，农村幼儿园的办园条件得到很大改善，逐步形成以公办幼儿园为骨干和示范，民办幼儿园为主体，公办与民办共同发展的办园格局。推进学前教育普及普惠安全优质发展，学前教育资源迅速增加，普及普惠水平大幅提高，管理制度不断完善，“入园难”问题得到有效缓解。

【幼儿园项目建设】 2023年，宝云幼儿园建成投入使用，增加540个学位。乐业镇乐业幼儿园主体完工，秋季学期将竣工投入使用，增加180个学位，启动古城街道水城幼儿园和待补镇幼儿园建设项目。

【学前师资队伍】 2023年，会泽县教育体育局组织开展2023年学前教育工作专题培训，共培训全县公民办幼儿园园长、骨干教师和互满爱项目学校教师120余人。组织47名幼儿园园长（副园长）及后备干部参加园长任职资格培训和跟岗培训，提高幼儿园园长持证上岗率。协调组织云南工商学院在会泽县开展“同心圆”帮扶幼儿园行动，年内安排126名学前教育专业大学生到会泽顶岗实习，缓解幼儿教师不足的问题。

【招生工作】 2023年，会泽县教育体育局精准建立学前适龄幼儿台账，对全县3～5周岁适龄幼儿情况进行全面摸底、比对，盘清全县学龄前幼儿底数，精准建立全县3～5周岁适龄幼儿台账。多次召集专题会议分析、研究、安排布置幼儿园招生工作。各学校发布招生简章，利用网站、微信、QQ等载体进行招生宣传，提高社会及家长的知晓度。对全县幼儿园招生情况进行专项督查，对辖区适龄幼儿做到“应招尽招”。全年，幼儿园（班）招生10580人（民办2620人），全县在园（班）幼儿26157人。

【规范办学】 2023年，会泽县教育体育局加强常规管理。按照属地管理原则，落实以县为主的学前教育管理体制，乡（镇、街道）中心学校负责辖区内学前教育管理，发挥乡（镇、街道）中心幼儿园的纽带作用。落实云南省幼儿园办园行为管理规定和幼儿园一日活动指导方案，加强对幼儿园活动和教育过程的质量监控与指导，加强学前教育课程建设，坚持以游戏为基本活动，开展幼儿园“小学化”倾向专项治理行动。制定幼儿园保育保教质量考核办法，年末进行全面考核。开展幼儿园等级评定，加强幼儿园办园行为督导评估，规范和引领办园行为，提高保育教育质量，促进全县幼儿教育事业快速发展。年内，县二幼晋升为云南省一级二等幼儿园，中铁一幼、中铁三幼晋升为云南省一级三等幼儿园。

（耿丽瑶　丁俊）

义务教育

【概况】 2023年，会泽县有初级中学38所，小学261所（含3个教学点），在校学生11.27万人，九年义务教育巩固率98.61%。聚焦义务教育提质增效，不断加大教育投入，合理调整学校布局，有序推进小规模学校撤并，整合教育资源，补齐农村地区和县城新增人口集中地区基础教育资源短板，逐步缩小区域差距、城乡差距和校际差距，促进义务教育城乡共同发展。完成义务教育优质均衡发展年度目标任务。

【控辍保学】 2023年，会泽县按照“双线四级”责任制的要求，落实控辍保学包保成员职责，整合各级各部门力量共同参与，建立联控联保机制。严格落实“四查三比对”工作，确保底数清、情况明。利用控辍保学视频核查系统、控辍保学动态管理系统开展常态化的线上监督检查。年内，群众在政府救助平台反映的5个工单，均做到及时办结，确保控辍保学长期实现动态清零。全县小学入学率99.98%，初中毛入学率100.02%，

2023年11月3日，会泽县公民办幼儿园“1+N”教育联盟启动仪式在中铁三幼举行（赵冬梅　摄）

九年义务教育巩固率 98.61%。县教体局通过不断完善中小学教学质量评价机制，深化课堂教学和课程改革，小学各年级教学成绩，均在往年基础上有所提升。2023 年全县中考总平均分 536.59 分，较上年提高 94.97 分。

【双减双升】 2023 年，会泽县各学校建立作业管理机制，科学制定作业管理办法，加强作业设计与统筹，由学科组、年级组集体研究、合理布置作业。鼓励布置适合各阶段学生活动性、实践性、探究性作业，布置菜单式自选作业等，激发学生自主学习的内生动力。建立作业公示制度，自觉接受家长和社会的监督。努力提升课后服务水平。印发课后服务工作管理考核办法，完成课后服务收费备案工作，制定中小学课后服务内容清单，推进课后服务规范化、清单化开展，促进学生全面发展。推进课后服务做到义务教育学校全覆盖、有需求的学生全覆盖、服务时间全覆盖的三全覆盖。通过打造课后服务示范点，引领全县义务教育学校课后服务工作扎实有效地开展。年末，全县 299 所义务教育学校开展课后服务，开出率 100%；自愿参与课后服务的学生数为 11.20 万人，参与率 99.8%。

【招生工作】 2023 年，会泽县教育体育局制定《会泽县城区义务教育学校和幼儿园招生入学管理规定（试行）》《会泽县 2023 年幼儿园及义务教育学校招生工作方案》，对城区学校招生范围、对象等事项进行规定，规范招生工作管理。通过网络预报名的方式，对城区各社区适龄人口及外来务工人员子女等进行统计分析，初步掌握二孩高峰入学需求，提前做好学位的测算，通过资源整合，腾出教室 28 间，共增加学位 1540 个，城区小学共计招生 4958 人，比上年增加 1510 人。在招生过程中均按照分类别、分批次的方式组织招生报名和资格复审工作。各学校严格落实招生政策，严肃招生纪律，加强对招生入学的监管工作，规范入学报名材料的审核，统筹做好入学安置工作，做到公平公正，阳光招生，保障二孩高峰期学生入学安置平稳有序。

（耿丽瑶　丁俊）

普通高中教育

【概况】 2023 年，会泽县有普通高中 7 所（普高 6 所，完中 1 所），在校学生 28621 人，教师 2007 人，省一级二等高中 4 所、一级三等高中 3 所，高中阶段毛入学率 92.55%。

【均衡发展】 2023 年，会泽县按照“资源共享、管理共通、文化共融”的办学理念，着力推动高中教育公平均衡发展。在生源配置上，不掐尖、不办超级中学，集团内学校严格实行“一碗水端平”滚动划片招生政策，学校之间形成良性竞争，集团内学校齐头并进，让优质教育资源“遍地开花”，让广大学生均衡享受优质教育资源。2023 年普高招生 9678 人，其中，会泽一中 1601 人、实验高中 1600 人、茚旺高中 1600 人、东陆高中 1493 人，致远中学 1138 人、文渊中学 1130 人、大成中学 1116 人。针对学生“择校”、学校“择生”，教育区域发展不平衡现状，在办学模式上，探索“名校 +”集团化办学，通过“管理共促、队伍共建、教学共商、学术共研、资源共享、发展共赢”，强校带弱校，扩大优质教育资源供给，让群众在家门口就能上好学校。

【一体发展】 2023 年，会泽县坚持开门办教育、开放办教育、共同办教育的理念，打破校际壁垒，促进资源共享、发展共赢。通过双向流动，实现教师资源共享，实行管理干部、后备干部、本土人才、三名人才、青蓝结对“五大人才”培养工程，推进书记校长、管理干部、培训专家、班主任、骨干教师“五大团队”建设，落实政治引领、思想引领、专业引领、制度引领、情感引领“五大措施”，创新集团化办学教师管理和交流机制，实施班子成员、骨干教师互派机制，形成集团学校共享优质师资、良性互动的发展机制。会泽一中、茚旺高中、实验高中把优秀班子成员、骨干教师选派到成员学校担任班子成员、中层管理干部等 138 人。会泽县在满足自身教学需要的同时，还为全省各州市输出教育管理干部和骨干教师 142 人，其中校长、副校长 30 余

2023 年 4 月 1—2 日，2023 年县域高中高质量发展峰会在茚旺高中召开

（朱国智　摄）

人，遍布全省12个州市。通过交流互派，实现教研资源共享，集团内学校强化联合教研，加强校际交流，搭建多元教研生态体系。推行成员学校之间联考制度，在统一教学进度、统一备考资料的同时，统一组织联考统测，共享联评数据，进行教学质量分析和评估，让教师实现经验共享，共同成长。不定期轮流开展形式多样的教学竞赛、专题教学研究、教师沙龙、专业工作坊、教师才艺大舞台、联谊活动等，促进教师间相互学习、共同提高。坚持实施“师生同测”，连续组织教师参加省、市统测和教学水平测试，提高教师业务能力和水平。健全完善制度，实现城乡资源共享，树立区域教育一体化发展思路，以龙头示范学校为引领，以名校长、名教师为带动，以学科骨干为支撑，成立24个“1+N”教育联盟，创新推出“全寄宿制+全封闭式+全关注式+全过程式+全人格式”“五全”管理模式，统筹推进各学段教育有效衔接，形成全县教育环环相扣、整体联动、互为支撑的一体化发展格局。优化共享管理制度，改进共享教育理念方法，校际相互学习借鉴，各学校查找自身短板、弥补不足，实现资料互传、信息共享、互助发展、共同提高。

【品牌发展】 2023年，会泽县坚持把“吃改革饭、走开放路、打创新牌”作为推进教育综合改革的关键举措，组建教育集团，打破校际壁垒，促进合作共赢，全面打造县域教育品牌。打造县域均衡发展品牌，实行以茚旺高中为龙头，其他学校为成员的普通高中教育集团化办学模式。集团内部形成一套相对完整、成熟的管理制度，注重个性与共性同步发展。集团内学校建立35个县级学科中心教研室，推进“备、讲、批、辅、考”为一体的“5+N”教学精细化管理模式，实现了“区域有差异、教师有强弱、整体无差别”的均衡发展目标，促进了教育质量的整体提升。2023年高考，全县一本率、本科上线率分别比全省高16.4、31.55个百分，重点率均在30%以上，实现了老百姓在家门口就能享受到优质的教育资源。打造县中振兴发展品牌，持续推进高中集团化办学改革，以“名校+”“领办制”为抓手，探索建立“总校+分校”模式，实行“一个机构、两块牌子”管理，进一步加大资源整合力度，促进县域教育振兴发展。每年有近80%的学生考上本科院校，近30%的学生考上全国顶尖高校或双一流大学，有效形成了“乡村教育振兴，教育振兴乡村”的良性循环。打造五育融合发展品牌，针对一些学校中出现的片面追求成绩，以分数、以升学率论英雄，重教学轻德育、重智育轻体育，劳动教育、美育、心理教育等不受重视等错误做法，全面贯彻党的教育方针，对标立德树人根本任务夯实“五育并举”办学要求，突出“五育并举”，狠抓“双减双升”，促进学生德智体美劳全面发展、百花齐放。

【内涵发展】 2023年，会泽县对高中学生进行互培，把学生置身于全县高中学生群体之中，提供交往与学习机会，找到自我发展的参照，促进学生综合素质提高。构建科学的评价体系，促进学生学业水平总体提升，师生之间，创新推进师生同测，每年组织初、高中师生同做一套题、同考一张卷，对老师成绩进行排名、通报，不及格的组织补考，倒逼老师们认真钻研教材、研究大纲，提升技能水平。每学期组织一次教育教学质量统一检测，在科学、统一、规范评价体系下，学生学业水平得到较大提升。找准自身发展参照，稳步提升综合素质和能力，集团化办学使每名学生都能把自己置身于全县高中学生群体之中，找到自我发展的参照，找准问题所在，清除自我发展道路上的“陷阱”和“障碍”，让学生在各方面逐步提升。开阔学生学习视野，帮助学生合理规划人生，单打独斗、闭门造车难免会让自己不自觉地成为“井底之蛙”，集团化办学弥补了学校各自为政带给学生的“自我封闭”和盲目自大，让学生在人生规划上有清醒认识，在实现人生理想上能立足自身优势，合理规划发展。

（耿丽瑶　丁俊）

特殊教育

【概况】 2023年，会泽县将加快发展特殊教育作为基础教育的重要组成部分，纳入基础教育发展的总体规划，扎实开展特殊教育工作，实现特殊教育持续健康发展。为进一步扩大办学规模，补齐特殊教育短板，投资7700余万元，在县城中心选址搬迁新建特殊教育学校，新学校占地25.25亩，建筑面积1.28万平方米，办学规模为27个班216名在校学生，8月竣工投入使用。

【办学规模】 2023年，会泽县特殊教育学校有学生221人，其中，视力残疾学生7人，听力残疾学生52人，智力残疾学生144人，孤独症学生18人；教学班16个，其中，盲教班1个，聋教班4个，培智班8个，孤独症班3个。

【入学安置】 2023年，会泽县共评估按照残疾儿童168人，其中，安置随班就读103人，送教上门30人，特殊教育学校就读35人。

【深化改革】 2023年，会泽县通过校本培训、教学研讨、教学实施（班级授课、个别化教学、康复训练等）、教学技能竞赛和论文竞赛等方式，推进特殊教育教师在盲、聋、培智三类课程标准（2016版）方面的深入学习和实践。将县特殊教育学校作为特殊教育课程与教学改革的主阵地和有力抓手，支持和鼓励特殊教育学校完善课程体系，做好新老教材更衔。加强校本课程开发和建设，完成校本劳技、德育等两个系列6套教材（快

2023年3月16日—17日，省教育厅专家组到县特殊教育学校开展办学质量实地监测评价 （赵 博 摄）

乐工艺、快乐运动、快乐器乐、安全教育、感恩教育和青春期教育等）开发。在坚持现行的“教康结合”基础上，进一步推进主题式综合课程教学的实践和探索，全面推进学生个别化教学，将信息技术应用与学科教学深入融合，打造个性化、直观化的高效课堂，帮助每一名特殊学生获得适合其发展的有质量的特殊教育。

（耿丽瑶 丁俊）

职业教育

【概况】 2023年，会泽县职业技术学校按照“扩大规模、加强管理、提高质量、确保就业”的总体工作思路，积极探索改革创新，在基础设施、专业设置、校企合作、短期培训、教师队伍建设等方面取得新成效。年末，有教学班65个，在校学生2586名，有公办在职教职工184名。

【学校建设】 2023年，会泽县投入475万元，建设学校足球场。投入100余万元，对教师食堂和学生食堂进行全面改造。投入200万元，建设新能源汽修实训基地。

【学校管理】 2023年，会泽县职业技术学校积极探索课堂教学和教学管理新思路，狠抓教学常规精细化管理工作，加强教风学风建设，努力打造高效课堂；以课堂教学为抓手，以技能实训为推手，强化教学过程管理，提高教育教学质量。努力打造一支优秀的教师队伍，切实提高教师的师德修养和教学业务水平，使学校教育教学质量有新突破，培养出更多专业技能过硬的实用型技术人才。学校管理做到小处入手、细节感人、节奏放慢、止于尽善，创建学校精细化空间，引导学生自我提升、自我管理，向管理、向习惯要效益。成立由学生会、团委部、校卫队三个部门组成的学生自主管理委员会300余人，三个部门联合负责新生军训、内务卫生、校园及教室课间巡逻、午睡晚睡纪律、大型活动会场纪律、队列练习、行为习惯、文明礼貌、校园卫生等督查工作。

【双师型队伍建设】 2023年10月，会泽县职业技术学校积极推动双师型教师认定工作，争取双师型教师占比大幅提升。通过帮扶学校（上海宝山职业技术学校、曲靖市应用技术学校）名师工作室开展帮扶活动，采用线上线下的方式进行全面研讨促进，教师业务素质全面提升。

【专业设置】 2023年，会泽县职业技术学校对接地方经济和产业结构调整，围绕全县社会经济发展导向和劳动需求方向，不断优化专业结构。现招生开设电子商务、数字媒体技术应用、电子电器应用与维修、计算机应用、计算机平面设计、城市轨道交通运营服务、新能源汽车运用与维修、汽车运用与维修、幼儿保育、中西面点、服装制作与生产管理、建筑工程施工、智能设备运行与维护和导游服务等共14个专业，新增智能设备运行与维护和导游服务专业2个，开设斑铜技艺、擀毡技艺等非物质文化遗产文化班2个。共建有汽修、服装、城轨、焊接技术、缝纫、餐饮、种植、养殖和机动车驾驶培训9个实训实作基地，满足相关专业的实训实作需求。

【校企合作】 2023年，会泽县职业技术学校与宏业汽车商贸有限公司长期合作，搭建“基地＋实做”的模式合作，为学校汽修专业的学生学习搭建一条学习实作一体化的道路，由老师引导和专业技师指导相结合，不断提升自身的专业技能。与奋达教育集团联办数字媒体技术应用专业；与TCL集团共建5G智能（电子电器应用与维修）专业；与会泽福达机动车驾驶培训学校合作共建了机动车驾驶技术培训基地；与会泽树人教育发展有限公司合作共建了中西面点、焊接应用技术专业等，通过将企业的生产环境引入学校，采用生产环境与教学环境合二为一的现场教学模式，分别以“教学工厂”模式、“订单”模式等形式开展教学，力求以就业为导向，培养满足企业、行业需要的技术技能型人才，培育和发展与地方对应的优势学科和专业。与云南会泽产业园区深度合作，建立产教融合实训基地，充分利用宝云绿色食品加工区、电子科技信息产业园、五星特色轻工及高新技术产业园、者海化工园区、

2023 年 2 月 27 日，会泽职校举行第一届导游专业培训班开班仪式

（会泽职校　提供）

公立私立幼儿园等企业资源，搭建校企合作、产教融合平台。

【技能培训】　2023 年，会泽县职业技术学校立足服务地方经济发展需要，积极推动会泽金润职业培训学校建设，在原有工种基础上，积极申报新的培训工种，开展劳动力转移培训，企业定向、委托培训，大力培养企业需要的实用技能型人才。依托会泽金润职业培训学校完成 2228 人次技能培训、劳动力转移培训。

【就业情况】　2023 年，会泽县职业技术学校立足服务地方经济，持续开拓外部就业市场，采取订单培训与定向培训相结合，把经济发达地区作为劳务输出的主方向，保证学生就业需求。全年，推荐毕业生就业 518 人，其中，县内就业 204 人，县外就业 314 人。毕业生专业涵盖汽车运用与维修、城市轨道交通、电子商务、高级酒店运营与管理、服装设计与生产管理专业。

（耿丽瑶　丁俊）

教育督导

【概况】　2023 年，会泽县教育体育局制定出台中心学校管理制度，完成学校晋级升等工作，会泽一中文渊中学、实验高中大成中学晋升云南省二级一等普通高中，进一步强化督政督学职能，促进学校规范办学行为，提高办学质量。

【教育督导机制】　2023 年，会泽县教育体育局拟定《会泽县教育督导规定》《会泽县人民政府督学聘任管理办法》《会泽县人民政府督学聘任通知》等教育督导管理规定，协调聘任责任督学，充实督学力量，推进督学责任区工作和责任督学挂牌督导工作全覆盖，提高依法督导水平，加强教育督导队伍建设和管理，不断完善教育督导工作管理体制机制。

【学校评估认定】　2023 年，会泽县教育体育局科学制定会泽县各级各类学校晋级升等规划，积极向上申报，并对照评价指标体系压实主体责任、强化评前培训、严肃过程督导、规范县级初评。年内，会泽一中文渊中学、实验高中大成中学晋升云南省二级一等普通高中，会泽县第二幼儿园晋升云南省一级二等幼儿园，会泽县中铁第一幼儿园、第三幼儿园晋升云南省一级三等幼儿园顺利通过市级专家督导评估认定；东陆高中申报晋升云南省一级二等普通高中通过市级评估，待省级评估认定；古城街道盈仓小学全面筹备迎接市级现代教育示范

2023 年 11 月 20 日—23 日，曲靖市人民政府教育督导委员会办公室组织专家组到会泽对 5 所申报晋级升等学校开展评估　（王　肖　摄）

学校督导评估。

【督导检查】 2023年，会泽县教育体育局分批次、分组对全县各级各类学校开学工作准备、校园安全、教学常规、控辍保学等工作进行综合督导，通过实地查看、听取汇报、查阅档案、座谈访谈、下发整改通报、督促整改等方式，有效解决督查中发现的问题和困难，确保新学期开好头，起好步。先后完成多轮工作纪律督查、党风廉政建设、“五项管理”、“双减”、“课后服务”、校园安全、食堂安全、教师培训等工作督导，通过问卷调查、走访了解、听取汇报、实地查看等方式，客观掌握学校实际情况，督促抓好问题整改。3月，云南省教育厅领导到城区小学开展义务教育优质均衡发展督查调研，组织义务教育优质均衡发展摸底测算，精准掌握全县义务教育段学校推进义务教育优质均衡发展指标达标情况和资金概算，并制定可行性方案。

【教育质量监测】 2023年，会泽县提前谋划，精心组织，围绕《国家义务教育质量监测组织工作手册》《国家义务教育质量监测现场操作手册》，组织全县20所样本学校责任督学、校长、副校长、主监测员、信息员等有关工作人员开展业务培训，指导20所样本校全方位做好信息上报、学习培训、条件保障、安全保密及监测流程等环节，做到组织到位、保障到位、宣传到位、培训到位。完成国家义务教育质量监测工作，部分经验材料被教育部质量监测中心收集、推广。

（耿丽瑶　丁俊）

民办教育

【概况】 2023年，会泽县持续推进民办幼儿园和校外教育培训机构办学行为日趋规范化，有序推进民办普通高中改革，有效促进全县民办幼儿园、校外教育培训机构、民办普通高中健康发展。

【民办教育机构监管】 2023年，会泽县教育体育局在各民办教育机构自检自查，乡（镇、街道）中心学校实地年检的基础上，全面完成2022年度民办教育机构年检工作。制定下发《会泽县教体局关于进一步加强民办幼儿园管理的通知》，从审批、日常监管、年检等方面强化职能职责，进一步加强民办幼儿园管理，促进民办幼儿园更加规范化、规模化、科学化发展。按照“积极鼓励、大力支持、正确引导、依法管理”的民办教育方针，6月初，组织多个科室，依法依规对迤车镇筹设民办幼儿园进行实地考察。到钟屏街道鱼洞幼儿园、宝云街道头塘幼儿园等部分民办幼儿园检查办学情况，发现问题及时指出，提出具体整改意见和建议。

【办学质量】 提升2023年，会泽县教育体育局制定下发《会泽县民办幼儿园教师培训方案》，形成县级、属地中心学校、民办幼儿园三级教师培训体系，促进民办幼儿园教师队伍专业化成长。5月12日，组织开展2023年学前教育工作专题培训，为公民办幼儿园园长及教师搭建相互学习，相互借鉴的良好平台，营造抱团取暖，与时俱进的良好氛围。制定下发《会泽县公民办幼儿园“1+N”教育联盟实施方案》，11月3日，在中铁三幼举行公民办幼儿园“1+N”教育联盟启动仪式，联盟园园长签订《会泽县公民办幼儿园“1+N”教育联盟协议书》，在城区挑选7所优质公办幼儿园为联盟甲园，每年在全县选取7所民办幼儿园为联盟乙园，由1所公办幼儿园联盟1所民办幼儿园，每批联盟活动周期为3年，并通过跟班学习、专题讲座、交流研讨、师徒结对等灵活多样的方式开展联盟活动，实现合作共赢、抱团发展。

【办学条件改善】 2023年，会泽县教育体育局组织2022年新审批设立的“会泽县待补春萌幼儿园”申报普惠性奖补资金，积极改善办学条件。“华夏爱婴旗舰园”根据办学需要，提出搬迁申请，在古城中心学校严格把关考察的基础上，按照程序完成古城街道“华夏爱婴旗舰园”地址搬迁审批工作。

【规范办学行为】 2023年3月，完成校外培训机构归口审批管理权限移交工作。配合县文化和旅游局，依法完成“艺英舞蹈培训中心”和“桔子舞蹈培训中心”地址变更工作和“会泽县音乐舞蹈培训中心”“会泽小博士儿童启智园”注销工作。根据县级文化和行政旅游部门负责培训机构年检、日常监管、变更登记等工作，属地县级教育行政部门协同配合的原则，校外教育培训监管科配合县文化和旅游局先后到娜姑、迤车、待补、者海调研校外培训机构拟筹设有关事项。为进一步加强文化艺术类筹设、审批、日常监管等工作，会泽县教育体育局配合县文化和旅游局、县市场监督管理局、县政务服务管理局联合印发《会泽县文化艺术类非学科类校外培训机构准入审核工作方案》。

（耿丽瑶　丁俊）

体　育

【概况】 2023年，会泽县有体育场地2501个。其中：田径场169块，足球场89块，篮球场909块（篮球馆8个），排球场56块，乒乓球场566块，羽毛球场87块，全民健身路径场地286个15300平方米，健身步道101.06公里，体育公园1个，滑雪场1块。运动场地面积共217.8万平方米，人均2.74平方米（按常住人口79.4万）。有体育协会5个及企事业单项体育协会，会员2.4万余人。有社会体育指导员2042人，每千人拥有社会体育指导员人数达2.59名；有体育教师1569人，其中专职体育教师310人，兼职体育教师1259人，城乡居民达到《国民体质测定标准》合格以上人数比例96.22%，经常参加锻炼人口比例达53.49%。

【15分钟健身圈】 2023年，会泽县投入资金1764万元建设体育设施项目81个，全县人均体育场面积2.85平方米，位列全市前列，全县15分钟健身圈逐渐形成。其中，投入资金430万元，完成全县37所中学体育中考智能化建设工作，会泽县成为全省首个“智体慧”中考体育试点县。投入资金115万元，完成体育公园亮化工程和外墙漆翻新维护工程，全面提升体育公园景观。投入资金80万元，为全县21个搬迁安置点配置健身路径器材等。

【体育赛事】 2023年，会泽县教育体育局主办县直单位部门工间操比赛、第六届“园丁杯”篮球赛、千人跳绳大赛、中小学生运动会，承办“钱城杯”群众篮球赛、全县干部职工运动会等大型体育竞赛活动，参赛对象涉及6岁到60岁不同年龄阶段的人员，范围覆盖到全县所有乡（镇、街道）、县直单位部门和企事业单位，以及全县学校幼儿园，参赛人数1.1万人次。其中，间隔16年的“园丁杯”篮球赛再度开赛，108支代表队的1188名运动员在7个赛点完成430余场比赛。首次举办的千人跳绳大赛。

【大众体育活动】 2023年，会泽县组建成立体育总会、足球协会、退休教职工运动协会等社会体育组织。组织152人参加国家级、一级、二级、三级社会体育指导员和高山滑雪裁判员培训，选派67名学生参加第九届大众冰雪季活动；与上海宝山区共同开展乒乓球教师培训和组织青少年乒乓球夏令营和比赛活动；组织开展“始于春天、勤于锻炼”冠军领跑教职工社团活动启动仪式，组织开展“体育冠军进校园”活动；首次召开学校体育工作会议并组织开展体育大课间观摩活动，提出学校体育工作新要求；接待青海、新疆、辽宁、香港、江苏、陕西等6个田径和赛艇队到会泽开展高原训练，拉动体育旅游消费300余万元。

【师生竞技体育】 2023年，通过教职工、学生体育社团活动的开展，业余体校项目学校建设等措施办法，以及竞赛活动的不断开展，师生体育竞技能力进一步提升，各项体育比赛取得良好成绩。在“奔跑吧少年”曲靖市第二届中小学生田径锦标赛中，获26金27银15铜，获团体总分第一名；在第十四届云南省青少年校园体育舞蹈四级联赛中，获得6个第一名，5个第二名，5个第三名；在云南省第一届冬季运动会上，翠屏小学学生郭博淏代表曲靖市勇摘自由式轮滑速度过桩少年男子组冠军。在会泽县2023年职工运动会3个球类项目比赛中，获5个冠军；在会泽县2023年社区运动会暨县直单位部门工间操比赛中，获得第一名。

【体教融合】 2023年，会泽县体教融合办学模式，被推荐在全省年度体育工作会议上交流推广典型经验。

创新方式开展的全县中小学生运动会开幕式，以“展本土体育人才、看本土体育成效、赏本土体育文化”为主题，把会泽培养输送的体育冠军，近年来学校体育大课间、校园小篮球等体育发展情况，以黑颈鹤为原型设计制作的象征吉祥如意、积极向上的吉祥物“会会”，以大批会泽体育人才为原型创作的体育歌曲《会泽健儿》等体育文化全面展现。

【体育宣传】 2023年，会泽县体育类宣传在市级以上刊物发表相关报道8条，县级媒体发布简报37条。其中，《云南日报》《云南教育》《云南省体育局》《曲靖日报》等报刊媒体相继以《会泽县：体育中考智能化迈出第一步》《会泽七大体育赛事点燃运动激情》《会泽县：以体铸魂，以体育人，成就学生美好人生》《超万人参赛！会泽县体育赛事亮点纷呈点燃全民健身热情》《会泽县组织高山滑雪裁判员培训》《会泽体育赛事点燃群众运动激情》《让律动的鲜花在初冬绽放》为题报道会泽县体育活动开展情况及体育工作特色经验。

（耿丽瑶　丁俊）

［责任编辑　周芮冰］

2023年10月23日，会泽县2023年中小学生运动会在会泽体育馆开幕。图为中铁三幼篮球操表演

（刘光信　摄）

科技·文化·旅游

责任编校 黄 琼

科技管理

【科技研发】 2023年，会泽县科技研发经费投入9062.3万元。申报认定高新技术企业13户，居全市第一。完成科技型中小企业备案18户。组织申报专家站5个，其中，省级专家工作站3个（张运涛专家工作站、徐丽君专家工作站和刘俊峰专家工作站），市级专家工作站2个（邓卫东专家工作站和姬广海专家工作站）。

【科技成果转化】 2023年，会泽县完成科学技术合同认定登记3042.82万元，成交额3042.82万元，登记率100%。

【科技人才培养】 2023年获认定科技特派员102人，服务期间每名科技特派员培训乡土人才100人以上。

【科技项目培植】 2023年，会泽县组织申报并立项实施“乡村振兴科技创新县（村）”项目2个，2个项目补助财政资金2175万元，企业自筹2350万元。组织春辉蔬菜种植有限公司和钱城食品有限公司两家企业申报星创天地项目。

（张鹏）

气　象

【气温及特点】 2023年，会泽县年平均气温14.4℃，较历年（30年平均值）偏高1.1℃，较上年偏高1.5℃。6月1日，会泽县出现33.3℃高温天气，突破历史极值。

冬季（2022年12月至2023年2月）气温略低，全县平均气温为6.2℃，较历年同期相比偏低0.4℃，较上年偏高0.2℃。季内各月气温与历年同期相比：12月偏低1.8℃，1月偏低1.5℃，2月偏高1.9℃。阶段性寒潮或低温霜冻天气突出。其中1月全县平均气温4.3℃，较历年同期偏低1.5℃，1月7—12日、14—19日、23—25日、27—30日全县出现寒潮或低温霜冻天气。

春季（3—5月）气温偏高，全县平均气温为16.5℃，较历年同期偏高1.7℃，较上年偏高2.9℃，突破1961年以来同期最高气象记录。季内各月气温与历年同期相比：3月偏高0.7℃，4月偏高2.1℃，5月偏高2.4℃。3月11—13日受强冷空气影响，全县出现寒潮天气过程，部分地区出现小到中雪天气，全县大部地区最低气温降至0℃及以下。

夏季（6—8月）气温略高，全县夏季平均气温为19.1℃，较历年同期偏高0.4℃，较上年偏高0.1℃。季内各月气温与历年同期相比：6月偏高0.3℃，7月偏高0.6℃，8月偏高0.2℃。

秋季（9—11月）气温特高，全县秋季平均气温为14.4℃，较历年同期偏高1.5℃，较上年偏高0.8℃，与2019年并列1961年以来同期第二高气象记录。季内各月气温与历年同期相比：9月偏高2.0℃，10月偏高0.8℃，11月偏高1.7℃。

【降水及特点】 2023年，会泽县年降水量631.6毫米，比历年偏少20%（偏少161.7毫米），比上年偏少14%（偏少104.4毫米）。

冬季（2022年12月至2023年2月）降水量特少，全县降水量15.8毫米，较历年同期偏少51%（偏少16.5毫米）。季内各月降水量与历年同期相比：12月偏多74%（偏多5毫米），1月偏少73%（偏少10.8毫米），2月偏少100%（偏少10.7毫米）。

春季（3—5月）降水量特少，全县降水量为15毫米，较历年同期偏少87%（偏少101.6毫米），为1961年以来同期最少年份。季内各月降水量与历年同期相比：3月偏少58%（偏少12.5毫米），4月偏少97%（偏少26.7毫米，为1961年以来同期最少月份），5月偏少93%（偏少62.4毫米）。雨季开始期偏晚，2023年会泽县6月上旬进入雨季，雨季开始期为6月8日，与常年相比为偏晚。

夏季（6—8月）降水量略多，

6—8 月是全县的主汛期，2023 年夏季全县降水量 500.7 毫米，较历年同期偏多 3%（偏多 15.5 毫米）。季内各月降水量与历年同期相比：6 月偏多 20%（偏多 33.1 毫米），7 月偏少 13.2%（偏少 23 毫米），8 月偏多 3%（偏多 5.4 毫米）；6—8 月降雨量正常略多，利于水库蓄水。

秋季（9—11 月）降水量特少，2023 年全县秋季降水量 35.9 毫米，较历年同期偏少 78%（偏少 123.3 毫米）。季内各月降水与历年同期相比：9 月偏少 63%（偏少 55.5 毫米，为 1961 年以来最少月份），10 月偏多 37%（偏多 19.3 毫米），11 月偏少 81%（偏少 15.2 毫米）。2023 年会泽县雨季结束期为 10 月 18 日，与历年平均相比雨季结束期偏晚。

【日照及特点】 2023 年，会泽县年日照时数 2386.4 小时，较历年偏多 74.2 小时，较上年偏多 337.9 小时。

冬季（2022 年 12 月至 2023 年 2 月）日照时数偏少，冬季全县日照时数为 554.4 小时，较历年同期偏少 9%（偏少 55.4 小时）。季内各月日照时数与历年同期相比：12 月偏少 36%（偏少 70.9 小时），1 月偏多 1%（偏多 1.9 小时），2 月偏多 7%（偏多 13.6 小时）。

春季（3—5 月）日照时数偏多，春季全县日照时数为 788 小时，较历年同期相比为偏多，偏多 8%（偏多 57 小时）。季内各月日照时数与历年同期相比：3 月偏少 3%（偏少 8.2 小时），4 月偏多 10%（偏多 26.8

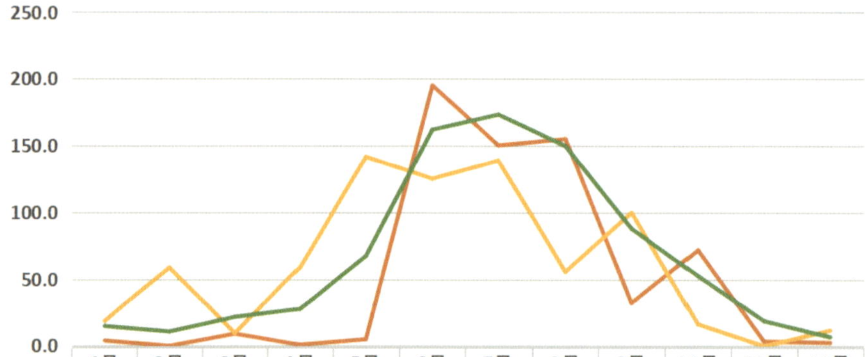

	1月	2月	3月	4月	5月	6月	7月	8月	9月	10月	11月	12月
2023年降水量（毫米）	4.0	0.0	9.1	0.9	5.0	195.1	150.4	155.2	32.4	71.9	3.5	2.6
2022年降水量（毫米）	18.7	58.8	9.5	58.9	141.7	125.3	139.0	55.8	100.0	16.5	0.0	11.8
历年平均降水（毫米）	14.8	10.7	21.6	27.6	67.4	162.0	173.4	149.8	87.9	52.6	18.7	6.8

2023年降水量（毫米） 2022年降水量（毫米） 历年平均降水（毫米）

图 1　2023 年会泽县月降水情况图

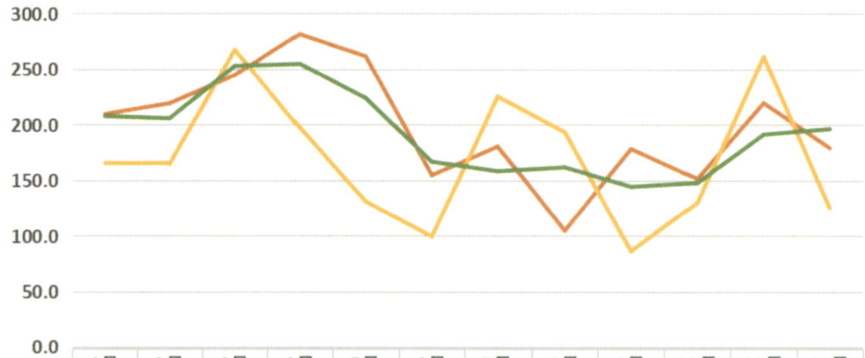

	1月	2月	3月	4月	5月	6月	7月	8月	9月	10月	11月	12月
2023年日照数（小时）	209.6	219.3	244.7	281.5	261.8	154.8	180.6	104.9	178.5	151.6	219.7	179.4
2022年日照数（小时）	165.6	164.9	267.5	197.3	131.2	99.5	225.5	193.5	86.4	130.1	261.5	125.5
历年平均日照（小时）	207.7	205.7	252.9	254.7	224.0	166.8	158.4	161.9	144.4	147.9	191.4	196.4

2023年日照数（小时） 2022年日照数（小时） 历年平均日照（小时）

图 2　2023 年会泽县日照情况图

小时），5月偏多17%（偏多37.8小时）。

夏季（6—8月）日照时数略偏少，夏季全县日照时数为440.3小时，较历年同期偏少10%（偏少46.8小时）。季内各月日照时数与历年同期相比：6月偏少7%（偏少12小时），7月偏多14%（偏多22.2小时），8月偏少35%（偏少57小时）。

秋季（9—11月）日照时数偏多，秋季全县平均日照时数为549.8小时，较历年同期偏多14%（偏多66.1小时）。季内各月日照时数与历年同期相比：9月偏多24%（偏多34.1小时），10月偏多3%（偏多3.7小时），11月偏多15%（偏多28.3小时）。

【气候事件】 冬季阶段性低温雨雪霜冻天气突出。冬季（2022年12月至2023年2月）前期气温偏低、后期气温特高。冷空气活动频繁，出现8次寒潮低温雨雪天气过程，分别为：12月1—2日，12月13—15日、12月16—18日、12月27—29日、1月7—8日、1月14—19日、1月23—25日、1月26—29日，低温雨雪天气对道路交通、部分农经作物产生不利影响。1月30日，全县出现低温霜冻天气，对道路交通、部分农经作物产生不利影响。

【气象观测】 2023年，会泽县监测到50毫米以上降雨38站次，其中100毫米以上降雨3站次，分别出现在鲁纳乡2站次、田坝乡1站次。大海乡、迤车镇、马路乡未出现单日50毫米以上降雨。

（韩雪瑞）

文化管理

【非物质文化遗产保护】 2023年，会泽县文化和旅游局建立健全四级非遗名录保护体系。全年申报命名县级非遗项目名录12项、县级传承人27名，申报省级非遗传承人5名。筹建会泽县非遗馆，完成晨冉木文化传承展示中心升级改造，在以濯水乡建成张氏斑铜体验馆、小罐炕茶体验馆和赵剑陶艺体验馆。在会泽公园举办“文化和自然遗产日”非遗宣传展示活动，13名技艺类传承人展出作品1200余件。组织非遗传承人参加以濯水乡火把节非遗展、南博会展示推介活动、宣威火腿美食节非遗展、丰收节非遗展、文博会等展示推介活动。参加曲靖市文旅局举办的“非遗助力乡村振兴”培训班，4人被评为“优秀传承人”，2人被评为“非物质文化遗产保护工作先进个人”。非遗传承人马开黎、赵书玉等6人被批复为县级乡村工匠，赵剑、张关保等3人被批复为市级乡村工匠，“张氏斑铜”张伟被批复为省级乡村工匠名师。推荐名人工匠参加全省各类研修班学习，举办以非物质文化遗产为主题的导游培训班，举办云南民进“春雨行动”助力乡村振兴会泽县非遗研学活动。多次组织城区中小学校学生到会泽县中医药文化博物馆、德康艺匠堂、赵剑陶艺坊、晨冉木文化传承体验中心学习体验。

【文物保护】 2023年，会泽县文化和旅游局组织开展文物巡查76次，发现安全隐患17个，整改15个，待整改2个。完成年度文物安全直接责任人的核对、更新并公告公示，签订文物安全责任书61份。二道巷二十三号张氏住宅、发儒街刘家祠堂、白雾陈氏住宅一号院、西内街武庙、白雾财神庙确定为第四批市级文物保护单位。推进八大会馆产权回收和活化利用，完成江西会馆、贵州会馆、江南会馆吕祖阁产权证的办理，贵州会馆、江西会馆交由县道成集团进行活化利用。

贵州会馆活化利用　　（县文旅局市场科　提供）

【公共文化服务】 2023年，会泽县文化和旅游局完成县域公共文化统计调查、农村文化建设专题调研、基层群众文化活动机制调研、农村地区公共文化服务均等化发展情况调研、村级文化中心法治宣传阵地建设排查、乡镇（街道）文化综合服务中心机构改革及运行情况调查等调研调查。举办“相约钱城会泽点燃激情火把”2023云南会泽火把节系列活动、“迎丰收、庆国庆”系列活动；完成“戏曲进乡村”“百姓大舞台”“民族团结进步大舞台”“文化大篷车·千乡万里行”演出150场，组织“浓情端午、粽享欢乐”群众大联欢暨夏季春晚1场，在古城区、以濯水乡探索开展“彩云之南等你来”夜间群众文艺演出活动30余场。借阅各类图书、期刊7万余册，借阅人次8.5万余次，开展各类讲座10次，流动图书车下乡服务30次，举办各类展览10次，红色电影展播20余场。文化馆内排练厅免费为基层文艺团队提供排练100余场（次）；为机关、学校、民间团队进行文艺辅导20场（次）；提供灯光、音响、服装外借服务100余次；文化馆到各单位、学校、街道（社区）开展群众文化辅导、培训10场（次），辅导培训500余人。组织2023年中国广场舞大赛会泽赛区比赛，来自乡镇（街道）的20个团队报名参赛，决出一等奖1名，二等奖2名，三等奖3名。选送青少年书法、美术作品57幅参加“强国复兴有我”曲靖市第三届青少年美术、书法作品展，会泽县文旅局获“优秀组织奖”。会泽文旅志愿服务团录入文明旅游文明出行、文化文艺志愿服务、文明交通志愿服务3个项目，累计服务时长5202.27小时，云南公共文化云平台发布文旅志愿服务项目34个，累计服务时长2117.9小时。在以濯水乡联合设置“百姓大舞台”“民族团结进步大舞台”。

【文艺创作】 2023年，会泽县文化和旅游局组织创作小合唱《钱乡韵》、彝族舞蹈《雪山恋》、歌伴舞《鹤之恋》、彝族舞蹈《丰收》、苗族舞蹈《苗岭新歌》、彝族民俗叙事舞蹈《猫猫虎》参加全市优秀文艺作品会演暨第九届新剧（节）目文艺会演，获导演二等奖1个、节目三等奖4个、编剧三等奖1个、音乐设计三等奖1个。

【数字文化建设】 2023年，会泽县文化和旅游局巩固提升数字图书馆、数字文化馆建设及服务内容；做好文旅公众号宣传服务。利用线上资源博览期刊、会泽县图书馆手机版、数字借阅机、报刊借阅机、少儿借阅机、会泽县图书馆网站等为读者服务。完成云南公共文化云视频资源时长120分钟；在线展览图片30张；发布稿件总数120篇；注册用户数210户；发布志愿活动场次1场；稿件原创数24篇。全年会泽文旅微信公众号更新发布图文及视频信息313条，会泽文旅抖音号发布视频68条。

【文化文艺】 2023年，会泽县持续推进文艺精品创作，在国家级刊物《诗歌月刊》等重点刊物发表文学作品20篇（组、首），5件作品在全国大赛中获奖。参与策划拍摄革命历史题材电影《烈火岁月》，并在会泽水城扩红文化生态园举行杀青仪式。举办“相约钱城会泽点燃激情火把”“庆丰收·迎国庆”系列节会文化活动，以节会活动宣传大美会泽，推介地方特色，汇人气、聚商机、促消费，加快推动文旅产业深度融合发展。大力开展新时代廉洁文化“强基行动”，组织“我们的中国梦——文化进万家”群众文化系列活动暨2023年新春走基层文化普法会演，开展“文化大篷车·千乡万里行”文化惠民演出80余场，放映农村公益电影1920余场次。实施全民阅读工程，组织“学习党的二十大·建设书香会泽”全民阅读活动暨“绿书签”示范活动，举办各类展览10场，开展图书流动下乡30次，完成60部古籍图书全文拍摄。整合使用财政涉农资金1003.5万元，完成全县3345个自然村（村民小组）应急广播体系建设。

（刘吉锋）

【文化基础设施建设】 2023年，会泽县投资20余万元，对县图书馆进行改造提升，装修书库二楼图书室120平方米，购买书架90组，购买办公用电脑6台。争取资金250万元，完成5个街道文化站建设，建成381个村（社区）文化活动中心，完成200个村委会“农民体育健身”配套工程。

【群众文化】 2023年，会泽县依托“百姓大舞台”“民族团结进步大舞台”“文化大篷车·千乡万里行”等开展形式多样的民族民间文化展演活动，累计组织各类文化惠民活动50余场；推动书香会泽建设，组织全民阅读、流动图书下乡、图书交换图书漂流、亲子阅读“推广普通话，诵读红色经典”“传承红色经典 建设书香会泽”线上诵读大赛等活动20余场；组织各类展览展示、讲座10余场，红色电影展播10场。节假日群众文化活动内容丰富，壮族“三月三”民俗文化活动、端午节舞水龙、万人狂欢火把节、民族服装秀、庆丰收·国庆歌舞比赛、老年人广场舞展演、“少儿歌舞乐”展演、我们的节日中秋国庆大联欢等活动有效丰富群众文化生活。完成“戏曲进乡村”演出150场，组织“浓情端午 粽享欢乐”群众大联欢暨夏季春晚1场，在古城区、以濯水乡探索开展“彩云之南等你来”夜间群众文艺演出活动30余场。

【开展全民阅读活动】 2023年4月

2023年10月2日，会泽县迎丰收·庆国庆系列活动“少儿歌舞乐”展演

（县文旅局 供稿）

13日，会泽县在会泽公园启动“学习党的二十大·建设书香会泽”全民阅读活动暨“绿书签”示范活动。中国人民财产保险股份有限公司会泽支公司、云南乌金黑药制药公司、会泽铭城房地产开发有限公司、会泽富天农业科技有限公司、云海家具城、芝华仕头等舱沙发会泽旗舰店6家爱心企业向学校捐赠价值4.5万元的精品图书。邮政会泽分公司开展为期12天的大型正版图书赠阅公益性活动，向全县各中小学发放绿书签2万余份，并赠送购书优惠券。借助农家书屋、职工书屋和学校等公共场所，累计开展阅读活动1600余场（次），10余万人次参与。

（邓　琳）

广播电视

【安全播出】 2023年，会泽县广播电视部门坚持问题导向、效果导向，将“字字千钧、秒秒政治、天天考试”“安播责任重于泰山”要求贯穿安全播出工作全过程。在广播电视安全播出重要保障期间，带班领导一线指挥，关键岗位和关键部门安排技术骨干24小时值班，确保广播电视节目的安全播出，确保全县广播电视和网络视听安全可靠、稳定有序、直播转播安全播出。

【应急广播文化发布终端建设】 2023年，会泽县整合财政涉农资金1003.5万元，建成应急广播主动发布终端3345个，实现会泽县20户以上自然村应急广播主动发布终端全覆盖。完成20户以上自然村应急广播主动发布终端建设工作；提升广播电视公共服务保障能力，打通有效服务群众的“最后一公里”。县广播电视局被云南省人力资源和社会保障厅、云南省广播电视局联合授予“云南省广播电视系统先进集体”荣誉称号。

【广播电视公共服务体系建设】 2023年，会泽县广播电视部门继续委托中国广电云南网络公司会泽分公司负责全县辖区内的广播电视“村村通”“户户通”和应急广播乡村两级平台、终端设备的维修维护，接受移动OTT、电信IPTV的报修并推送给相应运营商，按照报修情况和用户需求，及时接单，上门维修处理，按时反馈服务结果。

（王啸虎）

2023年9月15日，曲靖市2023年软件正版化工作暨版权工作培训班（会泽分会场）

（孔维铄　摄）

新闻出版

【“扫黄打非”工作】 2023年，会泽县新闻出版局开展专项行动7次，暗访检查2次，累计出动450余人次，检查书店、网吧、印刷企业、打字复印、物流快递、宗教场所、网络平台等重点场所283家（次），办结“扫黄打非”行政案件1起，查获非法宗教出版物115本、非法光碟169张，并对4人进行训诫教育。在工农小学建成会泽县首个校园“扫黄打非”工作联络站，在文昌宫建成“反非法反违禁”进宗教场所示范点，制作“扫黄打非”制度牌12块，在学校定期开展未成年人心理健康教育30余场（次），发放宣传册5000余份，31个邮政网点公示“扫黄打非”警示语，对各网点及揽投站营业员进行“扫黄打非画像法”培训，发放宣传单1000余份。

【出版发行】 2023年，会泽县新闻出版局为18家单位办理年度核验登记手续。组织3家印刷企业完成年度企业报告，开展厂房安全隐患排查整治，签订安全生产经营责任书。开展2023年“3·15”印刷质检活动和中小学重点教材环保质量检查及非法印制问题日历台历专项整治行动2次，对涉“非”问题紧密关注。推荐全市报纸和新媒体审读专家3名，核验新闻记者证34个。开展消费者权益、依法依规经营、安全保障等方面宣传40余次。

【版权保护】 2023年，会泽县新闻出版局完成版权作品登记353件，同比增长142%。开展版权宣传10次，组织参加省市软件正版化暨版权工作培训班2场，自行组织培训1场，按要求安装最新版WPS Office办公软件数量排名全市前列。联合县市场监管局、县人社局等部门开展以“加强知识产权法治保障有力支持全面创新”

为主题知识产权宣传周活动，现场发放宣传材料1000余册，工作联络卡100余张。全年查处版权侵权类案件2件。

【农家书屋管理】 2023年，会泽县为每个农家书屋补充更新图书60册，全县376农家书屋藏书2.26万册。实行“百姓点单”模式，每个农家书屋均配送政经、科技、文化、少儿、医卫生活类图书。在农家书屋举行“我的书屋·我的梦”农村少年儿童实践活动，1个作品获得中央宣传部印刷发行局优秀奖，2名师生获得荣誉证书。选聘25名残疾人为农家书屋管理员。

（孔维铄）

文化产业

【文化精品打造】 2023年，会泽县在国家级刊物《诗歌月刊》等重点刊物发表文学作品20篇（组、首），5件作品在全国大赛中获奖。国画《俄亚纳西族·盼》荣获“中国梦·劳动美”第八届全国职工书法美术作品征集活动美术类入展，并刊载《中国梦·劳动美——第八届全国职工书法美术作品集》。水彩《山村新颜》《盆中煤》入选“踔厉奋发”2022中国水彩粉画年度学术展。书法作品参加“爨氏故里·中国陆良”第一届全国书法大赛书法作品邀请展。《走出大山》《乌蒙山十万人大迁移——会泽县易地扶贫搬迁纪实》获第九届云南文学艺术奖·摄影奖（纪实类）。《春风化蝶乡村振兴》组照，入选第十一届全国农民摄影大展。3幅摄影作品刊登《中国国家地理》杂志2023年第8期，7个戏曲节目在全市优秀文艺作品会演暨第九届新剧（节）目文艺会演中获得导演二等奖1个、节目三等奖4个、编剧三等奖1个、音乐设计三等奖1个。参与策划拍摄革命历史题材电影《烈火岁月》。组织文艺精品参加省、市文艺精品创作扶持奖励申报。

【发展文化产业】 2023年，会泽县文化产业固定资产总投资3.00亿元，完成100.1%。拆除古城核心区不协调建筑3500余平方米，完成临街房屋立面改造1.8万平方米，回收八大会馆产权5家、钱街公有产权房1.3万平方米；投资4452.82万元，整合实施“古城历史文化街区建设项目”和“城市棚户区改造项目”，覆盖东内街、南内街等7条街巷的建筑立面改造、牌匾更换等。投入、争取资金1.07亿元，与云南省旅游投资有限公司合作推进大海草山、雨碌大地缝景区开发，并打造以濯水乡、以礼河大峡谷等旅游景区。以濯水乡、水城扩红文化生态园创建为国家AAA级旅游景区，古城景区创建为省级夜间消费聚集区，大海草山滑雪旅游度假区创建为国家体育旅游示范基地，娜姑镇白雾村被公示为最美乡愁旅游地，娜姑镇被公示为第五批全国乡村旅游重点村镇。推进以八大会馆为首的会馆、寺庙、特色民居的产权办理、修复、活化利用。按照“一院一主体、一院一特色”，打造一批美食院落、康养院落、民宿院落、酒吧院落等，形成一院一景、家家有业、百业百态。投资480万元对贵州会馆进行保护性修复，同时进行活化利用。培育打造斑铜、擀毡、土陶、木雕、羊八碗、稀豆粉等深受游客青睐的非遗产品。组织参加云南省首届“非遗伴手礼”评选活动，加味三乌胶入选“优秀健康伴手礼”，小罐炕茶、者海醋入选“健康伴手礼”。德康斑铜被命名为曲靖市第一批市级非遗工坊。

（邓琳）

融媒体

【新闻采访】 2023年，会泽县融媒体中心派出记者1006组（次）1717人次，采访报道新闻1101余条（篇、幅）。中心记者采写的《把科技论文写在乌蒙大地上——中国工程院定点帮扶会泽县纪实》《会泽：节会经济为县域发展注入新动能》《会泽：教育均衡发展闯新路》《“绿美会泽”为城市发展添彩》新闻作品在《曲靖日报》头版头条刊发，并被多家中央和省级媒体采用。

【外宣作品】 2023年，会泽县新闻在市级以上媒体刊播1180条，其中，中央级139条。分别为：新华社所属平台77条，《人民日报》所属平台16条，中央电视台所属平台24条，学习强国总平台21条，光明网1条。省级媒体314条。其中，云南日报（含云报客户端）63条，云南电视台80条，春城晚报（含开屏客户端）73条，云南网41条，学习强国·云南平台上稿57条。市级媒体727条。其中，曲靖日报149条（其中头版头条6条，其他版头条22条），掌上曲靖客户端153条，曲靖广播电视台155条，学习强国·曲靖平台上稿270条。新华社新闻信息中心发布的县级融媒体中心运行情况优秀案例中，七彩云端会泽县客户端1—5月综合排名全省第一，1—9月均上榜。3月，《云南会泽：百人汤圆宴　共享幸福年》入选新华社大型短视频展映项目《千城年俗》，获新华社新闻信息中心“最佳拍摄奖”。8月，在2022年度云南省国有互联网新闻信息服务单位社会效益评价考核中，被省委网信办评定为“优秀”，被云南广播电视台表彰为“2022年度成绩突出县级融媒体中心”。9月，1件作品入选2022年云南正能量“五个一百”网络精品。5月，在2022年度曲靖新闻奖中获得一等奖1件、二等奖2件、三等奖2件，在全市县市区排名第二。2月，在曲靖市2021年度广播电视和网络视听节目创新创优奖项中，县融媒体中心获“优秀组织奖”，2件作品获二等奖，1件作品获三等奖。

2023 年 8 月 10 日，直播 2023 云南 ·会泽火把节系列活动之以濯水乡“火把节之夜” （刘光信 摄）

【编辑发稿】 2023 年，会泽融媒矩阵在 18 个媒体平台编发新闻发稿 1.7 万条，总浏览量达 1.1 亿次。其中，七彩云端会泽客户端 1.2 万条，曲靖 M 会泽频道（含会泽 M）1662 条，《今日会泽》新闻月刊 12 期 2000 余篇（幅），《曲靖日报·会泽新闻》专版 48 期 272 篇（幅），“微会泽官方”微信公众号 318 条，“曲靖市会泽县”新浪微博 207 条，会泽融媒短视频平台：抖音 568 条、会泽融媒快手 399 条、视频号 1006 条。转发转载省、市、县宣传部门、网信部门要求的图文、视频、公益广告等 3600 余条。县电视台播出新闻 3800 余条。

【直播活动】 2023 年，会泽县融媒体中心直播“会泽县 2023 年‘6·5’世界环境日普法宣传文艺汇演”“歌手平安与驰宏师生共度六一”“相约钱城会泽点燃激情火把——2023 云南会泽火把节系列活动”“会泽县庆丰收 迎国庆系列活动歌舞比赛文艺汇演暨颁奖晚会”等现场直播 14 场，观看量 520 万余人次。以濯水乡“火把节之夜”现场直播创全年观看量新高，达 67.6 万次。

【开设专题专栏】 2023 年，会泽县融媒体中心在“七彩云端”会泽县 App 新媒体开设《学习贯彻习近平新时代中国特色社会主义思想主题教育》《认真学习贯彻党的二十大精神》《新时代新征程新伟业》《作风革命效能革命在云南》《普法强基在行动》《党建引领基层治理》《创建国家卫生县城共享健康人生》等专题专栏 20 个。

【专题片制作】 2023 年，会泽县融媒体中心制作全县法治政府成效建设、招商引资、民族团结进步示范创建、党旗红云崖暖红色文化品读、白雾经验促乡村振兴、创建国家卫生县城、长江经济带警示教育片等专题 40 部，总时长 300 分钟。开设“曝光台”，制作曝光警示片 11 部。

【短视频制播】 2023 年，会泽县融媒体中心制作各种短视频 436 个，总点击量 3000 万余次。13 条短视频阅读量超“100 万 +”，其中 4 条短视频阅读量超“200 万 +”。开设《醉美会泽》短视频专栏，《四季旅行·光影云南丨到云南会泽大海梁子感受磅礴乌蒙》《云南曲靖会泽：火把狂欢》《迎丰收 庆国庆》系列报道等多条短视频被中央、省市媒体采用。

【系列报道】 2023 年，会泽县融媒体中心策划采访钟屏以濯水乡、大海草山、会泽古城、老厂回龙谷、小乌龙、大牯牛寨峰、江底五桥等系列报道，通过航拍、图文、视频、抖音、微视频、H5、VR 全景等传播方式展现宜居、宜业、宜游的美丽会泽。

（吴自先）

旅　游

【概况】 2023 年，会泽县旅游业按照一主（会泽古城）四辅（大海草山、雨碌地缝、白雾、回龙谷）、两带（以礼河休闲度假带、牛栏江田园风光带）、两线（红色旅游线、铜运古道线）、多点（多个乡村旅游示范村）、多元文化（铜商文化、红色文化、美食文化、民族文化、名人文化、会馆文化等）的发展思路开展工作。加强文物古建、八大会馆保护与活化利用，加大非物质文化遗产发掘和文物保护，提升公共文化服务水平，推进文化服务水平，推进文化旅游事业深度融合发展。全年接待游客 650.51 万人次，同比增长 24.63%；实现旅游业总收入 70.79 亿元，同比增长 21.27%。

【全域旅游建设】 2023 年，会泽县坚持景城 体、全域联动， 土（古城）、四辅（大海草山、雨碌大地缝、娜姑白雾、以礼河大峡谷）、两带（以礼河休闲度假带、牛栏江田园风光带）、两线（红色旅游线、铜运古道线）的全域旅游架构基本搭建。启动北门、义通河、博物馆（参将府）、铸币局四个片区提升改造。引进云旅投、云南就在文旅等企业推进大海草山、雨碌大地缝、以礼河大峡谷等景区开发。通过举办火把节、丰收节等节庆活动聚人气、增流量，会泽古城景区获评省级夜间文化和旅游消费集聚区，大海草山滑雪旅游度假区成为国家体育旅游示范基地，以濯水乡、水城扩红文化生态园创成 AAA 级旅游景区。

【旅游资源】 2023年末，会泽县有旅游资源202个。会泽县城有会馆、寺庙100余座。会泽江西会馆建筑群被录入《中华瑰宝》《中国旅游大典》，“八大会馆”被评为国家级重点文物保护单位。会泽县有不可移动文物点273项，馆藏可移动文物8291件。有县级以上文物保护单位79项，国家一级文物“嘉靖通宝”被认定为大世界吉尼斯之最，会泽公园大铜钱雕塑是会泽县地标性建筑。有国家级非物质文化遗产项目名录1项、省级4项、市级23项、县级36项。会泽斑铜制作技艺被列为国家非物质文化遗产保护名录。有AAAA级景区大海草山，会泽古城、娜姑白雾村、以濯水乡、雨碌大地缝、水城扩红文化生态园AAA级景区。

【景区景点开发建设】 2023年，会泽县推进大海草山、雨碌大地缝景区开发，并打造以濯水乡、娜姑白雾村、回龙谷、水城扩红文化生态园等旅游景点。在古城区围绕沉浸式体验等多维度文旅新业态，打造“夜购”“夜食”“夜娱”等夜间文旅新业态；在景区景点增加滑雪、漂流、探险、康养等体验项目。引导发展一批主题酒店、精品民宿、露天营地，集中建设老字号、土特产、名小吃、音乐酒吧、非遗体验5类特色街区。

【文旅项目储备利用】 2023年末，会泽县有在库项目10个。新入库项目8个，新入库项目总投资3.00亿元，全县文旅代码在库项目58个，完成固定资产投资15.6亿元。启动建设乡村旅游文旅项目7个，总投资3103万元。

【文旅新产品培育】 2023年，会泽县加大传统技艺类、演艺类非遗项目保护开发力度，继续推进斑铜制作技艺、洞经音乐等非物质文化遗产保护工作，把擀毡、土陶、木雕、羊八碗、稀豆粉、三乌胶等项目纳入市级非遗保护。重点打造水城扩红文化生态园、红色旅游精品线路等红色旅游资源，纳入长征国家文化公园，把白雾村纳入长江国家文化公园重点打造，培育红色文化新产品。围绕燕麦、娜姑石榴、待补草莓等特色农产品，培育绿色食品康养新产品。围绕以礼河打造徒步、自行车等户外运动品牌，培育山地运动新产品。依托牛栏江得天独厚的自然条件和舒适宜人的气候优势，打造田园综合体，促进农文旅产业融合发展。

【品牌打造】 2023年，会泽县文化旅游部门创建以濯水乡、水城扩红文化生态园为国家AAA级旅游景区，古城景区批复为省级夜间消费聚集区，大海草山滑雪旅游度假区批复为国家体育旅游示范基地。申报娜姑镇白雾村为云南省金牌旅游村、最美乡愁旅游地，其中最美乡愁旅游地；申报娜姑镇为第五批全国乡村旅游重点村镇；申报以濯水乡为云南省旅游休闲街区。

2023年12月8日，在昆明举办会泽县文化和旅游宣传暨招商引资推介会

（幸定涛　摄）

【旅游宣传】 2023年，会泽县文旅部门组织文旅企业参加第7届中国—南亚博览会暨第27届中国昆明进出口商品交易会、云南文化产业博览会、昆明国际旅游交易会，文博会、上海文化产业博览会、国际旅交会、第十五届中国（重庆）火锅美食文化节和特色旅游商品大赛，宣传推介会泽文旅资源和项目。2023年会泽文旅微信公众号更新发布图文及视频信息313条，会泽文旅抖音号发布视频68条。拍摄制作会泽文旅宣传片《钱王之乡会泽百家》，全县乡村旅游工作会议专题片《会泽乡村旅游荟萃》。

【旅游服务】 2023年，会泽县文旅游部门组织A级旅游景区、餐饮、住宿、休闲购物场所等35家参与5月文旅惠民活动，28家参与“清凉曲靖·避暑天堂”2023年暑期文旅优惠活动，发放张贴活动宣传海报100份、优惠券13000份。围绕“吃住行游购娱”，引导发展一批主题酒店、精品民宿。加大运营团队和导游解说队伍培训力度，加强大数据应用，建设管理、营销和服务一体化平台，做好景点、线路、餐饮、住宿等推介，规范旅游秩序。挖掘乡村文化，保护好传统村落。在会堂门口、十字街老街口、西直街二道巷口安装会泽古城核心区民宿客栈指示牌。更新编印《会泽文旅手册》《会泽全域旅游手绘地图》各1.6万份。

（刘吉锋）

［责任编辑　周芮冰］

卫生健康

综　述

【概况】　2023年，会泽县有医疗卫生机构492个。其中，县级医疗卫生机构5个，乡（镇、街道）卫生院25个，村卫生室376个；民营综合医院9个、精神专科医院1个，医务室10个，个体诊所（含门诊部）66个。全县有编制床位3073张、实际开放床位6159张，每千常住人口拥有编制床位3.88张、实际开放床位7.76张；医疗卫生单位总人数3513人，其中卫生专业技术人员3188人（91%）。注册在各级各类医疗卫生机构的执业医师（含助理医师）1680人、执业护士有2849人，每千人口有执业医师（含助理医师）2.12人、执业护士3.83人。

【医疗卫生体制改革】　2023年，会泽县出台《会泽县县域医疗集团建设实施方案（试行）》，推进县域医疗集团建设工作，成立中共会泽县委县域医疗集团委员会，围绕“县强、乡活、村稳”目标，实行县、乡、村医疗卫生健康“服务、责任、利益、管理”四位一体，以党政管理、运营管理、人事薪酬、医疗业务、药械保障、健康服务、信息管理、后勤服务八个“一体化”管理为载体，重塑重构县域医疗卫生资源，推进县域医疗集团建设工作。

【医疗服务能力提升】　2023年，会泽县人民医院晋级为三级乙等综合医院，“百县工程”肿瘤防治、慢性病管理、微创介入、麻醉疼痛、重症监护临床服务“五大中心”建设工作通过现场验收；县中医医院晋级为三级乙等中医医院；全县省级重点专科、中医特色优势专科达15个；建成15个急救站（点）并完成验收，院前急救接入市级院前急救指挥调度云平台，实现辖区内市、县、乡三级统一调度。

【公共卫生服务】　2023年，会泽县适龄儿童免疫规划疫苗接种率均达90%以上；甲乙类传染病报告发病率121.33/10万，控制在目标范围内；艾滋病病毒检测率94.3%，艾滋病感染者治疗率94.7%，治疗有效率95.1%。创建健康企业10家，职业健康培训

2023年雨碌卫生院中医馆开始就诊　　（朱知梅　摄）

率、“三同时”实施率、工作场所职业病危害因素监测完成率均为100%。建成心脑血管救治站15个。组建家庭医生签约团队数577个，团队医生1491人，在签状态居民38.48万人；36种大病患者在管8511人，救治率100%；政府救助平台办理帮扶办结率100%。保持孕产妇0死亡记录，5岁以下儿童死亡率4.05‰，婴儿死亡率2.50‰；HIV血液传播率、HIV母婴传播率均为0。完成乳腺癌筛查2.58万例，宫颈癌筛查2.58万例，先心病筛查4.99万例；65岁及以上老年人规范健康管理8.45万人，老年人健康体检8.45万人，完成老年人自理能力评估表8.45万人。

【中医药工作】 2023年，会泽县建立健全中医药服务网络，形成“县级龙头领先、乡镇枢纽联动、村级基础扎实”的三级网络格局。全县各乡（镇、街道）卫生院中医药服务能力持续提升，80%以上的村卫生室能够运用4类六项中医药适宜技术，满足群众看病需求。为30385人0～3岁常住儿童进行中医药健康管理服务25635人次，管理率84.37%；为10.69万人65岁及以上常住老年人服务8.01万人次，管理率74.93%。

【卫生基础设施建设】 2023年，完成会泽县中医医院住院楼主体结构施工。会泽县第二人民医院8月份竣工投入使用。完成会泽县第三人民医院建设项目可研、环评、水保、地勘、稳评等前期工作。完成会泽县妇幼保健院儿童早期发展中心建设项目前期初步方案编制、可研评审。完成会泽县医疗废弃物处置中心项目前期初步方案、可研编制、土地挂拍手续。1—12月份固定资产入库3.64亿元，固定资产投资5.97亿元。

（王梅）

［责任编辑　黄　琼］

社会生活

居民生活

【居民收入】 2023年，会泽县居民人均可支配收入24645元，同比增长5.7%。全年农村常住居民人均可支配收入15877元，同比增长8.6%。城镇常住居民人均可支配收入40899元，增长3.7%。

【社会保险】 截至2023年末，全县基本养老保险参保68.26万人（城镇职工6.35万人，城乡居民61.91万人）；基本医疗保险参保94.7万人（城镇职工医保参保5.2万人，城乡居民医保参保89.5万人）；失业保险参保2.9万人；工伤保险参保3.67万人。

【人口年龄构成】 2023年，会泽县常住人口中，0～15岁人口18.55万人，占总人口的23.82%；16～59岁人口44.62万人，占总人口的57.31%；60岁及以上人口14.69万人，占总人口的18.87%，其中65岁及以上人口为10.81万人，占总人口的13.88%。

（张丽琴）

社会保障

【养老保险参保】 2023年，会泽县城镇职工基本养老保险参保6.35万人，完成目标任务6.11万人的103.93%；城乡居民基本养老保险参保61.91万人，完成目标任务61.36万人的100.89%；企业职工参保3.05万人，完成目标任务2.86万人的106.64%；机关事业单位职工参保19425人，完成目标任务19415人的100.05%；工伤保险参保3.67万人，完成目标任务3.47万人的105.76%；失业保险参保2.91万人，完成目标任务2.90万人的100.34%。

【社保基金征收】 2023年，会泽县征收机关事业单位养老保险费4.35亿元，待遇支出3.91亿元；征收职业年金1.08亿元；征收企业职工养老保险费2.91亿元，待遇支出2.87亿元；征收工伤保险费1823.81万元，待遇支出1652.20万元；征收失业保险费2340.23万元，待遇支出999.06万元。截至12月，各项社会保险基金滚存结余14.66亿元，实现利息收入3867.72万元。

【社保待遇落实】 2023年，会泽县发放城乡居民养老保险167.65万人次2.45亿元，支付城乡居民社会养老保险一次性丧葬补助费1250.65万元。企业退休人员完成调待7980人，月人均增加养老金117.07元；机关事业单位退休人员完成调待5040人，月人均增加养老金185.85元；工伤保险定期待遇完成调待142人，其中111人供养亲属抚恤金月人均增加54元，28人护理费领取人员月人均增加340元，28人伤残津贴领取人员月人均增加245元；截至12月，完成缴费39.65万人，占应缴费人数45.05万人的88.01%，保费收入1.17亿元，人均缴费293.8元，比上年同期提高21.8元。

【社保扶持】 2023年，会泽县完成符合财政代缴困难群体养老保险33472人，代缴保费431.33万元，其中：重度残疾人一、二级9331人代缴保费186.62万元，中度残疾人（三级）4032人代缴保费40.32万元，低保对象19779人代缴保费197.79万元，特困人员330人，代缴保费6.6万元。严格落实阶段性缓缴社会保险费政策，全县3家企业申请缓缴工伤保险，惠及241人，缓缴金额0.64万元；1家企业申请缓缴失业保险，惠及116人，缓缴金额0.84万元。减免失业保险费2136.64万元。发放稳岗补贴3479.59万元，惠及企业576户次，惠及人数61092人次，其中，有4家劳务派遣机构领取稳岗补贴12076.19元，惠及65人次。

【社保费核查】 2023年，会泽县人力资源和社会保障局完成机关事业单位1369名退休“中人”清算工作。完成上级部门下发疑点数据15批次2601条。追回77人违规领取待遇50.43万元。追回会泽汇邦劳务派遣有限公司、会泽县祥瑞劳务有限公

2023 年 6 月 8 日，县人社局开展工资制度落实专项检查（县人社局　提供）

司派遣属事业单位违规领取稳岗补贴 4991.05 元。

【社保服务活动】　2023 年，会泽县人力资源和社会保障局开展“社保服务进万家”活动月系列活动，制发社保卡 104.23 万张，完成目标任务 103.25 万张的 100.94%；电子社保卡申领达 53.94%，完成目标任务 119.87% 的。全年全县职工养老保险参保扩面累计净增人数 4743 人，完成市级下达目标任务 4200 人的 112.93%。建立县、乡（镇、街道）社保服务先锋队 26 支，常态化开展“康乃馨”社保服务活动，对到龄缴费不足人员“一对一”送达《告知书》，开展“康乃馨”和社保服务进万家活动 114（场）次，服务群众 1.17 万人次。

【劳动保障】　2023 年，会泽县人力资源和保障局受理群众举报投诉 701 件，为 1100 人追回工资 1506.56 万元。法定时限内，劳动保障监察举报投诉案件结案率 100%，拖欠农民工工资举报投诉案件结案率 100%。回复云南省信访信息平台信件 24 件，办理 12345 政务热线件 388 件。受理劳动人事争议案件 196 件，不予受理案件 18 件，为劳动者挽回劳动报酬等各项经济损失 1197.25 万元，案件法定期限内结案率 100%，案件调解成功率 73.98%。劳动合同备案新签 6222 份，续签 3340 份，解除终止 5159 份，变更 557 份，企业劳动合同签订率 98%。申请工伤认定案件登记 286 件，组织评议件 267 件，其中，认定为工伤或视同工伤 254 件，不予认定为工伤或视同工伤 13 件。

劳动就业

【组织体系建设】　2023 年，会泽县成立县委书记、县长任双组长的转移就业工作领导小组和县委常委、组织部部长任书记的转移就业党工委，下设环渤海、长三角、珠三角等 6 个工作组。在上海宝山、浙江上虞、福建莆田、广东鹤山等成立 26 个驻外党支部，同步成立劳务工作站。县级成立农村转移就业管理服务中心、25 个乡（镇、街道）成立转移就业服务中心、381 个村（社区）成立转移就业服务站，培育就业信息员 796 名，建立转移就业“四级”联系制度，做好就业服务保障工作。

【“一站式”转移就业】　2023 年，会泽县继续落实“一免一补”政策（免交通费、给予途中生活补助），开展“点对点、一站式”直达服务，以脱贫户和“三类”监测对象为中心，加强与 65 家人社部门、人力资源机构、用工企业对接。全年，开展劳务洽谈 190 场（次），举行招聘会 59 场，发布岗位信息 22.5 万个，将农村劳动力返岗就业需求与企业用工需求无缝对接，畅通群众“从家门到厂门”就业通道，“点对点、一站式”向浙江、江苏、广东、福建、上海、安徽等地输送 1.1 万人，帮助 30 余万劳动力实现县外就业。

【就近就地就业】　2023 年，会泽县推动“310”工程落地，帮扶重点群体就业创业，提供城镇就业岗位 4782 个，实现城镇新增就业 3850 人。开展“就业援助月”“春风行动”“情系家乡 · 返会就业”等各类就业专项活动，引导劳动力就近就地就业。依托工业园区、物流园区、道成农业产业示范园等产业园区，打造夏季草莓、软籽石榴等 120 万亩高原特色农业集群产业链，发展生猪、肉牛、磷化工、新能源等 8 个百亿级产业，培育劳动密集型企业，新建“居家式”“厂房式”“合作社式”就业帮扶车间 82 家，吸纳就近就地就业 14.4 万人。整合人社、林草等部门资源，通过公益性岗位帮助 1.8 万名弱劳力、半劳力实现就业。

【劳务品牌建设】　2023 年，会泽县继续培育“会泽牛人”“会泽米商”“会泽家政”“会泽染料工”等劳务品牌。年末，有“会泽牛人”7700 余家，带动就业 3.1 万人，占昆明清真牛肉市场份额的 90%。在昆明的牛奶加工厂中，伊利牛奶 70% 的奶源、雪兰牛奶 50% 的奶源来源于会泽的养殖户。有“会泽米商”9400 余家，带

2023年1月12日，上海宝山区·曲靖市会泽县劳务协作暨帮扶易地搬迁专场招聘会在以礼街道举办　　（县人社局　提供）

动就业3.7万人，占昆明市场份额的70%；“会泽家政”中，保安、保洁、保姆从业人员达6.6万人。“会泽染料工”在浙江省上虞区务工人员7500余人。年内，“会泽牛人”劳务品牌被评为省级劳务品牌，“会泽牛人”劳务品牌代言人保德胜获全国“特色劳务品牌形象代言人”称号。

【职业技能培训】 2023年，会泽县采取订单、定向、定岗等培训方式，对非脱贫农村劳动力提供每年不超过1次、脱贫劳动力每年不超过3次的免费职业培训，考核鉴定合格的发放相应证书，100%推荐就业岗位。全年开展培训322期14627人次，《云南省曲靖市会泽县技能培训拓宽群众致富路》被人社部列为助力乡村振兴品牌建设行动案例。

【就业政策落实】 2023年，会泽县落实一次性外出务工交通补助、吸纳就业奖补、创业担保贷款、就业见习补贴等政策，对在省外稳定就业3个月以上的脱贫劳动力，给予每人1000元的一次性交通补助，全年兑付2196.4万元，惠及21694人；发放创业担保贷款、一次性创业补贴、见习补贴等各类就业补贴资金1.73亿余元，带动2638名劳动力实现转移就业。

【就业服务】 2023年，会泽县整合政务、税务、人社、医保、银行、市场监管等部门资源，统一集中到云南会泽产业园办公，实现企业业务一站式办理。加强对辖区内工业企业、农业产业、农村合作社等用工指导，完善劳动密集型企业周边超市、食堂、住宿、停车区、充电桩、公共交通等配套设施和公共基础设施，为务工群众提供便利的工作、生活保障。整合闲置资产建成零工市场1个，依托村（社区）就业服务工作站建设“口袋就业驿站”381个，为有就业意愿劳动力提供全流程就业服务。强化劳动保障监察，受理举报投诉案件506件，法定期限办结率100%。为896名农民工追回工资1106.56万元，为1560名符合条件的就业困难人员发放灵活就业社保补贴1220万元。发放一次性创业补贴2.82万元，帮扶3名返乡入乡创业者创业，发放创业贷款951户1.7亿元，吸纳带动就业2320人。为符合条件的268名会泽职业技术学校2024年应届毕业生发放一次性求职创业补贴26.8万元；为2313名离校未就业毕业生提供“1311”就业服务，服务率达100%；开发就业见习岗位543个（含基层治理专干）组织见习上岗310人，拨付见习补贴250.92万元。依托云南省公共就业服务平台、“就业彩云南”公众号等线上平台，常态化开展就业创业服务，办理就业登记6106人次，失业登记5653人次，办理就业创业证5607本。

【稳岗服务】 2023年，会泽县开展干部走访、驻站随访、电话回访，讲清就业形势、讲清利好政策、讲清维权渠道，算清返乡成本账、稳岗留工账、再就业风险账“三访三讲三算清”稳岗扩岗活动，把务工人员稳在岗位、稳在企业、稳在当地。全年派出稳岗工作组19个72人次，走访省外企业50家，对接省外人社部门30家，召开会泽籍员工座谈会18场（次）。

（刘志凡）

医疗保障

【基本医疗参保管理】 2023年，会泽县完成基本医保参保94.71万人，其中，城镇职工参保5.17万人，城乡居民参保89.54万人，参保率保持在96%以上。实施医疗救助资助参保政策，全县37.8万名已脱贫人口及三类监测对象和低保对象等农村低收入人口100%参加基本医疗保险和大病保险。

【医疗保险基金运行】 2023年，会泽县城镇职工基本医疗保险费征收2.55亿元，公务员医疗补助收入5248万元，大病保险征收1684万元；城镇职工基本医疗保险费总支出3.1亿元；城乡居民基本医疗保险费总收入8.86亿元，城乡居民基本医疗保险费总支出8.5亿元，收入上解市级，支出由市级下拨，年底结余为零。

【医疗保险报销】 2023年，会泽县城镇职工医保发生普通住院19231人次，特慢病门诊10.93万人次，生育保险908人次，基本医保报销1.60亿元，个人账户刷卡支付1.20亿元，大病保险赔付1139万元。城镇职工门诊共济12.79万人次，统筹基金支付1072万元。城乡居民医保发生普通住院19.90万人次，基本医保报销5.78亿元，大病保险赔付8287万元；普通门诊167万人次，基本医保报销3872万元，特慢病门诊15万人次，基本医保报销4708万元；离休、二等乙级以上革命伤残军人门诊、住院报销801人次，支付232万元。全县已脱贫人口和监测对象等农村低收入人口累计发生普通住院10万人次，产生医疗费用5.4亿元，其中，基本医保报销2.88亿元，大病保险赔付5207万元，医疗救助支付10359万元，医保三重保障实际报销比例达82.1%。通过云南省政府救助平台受理困难群众医保事项18件，办结18项，向县乡村振兴、民政部门推送个人医疗费用自付部分超过监测线（8050元）2981人。

【医疗保险基金监管】 2023年，会泽县开展医疗保障领域腐败问题集中整治，重点对医保基金监管、打击欺诈骗取医保基金行为以及医保领域六个方面10个具体问题进行集中整治，公开招聘医保基金义务监督员9名，在县人民医院、县中医医院开展驻点监管。全年，现场检查定点医药机构646家次，现场检查100%全覆盖，处理违规定点医药机构431家，其中，行政处罚4家，约谈431家，解除医保协议6家，暂停医保结算12家，公开曝光2例，追回违规费用586.95万元，查实举报案件一件，兑现举报奖励金500元。

【医疗保障服务】 2023年，会泽县医疗保障局梳理服务事项，从环节、材料、时限等方面做到能减则减、减无再减，减少群众办事流程，优化办事流程，提高服务效率。会泽县人民医院、县中医医院实现移动支付；6家定点医疗机构和5家定点药店实现医保刷脸支付；县域内“双通道”国谈保障药品已在县人民医院、县中医医院2家医疗机构和一心堂、人民大药房、健之佳、东飞药业4家零售药店实现处方流转，并支持城镇职工、城乡居民医保特殊病在药店门诊结算；全县200家医疗机构纳入国家结算平台，其中，医院36家，零售药店164家，实现省内、跨省住院全覆盖；全面取消特慢病办理各类证明材料，省内异地就医普通门诊、慢性病门诊就诊费用直接结算。

【医疗保障“两定机构”管理】 2023年，会泽县医疗保障局加大医疗机构现场稽核审核力度，智能监控系统全面使用，对欺诈骗保行为保持高压打击态势，做到飞行检查、现场监督全覆盖，督促定点医疗机构做到合理检查、合理用药、合理治疗和合理收费，维护医保基金安全。年末，全县有医保定点医药机构643家，其中，公立医院28家，民营综合医院8家，精神专科医院1家，村卫生室375家，个体诊所6家，医保定点零售药店225家。

【医保支付方式改革】 2023年，会泽县推进以县域内医共体城乡居民医保资金按人头打包付费为主，DRG、单病种、按床日付费等多元化复合式医保支付方式改革，乡村两级门诊人次逐步增加，门诊转住院、小病大治等问题得到有效遏制，医疗资源分配向基层下沉倾斜，逐步形成医疗机构自我规范的自律机制，支付制度改革的牵引作用成效明显，县域内城乡居民医保打包资金连续3年实现结余留用；全县符合条件的23家医疗机构纳入DRG付费改革试点范围，2家公立医院已开展医保日间手术。

【药品医用耗材集中采购】 2023年，会泽县参加国家和省（市）联盟药品和医用耗材集中带量采购（含接续带量采购）39个批次；全县38家医疗机构在省平台采购药品1.8亿元，其中，集采药品412种3953.19万元；29家公立医疗机构在省平台采购医用耗材810.41万元，其中，带量采购741.36万元。

（李慧）

生育、托育服务

【概况】 2023年，会泽县落实《中华人民共和国人口与计划生育法》《云南省计划生育条例》和国家优化生育政策的决策部署，落实落细二、三孩生育支持政策，推动全面三孩政策平稳实施。落实国家计划生育“两项制度”和云南省“奖优免补”政策，全员人口数据库维护工作稳步推进。精简规范生育登记办理，落实生育登记（审批）网上办理，推进“一网通办”，实现群众生育登记办理“只跑一次”或“一次都不跑”。提高群众网上生育登记知晓率和登记率，全年登记办理生育服务证4058本，其中，现场办证3584本，预约办证474本。

【生育管理】 2023年，会泽县出生人口8214人，其中，男性4232人、女性3982人，出生人口性别比为106.3（女：100）。

【政策宣传】 2023年，会泽县卫健部门通过“健康会泽”官网、QQ工作群、微信工作群、生殖健康知识在线解答、发放宣传手册等方式向群众宣传、优生优育知识。发放宣传资料11.56万份，通过生殖医学专科联盟开展义诊服务1次。

【普惠托育】 2023年，会泽县有托育机构50家。其中：加盟园所3家，

2023 年 8 月 22 日，者海镇金苹果幼儿园开展进社区活动　（刘洪波　摄）

园中园 47 家，预设托位建设 2440 个，千人托位占比达 3.07 个，备案托位 335 个，开设托班 9 个，入托 232 人。省级 AAA 级示范性托育机构华夏爱婴托育馆、市级二星级示范性托育机构爱尔福婴幼中心，运营达标。

【亲子小屋创建】　2023 年，会泽县者海镇金苹果、马路乡童星、大桥乡金桥 3 家幼儿园入选中国计生协会，确定为全国 100 个基层社区或单位第二批“向日葵亲子小屋”项目建设。项目周期 3 年，第二年度开展亲子活动 96 场（次），覆盖幼儿 1184 人次，开展家长课堂 12 场（次），惠及家庭 1092 户，开展入户指导 36 次，惠及家庭 76 户，开展进农村进社区活动 6 次，惠及群众 638 人次。为 0 ~ 3 岁婴幼儿的早期发展提供系列服务，协助婴幼儿家庭树立科学育儿理念，将科学育儿知识普及到每个家庭。

【生育补贴】　2023 年，会泽县发放 3166 户 3200 人二孩、三孩一次性生育补贴及年度育儿补贴 1203.2 万元。其中：一次性生育补贴，二孩 2176 人，发放 435.2 万元；三孩 1024 人，发放 512 万元；育儿补贴 3200 人，发放 256 万元。

（赵升权）

民政事务

【概况】　2023 年，会泽县民政局秉承“民政为民、民政爱民”工作理念，以奋进新征程推动新跨越三年行动为统领，树立问题导向、目标导向、需求导向、结果导向，着力补短板、强弱项，夯实基本民生保障根基，创新推进基层社会治理，健全基本社会服务体系，提升民政部门的履职能力和工作水平，推进全县民政事业高质量发展。

【最低生活保障】　2023 年，会泽县落实《云南省民政厅关于印发云南省最低生活保障审核确认实施细则的通知》，做到“应保尽保，应退尽退”。全县有城市低保对象 9951 户 15542 人，发放城市低保补助金 8477.35 万元；农村低保对象 37329 户 51142 人，发放农村低保补助金 20191.69 万元。新纳入农村低保 4304 人，城市低保 990 人，新纳入特困 231 人。7 月起，城市最低生活保障月人均补助水平提高 28 元；农村最低生活保障月人均补助分别提高 58 元、30 元和 20 元，其中，A 类保障对象提高到 504 元 /（人・月），B 类保障对象提高到 343 元 /（人・月），C 类保障对象提高到 273 元 /（人・月）。

【特困人员供养】　2023 年，会泽县有特困供养对象 3625 户 3629 人，发放城市低保补助金 4542.61 万元，为死亡 74 人特困人员发放丧葬补贴 14.8 万元。1 月 1 日起，集中供养特困人员照料护理补贴全市统一标准：一档（完全丧失生活自理能力）提高到 950 元 /（人・月），二档（部分丧失生活自理能力）提高到 475 元 /（人・月），三档（具备生活自理能力）提高到 285 元 /（人・月）。分散供养特困人员照料护理补贴全市统一标准：一档（完全丧失生活自理能力）提高到 171 元 /（人・月），二档（部分丧失生活自理能力）提高到 100 元 /（人・月），三档（具备生活自理能力）提高到 57 元 /（人・月）；2023 年 7 月 1 日起，集中供养特困人员生活补贴月人均补助水平提高 37 元，提高到 947 元 /（人・月）。全年，为城乡低保户和特困供养户发放免费电量补助资金 324.33 万元。

【临时救助】　2023 年，会泽县临时救助城乡困难群众 8625 人（次），发放临时救助金 664.73 万元。在乡（镇、街道）建立临时救助备用金制度，下拨乡（镇、街道）临时救助金 120 万元。救助流浪乞讨人员 170 人次，使用医疗费用和救助费用 16.15 万元。

【养老服务体系建设】　2023 年，会泽县争取 5 类项目资金 1477.81 万元，新（改扩）建居家养老服务中心（互助养老服务站）、老年幸福食堂、老年活动场所、居家适老化、提质改造养老机构等项目建设。完成12个新建住宅小区配建养老服务设施用房移交工作；印发《推进基本养老服务体系建设的实施方案》《会泽县基本养老服务清单》《会泽县开展特殊困难老年人探访关爱服务实施方案》《会泽县养老服务监管效能提升年活动实施方案的通知》《会泽县养老服务领域“小切口”整治民生领域突出问题惠民行动工作方案的通知》等文件，全县养老服务保障措施不断完善；开展养老服务对象养老诈骗、安全管理专项行动检查；完成养老机构等级评定10个。累计向全县80～99周岁高龄老人每人每月50元标准26.27万人次、100周岁及以上高龄老人每人每月300元标准347人次，发放高龄补贴1324.42万元。4月起，向全县经济困难老人发放补助52711人次263.55万元。为23个养老机构和2个居家养老服务中心的457名老年人和98名雇员人员购买意外伤害保险，累计投保7.77万元。

【儿童福利权益保障】 2023年，会泽县累计向10094人次孤儿和事实无人抚养儿童发放1308.58万元。完成“福彩圆梦、孤儿助学工程”26人，发放资金26万元，其中，为14名年满18周岁在校就读的事实无人抚养儿童发放资金2.8万元。推进收养登记工作，现场解答群众收养登记咨询60余人次，发放一次性收养登记告知书30余份，办理收养登记4例。开展“一个机制、六大保护”“奋进新征程，同心护未来”等主题活动。

【殡葬改革】 2023年，会泽县火化遗体6913例，骨灰入葬公墓7578例，其中，节地生态安葬923例，发放火化补助2678.4万元，遗体跟踪处置经费605.76万元，合计3284.16万元。实现火葬区覆盖率、火化率、骨灰入公墓安葬率均达100%的目标。上级补助资金350万元改扩建7个农村公益性公墓及完善节地生态设施；完成城市公益性公墓规划工作，项目规划用地9.94公顷。

【基层政权建设】 2023年，会泽县为农村原大队一级部分离职半脱产干部（小乡干部）和原村公所（办事处）干部发放定期生活补助352.18万元。开展村（居）民小组优化调整合并工作，调整后村（居）民委员会由381个减少为370个，村（居）民小组由4315个减少为3513个。全县480人报名参加社会工作者职业资格水平考试，考试合格148人，比上年增长190.2%。

【社会组织管理】 2023年，会泽县登记备案的社会组织146家，其中，社会团体62家、民办非企业84家。新成立民办非企业1家，社会团体法人变更5家，证书到期换证1家，办理注销1家，清理“僵尸型”社会组织2家。挂牌成立“会泽县社会组织孵化中心”，全县25个乡（镇、街道）成立社会组织孵化基地，实现县、乡两级社会组织孵化培育和活动场所覆盖率100%。

【慈善事业】 2023年，会泽县民政局组织全体干部职工开展“99公益日”献爱心活动；开展2次先天性心脏病义诊活动，为369名青少年儿童进行义诊，筛查出可介入治疗儿童23名，择期介入治疗儿童8名，外科手术治疗15名；接受广东中烟集团捐赠烤烟抗旱经费50万元。

【残疾人“两项补贴”】 2023年，会泽县发放享受残疾人“两项补贴”35653人，补贴资金3835.55万元。全年审定新增享受“两项补贴”人员2809人，停发2003人，续发327人。

【婚姻登记管理】 2023年，会泽县办理结婚登记5475对，离婚登记1287对，补领结婚证1800对，补办结婚证378对，补领离婚证149本，婚姻登记合格率达100%。扫描婚姻登记历史档案28.40万份，154万多页，上传数据21万条，8月15日起实现全省通办。

【福利彩票发行】 2023年，会泽县

2023年3月7日，会泽县2023年居家和社区基本养老服务提升行动项目养老护理员培训在以礼街道举办（钱海梅 摄）

设有福彩投注站66个。完成福彩销售6586.12万元，同比增长31.86%。

【区划地名管理】 2023年，会泽县民政局拟定《会泽县十四五期间行政区划调整的意向报告》和《会泽县与贵州省威宁自治县省级行政区域界线联检实施方案》，牵头完成“黔滇线”（会泽与威宁段）省级行政区域界线联检工作。指导完成16条244.09千米乡（镇、街道）级行政区域界线联检工作，开展市内行政区域界线管护巡查4次，完成曲靖市地名文化遗产申报材料16条，收集整理照片115张。配合住建局完成吉泓春晓小区地名命名审批工作；完成《云南省标准地名志》《云南省标准地名词典》会泽部分170余条地名条目审核修改工作；上报《曲靖市地名志》会泽条目1150条；指导开展“乡村著名行动”乡村地名采集500余条，上报省级地名文化遗产认定相关材料古城名、古县名、古镇名各1条。

（易传慧）

住房公积金管理

【概况】 2023年，住房公积金管理会泽分中心针对巡查反馈4条意见，对标对表，逐条研究进行整改。查找在工作流程、服务态度、首问负责等方面存在的问题，对存在问题作为身边警示教育材料通报，立行立改。以推进解决群众办事堵点、痛点为抓手，推进便民利民措施落地。在安全可控的前提下，对个人开户开展方便办，节约客户时间，解决窗口矛盾。

【住房公积金归集】 2023年，会泽县辖区内有缴存单位390家，缴存职工26067人，全年归集住房公积金6.36亿元。新增开户单位185家，人数1433人；个体工商户农民工开户43人。住房公积金累计归集71.6亿元，累计支取52.51亿元，累计余额19.09亿元。

【住房公积金提取】 2023年，会泽县提取公积金5.68亿元。其中：现金购房提取1009笔，金额8951万元；自建房提取8笔，金额58万元；偿还住房商业贷款提取1089笔，金额5130万元；无房租房提取991笔，金额1684万元；缴存关系迁出本市销户提取72笔，金额357万元；解除劳动合同销户提取208笔，金额457万元；离退休销户提取781笔，金额1.20亿元；死亡或其他销户提取73笔，金额594万元；提前偿还全部公积金贷款提取365笔，金额1440万元；提前部分偿还公积金贷款3280笔，金额7212万元；公积金按月代扣还款8.54万笔，金额18965万元。

【住房公积金贷款】 2023年，会泽县分中心发放个人贷款548笔，金额2.76亿元，支持购建房面积8.92万平方米。其中：购商品房贷款196笔，面积3.44万平方米，金额1.09亿元；二手房交易贷款238笔，面积3.42万平方米，金额1.22亿元；商转公89笔，金额3195万元；一手房组合贷13笔，金额765万元；二手房组合贷12笔，金额610万元。

【住房公积金管理】 2023年，会泽县分中心制定催收包保责任人措施，坚持每月一分析总结研判，全年上门催收3次，发放催收通知书3份。发放支付令1人，法院诉讼1人。全年收回逾期36笔次，金额92.76万元。截至12月31日，逾期贷款2笔，金额16.68万元，逾期率0.09‰。加大归集缴存监督执法力度，全年检查执法10家单位，其中行政事业5家，民营企业5家，发放整改通知书4份。对长期未缴存单位催收80次，发放催缴通知书5份，催回欠款金额213万元。

（章　笠）

退役军人事务

【概况】 2023年，会泽县建成1个县级退役军人服务中心、25个乡（镇、街道）、381个村（社区）退役军人服务站；25个乡（镇、街道）服务站有专兼职人员53人（其中专职人员25人）；381个村（社区）基层服务站有兼职工作人员403人。县级财政预算安排服务体系建设专项经费79.58万元，配齐相关设施设备，实现县、乡、村全覆盖。会泽县退役军人事务局服务中心《打造退役军人新阵地弘扬红色文化新战场》入选云南省退役军人服务中心（站）“九大功能”典型案例的七个案例之一。

【退役军人就业培训】 2023年，会泽县退役军人事务局通过微信公众号和微信群等不同平台推广就业岗位。全年组织召开5场（次）退役军人、军属就业招聘会，50余家企业为退役军人提供2300余个岗位。推荐到各承训机构和驾校进行培训，并严格审核拨付技能培训经费。评审确定云南会泽产业园区为会泽县首家退役军人就业创业园地，园地为退役军人搭建创业孵化和就业推介平台，并开展政策咨询、项目开发、创业培训、跟踪扶持等“一条龙”服务。

【退役军人教育培训承训机构确定】 2023年，会泽县退役军人事务局联合县人社、教育、税务、市场等相关部门组成退役军人教育培训承训机构评定委员会，择优确定曲靖市会泽金润职业培训学校、会泽福达机动车驾驶培训站2家培训机构，申报市局审定。7月11日，会泽县举行自主就业退役士兵教育培训承训机构签约仪式，县退役军人事务局与会泽福达机动车驾驶培训站、曲靖技师学院等23家机构签订教育培训协议书。

【爱国主义教育】 2023年，会泽县

退役军人事务局组织开展清明节网上文明祭奠活动，10万余人次参与活动。烈士陵园爱国主义教育基地全年接待单位团体35批（次），接待烈士家属20批（次），群众700余人次。更新会泽县革命烈士陵园简介，补充录入5名会泽县革命烈士个人事迹简介。完成褒扬纪念管理系统内93条信息整改完善，完成全县24处零散烈士墓纪念设施登记。为在部队立功的现役军人送达各类喜报、荣誉证书340份，选出1名“会泽县征兵宣传代言人”，宣传会泽县征兵工作。开展光荣牌悬挂工作。

【优抚工作】 2023年，会泽县退役军人事务局按月做好重点优抚对象抚恤补助发放工作，确保定期抚恤和生活补助费按月足额发放到位。做好优抚对象医疗保障工作，确保优抚对象住院医疗一站式结算工作正常运行；做好优抚对象医疗救助工作，开展“一站式”医疗救助。

【双拥工作】 2023年，会泽县退役军人事务局成立“会泽乌蒙老兵服务队”，有志愿者200余人，累计开展志愿服务活动200余次。2023年入选全国“退役军人关爱青少年志愿服务项目”和2023年度曲靖学雷锋志愿服务“最佳志愿服务组织”。由县退役军人事务局牵头，全县42家单位、企业加入社会化拥军行列。会泽县双拥工作领导小组相关成员单位到结对共建部队驻地开展春节、八一慰问活动，发放慰问物资及资金。

移民搬迁安置

【概况】 2023年，会泽县搬迁安置办以移民新村和产业发展为工作重点，以巩固拓展脱贫攻坚成果同乡村振兴有效衔接为契机，移民搬迁安置和后期扶持工作全面有序推进。投入移民专项资金50万元硬化者米村10组道路。

【移民安置】 2023年，会泽县启动白鹤水电站新增影响区24户63人的移民搬迁安置前期工作，完成实物指标的调查、公示和确认，搬迁安置协议签订完成75%。投资1200万元启动并完成牛栏江红石岩堰塞湖整治工程新增专业项目建设。迤车镇店子村至纸厂乡大石板村道路提升改造、纸厂乡移民服务中心综合楼2个新增专业项目建设均如期启动并按计划完成建设任务。组织有关各方集中开展白鹤滩水电站库周地质灾害监测和巡查7次，安排8位群测群访人员定期和不定期开展库岸巡查。完成白鹤滩水电站逐年补偿及其他补偿补助资金兑付3405.48万元。

【后期扶持】 2023年，会泽县实施大中型水库移民后期扶持项目14个，投入移民专项资金7817万元。受益面扩大至21个移民村5.03万人次（移民5835人次）。采取“一卡通”方式3月底完成兑付2023年直补资金1833.9万元。开展移民人口动态管理，严格落实政策，做好直补对象动态核减和恢复工作。截至1月底，完成上年度人口核减289人，全县有移民人口30565人。

【固定资产投资】 2023年，会泽县搬迁安置办完成固定资产投资项目入库9334.4万元，完成投资7726.4万元。

（朱宏恩）

3月10日，会泽县2023年退役军人教育培训承训机构考评评估会议

（陈 林 摄）

民族工作

【概况】 2023年，会泽县有1个民族乡，24个民族村（含新街回族乡14个），308个民族村民小组，25个主要少数民族，全县25个乡（镇、街道）均有少数民族分散居住，呈大分散，小聚居状况。民族工作以铸牢中华民族共同体意识为主线，贯彻落实习近平总书记关于加强和改进民族工作的重要思想，推动全县民族工作高质量发展。

【民族团结进步示范县创建】 2023年，会泽县制定出台《会泽县民族团结进步示范县建设规划（2021—2025年）》《会泽县加快创建全国民族团

2023 年 2 月，县搬迁安置办向群众解释白鹤滩新增影响区安置政策
（县搬迁安置办　提供）

结进步示范县实施方案》《关于以铸牢中华民族共同体意识为主线推进新时代会泽民族工作高质量发展的实施意见》文件，围绕“一城一区一地”战略目标，结合不同行业、不同领域特点，推动各地各单位结合主责主业开展创建，推动各行各业从创建型向示范型转变。完成曲靖市创建全国民族团结进步示范市国家民委对会泽点位的验收。会泽县创建为全省第五批民族团结进步示范县。

【实施少数民族发展项目】 2023 年，会泽县争取实施少数民族发展项目 17 个，投入财政涉农资金 920 万元。涉及 17 个项目竣工并投入使用，竣工率 100%。投入资金 30 万元，实施民族文化项目 2 个。

【民族政策落实】 2023 年，会泽县民宗局做好少数民族初、高考加分优惠政策落实工作，审核通过 590 名考生享受少数民族加分优惠政策，办理少数民族事业单位招考加分 21 人次。规范民族成分变更管理，全年办理民族成分变更 17 人次。办理清真食品经营许可证 64 份。

（刘林）

宗教事务

【概况】 2023 年，会泽县经批准开放的宗教活动场所 64 所，其中，佛教活动场所 6 所、道教活动场所 3 所、伊斯兰教活动场所 47 所、天主教活动场所 3 所、基督教活动场所 5 所。省级文物保护单位 3 所（大佛寺、文昌宫、三圣宫），市级文物保护单位 2 所（西来寺、娜姑白雾财神庙），县级文物保护单位及文物点 3 所（云峰寺、武圣寺、弥勒寺）。有爱国宗教团体 2 个（会泽县佛协、会泽县伊斯兰教协会），有佛教认定备案教职人员 13 人，道教认定备案教职人员 7 人，伊斯兰教认定备案教职人员 26 人，天主教认定备案教职人员 2 人，基督教认定备案教职人员 5 人。

【宗教事务管理】 2023 年，会泽县民宗局做好宗教活动场所基本情况统计，动员宗教团体完成宗教教职人员认定备案，推进宗教活动场所和宗教活动管理合法化，规范化。加强宗教教职人员培训，提升教职人员的文化层次。

【基层宗教治理】 2023 年，会泽县将全县 25 个乡（镇、街道）划分网格，把村级组织纳入网格化管理。指导县伊协、县佛协完成换届工作；开展和谐寺观教堂的创建活动，在宗教活动场所对教职人员和信教群众开展爱国主义及法治教育；指导和帮助宗教团体和场所建立和健全各项规章制度；培养高素质宗教教职人员，推荐有影响力的宗教教职人员担任政协委员。

（刘林）

老龄工作

【概况】 2023 年，会泽县老龄工作推进医养结合，构建养老机构与医疗机构稳定的合作模式，创新养老健康服务供给方式；构建养老机构与医疗机构稳定合作关系，鼓励支持医疗机构与养老机构探索建立“医护”“养护”等多元合作模式，医疗机构与养老机构开展签约服务。基层医疗机构与养老机构签约服务覆盖率 100%。

【设置老年病科】 2023 年，会泽县人民医院、会泽县中医医院按照标准规范设置老年病科，各医疗机构不断完善院内老年人就医便利措施，畅通就医绿色通道；对持有老年人优待证或居民身份证的老年人在医疗机构就诊时优先就诊，在公立医疗机构就诊，免收普通门诊诊查费，全年办理老年优待证 1871 人。

【老年人健康指导】 2023 年，会泽县整合做实老年人签约服务和健康服务项目，提高健康管理率。把 65 岁以上的老年人作为签约服务的重点人群，以疾病控制包、中医药服务包等普惠项目为老年人免费提供健康服务，建立健康档案，开展健康管理、进行健康体检、辅助检查及老年人生活方式、健康状况评估、健康指导、中医体质辨识等，实现签约一人、履约一人、做实一人，基本养老公共服务应保尽保。围绕老年群体医疗健康需求，提升全县各级各类医疗卫生和医养结合机构的健康服务能力，持续开展老年友善医疗机构创建工作，累计完成36家医疗机构创建任务。

（赵忠良）

消费者权益保护

【概况】 2023年，会泽县市场监督管理局推进消费维权制度建设，构建消费维权长效机制，推进消费维权法治化建设，建立健全消费维权诉求反应机制、问题发现机制、纠纷调解机制、应急处置机制，完善消费纠纷化解、商品服务监督和消费提示警示等工作机制，提高消费维权工作的制度化、规范化和法治化水平；加强队伍管理机制建设，提升消费维权的服务效能。

【“3·15”国际消费者权益日宣传活动】 2023年3月15日，县市场监督管理局联合县委宣传部、文明办、公安等12家单位在会泽县新时代文明实践中心组织开展“3·15”现场宣传活动。活动围绕“提振消费信心”消费宣传主题，开展法律法规宣传，提供咨询、现场受理投诉服务，发放宣传资料4000余份。联合县公安局、县烟草专卖局开展假冒伪劣商品集中销毁行动，销毁物资主要包括假冒伪劣食品药品、日化用品、其他侵权产品等4.5吨，总货值8.5万元。

【维权服务】 2023年，会泽县市场监督管理局持续畅通12315平台、12345热线等消费投诉举报渠道，开展创建放心消费环境。安排专人负责投诉举报的分派、督办、回复等，坚持做到受理率、办结率100%，未出现超期办理件。全年办理各类投诉、举报1051件。

（徐桂琳）

［责任编辑　黄　琼］

公共安全

应急管理

【概况】 2023年，会泽县应急管理局组织开展安全生产“百日攻坚”、安全生产隐患大排查大整治专项行动和重大事故隐患排查整治，健全完善地震灾害应急处置流程，做好森林草原防灭火、防汛抗旱、防震减灾工作。应对处置各类事故灾害，全县发生生产安全事故（国家事故统计直报系统数据）10起，死亡11人，受伤6人，均为道路交通安全事故。与上年同期相比，事故起数减少3起，下降23.1%，死亡人数减少2人，下降15.4%。未发生较大及以上事故。

【安全生产责任落实】 2023年，会泽县贯彻落实安全生产“十五条硬措施”和省市细化措施，28次县委常委会、16次县政府常务会、9次全县性专题会议研究部署和调度安全生产工作。巩固和强化主要领导抓、分管领导具体抓、安委会成员单位分责抓、生产经营单位主要抓工作格局。

【安全风险防范】 2023年，会泽县应急管理局开展安全隐患排查整治，整治期间排查重大风险184项，落实“4个清单”管控措施，管控率100%；重大事故隐患16项，落实治理措施16项，挂牌督办12项，完成治理6项，治理率38%；梳理突出问题110项，落实治本措施103项，整改105项，整改率95%；派出督导检查组501个，组织专家技术服务355人次，检查服务企业和单位5697家（次），责令停业整顿37家，炸毁非法矿洞29个，行政处罚141次，罚款金额668.48万元，约谈警示15家，移送司法机关2人。

【应急指挥体系建设】 2023年，会泽县成立19个工作组对乡（镇、街道）森林草原防灭火、防汛抗旱工作开展督查；组织3个工作组对“两高一铁”安全生产进行联合执法检查；制定实施统筹调度、会商研判、监测预警、信息报送、联合值班值守、包保督导、基层叫应、干部下沉、应急响应等9个防汛工作响应联动及联合值班值守机制；细化明确汛期气象灾害橙色以上预警响应措施，健全完善灾害应急处置流程，强化会商研判和统筹调度，执行领导带班、值班人员24小时在岗值班联合值班值守制度；发布各类预警信息，加强事故灾情信息核实上报，应对处置出现的紧急情况。全年未发生造成社会影响的森林草原火情火警。

【应急防范】 2023年，会泽县委常委会会议专题研究防震减灾工作2次，县委书记专题听取防震减灾工作汇报1次；县政府常务会议安排部署防震

2023年4月23日，会泽县召开应急管理系统工作会议（县应急管理局　提供）

减灾工作 5 次。邀请省应急厅专家到会泽开展地震应急知识培训，3600 余人乡村两级灾害信息员参训。县指挥部开展县级地震应急实战演练 2 次；25 个乡（镇、街道）和成员单位组织综合性实战演练 1 轮 1000 余次。县级专业救援队伍 1 支 25 人，半专业救援队伍 2 支 110 人，乡（镇、街道）救援队伍 25 支 1035 人；组织应急救援队员业务培训 1 轮。为 25 个乡（镇、街道）和 19 家相关单位（部门）配备卫星电话 100 部，11 个重点乡（镇）170 个村配置卫星电话 170 部。每月卫星电话调度 1 次，确保正常使用。代省级储备物资 7 种 4500 件（套），本级储备物资 15 种 2.33 万件（套），25 个乡（镇、街道）物资储备点储备 8 种 2.97 万件（套），6 个乡（镇）的 12 个偏远村储备物资 5 种 1200 件（套），储备物资可满足紧急转移安置受灾群众 3000 余人。

【自然灾害救助】 2023 年，会泽县 25 个乡（镇、街道）300 个村委会（社区）1582 个村民小组 6.93 万户 24.89 万人不同程度受灾害影响；农作物受灾 1.42 万公顷，成灾 9459.28 公顷，绝收 1571.17 公顷；自然灾害造成房屋一般损坏 46 户 108 间；造成直接经济损失 1.5 亿元，其中房屋及居民家庭财产损失 110.72 万元，农林牧渔业损失 1.48 亿元，基础设施损失 49.04 万元。累计向 25 个乡（镇、街道）发放救助资金 901.542 万元；发放救灾物资棉被 1040 床（套）、防寒衣 400 件、折叠床 340 张、彩条布 410 件、毛毯 2120 床、床上用品三件套 741 套、大米 1.5 万千克。

【安全宣传】 2023 年，会泽县多形式宣传安全生产、应急管理、防灾减灾救灾政策法规和基本知识，在县电视台持续播放习近平总书记安全生产重要论述、安全生产警示教育片、安全生产举报奖励制度和安全生产政策法规；在七彩云端设“防风险，保安全”专栏，集中宣传安全生产、应急管理法规政策和预防、避险、自救、互救、减灾等知识；在新时代文明实践中心、会泽公园以及县城区人员密集区组织开展安全生产宣传教育活动 4 次，发放宣传资料 3 万余份，设置展板 230 个。开展安全宣传“五进”活动，增强全民安全意识。

（张潇月）

防震减灾

【概况】 2023 年，会泽县贯彻落实习近平总书记关于防灾减灾救灾重要论述和相关重要指示批示精神，树立“有震无震按有震防、大震小震按大震防”“宁可十防九空，不可失防万一”的底线思维，加强地震监测预报基础能力建设，落实震害防御工作要求，完善地震应急准备，加大科普宣传力度，防震减灾各项措施落实落细。

【抗震救灾防范】 2023 年 4 月 26 日，国务院抗震救灾指挥部办公室到会泽县开展应急准备检查；5 月 6 日，省地震局到会泽县开展防震减灾暨地震应急防范准备督导检查；7 月 11 日，省抗震救灾指挥部办公室到会泽县开展地震灾害防范应对准备检查；市地震局领导班子 6 次到会泽县调研指导防震减灾工作。会泽县委、县政府将防震减灾工作列入重要议事日程，县委常委会、县政府常务会等 18 次会议专题研究部署防震减灾工作。邀请省应急管理厅专家开展专题培训 2 次，参训人员 3000 余人次。多次选派干部参加省、市地震部门组织的学习培训。

【地震监测】 2023 年，会泽县地震局落实震情跟踪责任制及 24 小时震情值班制度。加强监测台站运维管理，巡查台站 48 台（次），标定滇 01 井 12 次，确保监测数据真实可靠；制定 2023 年震情跟踪监视工作实施细则，编报震情跟踪工作月报 12 期，承办滇东地震预报协作区 2023 年震情会商暨震情监视跟踪工作会议；做好高考和中考期间服务保障工作；组织参加全市年度地震趋势会商会，撰写地震趋势报告；2 次参加云南省 2023 年防震减灾联席会议。对滇 01 井进行维修提升，建成 1 个地震科普展览室。整理地下流体台站基础信息，形成测点建设报告。向省、市地震部门争取预警终端 312 套，全县安装地震预警终端 393 套，实现中小学全覆盖。抓实 411 名群测群防人员管理，落实宏微观异

2023 年 3 月 10 日，会泽县举行地震应急实战演练　　（陈会芝　摄）

常调查落实“不过夜”制度。

【防震减灾科普宣传】 2023年，会泽县地震局组织开展科普知识“六进”活动，集中宣传8场（次）、科普讲座2场。争取资金8万元印制40万份宣传资料，推进科普宣传覆盖到户。开展科普示范学校创建，创建大桥中学、春晖小学、中铁三幼3所云南省防震减灾科普示范学校，指导驰宏小学申报国家级防震减灾科普示范学校，全县有省级科普示范学校8所，市级科普示范学校23所。25所学校参加省防震减灾科学传播师培训，4名学生参加开展“地震科普携手同行”云南省第三届防震减灾知识小小讲解员大赛。

【震害防御】 2023年，会泽县地震局完成建设工程抗震设防要求审核13件。完成地震易发区房屋设施抗震设防信息采集和动态更新工程1170个，其中加固工程3个、新建工程1167个。完成地震灾害风险普查工作，配合修改完善报告。开展地震灾害风险预评估，摸清重点风险隐患，提交行业重点隐患清单。完成地震应急指挥辅助决策系统基础数据和地震速报信息推送平台信息更新。与县应急局牵头举行2023年地震应急演练2次，25个乡（镇、街道）、各单位、各级各类学校、医院、商场等开展地震应急演练800余次30万人次参与。参加国务院在丽江举办的抗震救灾应急演练观摩会议。做好地震应急指挥中心技术系统的运维保障和2部卫星电话的保通工作，定期参加调度检查。

（陈会芝）

食品药品安全

【概况】 2023年，会泽县委常委会会议听取食品安全工作汇报4次，县政府常务会议听取食品安全工作汇报4次、专题研究食品安全工作2次，县政府分管领导主持召开食安委全体会议3次。县政府办公室印发《会泽县食品安全事故应急预案（试行）》，进一步明确处置依据，调整完善各单位职责。完成B级（44户）、C级（1243户）、D级（7448户）食品生产经营企业主体基础数据录入等工作，将县级包保干部58人、乡镇包保干部240人、村（社区）包保干部1246人，纳入县、乡、村包保干部范围，建立责任清单，落实包保责任。各级包保干部完成《责任清单》《任务清单》《食品安全责任与任务承诺书》的签订。县政府组织召开落实食品安全“两个责任”相关会议4次，培训包保干部、监管人员2297人次。录入责任清单366份，承诺书1095份，配备食品安全总监和食品安全员9606人。全年各级包保干部督导完成率100%，督导发现问题整改率100%。开展特殊药品专项监督检查工作，重点对使用麻醉药品、精神药品（一类、二类）的医疗机构，含麻黄碱复方制剂的药品零售企业，使用美沙酮口服溶液的戒毒维持治疗点使用、经营情况进行检查。对制度建立及执行情况、人员履职情况、安全管理情况、购销运管理情况等全面检查。

【食品监管】 2023年，会泽县开展国家食品安全示范城市创建工作，随机抽取的8个点位通过验收并得到专家好评。省级病媒生物防制工作技术评估结果居全市第一。印发《会泽县推进健康县城建设三年行动方案（2022—2024年）》，县推进健康县城建设三年行动领导小组办公室“食安心”行动组印发《会泽县推进健康县城建设之“食安心”三年行动方案（2022—2024）》。上半年会泽县食品安全满意度综合测评结果居全市第一。对创城区范围内餐饮服务单位实行任务清单化，清单责任化，责任具体化，出动执法人员686人次，下发责令整改通知书129份，对创城区餐饮服务单位进行监督检查。县市场监督管理局协同县教体局、法院、检察院、公安局等部门出具“依法规范餐饮服务单位餐厨废弃物处理行为”检察建议书1份。联合县教体局做好学校食堂检查、学生考试期间食品安全保障等工作。加强与公安部门协同联动，完善案件移送、证据转换、检验鉴定等工作机制，打击“三无食品”“劣质食品”等违法犯罪行为，立案食品领域刑事案件12起、破案12起，打处犯罪嫌疑人2人。食品立案行政处罚案件137件。

2023年3月14日，县市场监管局组织人员对药品安全进行检查（杨家权　摄）

【药品安全监管】 2023年，会泽县食品药品监管部门加强许可备案登记管理，对申请办理药品经营许可，医疗器械经营许可、备案进行现场检查。截至12月，完成80家药品经营企业经营许可，医疗器械经营许可、备案现场检查工作。全年完成150人次药师助理、药士等药学技术人员的注册登记、变更及注销，规范药学技术人员从业登记。累计完成到期换证药品经营企业38家。重点从涉疫药品医疗器械质量监管、价格监管、反垄断及反不正当竞争执法情况、查办涉疫假冒伪劣商品、涉疫药品医疗器械、价格违法案件情况、督促指导企业供应保障涉疫药品医疗器械情况以及涉疫医疗物资投诉举报受理办理情况等方面进行督查、集中整治。与检察院联合开展监督检查，出动检查人员15人次，检查疫情防控物资经营、使用单位20家（次）。责令整改3家（次）。立案查处15件。完成药品不良反应监测报告723例，医疗器械不良事件监测上报258例，化妆品不良反应上报79例，药物滥用调查表上报1例。完成药品抽检（中药饮片、中成药、化学药制剂、抗生素）9批次、医疗器械4批次、化妆品5批次抽样任务。

【药品专项整治】 2023年，会泽县食品药品监管部门开展中药饮片质量集中整治。对经营中药饮片企业开展集中检查整治，通过法律法规宣传培训和现场监督检查，整治中药饮片市场秩序，维护人民群众用药安全。开展疫苗储存、运输及预防接种质量监督检查，对县疾控中心的疫苗购进、储存、使用情况及各疫苗接种点进行检查，确保疫苗购进渠道及储存条件达到要求，保障接种安全。检查在库疫苗储存温度监测记录，核实储存环境是否符合。开展药品零售企业远程审方专项检查，对远程审方服务系统是否正常运行，依法经过资格认定的药学技术人员配备情况，远程审方数据是否按规定上传省局监管平台、是否取得《执业药师在线审方及远程药事服务备案件》，是否配备至少1名依法经过资格认定的药学技术人员作为质量负责人等情况开展检查。开展婴幼儿化妆品及美容美发场所经营使用化妆品安全专项整治，重点对母婴用品店、商超、婴幼儿化妆品专营店、婴儿洗浴中心等重点场所进行全面检查。对婴幼儿化妆品的产品合法性、产品标签、进货渠道、索证索票和产品质量等方面进行监督检查。开展2022年药店分级分类管理工作“回头看”，对经营有血液制品、冷藏冷冻药品的二类药店、三类药店及被评定为三星级及其以下的药店实施重点监管。分类分级建立监管档案，风险隐患清单，零售药店做到不定期跟踪检查，医疗机构做到全面检查排查。出动执法检查人员500余人次，检查药店300余家（次）。开展医疗器械风险隐患排查专项整治，对辖区内疫情防控类医疗器械、无菌和植入类医疗器械、网络销售医疗器械、医用敷贴类医疗器械等重点产品、重点企业、重点环节的监督检查，出动检查人员300余人次，检查医疗器械经营使用单位200余家。开展医疗器械网络销售整治，对区域内有医疗器械网络销售的企业和单位进行整治和检查，对区域内的医疗器械进一步规范，确保民众的用械安全。开展医疗器械经营企业分级分类监管工作，对全县医疗器械经营企业开展分级分类监管。对辖区内医疗器械经营企业进行检查，出动检查人员250余人次，检查医疗器械经营160余家。

（徐桂琳）

信息安全

【概况】 2023年，会泽县网信工作牢牢掌握网络意识形态的领导权、主动权、话语权，确保网信事业沿着正确的方向前进，为全县经济社会高质量跨越式发展提供良好的网络条件和有力网络保障。

【主题网络宣传】 2023年，会泽县网信办围绕重要会议、重要节点做好网上宣传报道，开展网络中国节系列线上线下活动，“五个一百”网络正能量精品获评1件。围绕县委、县政府中心工作，聚焦3年行动工作目

2023年9月13日，“会泽县2023年国家网络安全宣传周”活动在公园举行

（李荣山　摄）

标，开展好主题宣传，围绕“三个定位”“六个目标”，打好特色农业提质、新型工业提速、旅游产业提档、党建引领提升“四大会战”的网络宣传。

【互联网内容管理】 2023年，会泽县坚持营造风清气正的网络空间，坚持正能量是总要求，坚持正确的政治方向、价值取向，加强网络内容建设管理，管好用好网络新媒体，培养积极健康，向上向善的网络环境。完成不良信息举报任务597条/次。转交办固定表述纠错16期，打击散布谣言信息2人。

【网络安全宣传】 2023年9月13日，会泽县举办“网络安全为人民，网络安全靠人民”网络安全宣传周活动，通过新媒体教育短片、发放宣传手册、面对面讲解等形式，向群众宣传网络安全法律法规、个人信息保护、预防青少年沉迷网络等网络安全知识；9月14日，举办教育系统网络安全培训；11月21日，开展《未成年人网络保护条例》宣传。

【自媒体管理】 2023年11月10日，会泽县开展99家200余人网络平台开通账号单位分管领导及业务负责人业务培训会，规范网络平台内容发布管理。调研县内自媒体及网络大V，充分利用好自媒体宣传力量。4月18日，县委网信办联合县自媒体党支部组织县内多家粉丝量高、影响力大的自媒体到娜姑镇开展以“石榴花开红艳艳”短视频创作传播为主题的党建共建活动，单条短视频单日点赞3万余次，评论2000余条。5月23日，县委网信办联合县自媒体党支部在娜姑镇白雾村举行短视频创作推介会泽旅游景点活动。7月24日，组织会泽火把节系列活动“网红大赛”赛前培训，召集参赛“网红”开展警示教育培训，组织县内自媒体参加“2023会泽火把节系列活动”短视频大赛，会泽火把节系列话题抖音播放量超1500万次；7月18日，对1家发布不实信息的自媒体团队进行约谈。9月，开展自媒体直播带货大赛，通过直播带货推广盐水石榴、乐业辣椒、斑铜等会泽特色产品，其间直播100余场（次）。

（李荣山）

消防安全

【概况】 2023年，会泽县消防救援实现火灾防控精准化、应急救援专业化、基层基础现代化、队伍建设正规化的发展目标，确保队伍内部和辖区火灾形势总体平稳。被云南省消防救援总队表彰为“2023年先进大队”“2023年度安全工作先进大队”；被曲靖市消防救援支队表彰为“2023年先进大队党委”“2023年度先进消防救援站”；1人荣立三等功；4人荣获总队级表彰；18人荣获支队级表彰。

【应急救援队伍建设】 2023年，会泽县消防救援大队对标“全灾种、大应急”形势任务要求，狠抓执勤岗位练兵，健全“全员考、分类训、集中赛”的练兵机制，开展全员实战化练兵，采取实训全程“菜单式”分解训练内容、“图表式”晾晒训练成绩，分课目设置“练兵考核光荣榜”，提升练兵成果，队伍攻坚制胜能力得到淬炼。全年，消防救援队伍累计接处警503起，其中，火灾扑救262起、抢险救援107起、社会救助108起、公务执勤21起、其他出动5起，出动队伍541次、出动车辆679（辆）次、出动人员3900人次。

【基层消防基础设施建设】 2023年，会泽县投入资金1000余万元在5个乡镇开展基层消防力量建设，完成者海镇、迤车镇、待补镇、大井镇、娜姑镇“一队一站”建设，配备消防车5辆、装备器材830余件套；行政村（社区）微型消防站113个，配备三轮消防摩托车113辆、装备器材1万余件（套）。会泽县消防救援大队派出2个工作组对全县11个地震救援重点乡镇应急处置队伍应急救援能力进行为期1个月的培训；派出3个工作组对全县25个乡（镇、街道）基层消防力量、微型消防站队员、速报员320余人进行实地实装实操培训。投资1660万元在易地扶贫搬迁安置点新城片区建成以礼大道消防救援站；投资2600万余元在者海镇化工园区建成者海大道消防救援站，并进驻执勤。购置1批消防车，山岳救援、地震救援装备器材配备到位，器材总数达2500余件（套）。

【消防安全责任制落实】 2023年，会泽县召开年度消防工作会议，签订《消防工作责任清单》及《消防工作职责告知书》；县委、县政府主要领导先后听取消防工作汇报10余次，带队开展消防安全检查4次；县委常委会研究消防工作1次、县政府常务会专题研究消防工作2次；将消防安全工作纳入政府年度综合目标绩效考核。针对农村火灾高发、多发，县政府办2次印发《关于进一步加强农村火灾防控工作的紧急通知》，对全县农村火灾防控工作进行强调部署。与教体、应急、卫健、公安等各行业部门开展联合检查11次，检查单位场所60余家，督促整改消防安全隐患问题90余条。

【火灾防控】 2023年，会泽县消防救援大队牵头组织开展焊接与切割作业、经营性自建房、消防安全重大风险隐患专项排查；对97家重点单位进行全面检查。完成会泽县历史城区（古城片区）消防专项规划、会泽县城市消防规划及迤车镇、待补镇、者海镇集镇规划；消防工作纳入全县安全生产监督检查内容，开展突出问题集中督查检查；开展城市火灾风险评估，摸清会泽县城消防安全状况；督促指导基层消防工作站、公安派出所开展基层消防监管。深化消防站“防消联勤”，加强“四名一文一传”场所、易地扶贫搬迁安置点等重点场所领域消防安全隐患排查整治。全年，检查社会单位702家，督促整改火灾隐患859处，下发《行政处罚决定书》30份，临时查封3家，责令“三停”3家，提请政府挂牌重大火灾隐患2家，并完成整改销案。

【消防知识宣传】 2023年，会泽县消防救援大队深化消防宣传“五进”工作，发动社会单位利用楼宇电视、LED显示屏高频次滚动消防安全提示字幕；利用会泽县电视台黄金时段高频次播出消防公益广告；到学校、重点企业等社会单位开展消防安全授课；重大节事期间，针对性发送消防宣传提示；邀请本地网红人员录制本土方言版消防安全提示音频、消防公益广告视频推广播放；开展“万名党员进党校”消防专题培训。全年，开展各类宣传培训活动10余次；发放宣传资料2.3万余份；向辖区手机用户发送消防安全提示短信38万条；刊播公益广告3万余条（次）；向县教育体育局赠送8244本《中小学消防安全教育读本》；向各乡（镇、街道）及各行业部门、各单位推送消防安全提示文件20余份。

（张琴）

［责任编辑　黄　琼］

2023年4月27日，会泽县中铁二幼到消防大队开展消防安全体验活动

（会泽县消防救援大队　提供）

街道・乡镇

宝云街道

【概况】 宝云街道位于会泽县城东1千米，东连者海镇，西接古城街道，北毗五星乡，南靠新街乡。海拔1946～3008米。街道办事处驻地仙龙社区。辖区面积216.82平方千米。人口密度为268人/平方千米。2023年，实有耕地7.54万亩，其中水田0.3万亩、水浇地0.11万亩、旱地7.13万亩。全年降水量660毫米，平均气温14.8℃。辖15个村（居）民委员会，149个村（居）民小组，168个自然村，19604户58386人。其中：男29777人，女28609人，男女人口性别比为104.08，非农业人口3931户10463人。有彝族、回族、苗族等25个少数民族，共6858人，占总人口的比例为11.7%。全年，完成固定投资5.08亿元，招商引资项目12个4.7亿元。

【农业】 2023年，宝云街道完成粮食生产5.3万亩，产量1.84万吨。完成高效经济作物3.36万亩和油料作物500亩生产。出栏肥猪12.05万头，肉牛0.68万头，肉羊3.21万只，家禽出栏18.15万只。肉类总产1.14万吨，禽蛋产量201吨。完成15万株义务植树，成活14.25万株。发放宣传册1.33万份，张贴标语50条，签订“五种人”监管责任书133份，组建15支296人的义务扑火队。全年未发生森林火灾。水产养殖1500亩，以草鱼、鲤鱼、鲫鱼为主，完成产量250吨。

【商贸流通】 2023年，宝云街道优化营商环境，加大市场主体培育力度，辖区内共有企事业单位1123户，个体工商户4869户，全年完成个体工商户净增长1613户，企业净增长435户，个转企净增长58户，“四上企业”培育1户。街道搭建就业和招工双平台，帮助辖区8户企业精准推荐工作岗位96个，实现转移就业563人。全年完成社会消费品零售额7.61亿元，同比增长8%。

【重点项目建设】 2023年，宝云街道完成渝昆高铁征地拆迁工作，实施安置点建设，完成征收土地703.4亩，兑付资金5753.11万元，完成迁移坟墓16冢，完成房屋征迁协议签订123户，拆除122户。宣会高速公路完成土地征收1690.6亩，完成资金兑付5778.67万元，完成房屋征迁协议签订83户，兑付资金1075.09万元。历年来的耕地流出图斑整改任务636个，已全部完成，违法占耕比例降至6%以下。财政涉农资金项目共计11个，总投资1187.6万元，所有项目全部完工。

【乡村振兴】 2023年，宝云街道有

扯戛村人居环境提升暨“千万工程”示范点　　（李培发　摄）

脱贫人口和监测对象3400户1.25万人，开发乡村公益性岗位498人，其中，社保中心公益性岗位165人、光伏公益性岗位76人、生态护林员211人、村集体经济开发公益性岗位46人。引进和培育水果、火腿加工等各类农业龙头企业5个，成立专业种养协会20个、农村专业合作社40个，带动3535户1.31万名群众增收致富。全年新增4个20万元以上潜力村。

【生态环境保护】 2023年，宝云街道推进农村人居环境整治工作，完成农村户厕改造1058户，100户以上自然村公厕建设项目2个，垃圾清运1630余吨，整治“十乱五堆”70余处，清理河湖库渠13条（个、座）18.9千米，清理河道污染物10.5吨。打造扯戛农村人居环境提升暨“千万工程”示范点。

【社会生活】 2023年，宝云街道持续推动义务教育阶段辍学学生“动态”清零工作，在2023年中考中，金二中、金三中普高上线率分别达到78.9%和73.1%。金二中被教育部、中央军委政治工作部评为全国国防教育示范学校；中心校在会泽县“关爱未成年护苗行动”中获二等奖；宝云幼儿园于2023年正式在新校区办园，并被县委、县政府评为2023年度教育工作先进集体和先进基层党组织，被市教体局、市委政法委、市公安局评为平安校园。推进群众性精神文明创建活动，创建市级五星文明社区1个、文明家庭2户，常态化开展“文明实践日”主题活动115次，开展志愿服务活动123次。新建居民健康档案273份，电子建档率93.2%。开展传染病防治、艾滋病防治等108期，知识讲座108期，开展公共健康咨询活动14次，发放宣传册12种6928份，开展个体化健康教育指导6635人次。发放特困人员补助1679人次，发放救助资金174.4万元；发放农村低保9503人次438万元；发放城镇低保3355人次152.8万元。发放重度一、二级残疾人补贴6613人66.1万元；享受困难生活补贴残疾人6644人60万元；开展临时救助53人次195万元，发放高龄补贴12934人64.7万元。

【农业（城市）综合服务】 2023年，宝云街道持续加强建房审批管理，全年开展督查和重点巡查等共计620次，下发停工通知书10份，拆除违章建筑55户2596平方米，整治市貌50余次。完成农村宅基地审批219户，农村用电审批243户。

【基层社会治理】 2023年，宝云街道开展矛盾纠纷大排查3次，排查出矛盾纠纷76件，化解完成76件，全年未发生“民转刑，民转命”案件。受理信访案件16件，答复完成16件，满意14件。

【精神文明建设】 2023年，宝云街道完成交支、卡朗县级文明村创建。全街道共有文明村11个，其中，市级文明村5个，县级文明村6个，文明村比例68.8%。评选推荐孝老爱亲和爱岗敬业“曲靖好人”各1名。开展理想信念、理论宣讲、移风易俗等活动15场，开展群众文化活动8场。

【基层组织建设】 2023年，宝云街道完成机构改革任务，设置党政综合办公室、党建办公室、综合执法队、城市管理服务中心、经济发展服务中心、党群服务中心、财政所等7个部门。按照“六统一”标准完成综合执法队规范化建设。党群服务中心开展去行政化，设置无差别窗口、民政综合窗口、人社综合窗口等7个窗口，将82项政务服务事项集中办理列入办理事项中，全年办理率98%。以机构调优、干部调强、文化调高的干部队伍建设目标，新提拔股所级干部4名，村（社区）党组织书记3名。按照“一网格一支部”要求建立党支部，实现党支部应建尽建，党支部由154个增加至173个。发展党员9名，完成12个党员空白村（居）民小组“清零”行动。推进16个村（社区）党建网格和社会治理网格“双网合一”，党组织覆盖率100%。全年开展党风廉政教育2次，党纪立案审查5件，党纪处分5人，对4名干部职工、村干部给予提醒谈话。

2023年会泽县宝云街道社区（行政村）简表

表6

社区（村）名称	距街道里程（千米）	总人口（人）	耕地面积（亩）	主要经济来源	村（居）民小组数（个）	自然村拥有数（个）	社区（村）负责人				
							书　记	副书记	主　任	副主任	监委会主任
仙龙社区	办事处驻地	6129	110	服务业	18	4	徐红兵	孟应国 王高正	徐红兵	刘　仙	杨顺德

续表 6

社区（村）名称	距街道里程（千米）	总人口（人）	耕地面积（亩）	主要经济来源	村（居）民小组数（个）	自然村拥有数（个）	社区（村）负责人				
							书　记	副书记	主　任	副主任	监委会主任
东瑞社区	4	3955	565.75	务工	15	15	张本莉	吕昌贵	—	王正荣	丁发翠
土城社区	3	3941	446	务工、养殖	6	6	崔吉英	杨启安	崔吉英	陈仕香	孔令忠
赵家村社区	2	1823	355	务工	6	6	夏培洪	龙文云 周琼惠	—	—	郎祥辉
马武社区	4	6545	3329	务工	15	9	陈福香	毛存柱	陈福香	龙玉莲	王高金
华泥社区	6.5	5692	2910	务工、种植、养殖	11	11	李坤华	王忠礼 李天龙	朱金海	邓　云	余安富
扯戛社区	10	6422	4159	务工、种植、养殖	15	15	吕金华	金正兰	吕金华	郭　云	关心良
泽瑞社区	5	3005	0	务工	3	3	吕雨莎	陈贵树	—	雍朝玉	赵玉才
头塘村	10	4198	4781	务工	7	7	李春	王开林	李春	姚正燕	白顺祥
拖姑村	19.5	2257	3356	种植、养殖	9	9	支兴聪	李雪梅	支兴聪	甘周芬	刘朝文
普珠村	20	1147	13574	务工、种植、养殖	7	26	余国玉	冯国溪 颜高令 陶桂兰	—	—	高仕伟
治都村	30	1704	7970	种植、养殖	7	11	高永先	张贵东	—	耿晏华	杨加友
三道村	23	1512	3500	种植、养殖	5	5	何前周	刘科贤	何前周	林祖佐	钱以云
卡郎村	18	1231	11800	务工	10	10	李庆海	杨正朋 袁方丽	李庆海	高安丽	黄乔云
交支村	18	2199	3888	种植	8	8	王开贵	李开安	王开贵	赵开林	李荣林

（翟光强）

古城街道

【概况】 古城街道位于会泽县城中心，东连宝云街道，西接金钟街道，北毗钟屏街道，南靠新街乡。海拔 1740 ~ 2500 米，街道办事处驻地堂琅社区。辖区面积 130.99 平方千米，人口密度 477.4 人 / 平方千米。2023 年，实有耕地面积 4.34 万亩，其中，水田 7779.6 亩、旱地 3.3 万亩。全年降水量 590.2 毫米，平均气温 15.8℃。辖 11 个村（居）民委员会，138 个村民小组 148 个自然村，22061 户 62535 人。其中：男 31196 人，女 31339 人，男女人口性别比为 99.54；非农业人口 20266 户 56386 人。有彝族、回族、壮族、苗族等 16 个少数民族 4478 人，占总人口的 7.16%。全年，完成固定资产投资 4.8 亿元，招商引资项目 20 个 4.14 亿元。

【农业】 2023 年，古城街道完成粮食作物播种面积 4.6 万亩，实现粮食总产量 1.43 万吨。发展大棚蔬菜种植 0.5 万亩，亩产值突破 2 万元；发展草莓、晚熟李、苹果、工业大麻等特色产业 0.5 万亩，基本实现“一村一品”特色种植。生猪存栏 1.56 万头，牛存栏 7462 头，羊存栏 9575 只，出栏肥猪 2.83 万头，出栏肉牛 3372 头，肉羊出栏 1.08 万只。

【商贸流通】 2023 年，古城街道立足古城街道重要商贸地理位置的优势，围绕把古城街道建成县城中心商贸物流基地的战略部署，推动商贸流通。加强“四上”企业和市场主体培育，按照为企业“一条龙”服务的工作要求，改革创新“一站式”服务受理模式，持续优化营商环境。培育“四上”企业 5 户，个体工商户净增长 2047 户，培育“四上”企业 5 户，企业净增长 726 户，个转企净增长 111 户。

【重点项目建设】 2023 年，古城街道争取各类项目 19 个，投资 1.1 亿元。其中：投资 1200 万元实施古城街道中河社区等人居环境综合治理项目；投资 1000 万元实施古城街道青云村生猪养殖建设项目；投资 552 万元实施古城街道肉牛规模化养殖示范村建设项目；投资 450 万元实施古城街道蔬菜示范基地建设项目；投资 2300 万元实施水城社区“四美家园”“移民新村”和“乡村振兴示范先导村”项目。配合做好国家历史文化名城北门（易通河）提升改造和蔓海景区、渝昆高铁、金钟风电、1159 户棚户区改造等全县重点项目建设。

【乡村振兴】 2023 年，古城街道强化脱贫人口和农村人口就业帮扶，就地就近开发乡村公益岗 80 人、生态护林员 98 人，转移 1342 名脱贫劳动力就业，转移 1.63 万农村劳动力就业。脱贫人口和监测对象累计人均纯收入为 1.28 万元，增 14.35%。开展技能培训 300 人，精准识别新增发放贷款 18 户 90 万元，发放免抵押免担保富民贷 3 户 35 万元。11 个村（社区）村级集体经济收入达 306.93 万元，村均 27.9 万元，较上年增加 47.23 万元，增幅 18.2%。

【生态环境保护】 2023 年，古城街道持续改善城乡面貌，改建户厕 160 座、公厕 3 座，开展农村垃圾清理专项行动 10 余次，清理生活垃圾 1000 余吨，新建污水管网 1.8 万余米，建设绿美公路 65.76 千米，完成村庄绿化 14.58 万平方米。践行绿水青山就是金山银山的发展理念，组织爱河护水、爱林护绿宣传活动 18 次，发动群众投工投劳 1832 人次，投入机械 530 台次开展人居环境提升工程。争取 7 个农村人畜饮水安全建设项目，共投入乡村振兴衔接资金 591.9 万元，受益群众 3180 户 1 万余人。开展农村生活污水治理，组织开展城市“两污”混接口排查行动，共排查处置混接口 243 个，处置污水直排口 28 个；街道和乡级河长巡河 532 次，巡林 1460 次；投资 2600 万元实施中河、边河污水处理项目，解决了 2769 户 1.22 万

水城社区实施的“四美家园”项目 （樊则梅 摄）

人的污水处理问题。开展达标村星级评定工作。31个自然村通过市级达标考核，11个村（社区）149个自然村均达到了干净整洁型村庄基本要求，创建三星自然村17个，二星自然村37个，一星自然村95个。

【社会生活】 2023年，古城街道累计投入资金92万余元，改造翠屏小学附属工程、完成盈仓小学大门重建、改造新办边河幼儿园、提升翠屏及边河小学饮水工程、为各小学幼儿园聘请专业保安、保育员。争取资金598万元，用于水城幼儿园教学用房立项建设。辅导农家书屋和村级文化室建设，电子阅览室免费开放1000余人次、图书借阅网上流通5000余人次。组织参加会泽县迎春老年人运动会、会泽县“团结杯”运动会等文体活动，联合县老体协、宝云街道等5个乡（镇、街道）组织举办会泽县首届“丰收杯”老年人运动会。申报全省“最美自然村”和“金牌旅游村”。建立居民健康档案5.58万份（新建档724份），家庭医生签约1.66万人，开展孕产妇“三病”（艾滋病、乙肝、梅毒）监测108人；完成规范化、数字化预防接种门诊改造，儿童常规疫苗覆盖率100%，接种各类疫苗共计2万余针次，开展65岁以上老年人健康体检3877人、规范管理3811人，肺结核规范管理18人、推介转诊疑似肺结核人数1486人，全年上报心脑血管疾病14例、肿瘤病例25例，完成随访300人次；开展咨询活动10次，接受咨询人次1015人；开展健康教育知识讲座65次，1.5万人次参加，个性化健康教育人次1.1万人。共发放农村低保金351.53万元、城镇低保金444.94万元，发放特困人员补助金80人92.93万元，发放临时救助金70人19.76万元，发放孤儿7人、事实无人抚养儿童21人生活补助金45.02万元。完成城乡居民基本养老保险参保缴费1.36万人、城乡居民基本医疗保险缴费3.84万人。

【农业（城市）综合服务】 2023年，古城街道完成自建房安全隐患排查工作，排查非经营性自建房15866栋、经营性自建房1064栋；完成城市危旧房摸底调查41栋。排查“九小场”所、经营性自建房、城镇燃气餐饮企业消防安全排查2004家，发出隐患整改通知书408份。办理消防行政处罚案件3件，办理行政处罚案件4件。出动280人次维修沿路彩钢瓦1500余米，出动机械台班30个清理建筑垃圾10余次约500吨。完成青云村3条2.6千米、边河社区4条4.2千米、中河社区2条2.8千米农村公路硬化工程，清淤中河3.5千米、梅子河1.6千米、旅游河3.6千米，清淤量约1.5万立方米。

【基层社会治理】 2023年，古城街道排查发现矛盾纠纷2221件，调处化解2111件，化解率95.04%。探索建立“一访五到位”工作机制，推行议事协商“147”工作法，实现全街道信访总量下降43%。累计化解信访积案18件，积案总量下降75%，化解2户重点信访积案。开展60场次法治宣传讲座，“知法明理人”线上线下共计完成认证1.8万人，超额17%完成计划。开展法治宣讲20场次；省市县级普法队下沉古城街道开展各类法治宣传10场次，入户精准普法300人次。

【精神文明建设】 2023年，古城街道将移风易俗、文明殡葬等内容纳入村规民约，使文明殡葬新风成为群众自觉行动。依托党群服务中心、新时代文明实践所（站），开展讲政策、讲思想、讲道德、讲精神、讲法律、讲技能等宣讲活动30场次，开展清明、端午、国庆等“我们的节日”及各类群众性文化活动15次，开展志愿服务活动56场次。

【基层组织建设】 2023年，古城街道党工委下辖5个党委、6个党总支、171个党支部，有党员1801名。新成立党支部40个，发展新党员6名，预备党员转正9名。开展党工委理论学习中心组集中学习8次，专题交流研讨8次，班子成员到挂钩村（社区）开展专题教育宣讲22场次，讲党课22场次。举办各类培训4期，覆盖1270人。选优配强村（社区）“两委”干部队伍，发展村级后备干部5名，研究制定“四定四化”工作实施方案和考核办法。

【五社联动服务】 2023年10月23日，古城街道党建引领五社联动（社区＋社工＋社区志愿者＋社会组织＋社会公益慈善）为老服务项目（曲靖市首个）在盈仓社区启动。以党建引领，织起街道党工委、社区党委、驻社区单位及企业党委、慰劳服务党支部、街道党群服务中心党支部等基层党建组织体系，以老年互助服务为核心，通过社会工作者带动志愿者，链接并整合“五社”等资源，搭建需求与资源对接平台，充分发挥社区自治活力，做好“一老一小”服务，弘扬中华民族尊老敬老爱老助老的传统美德。年内，组织社会工作者、社区民政协理员、社区居家养老服务人员、志愿者及关心居家养老服务的相关人员80余人参加居家养老服务基本知识培训；开展“党建引领·五社联动——同心共建幸福社区”文艺活动、国际社工日主题宣传活动、党建引领普法强基·守护“一老一小”安全等各类志愿服务活动6场次；开展“寒假不虚度，成长不止步”寒假公益托管班，托管儿童30余人。累计开展专业服务活动54场，服务社区留守老人、留守妇女和留守儿童、残疾人共1.2万余人次，增强社区居民的获得感、幸福感和安全感。

2023年会泽县古城街道社区（行政村）简表

表7

社区（村）名称	距街道里程（千米）	总人口（人）	耕地面积（亩）	主要经济来源	村（居）民小组数（个）	自然村拥有数（个）	社区（村）负责人				
							书　记	副书记	主　任	副主任	监委会主任
堂琅社区	办事处驻地	8464	50.51	第三产业	13	5	刘宗良	郑　馨	刘宗良	吴兴梅	樊　龙
丰乐社区	1	5864	0	第二、三产业及务工收入	17	2	李迪娜	李朝海	李迪娜	舒雪莲	邓吉林
瑞丰社区	1.5	10193	0	工资收入	27	0	崔国丽	李艳	崔国丽	丁明琼	王　飞
中河社区	4.5	5524	1823	外出务工	7	5	束加忠	马红燕	束加忠	张冬翠	雷绘鲸
边河社区	5	4067	0.81	外出务工、土地流转	9	8	龙金亮	尹正荣	龙金亮	王　娟	郭开永
翠屏社区	1.2	8832	260	第三产业	19	8	李正荣	兰冬生	李正荣	王　沙	赵世菲
盈仓社区	1.5	6594	197	外出务工、出租房	18	18	赵春艳	艾　伟 林金媛	赵春艳	—	吕跃云
水城社区	4	7320	1883	外出务工、土地流转	14	10	李会品	陈玉祥	李会品	邹文龙	李朝志
青云村	9	1396	8700	传统种植、养殖	5	14	沈顺华	张仆英	沈顺华	唐万友	余国栋
厂沟村	20	570	3935	传统种植、养殖	3	44	吴朝甫	李自奎	吴朝甫	刘关存	李培坤
尚德村	33	3081	11000	种植、养殖、外出务工	8	32	吕跃清	吕　俊	吕跃清	吕　兵	蒋洪云

（苟红燕　赵登福）

金钟街道

【概况】 金钟街道位于会泽县城西4千米，东连古城街道，西接以礼街道，北毗钟屏街道，南靠待补镇，海拔1272～3422米。街道办事处驻地龙潭社区。辖区面积105平方千米，人口密度341人/平方千米。2023年，实有耕地面积2.12万亩，其中，水田308亩、旱地2.09万亩。全年降水量800毫米，平均气温16.5℃。年末，辖9个村（居）民委员会，105个村民小组61个自然村，12337户38246人。其中：男19184人，女19062人，男女人口性别比为99.6；非农业人口5064户14711人。有回族、苗族、彝族、壮族等18个少数民族1629人，占总人口的4.26%。全年，完成固定资产投资1.3亿元，招商引资项目7个3.75亿元。

【农业】 2023年，金钟街道粮食作物总播种面积2.46万亩，粮食产量6800吨，经济作物种植2.3万亩。全年出栏肥猪2.72万头，出栏肉牛3020头，出栏菜羊1.91万只，家禽15.01万羽，禽蛋产量达202吨。农业科技措施推广完成11.51万亩，农作物优良（专用）品种及配套综合技术推广1.55万亩，测土配方施肥技术推广3500亩，商品化有机肥推广500亩，组织农村实用人才培训200人次。

【商贸流通】 2023年，金钟街道不断优化营商环境，推进市场主体培育和“双随机、一公开”工作，提供咨询、指导和帮（代）办服务，实现业务“只跑一次”。新增市场主体2823户，其中，个体户新增2379家、企业新增444家。推进信用监管，向有关单位推送信息11条，帮助6户企业、2户农专、14户个体工商户移出经营异常名录。通过全国“12315”平台共受理投诉举报108件。

【重点项目建设】 2023年，金钟街道投资200万元在石鼓社区、竹园村实施“美丽村庄”项目。投资248.68万元完善各村（居）委会人居环境建设项目村庄污水处理设施、卫生公厕等配套设施，新建村、组公厕2座，完成户厕改造239座。推进金钟街道居家养老服务中心项目建设，主体完工。完成金钟山防火通道及文笔塔休闲步道建设，提高群众生产生活条件和森林防火能力。推进通宝路西延长线及木府街征迁及建设工作，打通城市路网。推进蔓海华府小区及文笔小学建设，提升商住、医学、就业等片区化建设。

乌龙社区水果种植基地　　（侯　煜　摄）

【乡村振兴】 2023年，金钟街道做好巩固拓展脱贫攻坚成果同乡村振兴有效衔接，开展防返贫监测预警和动态帮扶工作。有脱贫人口及“三类”监测对象1201户4109人，其中，脱贫对象1030户3575人（不含监测对象），三类监测对象171户534人。其中：脱贫不稳定对象66户203人（已消除风险44户139人，未消除22户64人）；边缘易致贫对象98户310人（已消除风险对象91户291人，未消除7户19人）；突发严重困难对象7户21人（已消除风险0户0人）。人均纯收入1.2万元，村集体经济全部达10万元以上。

【生态环境保护】 2023年，金钟街道推进生态敏感区域农村生活污水治理，在麦地、三家塘两个村完成户厕改造29户，开挖沟渠600米，建成“小三格”29个、“大三格”2个，完成沟渠开挖及管道铺设等工程建设。全面推行河长制、林长制、长江“十年禁渔”，完成乡级有效巡河58次，村级有效巡河203次，清除河面漂浮物约18吨，清理乱占河道违法建设及开垦河道种植5起。

【社会生活】 2023年，金钟街道收缴基本养老保险费8495人，办理工伤认证8人、办理失业证221余人、金融制卡7895人，新增办理征地养老保险567人，电子社保卡申报1.78万人次；基本医保参保2.37万人次，其中特殊困难4442人，建档立卡户100%参保。发放创业担保小额贷款28户，贷免扶补26户；转移就业8133人，其中，省外613人、县外省内2529人、县内4991人。发放临时救助51户1.5万元，申报大病救助11人，开展退役军人和其他优抚对象信息采集802人次，办理退役军人优待证820张。上报火化补助199例，发放补助

15.95万元。新增建立居民健康档案237份，累计录入电子居民健康档案2.3万份，发放健康教育宣传资料2.09万份，开展公共卫生知识讲座12期听众共1391人次，开展健康教育知识讲座66期。

【农业（城市）综合服务】 2023年，金钟街道开展“干部规划家乡行动”，编制“多规合一”实用性村庄规划，完成乌龙社区、竹园村、三家塘村、麦地村、石鼓社区、龙潭社区6个行政村村庄规划。创评一星村22个，二星村19个，三星村16个。发放各种涉农补贴资金145.48万元，耕地地力保护补贴资金134.2万元，实际种粮补贴资金11.28万元。

【基层社会治理】 2023年，金钟街道开展“平安家庭”选树工作。辖区内的刑事案件数量186件、治安案件数量467件，案件数量增量减少。开展普法进村（社区）活动23次。抓好婚恋、邻里等社会矛盾纠纷排查化解、精神障碍易肇事肇祸人员管理和外出返乡人员的走访工作。全年信访满意率100%，无信访积案。

【精神文明建设】 2023年，金钟街道以传统节日为节点，举办各类文化节、运动会等活动12次。以移风易俗为重点，开展“讲文明，树新风”等系列活动，抓好公民文明言行规范、遏制高价彩礼、大力推动殡葬改革等工作。在9个村（社区）培育文明乡风，制定村规民约，探索政治、法治、德治、自治、智治“五治”融合，打造共建共享的乡村治理新格局。

【基层组织建设】 2023年，全面消除党员空白小组，对106个党组织进行分类定级；储备入党积极分子7人，发展对象13人，预备党员6人；完成3期“万名党员进党校”培训，培训党员631人；做好27名驻村干部管理工作，确保对村情、民情做到“一口清”；优化提升街道及9个村（社区）党群服务中心、矛调中心功能，实现“多中心合一”。

【金钟山森林防火通道建设】 2023年，投资52万元，对金钟山森林公园防火通道（乌龙社区至金钟山防火通道）进行改扩建，完成5.6千米，改造后道路均宽5米。投资69.34万元，在金钟水厂后方新建休闲步道380米，铺设石材3400片，路面均宽2米。

2023年会泽县金钟街道社区（行政村）简表

表8

社区（村）名称	距街道里程（千米）	总人口（人）	耕地面积（亩）	主要经济来源	村（居）民小组数（个）	自然村拥有数（个）	社区（村）负责人				
							书　记	副书记	主　任	副主任	监委会主任
石鼓社区	办事处驻地	3529	4130.74	外出务工和果蔬种植	10	10	金朝林	—	金朝林	何仲超	李宝凤
金钟社区	3	7398	36	二、三产业	16	6	汤龙义	蒋兴珍	汤龙义	付廷志	王兴祥
龙潭社区	1.5	8574	1100	服务业、建筑业	14	6	汤海国	任关所 陈丽娟	汤海国	吕　雪	代　瑜
春晓社区	5	5463	0	工资收入	12	0	蔡富丽	赵美兰	—	丁　建	郭胜美
文笔社区	1	15066	0	务工、经商和工资收入	19	0	韩继才	郑德健	韩继才	范　弢	刘小琼
乌龙社区	3	2962	4327	水果种植	6	6	吕国金	—	吕国金	张建华	杨玉芬

续表 8

社区（村）名称	距街道里程（千米）	总人口（人）	耕地面积（亩）	主要经济来源	村（居）民小组数（个）	自然村拥有数（个）	社区（村）负责人				
							书　记	副书记	主　任	副主任	监委会主任
竹园村	6	2348	5317	苹果种植、外出务工	10	15	张臣坤	王金海	张臣坤	周　全	陶吉兰
麦地村	32	1805	2209.5	外出务工	10	10	田有贵	李昊泽	田有贵	朱德龙	施甫奎
三家塘村	35	1265	4114	土地流转、外出务工、草莓种植	8	8	任青有	高　岗	任青有	赵　巍	—

（陈均松）

钟屏街道

【概况】　钟屏街道位于会泽县城西北 3 千米，东连古城街道，西接以礼街道，北与五星乡、娜姑镇相望，南靠金钟街道。海拔 2068 ~ 2817 米。街道办事处驻地泽兴社区。辖区面积 36.3 平方千米，人口密度为 1711.4 人 / 平方千米。2023 年，有耕地 6031 亩，年降水量 661 毫米，平均气温 14.9℃。辖 7 个社区居民委员会（其中易地搬迁社区 5 个），128 个居民小组，15106 户 62129 人。其中：男 32436 人，女 29693 人，男女人口性别比为 109.24。有彝族、回族、壮族等少数民族共 3597 人，占总人口的 5.8%。全年，完成规上工业总产值 0.63 亿元，同比增 4.39%；固定资产投资项目 15 个 4.05 亿元，招商引资项目 15 个 4.52 亿元。

【农业】　2023 年，钟屏街道完成粮食作物播种面积 5400 亩，产量 1600 吨。其中：小春粮食作物 1800 亩，产量 350 吨；大春粮食作物 2600 亩，粮食产量 1050 吨。牛存栏 1711 头，出栏肉牛 509 头；生猪存栏 7046 头，出栏肉猪 1.2 万头；完成 30 亩的易地造林任务，义务植树 3000 株圆柏，完成国家级公益林 1.65 万亩，省级公益林 1.29 万亩的补偿工作。渔业生产 55 亩，水产品产量 45 吨，产值 127 万元。

【商贸流通】　2023 年，钟屏街道完成投资 3.67 亿元，超额完成 0.37 亿元；有“四上”企业 4 家，完成规上工业企业总产值 6432.52 万元，同比增 8.16%；限额以上住宿餐饮业营业额 1096.8 万元；限额以上批发零售总额 726.9 万元；完成省外国内到位资金 3.38 亿元，省外产业招商到位资金超额 31.38% 完成，超额完成 8064 万元；争取东西部协作帮扶资金 1087 万元、产业发展资金 2000 余万元改善基础设施；新签约 500 万元以上招商引资项目 15 个，新增培育外资主体 1 个；完成企业净增长 74 个，个体净增长 1084 个。

【重点项目建设】　2023 年，钟屏街道投资 1230 万元，完成“四美家园”

鱼洞社区红石岩村——宜居宜业和美乡示范村（钟屏街道党政综合办　提供）

建设项目；投资1087万元，完成沪滇协作2023年钟屏街道城乡融合发展建设项目；投资600万元，完成鱼洞社区红石岩8组宜居宜业和美乡示范村建设项目；投资1233.52万元，完成钟屏街道鱼洞社区“美丽家园·移民新村”建设项目；投资577.94万元，完成钟屏街道以则10组“美丽家园·移民新村”建设项目；投资395万元，完成以则社区以工代赈项目。硬化养殖产业道路1条4千米，受益1547户5325人，其中脱贫户358户1553人、三类监测对象96户374人，带动当地群众90人务工就业，发放劳务报酬100万元，人均增收1.1万元。投资293万元，完成张家箐肉牛养殖场基础设施建设项目，项目带动农户398户1555人（其中脱贫户132户422人、“三类监测对象”19户60人），促进户增收800元以上。投资194万元，完成鱼洞社区农旅融合发展项目。农旅产业项目受益351户1053人（其中脱贫户和三类监测对象117户350人），促进户均增收250元以上。

【乡村振兴】 2023年，钟屏街道落实“四个不摘”要求，实施“红黄绿”分类管理常态化动态监测，守住返贫底线。有三类监测对象962户3756人（已消除风险400户1750人、未消除风险562户2186人），标记万元以下对象2633户13915人；8721户建档立卡对象收入录入云南省脱贫人口收入监测系统，制定“一户一台账”到户到人增收措施、增收计划及至2025年的目标收入。通过云南省政府救助平台受理困难群众事项26件，办结26件。累计完成小额贷款303户1452.21万元，对2020—2022年所发放的198笔952.8万元存量贷款进行贴息，贷款利率执行1年期贷款市场报价利率（LPR），规划财政贴息资金41.97万元。巩固脱贫攻坚推进乡村振兴政策宣传，安装12套终端接收发送就业务工信息、农产品供求信息、种植养殖技术培训等相关信息。

【生态环境保护】 2023年，钟屏街道采取“四共四强”模式开展人居环境综合整治。完成2021—2022年度耕地流出问题图斑整改135.42亩，户厕改造60座，公厕改造9座；组建8个专项工作组，常态化推进国家卫生县城创建工作；以礼河钟屏段被选为全市2023年3月落实“河长制”工作观摩点。

【社会民生】 2023年，钟屏街道常态化按月开展三送（送岗位、送政策、送服务信息）上门服务，举办大型招聘会3场，技能培训3430人次，务工奖补完成3370人次，实现劳动力转移就业3.04万人（省外0.5万人、县外省内1.26万人、县内1.28万人），就业率94%；引进和培育电子加工、服饰纺织、农产品加工等劳动密集型企业28家，吸纳3600余人就近就业，人均增收2万余元；推进以灌水乡农文旅乡村振兴试点项目建设，提高以灌水乡运营管理成效，以灌水乡旅游旺季日均游客量达5000余人次，旅游综合收入300余万元，带动周边群众500余户2000余人年均增收2800元。有领取低保人员7654人，其中，城市低保7316人，农村低保338人；领取特困供养补助群体118人；领取残疾人“两项补贴”人员2525人；临时救助申请211人次，发放资金12万元；事实无人抚养儿童54人，每人每月领取补助1340元；重点优抚对象304人，每月发放优抚资金合计42429.51元；医保零星住院返乡报销235人次，基本医保统筹基金支付金额79.19万元；大病医疗救助受理21人次，医疗救助金额26.91万元。创建木城社区民族团结进步示范社区，打造1200平方米“民族团结进步示范主题基地”，受益群众1500余户5000余人；开展民族团结进步进窗口活动，评比表彰模范集体和优秀个人、文明家庭各100名。

【城市综合服务】 2023年，钟屏街道完成鱼洞社区、以则社区饮水安全巩固提升工程，安装管道44.6千米，安装水表龙头502套，改善293户1680人（其中脱贫户206户761人，“三类监测对象”24户81人）饮水困难问题。完成鱼洞社区、以则社区产业配套基础设施建设，新修产业沥青混凝土道路1000米，建拦沙坝1座，排灌沟渠120米，项目覆盖鱼洞、以则社区受益群众3706户1.17万人（其中脱贫户和“三类监测对象”1203户3876人）。打造农旅融合旅游业，促进户均增收300元。

【社会治安综合治理】 2023年，钟屏街道统筹各社区组织欣城大叔、欣枫巡逻队、社区辅警等队伍开展平安巡逻。开展“进万家门、知万家情、解万家忧、办万家事”的“四万”大排查，全面盘清核准辖区内居民就业、就医、就学、生活保障、矛盾纠纷等情况，合计“送一次温馨提示”3000余份、“发放一封信”3000余份、发放问卷调查表3000余份、通过智慧钟屏管理服务平台、LED屏幕等发送宣传信息5万余条。开展“三零”百日攻坚专项行动，到学校、社区、扶贫工厂开展专题普法讲座12次、社区法律明白人培训7场次。对辖区内215名重点人员，26起重点家庭矛盾纠纷按照“红黄绿”管理模式动态监管，开展网格员、调解员培训会6次；建成“老乡调解室”7个，“小马调解工作”1个。全年化解矛盾纠纷174件，群众满意率96%，及时受理率、按期答复率100%，无到省到京上访情况、无重大安全事故、无命案、无群体性事件。开展“三蜂”工程，加快市域社会治理体系、矛盾纠纷调处体系和社会治安防控体系建设，推动党建网格和基层治理网格双网合一，建立完善三级网格抓治理包保责任制。建立“信息收集—上报—处置—反馈”闭环机制，及时发现上报群众关心的难点、堵点、痛点，完善网格员考核机制，健全“5户联勤试点、10户联防机制”志愿联防互助机制，实现大事全网联动、小事一格解决。探索“珠源和解”助力家庭婚姻纠纷化解工作机制，整合乡贤、老党员、妇联等人力资源优势，结合家庭风险评估工作，把家庭婚姻矛盾纠纷按照“红黄绿”管理模式常态化做好稳控、化解工作。

【精神文明建设】 2023 年，钟屏街道组建文化服务队 10 支（山歌队 1 支、歌舞队 9 支），开展文艺演出 26 场，在每周六或周日至少安排 1 支文化服务队到以濯水乡开展活动；新城 5 个社区所辖 14 个园区实现 1 个园区 1 个文化活动中心。

【基层组织建设】 2023 年，钟屏街道实施党支部“扩先提中治软”行动，实现居民小组党支部全覆盖，41 个党组织分类定级为“中间”，90 个党组织分类定级为“先进”，18 个党组织分类定级为“后进”。在产业工人、青年农民、高知识群体、“两新”组织等群体中发展党员 15 名，完成 2023 年度干部绩效考核应用管理系统信息采集等工作。实施农村“领头雁”培养工程、农村优秀人才回引计划，社区储备青年人才 30 余人，合理分配 21 名驻村工作队员，完成机构改革工作，选优配强股所级干部 20 名，每周开展 1 期干部智慧钟屏五星评价系统调度工作。

【乡村旅游联农带农机制】 2023 年，钟屏街道建立以农民为中心的乡村旅游体系，通过乡村旅游调动城市动能振兴乡村。采取“党委＋公司＋合作社＋农户”的经营模式，以自建公营、托建公营、互建公营、转让公营四种模式盘活群众空闲地、房（宅基地），进行经营性业态、服务型业态开发，建立利益联结机制，壮大集体经济；通过农业采收、培训就业模式使群众就业方向扩大化、就业方式多元化，促进农民增收。

2023 年会泽县钟屏街道社区（行政村）简表

表 9

社区（村）名称	距街道里程（千米）	总人口（人）	耕地面积（亩）	主要经济来源	村（居）民小组数（个）	自然村拥有数（个）	社区（村）负责人				
							书　记	副书记	主　任	副主任	监委会主任
木城社区	0.8	9683	0	务工	22	0	张治辉	余　燕	—	朱家巧	朱　仙
泽兴社区	办事处驻地	12192	0	务工	26	0	张关发	吴龙永	张关发	袁吉俊	戚存英
思源社区	0.5	6884	0	务工	13	0	陈　永	—	陈　永	唐　平	许德美
双河社区	1.5	10285	0	务工	22	0	唐开永	何绍华	唐开永	朱广云	何忠繁
红石岩社区	3	11582	0	务工	23	0	蒋先靖	师文连	—	李文芳	孙东梅
鱼洞社区	1	6545	1200	务工	11	11	陶树祥	李青华	陶树祥	朱玉兵	胡贵林
以则社区	5.5	4958	2300	务工	11	15	单朝兵	韩永珍	—	何金饶	何金芝

（刘志波）

以礼街道

【概况】 以礼街道位于会泽县城西面4.5千米，于2019年12月成立，东连钟屏街道，西接大海乡，北与娜姑镇相望，南靠金钟街道。海拔1740～2230米，街道办事处驻地河滨社区。辖区面积51.5平方千米，人口密度为835人/平方千米。2023年，实有耕地1.09万亩，其中，水田0.04万亩、旱地1.05万亩。年降水量800毫米，平均年气温12.7℃；辖5个村（居）民委员会，95个村（居）民小组，14个自然村，总人口10522户43019人。其中：男22337人，女20682人，男女人口性别比为108；农业人口7110人，非农业人口35909人。有回族、彝族、壮族、苗族等20个少数民族共1221人，占总人口的比例为2.8%。全年，完成固定资产入库项目17个4.02亿元，完成投资3.99亿元；招商引资新签约500万元以上项目12个，在库项目18个，省外产业招商到位资金3.59亿元。

【农业】 2023年，以礼街道完成粮食总播种面积8990亩，实现粮食总产量2440吨，蔬菜种植面积1380亩，油料作物3211亩，花卉（庭院盆景）面积500亩，园林水果产量301吨；完成新增土地流转500亩。生猪存栏7013头，出栏1.2万头；牛存栏1727头，出栏507头；羊存栏2515只，出栏2735只；禽存栏1万羽，出栏2.25万羽。大力发展油橄榄等特色产业。

【商贸流通】 2023年，以礼街道建立“一个项目、一个领导、一个专班、一鼓作气、一抓到底”的“五个一”项目推进机制，成立招商引资电子产业、“手工活拿回家”、农特产品初加工、“N种模式”灵活就业4个工作专班，累计引进31家扶贫车间（工厂）投入使用，涵盖“老、中、青”就业群体，帮助2500余名群众实现就近就地就业。

【重点项目建设】 2023年，以礼街道投资800万元实施以礼集中安置区帮扶车间建设项目；投资630万元建设温泉村人畜饮水项目；投资250万元实施2023年中央水库移民扶持基金项目；投资82万元建设国昊水产养殖场配套基础设施；投资58万元实施先锋社区白坡小组人畜饮水巩固提升项目；投资10.4万元实施先锋社区人畜饮水维修养护项目；投资10万元实施温泉村东方红大沟管道维修养护项目；投资10万元实施温泉村抗旱沟渠建设；投资40万元实施100户以上自然村卫生公厕改造项目。

温泉村仙人掌种植基地　　（陈有能　摄）

【乡村振兴】 2023年，以礼街道落实“四个不摘”要求，对496户1984人三类监测对象实行“红黄绿”分类管理。7455户32039人脱贫户及监测对象2023年人均纯收入1.26万元，同比增长19%；消除致贫返贫风险228户965人，对未消除风险的268户1019人制定针对性帮扶措施。全年发放脱贫人口小额信贷359户1764.09万元，完成任务的176%，贷款逾期率为0。探索五个一批、N种配套措施的“5+N”就业创业模式，不断增强就业扶贫组织化程度，全年转移就业21981人，就业率93%，户均达2.5人以上就业（其中易地搬迁安置区劳动力转移就业率94.8%）；共计开发乡村公益性岗位、生态护林员1275个。培育发展种植、养殖和自主创业致富带头人20余人，5个村（社区）集体经济收入均达10万元以上。

【生态环境保护】 2023年，以礼街道严格落实河长制、林长制责任，组织开展以礼河、尖山小河巡河及巡林检查工作，造成长防林三期补植补造1600余亩，聘用801名生态护林员，完成松材线虫秋季普查工作。

【社会生活】 2023年，以礼街道搭建“幼儿园＋小学＋初中＋高中”教育一体化平台，构建“党委＋学校＋社会＋家庭”教育格局，辖区内有高中1所、初中1所、小学1所、幼儿园2所，在校教职工633人，在校学生1.03万人。小学学龄儿童入学率100%，小学毕业生升学率100%，九年义务教育巩固率100%。全年，收治住院病人2882人，规范完善居民健康档案3.89万份，建档率97%，建立中医馆1个；接种免疫规划类疫苗5647剂次，适龄妇女免费“两癌”检查966人，家庭医生签约2.32万人，同比增长7.23%。公共服务设施实现“八个下楼就有”，优化设置综合性“一体化”服务窗口，实行全域化“一站式”服务。社区党群服务中心实现当场办结类事项820项、代办服务类事项1500项，全年为群众办理医保养老、劳务奖补等服务事项2万余件。有残疾人2393人，领取困难生活补助1549人。累计办理城乡低保3029户4806人，发放临时救助56.68万元，发放退役军人生活补助金34.3万元、退役军人生活困难补助金1.44万元。

【农业综合服务】 2023年，以礼街道把项目实施作为推动产业发展的强力引擎，按照“稳粮烟、兴畜牧、优结构”的发展思路，实现传统产业和特色产业齐头并进。完成建设高标准农田面积8000亩，其中，新建200立方米水池8座，输水管道7.56千米，安装输水管线2.70千米。土壤培肥与改良0.5万亩、设立耕地质量监测点5处。完成实际种粮补贴1429户，补贴烤烟生产房补贴9个，共计4500元。累计开展农药化肥经营户监督检查4次，监督检查农药化肥、种子经营户15户，对广大群众发放《土壤污染防治宣传册》100余册、《科学安全使用农药化肥明白卡》50余册、《禁限用农药名录》110余份。

【基层社会治理】 2023年，以礼街道实施“蜂巢、蜂眼、蜂蜜”工程，划分三级网络，实现服务事项“多网合一、全域覆盖”。投资900余万元建成VR全景立体可视化智慧化管控中心和矛调中心，现代电子设备1273个，配备对讲机137个，建立居民信息大数据库和“智慧以礼”服务平台，引进云南法院在线服务平台，实现“天网”“人网”“信息网”三网合一；探索城市社区治理多元化途径，持续开展矛盾纠纷大排查、大化解，全年入户排查5.5万余人次，联动化解信访积案4件，化解各类矛盾纠纷174件580余人次。

【精神文明建设】 2023年，以礼街道组织开展文明实践活动125余场（次）。常态化开展“五包五访”“同住一座城、共爱一个家”“我是党员我先行”等为民服务活动。立足各类新业态群体细化服务，创建妇女之家5个、职工驿站6个、小哥驿站3家、心理疏导室2个，评选表彰“五好文明家庭”“好儿媳”“民族团结进步示范家庭”等先进典型。

【基层组织建设】 2023年，以礼街道党工委下设2个社区党委、2个社区党总支、1个村党总支；设立95个村（居民）小组党支部、2个机关党支部，共103个党组织。有党员845名（易地搬迁党员584名），其中：女党员179名，占21.18%；少数民族党员46名，占5.44%；60岁以上党员257名，占30.41%；外出务工流动党员134名，占15.86%。新组建35个党支部，发展党员3名。选拔任用股（所）级干部19名，社区干部20名。

2023年会泽县以礼街道社区（行政村）简表

表10

社区（村）名称	距街道里程（千米）	总人口（人）	耕地面积（亩）	主要经济来源	村（居）民小组数（个）	自然村拥有数（个）	社区（村）负责人				
							书　记	副书记	主　任	副主任	监委会主任
河滨社区	办事处驻地	16683	0	劳动力转移就业、自主创业	35	3	杨培兴	—	—	郭发付	韩金辰
以礼社区	1.5	2455	1347	务工、种植业、养殖业	5	5	何兴华	代金平	何兴华	李显梅	朱加友
先锋社区	3	5123	5846	务工、种植业、养殖业	12	1	刘朝贵	—	刘朝贵	谭玖珍	余忠林

续表 10

社区（村）名称	距街道里程（千米）	总人口（人）	耕地面积（亩）	主要经济来源	村（居）民小组数（个）	自然村拥有数（个）	社区（村）负责人				
							书　记	副书记	主　任	副主任	监委会主任
清水社区	1	15873	0	劳动力转移就业、自主创业	33	0	张远彬	付文双	张远彬	—	陈金增
温泉村	19	2885	3697	务工、种植业、养殖业	10	5	佟丽琼	徐云峰	佟丽琼	郭兴堂	蔡廷文

（王吉虎）

大　海　乡

【概况】　大海乡位于会泽县城西南面 28 千米，东连待补镇，西接娜姑镇，北毗以礼街道，南靠昆明市东川区。海拔 780 ~ 4017.3 米，乡政府驻地绿荫塘村。辖区面积 332.47 平方千米，人口密度为 51.56 人 / 平方千米。2023 年，全乡实有耕地 6.6 万亩，其中，水田 1980 亩、旱地 6.4 万亩。年降水量 680 毫米，平均气温 11.2℃。辖 17 个村民委员会，124 个村民小组 174 个自然村，5545 户 17141 人。其中：男 9387 人，女 7754 人，男女人口性别比为 121.06；非农业人口 134 户 489 人。有彝族、苗族、蒙古族、回族、壮族、布依族、哈尼族、白族等少数民族 21 个，共 315 人，占总人口的比例为 1.8%。全年，完成固定资产投资 2.93 亿元，招商引资项目 6 个 4953.95 万元。

【农业】　2023 年，大海乡完成粮食播种面积 6.3 万亩、产量 1.87 万吨，粮改饲种植 8000 亩；种植马铃薯 3.16 万亩、燕麦 1 万亩、中药材 3500 亩、玛咖 300 亩、蔬菜 6000 亩、优质水果 1200 亩；生猪存栏 1.51 万头、出栏 2.52 万头；肉牛存栏 1.39 万头、出栏 0.56 万头；肉羊存栏 3.89 万只、出栏 4.25 万只。水果年产量 4735 吨，其中，桃子、西瓜、无花果种植面积 3200 亩，年产量 2410 吨。核桃年产量 603 吨，石榴年产量 1670 吨，其他水果年产 52 吨。

【商贸流通】　2023 年，大海乡深入实施营商环境提升三年行动，促进市场主体加快增长，市场主体（个体）净增长 806 户、企业净增长 37 户、“个转企”13 户。全力服务好现有企业，支持整合重组和技改扩能，完成大海靖元铅锌矿业尾矿库升级改造。

【重点项目建设】　2023 年，大海乡投资 4953.95 万元，实施大海乡政府至炭棚村 28 千米路面改造；投资 310.9 万元，建设大埫包村万亩马铃薯示范样板创建项目；投资 390 万元，

小江村紫皮大蒜种植　　（郭　梅　摄）

建设大海乡洋芋冷藏及分拣包装项目；投资40万元，建设100户以上自然村公厕4座；投资180万元，完成绿荫塘、小江、泥德坪3个村的“两污”治理工程；投资65万元，完成梨树坪农村综合性活动场所建设；投资60万元，建设坪箐村产业道路；投资50万元，完善兴发、龙腾两个公墓设施；投资1596万元，推进下新村、凹黑、大垴包、布多4个村26.6千米村组道路硬化；投资104万元，在绿荫塘、大垴包等8个村实施人畜饮水项目6个。

【乡村振兴】 2023年，大海乡全面推行抓党建促脱贫成果巩固、“红黄绿”分类管理和精准帮扶机制，新识别监测对象7户30人，稳定消除风险户35户117人，跟进消除返贫风险107户357人。常态化做好防返贫动态监测、劳动力转移输出、就业帮扶工作，发放小额信贷417万元，推进主导产业发展，建立利益联结机制，全面消除人均纯收入8500元以下人群。采取土地流转、产业周转金入股分红等模式，推进集体经济发展壮大，14个村集体经济收入均达10万元以上。完成布多村“精品示范村”和布多村、泥德坪村、腰村小组“美丽村庄”建设。深入推进农村精神文明建设，开展移风易俗专项行动、新时代文明实践活动和文明村镇创建。建立村集体“三资”管理台账，开展自查自纠专项行动规范农村集体资金资产资源管理。

【生态环境保护】 2023年，大海乡全面落实河（湖）长制、林长制，统筹推进山水林田湖草综合治理。投资210万元，实施退化草原生态修复2850亩；投资250万元，实施长防林造林5000亩；投资120万元，实施退耕还林3000亩；完成核桃提质增效1000亩，实施天保工程12万亩，选聘生态护林员206名。将农村“两污”治理列为“一件事”办理，实施污水收集处理项目2个，污水处理站1个。完成绿荫塘和2个生态敏感村的“大三格”“小三格”污水处理项目，完成其余村污水治理项目规划编制。完成二道坪、绿荫塘、鲁纳箐3个村委会16个小组绿美村庄建设。认定三星村17个，二星村20个，一星村92个。规范建设100户自然村公厕4座，户厕改造220户。规范建设堆粪场93个，垃圾池垃圾房175座，配备垃圾清运车3台，勾臂箱34个，垃圾桶109个，清运农村生活垃圾42吨。完成10个村庄规划审核入库。整改耕地流出图斑83个377.19亩、变更调查图斑299个和卫片执法违法图斑，完成基本农田补划57.86亩；严控农村乱占耕地建房，强化群众建房审批服务，全年集中联审联批2次16户。

【社会生活】 2023年，大海乡落实就业优先战略，开展职业技能培训500人次，发放创业贷款400万元，统筹促进大学毕业生、退役军人等重点人群就业。开发公益性岗位308个，实现劳动力转移就业7892人。城乡居民基本医疗、养老保险参保率均达到100%。发放各类救助资金1230.42万元3314人次。完成布多、黑箐、炭棚等9个村卫生室服务能力达标创建，完成城镇及农村妇女“两癌”免费检查318人，家庭医生签约2675人、同比增长5.4%。

【农业综合服务】 2023年，大海乡打造“建基地、强支撑、带农户、创品牌、联市场、壮产业”的产业道路，推进农业集约化经营、组织化发展。按照2000米以上、1000～2000米、1000米以下的地域范围，探索高、中、低3个1/3的立体产业结构发展，在高海拔区域积极推进玛咖、大海草山洋芋、中药材等高原特色产业种植；在中海拔区域形成苞谷、洋芋等传统经济作物产业带；在低海拔区域发展蔬菜、水果等绿色生态产业。注册“大海草山洋芋”“大海草山羊肉”品牌，成立专业合作社，建立利益联结机制。

【社会治安综合治理】 2023年，大海乡开展普法强基补短板专项行动，常态化推进扫黑除恶斗争，严厉打击“黄赌毒”“食药环”和电信网络诈骗等各类违法犯罪行为。全年发生刑事案件10件，同比下降130%；治安案件17件，同比下降23.5%。建成市级“民主法治示范村”8个，县级“民主法治示范村”9个。排查化解矛盾纠纷134起，化解率100%。开展非煤矿山安全隐患检查8次，查出安全隐患46条并完成整改；食品药品安全、消防、燃气检查2次，查出隐患28条，整改28条，整改率100%。全年未发生安全生产事故。

【精神文明建设】 2023年，大海乡开展树立科学、崇高理想信念培训宣讲16场次，乡村文化理论培训15场次，移风易俗转变方式培训18场次，在各村开展“农家书屋”阅读活动、“健康生活习惯”培养、“安全生产”知识学习等群众文化活动17场次，组织干部职工重走长征路、开展红色教育32场次。

【基层组织建设】 2023年，大海乡开展党支部“扩先提中治软”行动，实现35个“一般”党支部“扩先”晋位升级为“先进”，5个“后进”党支部“治软”晋位升级为“一般”。发展预备党员12名，转正党员10名，完成6个空白党员村民小组“清零”任务。调整机关股所级干部9人，村组干部17人，储备后备干部60名。开展村干部能力素质和学历水平提升18人。1人被评为省级优秀驻村第一书记。完成1个乡级、17个村级党群服务和矛调中心规范化建设。成功创建1个市级、2个县级党建引领基层治理示范村。

【旅游提质升级】 2023年，大海乡主动融入川渝黔滇“高铁旅游圈”和滇西旅游环线，围绕打造全国知名文化旅游胜地目标，加快旅游提质升级，重点抓实设施完善、项目推进。投资 1000 万元，盘活闲置资产，建成大海乡旅游综合服务中心。全面深化与云南印象旅游公司合作，强化服务和要素保障，加快完善旅游基础设施，累计投入资金 877.5 万元，完成大海草山经营围栏景观设施、1.58 千米主线道路的提质改扩、景区供水维护提升等项目，启动回迁平台集装箱项目建设。提前谋划、精心组织，扎实做好重点节假日期间旅游秩序维护和服务工作，成功举办冬季冰雪节，全年接待游客 15 万余人次，实现旅游综合收入 5000 万元。

2023 年会泽县大海乡社区（行政村）简表

表 11

社区(村)名称	距乡(镇)里程(千米)	总人口(人)	耕地面积(亩)	主要经济来源	村(居)民小组数(个)	自然村拥有数(个)	社区(村)负责人				
							种植、养殖、务工	副书记	主　任	副主任	监委会主任
绿荫塘村	乡政府驻地	486	2746	种植、养殖、务工	6	6	李国伟	—	李国伟	胡会芬	师朝全
梨树坪村	16	668	2354	种植、养殖、务工	5	5	朱自文	刘开美	朱自文	佟发顺	刘礼和
布多村	21	1374	3427	种植、养殖、务工	7	12	建吉飞	高光成	—	徐翠萍	王顺德
凹黑村	38	738	3250	种植、养殖、务工	7	14	魏开洪	余明现	魏开洪	李忠现	李吉荣
刘家村	39	429	2141	种植、养殖、务工	4	6	范吉明	陈龙有	范吉明	蒋天龙	顾学忠
都米都村	39	818	3360	种植、养殖、务工	6	8	唐自尧	张关友 陈选开	—	—	侯关发
小江村	50	355	2732	种植、养殖、务工	3	3	刘　燕	彭发良	刘　燕	李思宇	张国富
泥德坪村	45	668	1300	种植、养殖、务工	4	1	唐自新	桂富婷	唐自新	—	唐业申
下新村	34	1444	4629	种植、养殖、务工	10	15	李　凤	洪业琴	李凤	杨　玲	杨选贵
炭棚村	27	1936	5320	种植、养殖、务工	9	7	周正文	鲁仕文	周正文	沈朝芬	张三友
黑箐村	26	1173	2327	种植、养殖、务工	8	14	张祥刚	卜绍峰	张祥刚	卜取洪	许发明
大塙包村	18	1301	7670	种植、养殖、务工	11	24	—	高顺能	陆　伟	许得文	李氏云
鲁纳箐村	7	2388	8840	种植、养殖、务工	14	18	李发德	李开学	李发德	李兰华	吕兴洪

续表 11

社区(村)名称	距乡(镇)里程(千米)	总人口(人)	耕地面积(亩)	主要经济来源	村(居)民小组数(个)	自然村拥有数(个)	社区(村)负责人				
							种植、养殖、务工	副书记	主 任	副主任	监委会主任
银洞村	23	609	1558	种植、养殖、务工	4	13	代玉宁	杨 辉	代玉宁	李艳琼	李吉富
二道坪村	7	1084	4046	种植、养殖、务工	8	9	李云取	李国云 李发能	李云取	李美仙	—
大菜园村	18	430	5587	种植、养殖、务工	8	8	鲍正顺	林 帅 洪永钰	—	顾天兵	—
坪箐村	37	1250	4713	种植、养殖、务工	10	11	朱玉祥	顾国山	朱玉祥	朱玉伟	刘正定

（郭 梅）

娜 姑 镇

【概况】 娜姑镇位于会泽县城西面22.8千米，东连钟屏街道、以礼街道、五星乡，西接昆明市东川区，北毗会泽县老厂乡、昭通市巧家县蒙姑镇，南靠大海乡，海拔825～2896米，娜姑镇政府驻地干沟社区。辖区面积264.9平方千米，人口密度为270人/平方千米。2023年，全镇实有耕地面积5.43万亩，其中，水田1.45万亩、旱地3.98万亩。年降水量505毫米，平均气温15.2℃。辖18个村（居）民委员会，176个村民小组263个自然村，24688户70987人。其中：男37290人，女33697人，男女人口性别比为110.66；非农业人口4335户19139人。有彝族、回族、壮族等少数民族2309人，占总人口的比例为3.25%。全年，完成固定资产投资4.24亿元，招商引资项目13个4.54亿元。

【农业】 2023年，娜姑镇完成粮食作物生产7.46万亩，产量2.49万吨。其中，小春粮食作物2.04万亩4000吨，大春粮食作物4.71万亩1.91万吨，晚秋粮食7100亩1800吨。蔬菜产业种植白菜9500亩、青花菜4800亩、番茄3200亩、生菜3100亩、甘蓝3100亩、大葱3000亩、小瓜1000亩。水果主产业盐水石榴5.5万亩，2023年挂果4.3万亩，实现产量4.6万吨、产值6亿元；另有沃柑1400亩、橘子500亩、黄果350亩、丑柑300亩、枇杷340亩、释迦果200亩、杧果150亩、橙子60亩。全年出栏生猪10.51万头、肉牛1.58万头、肉羊2.67万只、肉禽17.02万羽，完成产蛋300.93吨。肉类总产完成1.37万吨，青贮饲料完成青贮1.51万吨，完成氨化饲料0.8万吨，完成推广工业饲料0.5万吨，完成种植饲料玉米2529亩。全镇森林面积22.76万亩，其中国家级公益林2.53万亩，省级公益林8.66万亩，商品林11.56万亩。林业用地面积占国土总面积57.8%，活立木总蓄积22.98万立方米，森林覆盖率23.25%，林木绿化率31.54%。累计发展水产养殖3500亩，实现产值4300余万元。种植烤烟9000亩，产值3989.64万元，带动530户户均增收1.2万元以上。

【重点项目建设】 2023年，娜姑镇实施重点项目30个、总投资1.83亿元，会巧高速娜姑段、光伏、风电等

娜姑镇白雾村田园综合体建设　　（何健 摄）

重大项目持续推进。完成投资5000万元的盐水石榴交易中心、1230万元的白雾村“四美家园”项目、1077万元的农村饮水安全巩固提升工程、500万元小江桥建设项目；推进投资2000万元的盐水石榴种植基地配套设施（一期）、900万元集镇集中安置区产业基地配套设施、650万元石门坎村柑橘配套设施、626万元炉房村产业配套项目、450万元干海子村优质水稻、352万元石咀村水稻、蔬菜、玉米基地等项目建设；推进投资5000万元乐里、白雾田园综合体建设项目、1586万元的盐水石榴种植基地（二期）建设项目，1050万元的则补、大闸、云峰片区高标准农田建设项目，600万元白雾村宜居宜业和美示范村建设项目、1514万元移民新村建设项目。

盐水石榴基地　　（张　俊　摄）

【乡村振兴】　2023年，娜姑镇健全动态监测体系，全面推行“红黄绿”分类管理和精准帮扶机制，新识别监测对象18户58人，稳定消除风险774户2884人，人均纯收入8500元以下有劳动能力的脱贫户和监测对象“动态清零”。开发公益岗1076个，发放脱贫人口小额信贷430笔2150万元，全镇脱贫及监测人口人均收入达12048元，增17.88%。建成2个“美丽村庄”、1个“四美家园”，创成市级“三星村”18个、县级“二星村”46个。

【生态环境保护】　2023年，娜姑镇全面落实“林长制”“河（湖）长制”、长江“十年禁渔”，完成补植补种8330亩、森林草原病虫害防治2万亩；张贴禁渔公告70余份，禁捕巡查30余次；农业面源污染整治完成94.14%，地膜回收24吨；统筹推进“两污”治理，购买勾臂箱等收集清运设备151个，新建垃圾焚烧炉4个。

【社会生活】　2023年，娜姑镇完善以联校基础设施，启动则补小学综合楼建设，持续改善办学条件，落实“双减”“五项管理”政策。开展健康教育讲座10次，免费“两癌”筛查1955例，完成家庭医生签约25669人；新建健康教育主题公园1个、健康步道810米。全年城乡居民社会养老保险参保3.05万人，基本医疗保险参保5.66万人；全年累计发放低保金、特困供养金、临时救助金、孤儿保障金及残疾人“两项补贴”2481.32万元、惠民殡葬补助158.65万元。开办技能培训班18个，技能培训933人次，举办招聘会7场，实现转移就业2.84万人，发放务工奖补132.8万元、创业贷款705万元；引入泽邦智能电子厂落户社区，提供就业岗位100个。

【农业（城市）综合服务】　2023年，娜姑镇开展农村“厕所革命”，新建公厕10座，完成户厕改造130座。深入开展爱国卫生“7个专项行动”，严格按照集镇“三整治三提升”要求，实行划行入市管理，规范运行驿兴社区集贸市场；持续整治乱停乱放，增设停车位80个，安装禁停标识牌8套，新增集镇绿化面积8000平方米，创建国家卫生乡镇通过市级评审。

【社会治安综合治理】　2023年，娜姑镇开展普法强基补短板专项行动，实施“解民忧、清积案”专项行动，组建“如家”普法工作专班和巡回调解工作队，开展普法宣讲47场次，攻坚化解信访积案11件、矛盾纠纷调处196起、受理信访案件405件。常态化开展扫黑除恶，扎实开展命案防控，严厉打击电信诈骗等各类违法犯罪活动，驿兴社区创为市级“平安社区”。落实“安全稳定建设年”任务，防范化解各类风险，落实防灾减灾、安全生产各项措施，提高群众应对突发事件的应急避险能力，组织开展应急演练4次、大排查大整治专项行动5次，排查整改隐患问题37个；加强道路交通安全设施建设，安装波形护栏17.64千米、警示桩3.5千米、木桩2千米、应急三堵2千米。

【精神文明建设】　2023年，娜姑镇依托建成的1个新时代文明实践所、18个新时代文明实践站和19支志愿服务队伍，推动精神文明建设。结合乡村振兴和精神文明建设，发挥曲靖市中级人民法院、云南省委办公厅、云南民革省委等单位挂包帮扶优势，组建一支“如家”普法队，常态化开展普法强基、妇女儿童法律咨询援助等工作，累计开展普法宣传1万余人次、法治文艺活动36场次。围绕宣传征地拆迁、社会救助等方面的法律法规，通过观摩法庭、群众会、火塘会、板凳会等形式，开展普法宣传教育60余场次，发放宣传资料2万余份，受教育群众4万余人次，共培养知法明理人1.59万人，知法明理示范户2200户，建成娜姑镇以礼河联校专项普法中小学校示范点和驿兴社区专项普法2个基层示范点。将文明村镇创建作为乡风文明建设的有效载体，注重从各村（社区）的历史文化、名人乡贤、村情村史中挖掘、整合清廉文化资源，以“最美家庭”“文明家庭”“清廉家庭”等先进评选为载体，积极培育良好家风、淳朴民风、文明乡风。累计创建健康家庭35户、绿色家庭3户、最美家庭3户、清廉家庭2户、书香家庭1户。

【基层组织建设】 2023年，娜姑镇开展“双整百千”四级联创、干部规划家乡行动、村集体经济巩固提升行动，提升党建水平，牛泥塘村党总支被评为省级规范化建设示范党支部。树立选人用人鲜明导向，提拔重用11名干部。完成机构改革和“一支队伍管执法”改革，合并撤减村民小组26个，党员空白村民小组全部清零，白雾村党总支作为云南省基层党组织示范点、“珠源先锋”党建示范点培育。新发展党员15名，储备入党积极分子40名、发展对象34名；选拔任用股所级干部5名，组织开展届中分析研判，调整村干部14名。聚焦招投标、项目建设、三资管理等重点领域，持续深化“四责协同”，坚持不懈查纠“四风”，开展各类专项督查52次、警示教育3次，白雾村创评为首批“曲靖市清廉村居”。

【白雾村“三个组织起来”抓产业促增收】 白雾村通过“党建+”模式，把党员组织起来，把群众组织起来，把土地、技术、市场、人才等要素组织起来，变群众单干为产业联合体，推进农旅融合发展，形成“三个组织起来”抓产业促增收的白雾经验。2023年，全村脱贫人口人均纯收入15357元，比上年增长15.27%，村集体经济收入52万元。省委书记王宁强调：白雾村把党员、群众和土地市场技术等要素组织起来，抓产业促增收的做法，值得总结、值得推广。

2023年会泽县娜姑镇社区（行政村）简表

表12

社区（村）名称	距乡（镇）里程（千米）	总人口（人）	耕地面积（亩）	主要经济来源	村（居）民小组数（个）	自然村拥有数（个）	社区（村）负责人				
							书　记	副书记	主　任	副主任	监委会主任
干沟社区	镇政府驻地	2394	0	服务业、外出务工	7	4	黄吉贵	赵申华	黄吉贵	龚玉刚	陈会珍
驿兴社区	0	1831	0	服务业、外出务工	5	1	王永鑫	包明荣	王永鑫	陆继玲	刘正全
则补村	1.5	8461	3201	养殖业、二三产业	18	11	赵建能	颜秀兰	赵建能	邹永琴	袁吉清
石咀村	5.5	5649	2731	种植业、养殖业	10	5	李长才	尹天忠 刘　蕊	李长才	冯文华	朱云堃
拖车村	15.8	3644	3330	种植业、养殖业	15	6	邓金长	李文高	邓金长	缪　丽	牛祖云
落水村	10	5494	3410	种植业、外出劳务	12	8	许国昌	崔选清 蔡庭甫	许国昌	许定艳	屠永云
白雾村	6	6609	3000	养殖业、二三产业	14	9	黄明昌	张安奎	—	赵德棋	朱学舟
乐里村	2	6544	2550	种植业、养殖业	10	11	黄明昌	叶兴明	黄明昌	许国昌	李治林

续表 12

社区（村）名称	距乡（镇）里程（千米）	总人口（人）	耕地面积（亩）	主要经济来源	村（居）民小组数（个）	自然村拥有数（个）	社区（村）负责人				
							书　记	副书记	主　任	副主任	监委会主任
大闸村	0.5	3318	1140	种植业、养殖业	9	22	高怀义	王开富 乔光龙	高怀义	—	罗开友
云峰村	4	2862	1935	种植业、养殖业	7	10	赵取兵	付兆金	赵取兵	张祥凤	张应成
石门坎村	5	4371	2160	养殖业、外出劳务	12	38	阳纯祥	雷昌明	阳纯祥	刘开国	—
红泥村	16	1785	831	种植业、养殖业、外出劳务	4	12	陈昌平	张炳贵	陈昌平	洪兴志	詹继云
绿坪村	21	1356	1388	养殖业、外出劳务	4	17	李超良	雷昌明	李超良	陈洲志	詹继富
盐水村	15	3749	2355	种植业、养殖业、外出劳务	10	70	王安坤	李天武	王安坤	王安霖	梁发琳
牛泥塘村	13	3001	2754	种植业、养殖业、外出劳务	11	13	颜　晶	曾剑林 黄　俊	—	孙　丽	—
干海子村	20	5777	2685	种植业、养殖业、外出劳务	19	27	颜道祥	曾国华	颜道祥	付文培	熊光周
发基卡村	23	2694	2565	养殖业、外出劳务	6	10	—	颜德洲	—	管洪梅	锡有红
炉房村	25	3242	2205	种植业、养殖业、外出劳务	6	8	陈海江	黄吉全	陈海江	陈海芬	张发存

（路兴勇）

老　厂　乡

【概况】 老厂乡位于会泽县城西北面33千米，东连五星乡，西接巧家县，北毗大桥乡，南靠娜姑镇。海拔1230～3180米。乡政府驻地老厂村。辖区面积166.7平方千米，人口密度为134人/平方千米。2023年，全乡实有耕地4.36万亩，均为旱地。年降水量691毫米，平均气温15℃。辖13个村（居）民委员会，95个村民小组138个自然村，7027户22352人。其中：男12305人，女10047人，男女人口性别比为122.47；非农业人口1775人。有彝族、苗族、藏族、回族等少数民族共669人，占总人口的比例为2.99%。全年，完成固定资产投资3.08万元，招商引资项目4个共3500万元。

【农业】 2023年，老厂乡粮食播种面积4.8万亩。其中：小春粮食播种面积7200亩（燕麦5000亩，总产680吨；马铃薯900亩，总产190吨；蚕豆800亩，总产120吨；豌豆500亩，总产60吨）；大春粮食作物播种面积4.03万亩（玉米播种1.86万亩，总产7000吨；马铃薯2万亩，总产4670吨；大豆1000亩，总产100吨；杂豆700亩，总产80吨）；晚秋马铃薯500亩，总产100吨。完成2023年中央及省级耕地地力保护补贴发放234.72万元，实际种粮补贴发放23.54万元，完成特色经济作物种植6100

2023年4月10日，老厂乡组织规划编制技术单位、乡级工作人员、村级规划编制组召开干部规划家乡行动会议　　（余　金　摄）

亩，完成计划面积的100%。其中，中药材种植1000亩，优质水果种植800亩，花卉种植200亩，绿色蔬菜种植4100亩。生猪存栏3.02万头，出栏5.01万头，实现产值1.3亿元；羊存栏2.44万只，出栏2.87万只，实现产值4882.23万元。

【重点项目建设】　2023年，老厂乡投资930万元在老厂、卡龙村实施高标准农田建设项目6200亩；投资20.7万元在茶花箐、田尾巴村实施饮水安全巩固提升工程2件；投资12.9万元在卡龙村实施维修工程1件；投资17.3万元在拖基嘎村实施饮水工程1件；投资119.1万元在老厂村实施饮水工程1件。投资170万元在茶花箐村实施蔬菜基地建设项目1个；投资250万元在白沙村实施草莓基地建设1个；投资60万元在老厂村实施樱桃基地1个。

【乡村振兴】　2023年，老厂乡严格落实“四个不摘”要求，推行“红黄绿”分类管理、精准帮扶，新识别监测对象28户85人，稳定消除风险5户20人。发放小额信贷554户2878.55万元，小额贷款逾期率下降到6.55%。脱贫人口人均纯收入1.22万元、增长18.58%。推进乡村振兴“千万”示范工程，实施1个精品示范村、1个美丽村庄建设。

【生态环境保护】　2023年，老厂乡完成13个村“多规合一”实用性村庄规划编制，村庄规划成果均通过县政府审核批复，上报入库9个村，完成入库3个村，其余6个村尚在上报入库。统筹推进集镇“两污”治理，推动城乡一体化生活垃圾收运处置，建集镇垃圾中转站1个，污水处理厂1座，改造污水管网2.5千米。新建公厕10座，户厕35座。创建三星村10个，二星村27个。全面落实“河（湖）长制”“林长制”，开展绿美河湖活动11次385人次，清理河流总长度26千米，清运各类垃圾3.58吨。完成公益林生态补偿9.87万亩98.72万元，森林覆盖率56.3%。建房审批受理新建房屋申请94件，审批通过42件，拆除违法占耕建房7件。

【社会生活】　2023年老厂乡，加大拓岗稳岗力度，申报兑付一次性外出务工交通补助35万元，实现转移就业8100人。技能培训648人，发放创业担保贷款575万元，扶持创业就业35户。教育事业全面发展，投资47.6万元在三岔等3所学校新建球场3个，投资7万元在茶花小学新建厕所1座及校园文化设施修缮13项；“雨露计划”资助136人40.8万元；中考升学率60%。对脱贫对象新农合参保进行政府代缴并享受政策减免，完成家庭医生签约9987人，异地就医零星报销136人次110万元，办理医疗救助6人3.6万元。养老保险参保率99.5%，医保参保率在95%以上，发放城镇低保资金10.15万元、农村低保金480.67万元、临时救助13.85万元、残疾人“两项补贴”508人65.99万元。

【农业（城市）综合服务】　2023年，老厂乡电力通信投资3827万元实施35千伏渔坝输变电站1座；投资31万元实施线路隐患整改工程1件；投资50万元改造配电自动化，新增变压器2台；投资30万元实施农村电网升级工程1件。交通设施投资1900万元在雅地窝、田尾巴、尹武村等7个村硬化道路30千米；投资8740万元实施小菜园至老厂三级公路改造工程。完成农村道路硬化29.68千米，实施防护工程17.16千米。整合100万财政资金完成10个自然村公厕的建设任务，工程顺利完工并投入使用。完成35座户厕改造建设，兑付35户户厕补助资金4.2万元。

【基层社会治理】　2023年，老厂乡开展“普法强基补短板”“法制进乡村”等各类普法专项宣传活动21场次822人次；调处各类矛盾纠纷162件，调解成功162件，调解成功率100%；接办信访件36件，办结率100%，群众满意率100%。组织相关部门开展各类安全生产宣讲活动2次，发放宣传单1.2万余份，开展安全隐患排查12次，完成农村自建房安全隐患排查1.07万栋，整改销号2栋；查处交通违法行为2116起；排查并整治农村公路安全隐患73处，清理道路滑坡产生的淤泥、落石910立方米；组织开展乡级地震应急演练2次。2023年全乡未发生命案、森林火灾和安全事故。老厂乡13个村，其中：10年无命案村有12个，20年无命案村有8个。

【精神文明建设】 2023年，老厂乡开展文明创评，完成1个文明乡镇、3个县级文明村申报，推荐上报康贵友“曲靖好人”候选人（敬业奉献类）事迹材料。组建一支56人的志愿服务队，常态化开展“3·5”学雷锋、普法宣传、义务植树等志愿服务活动。

【基层组织建设】 2023年，老厂乡开展农村党员排查整顿7人。全年发展党员7人，其中，农村党组织发展党员6人、机关站所发展党员1名。开展我为群众办实事100余件。开展党建促宗教治理专题集中学习1次，签订党员不信教承诺书500余份。调整3个村党组织书记、主任和4名村干部。整顿转化软弱涣散党组织1个。开展1期入党积极分子培训，3期“万名党员进党校”培训。

2023年会泽县老厂乡社区（行政村）简表

表13

社区（村）名称	距乡（镇）里程（千米）	总人口（人）	耕地面积（亩）	主要经济来源	村（居）民小组数（个）	自然村拥有数（个）	社区（村）负责人				
							书　记	副书记	主　任	副主任	监委会主任
老厂村	乡镇府驻地	2649	3571.61	畜牧、烤烟	12	18	陈培昌	沈聪玲	陈培昌	余　飞	李世春
茶花箐村	24	1784	2913.86	畜牧	6	14	黄　勇	—	黄　勇	宋天金	宋天德
安家坪村	22.7	1267	2225.62	畜牧	4	8	蒋仓良	付加学	蒋仓良	—	夏进林
德所村	23	1154	1574.50	畜牧、松子	5	5	范天聪	宋玉顺	范天聪	范兴鹏	陈兴林
三岔村	17.5	1347	2278.55	畜牧	9	11	陈天美	张开堂	陈天美	张容瑾	宋天德
卡龙村	10.5	2505	5002.01	畜牧	10	12	陈云洪	张国灵	陈云洪	朱朝聪	陆丛林
尹武村	11	1753	4179.04	畜牧、烤烟	6	7	陈云聪	曾克美	陈云聪	陈发海	黄吉聪
雅地窝村	6.5	1429	2829.01	畜牧	7	15	杨绍赋	陈金福	杨绍赋	李光翠	苏顺学
拖基嘎村	5	1411	2283.01	畜牧、烤烟	1	8	余朝周	郑金甫 康正华	余朝周	梅　玲	邓得贵
田尾巴村	9.3	2518	5079.52	畜牧	12	17	施汝燕	—	施汝燕	高顺贵	王安顺
白沙村	16	1761	5108.07	畜牧	8	19	王安朝	侯春云	王安朝	苟国梅	甘成飞
播落卡村	26.5	1254	3833.47	畜牧	4	10	朱云孝	张　刚	朱云孝	尹兴梅	—
白龙茂村	25	1476	2679.42	畜牧	5	9	朱金学	苟华阳	朱金学	李兴刁	牛巧珍

五 星 乡

【概况】 五星乡位于会泽县城西北面22千米，东连乐业镇，西接老厂乡，北毗大桥乡，南靠钟屏街道，海拔1905～3092米，乡政府驻地铅厂村。辖区面积212.46平方千米，人口密度为151.74人/平方千米。2023年，全乡实有耕地8.3万亩，均为旱地。年降水量700毫米，平均气温12.3℃。辖10个村（居）民委员会，114个村民小组98个自然村，10813户32257人。其中：男17482人，女14775人，男女人口性别比为118.32；非农业人口379户562人。有彝族、壮族、苗族、回族等10个少数民族1136人，占总人口的比例为3.53%。全年，完成固定资产投资4.4亿元，招商引资项目8个3.19亿元。

【农业】 2023年，五星乡粮食播种面积8.6万亩，总产2.29万吨。其中：大春粮食作物生产面积7.04万亩，总产2.03万吨；小春粮食播种面积1.26万亩，总产2350吨；晚秋粮豆3000亩，总产300吨；全年蔬菜产业6800亩，水果产业2310亩，中药材3000亩，花卉900亩。大型牲畜存栏8.65万头，出栏10.6万头，家禽存栏10.2万只，出栏20.1万只，畜牧业产值3亿元。林地面积17.96万亩，森林覆盖率49.23%，其中公益林面积5.85亩，主要栽种华山松、云南松等。野生动物有野鸡、野猪、豪猪、麂子等。

【重点项目建设】 2023年，五星乡持续加大农业基础设施建设投入，争取到水利资金、涉农资金等共计1403.6万元，完成红石岩村2023年以工代赈工程，改善饮水困难588户2057人；累计投资4890万元建成高标准农田5.2万亩；完成10千伏黑土线供黑土工业园区用电的线路架设，完成会巧高速公路施工影响的五黑线、披戛线、铅厂线、竹箐线10千伏线路迁改；投资1083万元，完成干松林、黑土、野猪冲、披戛、红石岩5个村18.05千米道路硬化；投资13.5万元打造道路绿美工程；整合交通涉农资金288万元，改善包谷箐、黑土乡村道路；投资1.5亿元、设计规模可饲养160头优质种公牛和1000头种用母牛的育种场，在石龙村建成投产；投资7000万元建设的100亩会泽县牛羊交易市场在黑土村建成投入使用；投资714万元，完成竹箐、大坪子、铅厂、黑土4个肉牛产业规模化养殖示范村涉及164户农户的标准化牛舍新建或改扩建。

大坪子村百头肉牛养殖示范户养殖场 （徐 颖 摄）

【乡村振兴】 2023年，五星乡按照“十百千”发展模式，盘活野猪冲300头精品肉牛养殖场；争取到涉农资金2300万元并引进会泽圣星牧业有限公司投资2500万元在大坪子村建设的千头肉牛标准化养殖示范场建成投产；依托全乡25户养牛专业户，推动形成一批农户达到10头规模的分散养殖。巩固大坪子500亩北美冬青种植面积，推进竹箐200亩新基地建设；在石龙、红石岩等村发展订单蔬菜种植1000亩，打造“五星蔬菜”绿色品牌。实现优质烤烟种植面积达1850亩，收购烤烟24.57万千克，上等烟占比62.87%，创收786.92万元。持续巩固提升劳动力转移就业工作，推广设立劳动力转移就业服务中心和村级服务站12个，搭建劳务输出平台，帮助1.43万名农村劳动力转移就业，其中已脱贫户转移就业3710人。

【生态环境保护】 2023年，五星乡实施农户户厕改造行动，改建农村卫生户厕55座、自然村卫生公厕6座；投资1668.05万元，配套建设污水处理厂。联合安监部门对全乡非煤矿山企业进行7次安全生产大检查大排查，未发现越界开采行为。全面落实“河（湖）长制”“林长制”，抓实中央和省生态环保督察、巡视反馈问题整改和突出生态环境问题整治。

【社会生活】 2023年，五星乡按照“强师立本，教研提质”的目标定位，组织教师参加各级培训及观摩交流活动；启动“县管校聘”工作，“金国燕化学名师工作室”正式运行；建立“德困生”成长记录袋，帮扶办学成果不断巩固。开展乡卫生院和村卫生室标准化建设，规范辖区居民健康档案2.79万人，电子健康档案建档率92%，合格率达90%以上；增设中医、外科、口腔等新科室。有供养特困人员122名，发放临时救助金21.6万元。完成曲靖市乡镇医疗保障经办服务窗口标准化建设，城乡医疗保险征缴2.69万人，完成率98.7%；

居民养老保险征缴1.38万人，完成率90.96%。

【农业综合服务】 2023年，五星乡以专题培训、现场会方式到乡村集市发放科技资料1100余份，接受咨询950人次；开展道路巡查4次，检查农用机械17台（次），发放安全生产宣传资料130余份，签订农机安全保证书17份，全年未发生农机安全事故；发放实际种粮补贴6672户，耕地力保护补贴资金422.86万元（其中第一批419.37万元、第二批3.49万元）；实际种粮一次性补贴6672户，兑付资金42.18万元。

【基层社会治理】 2023年，五星乡完成乡级党群服务中心、10个村党群服务中心规范化提升改造；按照“乡—村—组（网格）”三个层级划分；开展各类普法强基活动12次，认证“知法明理人”9205人。办结来访和上访问题145件152人。

【精神文明建设】 2023年，五星乡探索推进“农家书屋”建设，在全乡范围内打造集人文、科学、少儿、农技、教育、养殖于一体的农家书屋10间，共计图书1.1万册；组建普法流动小分队开展“文化进万家，法治保平安”文艺会演，135个村民小组每月均利用晚间闲聊时间开展1次普法宣传火塘会。

【基层组织建设】 2023年，五星乡开展“五强五好”党支部规范化建设，实现村民小组党支部全覆盖，完成规范化标准化建设。在两新和社会组织中组建非公经济党组织4个，在重点工程项目施工点设立临时网格12个、临时网格党支部3个，下派7名党建指导员。年内，提拔使用2名优秀年轻干部，回引19名优秀人才作为后备干部到村培养，12名村干部、后备干部参加能力素质和学历水平“双提升”。

2023年会泽县五星乡社区（行政村）简表

表14

社区（村）名称	距乡（镇）里程（千米）	总人口（人）	耕地面积（亩）	主要经济来源	村（居）民小组数（个）	自然村拥有数（个）	社区（村）负责人				
							书　记	副书记	主　任	副主任	监委会主任
铅厂村	乡镇府驻地	4736	2385	种植、养殖、务工	11	11	刘华双	晏和明	刘华双	罗应林	杨发友
披戛村	4	3550	3570	种植、养殖、务工	13	12	—	邱　鹏	—	冯冬梅	王少红
石龙村	5	3626	3270	种植、养殖、务工	16	9	洪泽章	—	洪泽章	赵　俊	张兴友
黑土村	11	5022	3690	种植、养殖、务工	24	15	蒋先照	胡家宽	蒋先照	邹兴才	李兴仓
干松林村	20	2623	2070	种植、养殖、务工	9	10	张龙国	—	张龙国	李世祥	朱玉朝
野猪冲村	21	2464	1785	种植、养殖、务工	10	10	朱金泽	陈应照	朱金泽	杨庆顺	杨太桥
红石岩村	22	2444	1155	种植、养殖、务工	7	10	肖良成	尹朝亮	肖良成	周验琴	周朝付
包谷箐村	18	1628	1485	种植、养殖、务工	8	6	李孝阳	李朝付	李孝阳	杨云香	杨太峥
大坪子村	12.5	2674	2925	种植、养殖、务工	8	8	杨培招	李先候	杨培招	李朝富	杨培昌
竹箐村	9	3490	2965	种植、养殖、务工	8	7	尹国东	李应照	尹国东	沈旺巧	李应奎

（武强、耿会荣）

大桥乡

【概况】 大桥乡位于会泽县城西北面45千米，东与迤车镇、乐业镇相连，南与五星乡、老厂乡毗邻，西北与巧家县马树镇接壤。海拔1800～3010米。乡政府驻地大桥村，辖区面积222平方千米，人口密度为160.85人/平方千米。2023年，全乡实有耕地9.94万亩。年降水量960毫米，平均气温9.6℃。辖14个村民委员会，161个村民小组158个自然村，10911户35708人。其中：男19451人，女16257人，男女人口性别比为119.65。有彝族、壮族、苗族等少数民族941人，占总人口的比例为2.6%。全年，完成固定资产投资7312万元，招商引资项目6个1.68亿元。

【农业】 2023年，大桥乡发展高产优质新品种燕麦试验示范和推广种植，完成秋播燕麦种植4万亩。筛选出适宜高寒山区的山地夏播马铃薯产业发展品种2个，总结形成山地夏播马铃薯晚疫病统防统治技术要领，推广种植夏播马铃薯2万亩，大春马铃薯5万亩。推广秋播燕麦＋夏播马铃薯的产业发展模式，实现冬季土地综合利用率100%，闲置率减少30%，产出率增加35%。推广青贮饲料2.23万吨，氨化饲草5016吨，工业饲料推广应用4416吨。巩固生猪产能，扩大肉牛养殖规模，完成生猪存栏4.5万头，出栏8万余头；肉牛存栏2.9万头，出栏1.2万头，实现产值1.6亿元。招商引资引进中国农垦集团到大桥投资200万元流转土地1500余亩进行饲草燕麦规模化连片示范种植，带动群众多渠道增收。

【商贸流通】 2023年，大桥乡按照“保民生、促消费、提品质”的工作要求，构建乡镇商贸流通体系，全面优化营商环境，促进全乡商贸经济持续健康发展。年末，有个体户390户，企业28家，批发和零售贸易45家，物流仓储1家。组建招商专班，实行招商全流程管理服务，新签约500万元招商引资项目数6个。

【重点项目建设】 2023年，大桥乡完成财政涉农资金项目建设7个，投入资金1930.9万元。谋划储备重点项目21个。投资50.16万元安装波形防护栏1.9千米，投资28万元安装限高杆2处，投资353.9万元完成水利项目建设8个，投资2493万元完成者米水厂项目建设，布置5.8千米输水管道1条、水处理厂1座及新建高位水池2个；投资22.78万元完成电力设施改造项目建设，投资492万元完成杨梅山村乡村振兴示范点建设项目1个，投资200万元在磨盘卡村和李家湾村完成美丽村庄建设项目2个，投入300万元完成磨盘卡村和大桥村集镇“四美家园”建设项目3个。

【乡村振兴】 2023年，大桥乡落实县、乡、村、组四级网格化监测体系，推行“红黄绿”分类管理和精准帮扶机制，新识别监测对象13户53人，新标注突发严重困难户5户24人，稳定消除风险280户1042人。构建农企“双绑”稳固利益联结机制，共发展19个专业合作社绑定脱贫户2659户9457人。推行“公司＋合作社＋基地＋农户”经营模式，盘活土地资源，大力发展特色农业产业，促进村集体经济增收10万余元，带动200余户留守农户种植或就近就业，实现每年人均增收1.1万元。加大脱贫人口就业帮扶力度，开展各类培训5期257人次，设置公益性岗位407个，就近吸纳困难群体就业。发放脱贫人口小额信贷202户1010.7万元。2023年脱贫人口和监测对象实现人均纯收入1.3万元，人均纯收入8500元以下且有劳动能力的脱贫户和监测户实现动态清零。持续实施“村集体经济强村”工程和“提质增效”行动，成立14个村“股份经济合作联合社”，建成经营类扶贫资产18个，资产规模达3014.43万元，将到村扶贫资产纳入村集体资产管理，引导村集体与经营主体签订《资产租赁协议》，

大桥乡万亩夏播马铃薯种植　　（贺敞任　摄）

收益用于壮大村集体经济，促进村集体经济收入达158.87万元。

【生态环境保护】 2023年，大桥乡推进“两污”治理，投资752.8万元启动老集镇片区及周边村庄“两污”治理项目，扩容提标主管网6千米，支管网8.5千米；争取市级奖补资金360万元，完成环湖7个生态敏感村“两污”治理，建成1014个户用“小三格”化粪池，铺设排污管道3.65千米，完成粪堆治理114处。推进“厕所革命”，新改建卫生公厕10座、卫生户厕628座。推进农村生活垃圾治理，建立“户清扫、组保洁、村收集、乡转运”工作机制，完成14个行政村垃圾收集、转运和处理全覆盖，配设垃圾收集箱398只，新增集镇垃圾中转点1个，新增勾臂箱37个，新采购勾臂车9辆，新增生活垃圾压缩箱体1个。学习推广浙江“千万工程”经验，创评一星村124个，二星村21个，三星村16个。推进绿美大桥建设，完成义务植树1260株；投资2.15万元完成“绿美交通”行道树种植800余棵；投资1万余元完成异地绿化造林项目建设；投资8万余元完成实施3个村周边绿化美化项目；投资275万元完成修复草原生态4589亩，森林覆盖率47.71%。实施“美丽河湖”工程，投资110万元完成水库沿线绿化2000多平方米，绿化道路3.5千米，新建文化休闲广场1处，安装风光互补路灯40盏，新建巡湖步道等基础设施。念湖湿地被联合国湿地公约组织指定为国际重要湿地，黑颈鹤国家级自然保护区成功加入中国生物圈保护区网络，入选全国首批陆生野生动物重要栖息地名录，跃进水库入选省绿美河湖标杆典型。

【社会生活】 2023年，大桥乡加大控辍保学力度，保障20名残疾儿童随班就读，4名送教上门，入学率、巩固率100%。实施“雨露计划”，发放补助159.95万元430人。投入资金210余万元保障中小学生营养餐供餐42万余人次。投资90余万元，完成中学操场维修改造，硬化内部路面等。推进健康大桥建设，标准化建设14个村卫生室，累计签约家庭医生5012户，履约率100%，覆盖率32%，同比增15.5%。抗震安居房改造53户，补助资金95.4万元。城乡基本医疗保险参保率100.08%，三类监测对象、未纳入监测的脱贫人口、低保对象、特困人员等参保缴费率100%。动态调整城乡低保对象271人次，累计发放低保资金914.61万元。新增符合领取残疾人“两项补贴”51人124.26万元。开展临时救助81户245人20.38万元。实现农村劳动力转移就业1.26万人。

【农业综合服务】 2023年，大桥乡投资560万元完成错初草莓冷库建设。投资1245万元启动大桥乡马铃薯、燕麦产业基地项目建设，硬化道路13.6千米。推动草莓产业提速升级，引进大户种植夏季草莓6000余亩。以稳定高质发展当归种植为主、探索推广白及、重楼等多种中草药种植为辅的方式种植中草药6000亩。充分发挥地理优势，科学调整产业结构，规模化种植蔬菜5000亩。

【基层社会治理】 2023年，大桥乡以“安全稳定建设年”为抓手，全年无安全生产事故发生。扎实做好清理拖欠企业账款工作，化解历史遗留政府性债务1077万元。开展平安大桥行动，2人入选2023年会泽县见义勇为先进个人，李家湾村入选2023年曲靖市平安村。化解各类交办信访件32件，“12345”信访平台109件，历史积案1件，信访件化解率100%。常态化开展扫黑除恶、命案防控、打击电信诈骗等各类违法犯罪活动，刑事案件、电信网络诈骗案件同比分别下降10%、43%。

【基层组织建设】 2023年，大桥乡全面开展届中调研，对村组干部进行全面分析研判，找出问题6类，意见建议28条，调整村组干部9人次，引进返乡大学生1名。对中层干部履职情况开展考核测评，新提拔中层干部12人。调整合并村民小组89个，减少小组44个，实现农村党员空白村民小组“清零”。规范组织生活，开展党务培训3次，开展党建工作现场调度会1次，规范村级“三会一课”“三务公开”“四议两公开”等事项。储备积极分子29名、发展对象27名；接收预备党员9名，预备党员转正7名。完成“2+5”机构改革，全面推行“一支队伍管执法”，8人取得执法证，年内办结案件2件。乡村两级党群服务中心、矛调中心建设全部通过县级验收，整合民政、社保、殡葬、就业、残联、老龄等多个行业集中进驻党群服务中心办公，实现“多中心合一”，按照“1+N”要求规范设置窗口，常态化开展为民服务工作。

2023 年会泽县大桥乡社区（行政村）简表

表 15

社区（村）名称	距乡（镇）里程（千米）	总人口（人）	耕地面积（亩）	主要经济来源	村（居）民小组数（个）	自然村拥有数（个）	社区（村）负责人				
							书　记	副书记	主　任	副主任	监委会主任
大桥村	乡政府驻地	3487	8254.33	种植、养殖、务工	14	8	孙启珍	朱玉相	孙启珍	何吉艳	胡加奎
磨盘卡村	5	2007	5881.38	种植、养殖、务工	8	9	袁贤敏	蒋先宽	袁贤敏	袁贤能	庄洪芳
杨梅山村	10	4877	11107.5	种植、养殖、务工	19	16	谭政伟	党兴芝	谭政伟	朱金富	谭大琼
八家村	12	2066	4946.68	种植、养殖、务工	7	7	赵书礼	王正美	赵书礼	李应伟	高朝云
水磨村	12	1524	4420	种植、养殖、务工	7	10	陈世华	袁开国	陈世华	刘许云	黄达友
李家湾村	16	1532	2611.28	种植、养殖、务工	8	8	符汉书	李朝荣	符汉书	黄文有	余朝灯
地德卡村	8.9	4517	11857.08	种植、养殖、务工	20	12	符汉涛	胡明祥	符汉涛	卢玉兵	海达美
黄草村	23	1909	4267.52	种植、养殖、务工	8	7	符忠宴	李忠普	符忠宴	唐绍阳	何兴达
团山村	18	1287	4463.27	种植、养殖、务工	8	8	李会兰	徐佑燕	—	任正苍	易元昌
杨家村	25	1678	2689.59	种植、养殖、务工	10	12	徐以标	周朝相	徐以标	许全宇	蔡德帮
错初村	6	2413	13188.93	种植、养殖、务工	12	11	赵香雨	吕自刚	赵香雨	邓家林	邓加田
王家山村	16	2471	7101.55	种植、养殖、务工	15	18	李应彪	赵书耀	李应彪	浦绍珍	胡明元
凉水村	20	2096	5406.04	种植、养殖、务工	10	8	蒋　涛	陈继清	蒋　涛	段应平	庄永万
者米村	16	3770	10825.15	种植、养殖、务工	15	24	胡太平	郑敏	胡太平	张光富	王云买

（马晶）

迤车镇

【概况】 迤车镇位于会泽县城北面54千米，东连马路乡，西接纸厂乡和昭通市巧家县，北毗昭通市鲁甸县，南靠乐业镇，海拔1090～2772米，镇政府驻地索桥社区。辖区面积471平方千米，人口密度为201人/平方千米。2023年，全镇实有耕地21.08万亩，其中，水田9500亩、旱地20.98万亩。年降水量789毫米，平均气温14.4℃。辖27个村（居）民委员会293个村民小组558个自然村，30017户94628人。其中：男50819人，女43809人，男女人口性别比为116；非农业人口6886户19434人。有彝族、壮族、哈尼族等少数民族2710人，占总人口的比例为2.86%。全年，完成固定资产投资6.17亿元，招商引资项目13个1.45亿元。

【农业】 2023年，迤车镇粮食播种面积17万亩，持续改良增产马铃薯、玉米、水稻三大传统作物，实现总产4.35万吨；蔬菜种植5.38万亩，总产15.63万吨，产值4.69亿元；薯类产业种植5.49万亩，总产（折主粮）2.43万吨，产值0.88亿元；冷水鱼养殖规模扩大，实现水产产值0.33亿元；种植大树青椒、贡椒2万余亩，核桃15.8万亩，花椒、核桃总产量31.8万吨，核桃仁年交易量突破2000余吨。山地辣椒种植2.5万亩，产干椒250万千克。流转土地0.5万亩种植冬草莓、蓝莓、大树樱桃、甜柿、大树杨梅等特色果蔬，产值4000余万元，生态果蔬采摘园、种养结合循环产业园规模巩固提升。生猪存栏4.61万头，肉羊存栏1.95万只，肉牛存栏2.48万头，家禽存栏6.57万羽，投资300万元实施肉牛优势特色产业集群项目，发展规模养殖场4个、养殖大户95户，肉牛存栏同比增25.8%，肉牛产能实现大提升。

【商贸流通】 2023年，迤车镇围绕“商贸活镇”，立足县委对迤车“北片区劳动密集型产业干果加工区、会泽北部物流园区”定位，充分挖掘地处“两省”“三市”“四县”交界、高铁设站、高速国道过境等优势，优化营商环境，发展商贸物流。加快综合物流园区项目落地，打造区域性商贸物流中心，成为会泽融入成渝经济圈的重要节点。加强市场主体培育，市场主体倍增（个体工商户）净增长1451户，净增长率104.69%；经营主体（企业）净增长152户，净增长率131.03%。保障服务业持续发展，迤车集镇范围内共有酒店宾馆27家、餐饮业106家、中大型超市14家、休闲娱乐41家，小河村核桃加工交易市场年产销核桃仁突破2000余吨。

【重点项目建设】 2023年，迤车镇抓项目、稳投资、增动能，夯实经济社会发展基础。新签约500万元以上招商引资项目13个，完成省外产业到位资金1.45亿元。完成渝昆高铁主线征迁820.88亩、临时用地征地1902.80亩，房屋拆迁总任务数328户，拆除315户；推进高铁站前广场及集中安置点建设；统筹整合财政涉农资金2120万元建设项目25个，年初批复项目全部完工。

【乡村振兴】 2023年，迤车镇持续优化“小组日监测、村级周报告、镇级旬分析”的常态化监测体系，实时开展动态监测和分析研判，28户113人“三类监测对象”消除风险。制定《迤车镇脱贫人口持续增收三年行动实施方案》，实施产业、健康、公益性岗位、就业、教育等各类帮扶共计3359户12535人；新建抗震安居房92户；整合财政涉农资金580万元建设农村饮水安全巩固提升项目15件，改善2973户9247人安全饮水问题；发放脱贫人口贴息贷款520户2789.47万元；实现脱贫劳动力转移就业8337人次。产业帮扶“双绑”覆盖率100%，脱贫人口及监测对象人均纯收入13069.17元，同比增长18.02%。18个经营类扶贫资产持续发挥效益。引导村集体与经营主体签订《资产租赁协议》，全年村集体经济收入合计419.27万元，27个村（社区）集体经济均达10万元以上，平均收入15.53万元，其中6个村达20万元以上。

【生态环境保护】 2023年，迤车镇学习践行“千万工程”经验，推进农村人居环境整治提升行动，完成27个村（社区）“多规合一”实用性村庄规划。实施“两污”治理工程，建成牛栏江沿岸村3座一体化污水处理设施、52套“小三格”化粪池。完

渝昆高铁迤车段建设　　（明文涛　摄）

成703座户厕改造。投资58万余元实施道路苗木栽种绿化，投入539.4万元实施“美丽家园·移民新村”建设项目，完成26个村民小组绿美村庄建设。

【社会生活】 2023年，迤车镇常态化抓好校园安全等工作，抓实各项工程及资助项目，驻镇学校规范达标，申报“雨露计划”补助项目318人次，腰店子、店子小学合并至梨园小学。城乡居民医疗保险参保率96.27%，家庭医生签约服务率达100%。城乡居民养老保险参保率90.75%。共发放城镇低保资金66.95万元，农村低保资金1154.73万元，特困保障金318.55万元，临时救助款23.27万元，困难群众受助率100%。投资110万元建成3323.98平方米三角小广场1座；规划新建2000平方米文化广场、100米党建引领基层治理文化长廊、100米休闲健身长廊，服务覆盖群众1.5万人；投资160万元在张家村、西土建成2个村民活动场所。

【农业（城市）综合服务】 2023年，迤车镇建成4.5万亩高标准农田。其中：投资1302万元在石板、高笕新建高标准农田1万余亩；投资692.73万元实施阿都高标准农田建设项目570亩；完善水电路网，借助石板、陷塘片区高标准农田项目硬化道路34.9千米，村组道路硬化项目50.1千米，共计硬化道路85千米。新增9.86千米道路防护栏等系列防护设施；投资970万元完善管引工程。光伏、500千伏过境线建设项目征地1228.63亩。

【基层社会治理】 2023年，迤车镇推进镇村治理体系和治理能力建设。抓实“三级”网格员管理，构建迤车“活网地图”。全面防范化解各类风险，全面落实防灾减灾、安全生产等各项措施，针对“九小”场所等重点区域，常态化开展生产、用电、消防、房屋安全等专项检查31次，发现安全隐患56处并整改“清零”。成立一级消防工作站，配备专职消防队员12名，服务范围延伸至北片区周边乡镇。组织27个村（社区）全覆盖开展防灾减灾应急避险演练，开展道路交通安全专项联合整治行动12次，完成交通安全隐患整治119个点19千米。开展“八五”普法和普法强基补短板专项行动。全年完成14件历史积案全化解，排查化解各类矛盾纠纷790余件。常态化开展扫黑除恶，严厉打击电信诈骗等各类违法犯罪活动。抓实“网格吹哨部门报到”，形成“网格员、二级网格长、一级网格长、县基层治理办”逐级处理的工作机制。

【精神文明建设】 2023年，迤车镇新时代文明实践所（站）建设全覆盖，志愿服务制度化、常态化，围绕学习实践科学理论、宣传宣讲党的政策、培育践行主流价值、丰富活跃文化生活、持续深入移风易俗等5项工作任务开展专题志愿服务活动2400余场次。全镇27个村（社区）均设置道德讲堂，并经常性开展活动，弘扬传统美德。选树宣传最美家庭、道德模范、身边好人、见义勇为等先进典型，加强社会公德、职业道德、家庭美德、个人品德建设。组织申报县、市、省级文明乡镇、文明单位、文明村（社区），申报全覆盖，申报成功率达90%以上。

【基层组织建设】 2023年，迤车镇按照机构优化“三定”方案要求，整合组建2办5中心人员并实现实体运转办公，同步完成人员转隶及相关工作。全面完成小组党支部组建、党员空白小组清零工作，116个小组完成合并，优化组建6个机关党支部。纵深推进全面从严治党，全年开展集中学习40次，党风廉政知识学习7次，纪律作风督查9次。完成1个镇级、27个村级党群服务中心、矛盾调处中心规范化建设，打造“多中心合一、一中心服务”的综合性阵地，持续推进293个小组党群服务站建设，实现群众“家门口”办事。推行村级事务党员先知、党员先议、党员先行“三先”模式，452个基层党组织党员带头，发挥模范作用。开展党总支书记“擂台比武”1期，“万名党员进党校”3期，农村党员冬春训5期，党委理论学习中心组学习8场次，主题教育集中学习10次，“党群夜校”课堂56期，实现学教活动覆盖2万余人次。

2023年会泽县迤车镇社区（行政村）简表

表16

社区（村）名称	距乡（镇）里程（千米）	总人口（人）	耕地面积（亩）	主要经济来源	村（居）民小组数（个）	自然村拥有数（个）	社区（村）负责人				
							书　记	副书记	主　任	副主任	监委会主任
索桥社区	镇政府所在地	9311	8677	烤烟、畜牧、水稻	25	20	黄永玉	管燕荣 吕卓青	黄永玉	张德敏	—

续表 16

社区（村）名称	距乡（镇）里程（千米）	总人口（人）	耕地面积（亩）	主要经济来源	村（居）民小组数（个）	自然村拥有数（个）	社区（村）负责人				
							书　记	副书记	主　任	副主任	监委会主任
张家村	11	3017	6768	烤烟、畜牧、水稻	9	13	柳发润	计加东	—	刘启翠	刘啟沛
小河村	10	2765	5858	烤烟、畜牧、水稻	9	26	刘志友	胡文才	—	钱　瑢	史玉林
陷塘村	15.5	1932	4930	烤烟、畜牧、核桃	8	17	张　洁	—	—	陈选贵	计加选
中寨村	8	7467	16409	畜牧、核桃、水稻	18	15	计加眺	刘世奎 陈　华	计加眺	—	吴启成
迤北村	15	4276	7317	烤烟、畜牧、核桃	14	32	杨光万	杨彩燕	杨光万	森　权	杨兴才
中河村	2	4874	9739	蔬菜、水稻	13	5	刘国付	杨天忠	刘国付	杨　平	肖黄荣
五谷村	2	4060	6000	蔬菜、水稻、烤烟	9	14	李明丽	白玉飞	李明丽	朱金富	樊则奎
箐口村	4	7998	12613	畜牧、蔬菜、水稻	20	24	金　鹏	徐开欣	金　鹏	樊则静	倪发加
石门村	7	1275	4353	烤烟、畜牧、核桃	6	26	王功能	柳发照	—	叶应刚	安克贵
阿都村	14	6173	15709	畜牧、核桃	18	12	柳庆福	贾寒松	柳庆福	党兴燕	柳发旺
台子村	33	1571	4434	畜牧、核桃	8	15	贺启安	陈自云	贺启安	贺发富	贺发庆
西土村	21	3156	8597	畜牧、核桃	10	16	母庆福	柳成华	—	李丽苹	金德树
小米村	22	6056	13935	畜牧、核桃	17	68	李金宽	李成武	李金宽	蒲恩彪	刘胜奎
花房村	22.6	5299	17663	畜牧、核桃、马铃薯	17	22	王发玉	禄　祥	—	杜琴香	侯彩芝
高笕村	13.7	2254	8714	畜牧、马铃薯	8	32	杨俊清	华永超	杨俊清	骆弟巧	鲍开良
石板村	22	1434	7086	畜牧、马铃薯	5	48	赵全美	陈顺尧	赵全美	吕维国	吕庆勺
磨黑村	15	2497	5775	畜牧、烤烟、核桃	8	38	张安再	杜周乾	张安再	—	陈加全

续表 16

社区（村）名称	距乡（镇）里程（千米）	总人口（人）	耕地面积（亩）	主要经济来源	村（居）民小组数（个）	自然村拥有数（个）	社区（村）负责人				
							书　记	副书记	主　任	副主任	监委会主任
梨园村	18	3578	8249	烤烟、畜牧、核桃	10	26	曹顺选	付朝品	曹顺选	谢永美	付朝元
坪洞村	23	1107	2630	烤烟、畜牧	4	17	倪　勇	窦友鹏	—	姚序德	谢吉宪
营盘村	25	2842	8926	烤烟、畜牧、核桃	11	9	訾昌泉	欧思荣	訾昌泉	訾昌梅	余从富
店子村	30	1228	2614	蔬菜、畜牧、烤烟	6	11	赵升安	王文现	赵升安	陈联芝	蔡昌方
石桥村	22	2313	5516	烤烟、畜牧、蔬菜	8	6	付　超	樊大永	—	王　娇	聂正国
坪子村	30	2571	4989	蔬菜、烤烟、畜牧	9	14	张国安	卯申平	张国安	赵升方	张加财
上郎村	25	1981	5404	烤烟、畜牧、核桃	9	12	夏云选	邵明云	夏云选	邢有华	李兰芝
小街村	18	1302	2630	核桃、畜牧、烤烟	6	10	龙顺文	何　俊 陈　欣	龙顺文	王德宪	—
阿里窝村	21	2291	5218	核桃、畜牧、马铃薯	8	10	沈加聪	沈加奎	沈加聪	王坤富	刘元礼

（尹　洁）

纸厂乡

【概况】　纸厂乡位于会泽县城北面91千米，东南两面与迤车乡相连，西与昭通巧家县包谷垴乡接壤，北与昭通鲁甸县火德红镇隔江相望，海拔1059～2775米，乡政府驻地为罗别古村，辖区面积101平方千米，人口密度为208人/平方千米。2023年，全乡实有耕地1.74万亩，其中，水田510亩、旱地1.69万亩。年降水873.9毫米，平均气温14.6℃。辖9个村民委员会，81个村民小组，6707户21129人。其中：男11672人，女9457人，男女人口性别比为123.42；非农业人口174人。有彝族、壮族、苗族、回族等11个少数民族1440人，占总人口的比例为6.81%。全年，农民年平均纯收入12847元。固定资产投资2.75亿元。

【农业】　2023年，纸厂乡推进特色农业提质，严守耕地红线，整治恢复耕地1060.9亩。投资392万元完成核桃初加工厂项目建设并投入使用，实现对核桃青果收购加工；投资325万元开展核桃丰产示范样板建设1000亩、提质改造3000亩；投资390万元完成江边村提水灌溉工程，解决2000余亩大树青花椒灌溉问题。组织开展核桃花椒管理技术培训2期1000人。投资537.4万元启动实施肉牛产业规模化养殖示范村建设项目，建成鄢家村、罗别古、灯草塘、浑水塘肉牛养殖示范村，成立专业合作社4个，建设标准化圈舍145户1.2万平方米。能繁母牛奖补1339头，优质饲草料种植收储推广2900吨，优质肉牛冻精改良推广1090胎。技术培训500人次。投资80万元在罗别古张家村小组示范种植林下魔芋300余亩。

【重点项目建设】　2023年，迤车镇投资1350万元实施鄢家村饶坪小组、小路沟村小路沟小组、龙家村任家湾小组、大石板村郁家坪小组、大坪子小组22千米道路硬化；投资1204万元完成大石板村10.3千米道路路面提升改造；投资130万元完成集镇中心道路提升改造；投资14万元完成45.3千米道路维修养护；投资537万元完成17.9千米波形护栏安装。投资105.6万元完成农村安全饮水提升工程，江边村、鄢家村、大石板村、灯草塘村、小路沟村、纸厂村、罗别古村等7个村安装管道30.19千米，新建水箱33个，修复沟渠80米，新建水源点1个；投资13万元新建龙家村7.5千瓦抽水站1个，安装浑水塘村新寨小组50平方米水箱一个；投资5万元更换洗羊塘抽水站30千瓦抽水机1台，安装管道2300米；投资1.35万元维修纸厂水库进场道路。投资220万元新建4千伏江边线6千米，投资130万元新建大石板支线3.3千米，投资50万元新增养殖户动力表及线路20户。投资150万元启动实施浑水塘村农贸市场建设项目；投资550万元完成大石板村美丽家园移民新村建设项目；投资445万元启动江边村双坟塘至新田小组美丽家园移民新村项目建设；投资348万元完成党群服务中心项目建设并投入使用。

【乡村振兴】 2023年，纸厂乡常态化开展防止返贫动态监测帮扶，落实"红黄绿"分类管理，新识别监测对象5户22人，稳定消除风险332户1389人，跟进消除风险86户356人，风险消除率79.43%。投入衔接资金1636.31万元，实施各类项目16个，开发公益岗356人，开展技能培训2批383人，实现转移脱贫劳动力4938人，发放一次性务工奖补833人83.3万元，发放脱贫人口小额信贷151户721.65万元，实施"雨露计划"180人38.25万元，全乡脱贫人口和监测对象人均纯收入1.28万元，同比增长19.13%，人均纯收入8500元以下且有劳动能力的脱贫户和监测户实现动态清零。规范农村"三资"管理，盘活用好农村闲置资产，新申报投入140万元实施灯草塘和鄢家村分布式屋顶光伏发电项目入股道成公司分红，全乡9个村实现集体经济收入10万元以上。

【生态环境保护】 2023年，纸厂乡完成集镇规划，启动绿美乡村建设，持续推进集镇"三整治三提升"，完成集镇中心道路提升改造1.6万平方米，增绿补绿4500平方米。投资1414.94万元，新建集镇污水管网1.33万米，新建集中式污水处理厂一座，投资180万元在牛栏江生态敏感区大石板村、龙家村、江边村新建污水管网7960米，"大三格"3个，"小三格"77个，氧化塘3个，提水设施3个；投资10万元建设公厕一座；投资48万元改造卫生户厕400座，整治处理垃圾填埋场3座，基本实现农村污水无害化处理和资源化利用。学习推广浙江"千万工程"经验，全域推进农村人居环境整治提升，建成市县级绿美村庄8个，市县自然村人居环境星级评定三星村10个，二星村13个，一星村75个。全面落实长江"十年禁渔""河（湖）长制""林长制"，常态化开展巡查巡检。全年未发生森林火灾，被县委、县政府通报表扬。

2023年2月27日，纸厂乡江边堰塞湖游客接待中心开业

（纸厂乡党政综合办 提供）

【社会生活】 2023年，纸厂乡城乡养老保险参保8891人，医疗保险参保1.8万人，实现脱贫人口和监测对象全覆盖。年内发放养老保险2745人45.13万元，低保1353人508.8万元，特困供养52人67万元，孤儿和事实无人抚养儿童基本生活保障金27万元，残疾人"两项补贴"78.9万元，高龄老人补贴23.8万元，经济困难老年人补贴2.83万元，临时救助金268人10.3万元；意外救助3人4.5万元，火葬补助136人46.1万元。纸厂中学中考全县前3000名学生占比排全县同类学校第2名，举办会泽县"1+N"北片区8所学校德育工作交流会，中心校小学六年级统测成绩在同级同类14所学校排第6名。卫生院完成曲靖市急救点建设验收工作，全年新建居民健康档案161人，居民电子建档总人数2.06万人，建档率95%；接诊门诊患者1.92万人次，住院548人次，抢救转送危重病人50余人次。新增市场主体651户。

【农业综合服务】 2023年，纸厂乡开展核桃花椒种植、畜禽疾病防控、照明电路安装、家居清洁等技能培训463人，推介务工信息12期，组织集中输出务工4批156人，全年转移就业8136人，对833名省外务工人员进行务工奖补，实现劳务收入4亿元。加强惠农惠民政策的宣传，加大惠农资金的监管力度，强化农机生产安全宣传活动，大力宣传农机安全生产知识，继续贯彻执行中央的购机惠农政策。积极对接上级农业部门，争取资金及物资，发放有机，复合肥443.39吨，绿肥22.17吨，争取救灾资金15

万元用于农膜、种子、肥料的购买。

【基层社会治理】 2023年，纸厂乡优化提升乡村10个党群服务中心和矛调中心，探索用村集体经济解决网格员待遇，持续推进网格化管理。抽调信访、派出所、综治中心、司法所等15人成立矛盾纠纷调处专班，排查化解矛盾纠纷105起，调处率100%。化解信访积案5件，办结信访件12件。开展普法强基补短板专项行动，对114名人员开展入户普法宣传，全年未发生命案。持续推进扫黑除恶斗争、电信网络诈骗打击整治等工作。召开14次专题会议研究安全生产工作，开展道路交通、危化品、食品药品、经营性自建房、燃气、防溺水、消防等安全联合专项检查24次，排查整治隐患32处，组织安全培训9次，签订安全承诺书、发放安全告知书7000余份。制定应急预案10份，排查整治地质灾害隐患点5处，组织乡、村、组开展应急演练7次，98个村民小组全覆盖。成立乡村应急救援队伍10支120人，建成应急物资储备点3个，组织应急演练30余次，调度应急值守20余次，发放宣传手册、宣传单6800余份，开展防灾减灾自救互救培训1.5万余人次。

【精神文明建设】 2023年，纸厂乡举办2023年第一届“奋进杯”职工篮球比赛，开展戏曲进乡村文化进万家等群众文化活动9场次，开展“扫黄打非”专项整治行动4次。新申报市县级文明单位2个，文明村4个，届满续报县级文明村3个。

【基层组织建设】 2023年，纸厂乡开展2期“万名党员进党校”培训班，培训人次404人（其中，党员领导干部20人，普通党员384人）。配强配齐村“两委”班子，100%达到“一肩挑”，管好用好驻村干部队伍。签订党风廉政责任书30余份，召开党风廉政建设工作专题会议4次，开展项目开工以及日常廉政提醒谈话24次，督查检查12次。

【牛栏江旅游】 2023年，纸厂乡完成境内牛栏江流域全线旅游整体规划和江边村休闲度假中心修建性详细规划，筹资恢复江边村温泉，投资13.8万修缮的江边村新发小组“江边记忆”地震纪念馆正式投入使用，占地面积118.4平方米。纸厂乡江边村美丽家园移民新村建设项目——江边村新发小组堰塞湖生态康养中心（游客接待中心）正式运行，建筑面积1060平方米，占地面积353.3平方米。

2023年会泽县纸厂乡社区（行政村）简表

表17

社区（村）名称	距乡（镇）里程（千米）	总人口（人）	耕地面积（亩）	主要经济来源	村（居）民小组数（个）	自然村拥有数（个）	社区（村）负责人				
							书　记	副书记	主　任	副主任	监委会主任
罗别古村	镇政府驻地	2329	4174	种植、养殖、务工	7	7	钱　彪	吴仕飞	钱　彪	周永金	王自巧
小路沟村	13	2309	6100	种植、养殖、务工	11	11	施秀洪	徐桂兰	施秀洪	卜顺荣	张文周
纸厂村	9.2	2469	5980	种植、养殖、务工	12	12	施星龙	吴锋林	施星龙	钱　贤	施国兴
鄢家村	4.5	3225	2325	种植、养殖、务工	13	13	邓明高	杨永康	邓明高	邓天平	王正文
灯草塘村	3.2	2506	2235	种植、养殖、务工	12	12	任明超	朱全伟	任明超	敖林坤	陈　锋
龙家村村	7	1368	2250	种植、养殖、务工	9	9	吴仕芳	李立向	吴仕芳	崔举喜	周凤文
浑水塘村	13.7	2278	5176	种植、养殖、务工	12	12	崔举超	李立向	崔举超	李德斌	王天府
大石板村	14.4	2473	3687	种植、养殖、务工	11	11	谢富欣	李怀芳	谢富欣	任明权	任明万
江边村村	12	1747	2000	种植、养殖、务工	11	11	李立安	李立向	李立安	钱文发	肖永甫

（付　洋）

马 路 乡

【概况】 马路乡位于会泽县城北面92千米，东连火红乡，西接迤车镇，北与贵州省威宁自治县隔牛栏江相望，南靠乐业镇，海拔1270～2652米，乡政府驻地巴图村。辖区面积194.41平方千米，人口密度为150.44人/平方千米。2023年，全乡实有耕地7.39万亩，均为旱地。年降水量778毫米，平均气温12℃。辖15个村民委员会，94个村民小组305个自然村，9312户29247人。其中：男15854人，女13393人，男女人口性别比为118.38；非农业人口158户474人。有白族、回族、苗族、彝族、壮族等5个少数民族共2577人，占总人口的比例为8.8%。全年，完成固定资产投资3.5亿元，招商引资项目9个1.91亿元。

【农业】 2023年，马路乡完成粮食播种面积7.9万亩，实现粮食总产量2.39万吨；建成高标准农田5000亩，累计达3.7万亩；建成马铃薯玉米双套核心示范区1.1万亩，选育玉米新品种5个；完成高标准种植烤烟7000亩，完成烤烟收购95.3万千克，实现产值3217.76万元；实施3000亩核桃提质增效项目，引进智森深加工企业，推动8.5万亩核桃产业发挥效益；在牛栏江、硝厂河沿线推广种植绿色蔬菜1万亩，在脚泥至巴图至马路等高海拔地区种植秋播燕麦1.5万亩，对水口村2000亩“玛瑙红”樱桃提质增效，因地制宜探索种植大枣200亩。全年累计出栏生猪5.51万头、牛0.93万头、羊1.92万只、禽类22.07万羽，禽蛋产量304吨，实现畜牧业产值3.38亿元。

【商贸流通】 2023年，马路乡持续深化“放管服”改革，推动行政审批提速提效，推进服务水平全面提升。全乡各类商业网点49余个（其中，综合型超市4家，餐馆饭店18家，宾馆旅社7家，药店6家，其他零售店及小餐饮店304余家），综合集贸市场2个。

【重点项目建设】 2023年，马路乡投资120万元建设完成江子树集中安置区产业发展道路及配套设施；投资500万元建设完成大坪村以工代赈道路硬化项目；投资650万元完成弯弯寨、尖山、大坪村、八道拐等农村道路建设项目；投资150余万元实施农村道路安全防护工程和应急“三堵”15千米；投资4635.64万元实施新山水库（水厂）工程及管网配套设施建设；投资1788.26万元实施龙洞、硝厂提水工程和水厂建设及配套管网设施建设；投资250万元建设完成八道拐村特色蔬菜种植基地项目；投资550万元建设大坪村、八道拐村特色农业产业项目；投资750万元实施荒田、新山、江子树5000亩高标准农田建设项目；投资200万元建设完成八道拐“美丽村庄”建设项目；投资201.29万元建设完成尖山村人居环境提升项目（移民后扶项目）；投资200.57万元建设完成马路乡大坪村人居环境提升项目（移民后扶项目）。

【乡村振兴】 2023年，马路乡落实“四个不摘”和“一平台三机制”，坚持“红黄绿”分类管理机制，坚决守住不发生规模性返贫底线。新识别突发严重困难户10户40人，风险再标记1人，稳定消除风险23户98人，自然增加205人、自然减少221人；落实全乡57户226人“红灯户”周随访、302户961人“黄灯户”半月跟踪记录、3393户13232人“绿灯户”月监测工作机制。全面落实乡村包保责任，实现分层分类促增收及利益联结模式，着力提升产业、就业、教育“三个组织化”，对491户1684人“三类监测对象”实施精准帮扶，全乡脱贫人口和监测对象累计人均纯收入1.17万元，增19.27%，实现年人均纯收入8500元以下脱贫户及监测对象全面消除；谋划2023年巩固拓展脱贫攻坚成果同乡村振兴衔接项目库，完成财政涉农资金衔接项目14个，总投资1772.5万元；推进投资1.3亿元的农村供水保障一体化项目建设。培育集体经济，实施“支部＋公司＋基地＋党员（农户）”的产业发展模式，建立“双绑定”利益联结机制，16个村级组织集体经济收益均达10万元以上。

【生态环境保护】 2023年，马路

马路乡烤烟示范样板 （刘太兵 摄）

乡推进绿美马路建设，开展辖区内突出生态环境问题和风险隐患排查，持续提升生态环境质量。落实好长江“十年禁渔”和河（湖）长制，加强饮用水水源地保护及硝厂河生态环境保护。全面推行“林长制”，推进重点生态保护和山水林田湖草系统保护修复工作，严格执行实用性村庄规划成果，持续开展耕地占补平衡和总量动态平衡工作严守耕地保护红线。投资650万建设马路乡垃圾热解站，投入1155.71万元建设马路乡污水处理厂，改造马路集市污水管网，争取投资135万元实施八道拐、马路等9个行政村生活污水治理。

【社会生活】 2023年，马路乡加快推进义务教育学校标准化建设，优化教育资源统筹配置，完成江子树、老铜店、半坡3所村小学撤并；开展“雨露计划”项目，严格落实“双减”政策。完成1.55万名家庭医生签约服务，建立居民健康档案2.89万份。救助困难群众34户15.58万元，发放残疾人“两项补贴”792人78.35万元，发放孤儿、事实无人抚养儿童生活补助12人18.13万元；社会化发放优抚类人员生活补助153人135.62万元，累计发放农村低保补助金636.46万元、特困人员基本生活救助补助资金共计133.2万元、临时救助金15.58万元，开展劳动力技能培训524人次，发放培训补助共计22万余元。

【农业综合服务】 2023年，马路乡开展农业科技培训8期次，培训740人次。其中：专题培训5次，培训365人次；田间现场培训2次，培训255人次；秋播燕麦示范展示、现场观摩培训会1次，培训人员120人。兑付耕地地力保护补贴资金401.03万元，惠及农户6206户；兑付种植农民一次性补贴资金35.81万元，惠及农户6203户。受理农机购置补贴申请201份，涉及补贴机具201台，补贴资金70.03万元。其中：轮式拖拉机2台，旋耕机2台，果蔬烘干机35台，其他机具162台，惠及农户201户。进行农资市场检查18次，全乡3家种子门市、2家农药经营门市纳入监管，监管率100%。开展农机安全生产专项整治行动24次，查处无证驾驶人员、无牌行驶6起，违法载人5起，发放农机安全宣传资料900余份，与全乡农机安全宣传员签订责任书17份。

【基层社会治理】 2023年，马路乡规范“两中心”建设，完成乡村两级党群服务中心和矛盾纠纷调处中心规范化改造，梳理政务服务事项86项，加快推进“互联网+政务服务”，合理设置无差别办理等10个服务窗口，累计办理各类服务事项2500余件。推进一支队伍管执法改革，整合全乡执法事项和力量，重塑执法队伍架构，建立业务指导、协作配合、执法案件办理等机制，梳理执法事项83项，打造“综合执法+专业执法+联合执法”融合模式。深化新时代“枫桥经验”，实体化运行矛盾纠纷联合调处中心，主动调处化解各类矛盾纠纷340余件次。开展普法强基宣讲70余场次5300余人次，实现普法宣传全覆盖、无盲区；修订完善16个行政村“村规民约”，开展“干部规划家乡”活动20余次。常态化开展隐患排查整治，开展安全生产大检查28次，重要地段和重要设施隐患排查120余次，共排查出各类安全隐患65条，现场整改42条，限期整改23条，整改率达100%；组建乡村应急救援队伍16支，组织群众开展应急演练50余场次，设置97处应急避险场所。

【精神文明建设】 2023年，马路乡以移风易俗为着力点，常态化开展“讲文明，树新风”等系列活动12次；开展助老志愿服务，在传统佳节组织志愿者开展敬老志愿活动，看望敬老院老人，慰问老年困难群体，全年开展各项志愿者服务活动20余场。

【基层组织建设】 2023年，马路乡下辖党总支16个，党支部74个，其中农村党支部65个，机关及企事业党支部4个，离退休干部党支部1个，青年人才党支部1个，非公有制经济党支部3个。全乡共有党员889名，其中农村党员786名，机关企事业党员71名，非公有制经济党员23人，退休党员9名。大中专毕业未就业党员18名，预备党员10名，女党员166名，少数民族党员61名，大专及以上学历党员107名，60岁以上党员353名。组织开展党委理论学习中心组学习8次、干部职工集中学习27次，万名党员进党校3期。全年开展正反面警示教育4次，开展廉政党课教育2次，开展春节、清明、劳动等节假日专项督查7次；开展纪律作风督查11次、会纪会风督查16次，处置问题线索11件。完成1个市级、4个县级党建引领基层治理示范点创建工作，精心打造7个党建引领基层治理“一村一品”党建示范品牌。

2023 年会泽县马路乡社区（行政村）简表

表 18

社区（村）名称	距乡（镇）里程（千米）	总人口（人）	耕地面积（亩）	主要经济来源	村（居）民小组数（个）	自然村拥有数（个）	社区（村）负责人				
							书　记	副书记	主　任	副主任	监委会主任
巴图村	乡政府驻地	4288	8440.49	种养殖业、劳务输出	8	29	黄禹能	涂正美	黄禹能	赵　涛	刘贵尧
八道拐村	20	629	4611	种养殖业、劳务输出	4	15	张明松	阮德万	张明松	赵泽鹏	邓尚宁
半坡村	24	1455	3700.7	种养殖业、劳务输出	5	6	朱加云	周超	朱加云	李世沛	孟兴明
大坪村	17	1686	5530	种养殖业、劳务输出	7	24	李成文	陆礼军	李成文	涂文秘	陈　玉
江子树村	3.5	1437	5371.36	种养殖业、劳务输出	4	25	张国礼	徐升其	张国礼	张正祥	尹万洪
弯弯寨村	26	1921	4564.6	种养殖业、劳务输出	9	23	刘应辉	祖克当	刘应辉	李章剑	王文亮
硝厂村	12	1727	8950	种养殖业、劳务输出	8	24	郭林茂	郭启林	郭林茂	赵英珍	赵　锋
尖山村	28	1765	4777.3	种养殖业、劳务输出	8	26	洪会荣	王文惠	洪会荣	阮应昌	祖克远
老铜店村	12	1248	3302.67	种养殖业、劳务输出	4	14	张国宪	王良云	张国宪	刘廷兵	谭玉明
龙元村	14.7	1596	3911	种养殖业、劳务输出	9	18	夏少友	张支彩	夏少友	吴宪军	祖明仙
旁官地村	7	1791	4520	种养殖业、劳务输出	9	26	王德友	王帮权	王德友	代付奎	潘庭国
荒田村	13	760	3578.52	种养殖业、劳务输出	3	7	袁　欢	王兴周	袁　欢	李世良	王前能
马路村	11	1654	6618	种养殖业、劳务输出	6	36	金　永	陆兴友	金　永	陆　荣	罗荣奎

续表 18

社区（村）名称	距乡（镇）里程（千米）	总人口（人）	耕地面积（亩）	主要经济来源	村（居）民小组数（个）	自然村拥有数（个）	社区（村）负责人				
							书　记	副书记	主　任	副主任	监委会主任
脚泥村	16	2127	1985	种养殖业、劳务输出	7	19	吴允吉	吴清彪	吴允吉	陆加宽	何兴平
水口村	27	1685	3586	种养殖业、劳务输出	5	13	牟昌怀	饶先贵	牟昌怀	邓祥永	祖万雄

（陈　冉）

火红乡

【概况】 火红乡位于会泽县城东北面98千米，东连贵州省威宁自治县海拉乡，西接乐业镇，北毗马路乡，南靠矿山镇。海拔1340～2685米，乡政府驻地桥边村委会。辖区面积268.3平方千米，人口密度为134人/平方千米。2023年，全乡实有耕地9.4万亩，其中，水田600亩、旱地9.34万亩。年降水量790毫米，平均气温10.1℃。辖18个村民委员会，208个村民小组229个自然村，11494户38288人。其中：男21051人，女17237人，男女人口性别比为122.12；非农业人口1418户4232人。有壮族，彝族，回族，苗族等22个少数民族1564人，占总人口的比例为4.08%。全年，完成固定资产投资2.8亿元，招商引资项目4个1.7亿元。

【农业】 2023年，火红乡粮食播种面积9.2万亩，总产2.37万吨，高效经作种植面积1.04万亩。通过土地流转、政策引导等方式先行先试种植夏播马铃薯1038亩取得成功，马铃薯种植2万亩，产量5万吨。肉牛存栏2.82万头，出栏1.15万头，生猪存栏4万头，出栏6.55万头，山羊存栏2.92万只，出栏3.23万只，实现畜牧业产值1.33亿元。烤烟种植2800亩，收购烤烟7652担37.7万公斤，收购均价32.87元，实现产值1258万元，同比增长24.8%。

【重点项目建设】 2023年，火红乡投资397.15万元完成桥边、岩脚等11个村饮水管道铺设80千米、人饮水窖117个以及下长海子水库引水工程；使用中央水利发展资金项目58万元在耳子山、湾子等10个村完成安装各型管道56.5千米、建设各型水池8个，更换水泵1台，更换水表505块。投资3188.23万元完成勺冲角、柴山等7个村道路硬化50.7千米。投资1803万元安装生命防护设施60.1千米。900万元建成阿拉米、滴水岩片区高标准农田6000亩，新建小塘坝1座、取水坝2座、田间机耕路9条10.24千米。投资1500万元的桥边、勺冲角片区1万亩高标准农田建设顺利推进，建成灌溉渠5.97千米，铺设引水管、输水管1.71千米，修建机耕路46条22.7千米。完成35千伏火红变电站扩容增变电主网建设转供电前期工作，完成会泽县火红马路150兆瓦复合型光伏电站接网工程线路架设。完成华电道成龙树村以落明59兆瓦光伏项目和滴水岩村罗家梁52兆瓦光伏项目前期工作，会泽县火红马路150兆瓦复合型光伏电站建成投产。

耳子山光伏产业　　（窦啸垚　摄）

【乡村振兴】 2023年，火红乡常态化开展防返贫监测、脱贫人口增收、精准帮扶等重点工作。全乡新识别、新标注监测对象19户88人，风险再标注对象1户2人，新标注风险消除对象47户212人，实施农村危房改造42户，抗震安居房改造10户。落实“双绑”利益联结机制，引导2个龙头企业、乡内18个村级合作社、15个种植养殖大户等新型经营主体参与产业帮扶，绑定脱贫不稳定户188户768人、边缘易致贫户343户1330人、突发严重困难户24户117人，“双绑”覆盖率100%。发放小额扶贫贴息贷款235户1050万元，脱贫人口人均纯收入达1.06万元。规范公益岗管理，全年开发乡级公益岗228人、村级公益岗105人。落实劳动力转移就业各项政策，开展技能培训9场325人次，有序组织转移就业1.47万人，脱贫劳动力转移就业8027人。统筹整合18个村的集体资金到总社账户管理，实行村账乡管，严格管理流程。全乡村集体经济收入325.07万元，同比增收9%，累计使用村集体资金229.8万元，同比增长25%。

【生态环境保护】 2023年，火红乡坚持规划引领，完善集镇功能结构，加强村庄综合治理，守护好绿水青山。投资100万元建成桥边村湾子小组和冒沙井村朦胧底小组“美丽村庄”项目，13个驻村派出单位协调帮扶资金101.3万元帮助13个村完善基础设施。全乡创评达标三星村15个小组、二星村28个小组、一星村131个小组。投资40万元改造10户以上自然村无害化水冲式公厕4个，改造户厕394座。动员在外公职人员、乡贤能人与村组干部共同谋划村庄发展规划，统筹好产业发展、项目用地、民房布局等，14个村村庄规划通过质检，阿拉米、滴水岩和冬瓜林等11个村村庄规划顺利入库。购置防火宣传小喇叭38台，油锯4台，悬挂张贴防火宣传旗350余面、防火宣传标语50条、通告150份，设固定检查点3个，组织15人的应急扑火队进行半军事化管理，签订各级防火责任书共计864份。落实“林长制”，完成天保人工造林1000亩，完成7700亩贡椒、8000亩封山育林的补植补造工作。落实“河长制”，定期巡河，加强重点水源点保护，加大水土流失综合治理和生态修复力度。投资180万元在勺冲角、罗布邑、耳子山3个村完成生态敏感区域农村生活污水治理工作；投资800余万元的集镇污水治理建设项目顺利推进。新购置185个3立方勾臂箱、3台勾臂车、96个240升不锈钢垃圾桶，推进垃圾中转站选址、征地、地勘、林勘等前期工作。

【社会生活】 2023年，火红乡投资274万元建成火红小学运动场，投资150万元建成冬瓜林小学学生宿舍，申报雨露计划补助317人66.7万元，1222名学生享受寄宿生生活补助76.38万元，全乡控辍保学工作动态清零。提升卫健服务，常态化开展健康体检、慢性病管理、妇幼保健、重点传染病防控等工作，脱贫人口家庭医生签约1.04万人，高血压患者随访1453人次，义诊和“两癌”筛查666人次，建立居民健康档案3.59万份，开展健康知识讲座120期，接种疫苗4066人次。冒沙井、滴水岩、阿拉米3个村建成县级健康村。共计发放城乡低保金1271.1万元、临时救助金14.83万元、特困人员供养金186.56万元、孤儿补助款24.12万元、残疾人补贴121.12万元。

【农业综合服务】 2023年，火红乡坚持优先发展农业农村，坚持稳中求进工作总基调，推动农业高质量发展。发放一次性种粮补贴第一批45.13万元；发放2023年耕地地力保护补贴466.35万元；补贴购机农户27户27台10.21万元。推进“一乡一业”发展，宜区优先序发展马铃薯产业。引导新型经营主体不断调整优化品种结构和产品结构，新增流转土地0.1万亩，经作面积累计达1万亩以上。发展高原特色优势产业，全乡适宜区域推广种植1.5万亩新品种燕麦。推广夏播马铃薯和饲料玉米种植，加快推进农业农村部认定的马铃薯国家区域性良种繁育基地建设。全年收到宅基地建房申请114宗，联审联批24宗，其中审批原址翻建17宗，4宗易址新建，2宗分户新建，1宗改扩建，共批建设用地3278.04平方米。实现马铃薯机收1600亩、饲料玉米机收900亩，完成农机作业面积2.95万亩，主要农作物耕种收综合机械化水平达30%。农机安全监管责任落实率100%，农机挂牌率、检验率、持证率分别为81%、85%、84%。

【基层社会治理】 2023年，火红乡加强安全生产防线，围绕8个安全生产行业领域开展安全检查42次，共排查整改安全隐患46个。通过土堆治理、木桩隔离、安装简易防护栏等方式实施道路隐患点治理29处32.7千米。对8083栋非经营性自建房开展安全隐患排查，发放农村自建房安全常识宣传手册700余份、燃气安全告知书80余份，开展好防汛转移避险及防震减灾应急演练。开展普法强基补短板法治宣传67次、法治讲座10场，外出务工人员普法宣讲5次，社区矫正对象集中普法4次，发放宣传资料5500余份，口袋普法读物4560本，张贴悬挂宣传标语23条。落实命案防控“一月一调度”、家庭风险评估“一月一研究”工作制度，全年接处警387起，侦破刑事案件35起，查处打架斗殴案件21起，行政处罚107人。

【精神文明建设】 2023年，火红乡精神文明建设召开中心组集中学习研讨会6次，开展理论宣讲活动3次，新时代文明实践中心联合乡人大、政协、妇联、团委、党员等志愿者138人，组建6个志愿服务队，围绕社会治理、爱国卫生、普法强基、森林防火等内容开展志愿者活动19场次。开展道德模范、文明家庭等主题活动，评选表彰文明家庭6户，开展学习身边的榜样活动10场次，选树身边的榜样10人次。

【基层组织建设】 2023年，火红乡召开党建专题会议4次，到村组调研党建工作3次，到各村讲党课1次。推动村民小组撤并与党支部组建工作，共撤并村民小组41个，组建村民小组党支部167个，消除党员空白小组7个，发展空白小组党员4名。坚持从严执纪、从严问责，管在日常、严在经常，专题会议研究党风廉政建设工作2次，签订《党风廉政建设责任书》18份，开展廉政谈话20人次，新任股所级干部任前集体廉政谈话3次。联合纪检、公安、综治等多部门对新发展党员进行联审，发展党员9名。

2023年会泽县火红乡社区（行政村）简表

表19

社区（村）名称	距乡（镇）里程（千米）	总人口（人）	耕地面积（亩）	主要经济来源	村（居）民小组数（个）	自然村拥有数（个）	社区（村）负责人				
							书　记	副书记	主　任	副主任	监委会主任
桥边村	乡政府驻地	4369	2187	种养业、劳务输出	22	22	李加林	—	李加林	邓加相	陈桂琼
柴山村	15	2211	1062	种养业、劳务输出	15	15	—	张朝寿	文林选	邓于龙	刘明海
勺冲角村	15	1824	726	种养业、劳务输出	10	10	熊发昌	任存存	熊发昌	罗传令	罗兴平
三甲村	12	2276	2010	种养业、劳务输出	9	15	邱兴华	冯孝平	邱兴华	李章那	高桂林
臭水村	17	1592	975	种养业、劳务输出	14	14	李国满	蒋开邦	李国满	童春艳	舒福才
阿拉米村	7	2046	1110	种养业、劳务输出	11	12	李德宽	李绍荣	李德宽	刘德锐	尹朝邦
冒沙井村	8	1950	1155	种养业、劳务输出	11	12	刘福云	金桂芬	刘福云	—	耿万全
滴水岩村	6	1144	735	种养业、劳务输出	7	8	李向平	陈邦林	李向平	陈加永	赵庆颖
许家院村	11	1315	1185	种养业、劳务输出	11	11	舒德章	徐方方	舒德章	冯　龙	王天坤
格枝村	29	2062	1260	种养业、劳务输出	11	13	王传珍	周引沛	王传珍	李正倍	蔡昌敬

续表 19

社区（村）名称	距乡（镇）里程（千米）	总人口（人）	耕地面积（亩）	主要经济来源	村（居）民小组数（个）	自然村拥有数（个）	社区（村）负责人				
							书　记	副书记	主　任	副主任	监委会主任
罗布邑村	7	2035	1284	种养业、劳务输出	15	15	尹　旭	陈建力	尹　旭	代洋磊	王明章
湾子村	24	1757	1041	种养业、劳务输出	14	14	陆自波	夏永成	陆自波	浦三明	王明相
耳子山村	34	3080	1920	种养业、劳务输出	16	16	王立登	刘桥稳	王立登	王立录	赵统统
冬瓜林村	13	1861	945	种养业、劳务输出	11	11	舒兴宽	陈加清	舒兴宽	—	方换兰
岩脚村	16	2074	1080	种养业、劳务输出	9	11	夏安品	李国祥	夏安品	王华琼	夏安辉
泥黑村	30	1315	1035	种养业、劳务输出	8	9	范开林	王开朝	范开林	佐兴向	张万先
龙树村	27	2558	1695	种养业、劳务输出	8	16	陆万稳	王　丹	陆万稳	王家相	李向平
田湾村	20	1534	1065	种养业、劳务输出	9	9	周引正	王才福	周引正	吴金师	吴现宽

（秦昌皓）

乐　业　镇

【概况】　乐业镇位于会泽县城北面62千米，东连者海镇、矿山镇，西接迤车镇、大桥乡，北与马路乡相望，南靠宝云街道。海拔1600～2523米，镇政府驻地罗布古社区，辖区面积364平方千米，人口密度为214人/平方千米。2023年，全镇实有耕地17.5万亩，年平均降雨量740毫米，平均气温18.6℃；辖25个村（居）民委员会，249个村（居）民小组291个自然村，24600户77768人。其中：男42707人，女35061人，男女人口性别比为121.8；非农业人口2933户8124人。有彝族、壮族、回族、苗族等少数民族1765人，占总人口的比例为2.26%。全年，固定资产入库3.8亿元。

【农业】　2023年，乐业镇立足自身资源禀赋和产业基础，成立会泽县乐业辣椒产销行业协会，从制种、育苗、种植、加工、销售，全流程精准发力，积极培育云南好主艺、昊亿工贸等本土辣椒企业，充分利用举办辣椒丰收节、乐业辣椒产业发展研讨会暨产销对接会等对本土辣椒进行推介宣传，全镇种植辣椒13.5万亩，产出辣椒4.5万吨以上，实现产值10亿元，带动1.5万户群众增收。在清水、二顺、罗布古、横山村动员640余户农户按照每亩800元土地租金，组织化流转土地1000余亩种植人参果，打造万亩人参果种植基地，每亩产可实现3吨左右，实现产值1800万元，提供临时就业岗位100余个，让600余户农户成为"双薪"农民。种植100亩雪茄烟和3200亩烤烟，在硝厂河沿岸新建1000亩蔬菜基地。围绕打造"万头肉牛示范基地""万头生猪规模养殖基地"目标，推进5个肉牛养殖示范村建设，实现2023年肉牛存栏量达 6 万余头，年产值 10 亿元。发挥 11 条温氏生猪养殖生产线作用，实现年出栏 4 万余头，保障万头生猪养殖基地发展。生猪存栏量达 10 万余头，年产值 9 亿元。

【商贸流通】 2023 年以来，乐业镇继续服务好会泽县誉韵电子有限公司、会泽县缔韵电子有限公司的基础上，指派驻厂干部，协调解决企业运营过程中工人食宿、沟通、农忙时节轮班等问题，提供从企业落地到稳岗定岗的全方位“保姆式”服务。成立招工工作专班，由镇党委书记和镇长担任组长，涉及村的包村领导任副组长，建立党政班子领导带头，全体干部职工参与的组织化大招工工作制，把招工任务分解到个人并对完成情况进行“日通报”。两个电子厂共 32 边线，可提供 1000 余就业岗位，年产值达 6000 万元，工人每天的平均工资在 120 元左右，月平均工资 3200 元左右。

【重点项目建设】 2023 年，乐业镇聚焦“三镇四集市八基地四厂”目标定位，以开展项目谋划储备落地等 10 个专项行动带动整体工作为突破，推进 390 万元鲁珠村产业道路建设工程、2900 万元金乐大沟灌溉沟渠建设工程，7400 万元马厂水库灌溉管网配套工程、622.3 万元鲁珠、双沟等 7 个村管网维修改造工程、20 余万元 500 千伏鹤城输变电工程及 150 兆瓦复合型光伏电站接网工程、255 万元农村危房改造项目工程、1758 万元易地扶贫搬迁地区产业配套设施建设工程、105 万元阿布卡村大冲小组基础设施完善工程、165.75 万元人居环境综合整治“两污”治理暨厕所革命管护提升项目工程、800 万元的污水处理工程等 10 件民生实事，完成渝昆高铁、宣会高速建设征地拆迁工作。

【乡村振兴】 2023 年，乐业镇常态化开展防返贫动态监测工作。村级严格落实“周报告”，镇级“旬分析”制度，全镇脱贫人口（含监测对象）有 6237 户 21882 人，整户新识别、新标注监测户 27 户 73 人，稳定消除风险监测户 14 户 59 人。783 户 2602 人监测对象帮扶措施户均已达省级水平 4.0 以上。全年，累计接到申请量 31 件（低保 7 件、临时救助 8 件、慢病管理 3 件、农村危房改造 4 件、饮水安全 8 件、找工作 1 件），现 31 件均办结，办结率 100%。全年计划发放产业扶贫贷款 1500 万元，放贷 406 户 2141.83 万，完成全年目标的 142.79%。持续开展“三保障”和饮水安全等民生问题全面排查整改工作，加强“三资”管理及村集体经济提升，利用集体经济开发公益性岗位，吸纳已脱贫及监测对象就业 1043 人，人均年增收 9600 元。常态化宣传提升就业率，开展组织化劳务输出 3 次，在务工密集人员地区设立流动党员党支部，加强与企业的定点协作，邀约务工企业到我镇开展大规模招聘宣讲 2 次，完成农村劳动力转移就业 2.98 万人，其中省外转移 7628 人，县外省内转移就业 1.82 万人，镇内转移 3916 人。脱贫人口劳动力转移 1.28 万人，转移就业 8428 人，户均就业 1.41 人，零就业家庭实现动态清零。在全镇 9 个村开展电焊、厨师、按摩等专业技能培训专班 9 个，完成技能人才培训 879 人次。

【生态环境保护】 2023 年，乐业镇深入推进绿美乐业建设，落实长江“十年禁渔”和河（湖）长制，加强硝厂河、马厂水库等水域的生态环境保护。全面推行“林长制”，推进重点生态保护和山水林田湖草系统保护修复工作，严格执行实用性村庄规划成果，持续开展耕地占补平衡和总量动态平衡工作严守耕地保护红线。推进城乡绿化美化，实施异地造林恢复 170 亩，利用雨季督促施工方对 2019 年实施的 5000 亩退耕还林，5000 亩省级陡坡地治理项目进行花椒补植补造工作。完成绿化面积 1.84 万平方米，种植 3018 棵绿化树。25 个行政村实现清扫范围、收运范围、无害化处理范围全覆盖，实现村有收集点、镇能转运至县级处理、经费有保障。完成 703 座户厕改造，村内公厕卫生包保到人，日清日洁，实现“三净两无一明”，户厕干净卫生、粪污处理规范。发动群团、群众，组建 25 支志愿服务队，常态化开展植树造林、河道清淤、卫生大扫除等志愿活动。

乐业镇肉牛养殖场 （李 娜 摄）

【社会生活】 2023 年，乐业镇办

理各类事项530余件，其中，在便民服务网上办理生育服务登记210件，全员人口信息入库率97%。发放独生子女奖学金19人9380元，计生代缴合作医疗958人17.44万元，办理生育补助220人。做好妇女“两癌”筛查、家庭医生签约、老年人免费健康体检等工作，持续提升镇村两级医疗卫生机构综合服务能力及服务水平。全镇农村养老保险参保人数4.57万人。发放棉被131床，花油布8件；发放临时救助70人30.3万元。完成雨露计划网上自主申报410人，比上年增加120人。

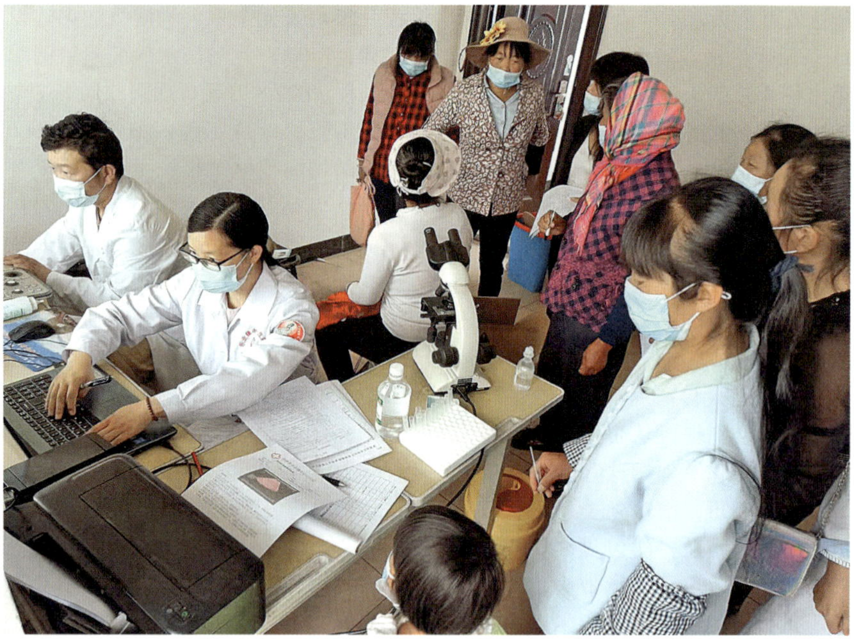

2023年5月31日，乐业中心卫生院免费为群众“两癌”筛查（李　娜　摄）

【农业综合服务】 2023年，乐业镇投资2400万元建设辣椒（农副）产品加工交易中心和辣椒研发中心。完成18个村村庄规划编制，开展集镇“三整治三提升”工程，全面实施乡村振兴“百千万”示范工程，投资1870万元实施7个小组美丽村庄、2个小组绿美乡村、务嘎美丽家园移民新村等项目建设。开展农业科技培训8期次，培训740人次。在213国道、金顺线沿线有序组织规模流转土地1万余亩，依托高标准农田建设项目，不断完善农业产业配套基础设施建设，引入专业种植公司，鼓励发展本土种植大户，发展高原绿色蔬菜种植，打造万亩反季节蔬菜种植基地。依托1.98万亩光伏产业用地，探索“光伏+种养殖”，拓宽群众增收渠道，打造万亩“光伏+”产业基地。

【社会治安综合治理】 2023年，乐业镇加强镇村两级党群服务和社会治理中心建设。完成1个镇级、25个村级党群服务和社会治理中心、281个网格服务管理站阵地建设，配备432个网格员，用好用强“7+X”模式，综治办、司法所、派出所等7个单位联合办公，为群众提供“一条龙”服务。全年大厅为民服务办理事项1700余件，其中市场监管、户籍办理两项服务各占40%，群众来访、法律服务各占4%，计生服务约占8%。依托“一中心一张网十联户”机制，利用“手机屏+电视屏+指挥室智慧大屏”三合一终端，搭建起“网格化+信息化”的基层社会治理新平台，将治安防范、道路交通安全、环境卫生整治、矛盾纠纷调处、便民服务等事项全面整合，实现互联互通、信息共享，为推进社会治理精细化提供数据支撑。积极推进“智慧党建”与网格化社会治理的深度融合，实现基层治理从“信息孤岛”到“一网统筹”，让“指尖上”的“网格治理”模式激活农村基层的“神经末梢”，实现社会治理触角全覆盖。

【精神文明建设】 2023年，乐业镇实施文化惠民工程，依托新时代文明实践站（所）、公共文化场所等平台，不断丰富群众精神文化生活，组织开展好送影下乡、文艺表演等活动，促进农村精神文明建设。全年创建4个县级文明单位，4个县级文明村，建立法治志愿者工作队，组建1支镇级、5支村级法治志愿者队伍，开展普法强基主题宣讲65场次；发放宣传活页6000余份，接受法律咨询200余人。

【基层组织建设】 2023年，乐业镇抓实“智慧党建”工作，深化“领头雁”、农村致富带头人培养工程，实施农村优秀人才回引计划，加强村级后备干部队伍建设。推动支部规范化建设和动员体系建设，制定《乐业镇村级事务党员先知、先行、先议工作制度》《乐业镇党员干部“四提四知”工作机制》，25个村（社区）依托党群服务中心常态化各类活动，运用“红黑榜”“爱心超市”等做法，激发群众参与治理活力，采取“逢节议事”等形式，开展民情恳谈、百姓议事等各类协商活动，形成民事民议、民事民办、民事民管的氛围。

2023年会泽县乐业镇社区（行政村）简表

表20

社区（村）名称	距乡（镇）里程（千米）	总人口（人）	耕地面积（亩）	主要经济来源	村(居)民小组数(个)	自然村拥有数（个）	社区（村）负责人				
							书　记	副书记	主　任	副主任	监委会主任
罗布古社区	镇政府驻地	6973	4270	种植、养殖、劳务	23	11	陈家奎	张满庆	陈家奎	童荣仙	林祖贵
黑山村	11	4525	9227	种植、养殖、劳务	14	22	楚石金	张坤涛	楚石金	杨升云	吴龙波
拖落村	6	3762	2900	种植、养殖、劳务	8	14	黄兴坐	陈宇邦	黄兴坐	龚孝梅	张满恩
双沟村	7	3734	8840	种植、养殖、劳务	10	10	陈松荣	童顺丙	陈松荣	彭庆斌	黄　旭
横山村	3	4556	7792	种植、养殖、劳务	9	9	谭正坤	吕正东	谭正坤	谭　娇	李启洪
清水村	7	4959	7500	种植、养殖、劳务	14	16	赵　俊	邹竹兴	赵　俊	郑俊宽	高连满
射落村	11	1857	3200	种植、养殖、劳务	8	11	余加府	陈兴旺	余加府	余明宽	李应昌
二顺村	9	2854	4706	种植、养殖、劳务	7	7	徐彩虹	陈怀兴	徐彩虹	谭吉泽	尹正美
科作落村	10	2103	3909	种植、养殖、劳务	6	6	黄顺光	黄兴贵	黄顺光	—	—
马厂村	12	3426	9552	种植、养殖、劳务	8	18	唐天飞	唐兴榜	唐天飞	陶苍文	唐兴配
丫口村	12.5	4627	7200	种植、养殖、劳务	16	18	晏和明	蔡荣芳	晏和明	张光能	胡相龙
阿布卡村	13	5773	5390	种植、养殖、劳务	18	20	肖志传	叶正富	肖志传	何玉兵	付文斌
务嘎村	18	4850	7580	种植、养殖、劳务	14	20	祝正才	肖良贵	祝正才	何　森	—

续表 20

社区（村）名称	距乡（镇）里程（千米）	总人口（人）	耕地面积（亩）	主要经济来源	村（居）民小组数（个）	自然村拥有数（个）	社区（村）负责人				
							书　记	副书记	主　任	副主任	监委会主任
乐业村	22	4459	5197	种植、养殖、劳务	15	12	曾广吉	刘杰	曾广吉	丁荣奎	肖良飞
鲁贝村	22	1686	4600	种植、养殖、劳务	7	10	孔令才	肖良聪	孔令才	陈鹏勋	阮金友
团坡	27	2730	6500	种植、养殖、劳务	10	19	王　林	宗祥喜	王　林	陆　鹏	—
六合村	25	2256	6460	种植、养殖、劳务	8	21	鱼贵云	陈家能	鱼贵云	陈正满	黄忠华
半山村	45	619	1280	种植、养殖、劳务	4	7	代龙海	朱恩友	代龙海	蒋得粉	蒋后品
耳落村	11	971	2300	种植、养殖、劳务	5	12	林德忠	李春云	林德忠	朱金安	普发宗
长岭村	40	1382	13400	种植、养殖、劳务	6	6	唐绍昌	薛升龙	唐绍昌	何祥芳	庄垂荣
鲁珠村	35	2776	3470	种植、养殖、劳务	12	15	黄正才	苟文东	黄正才	—	—
曾家村	40	1244	1510	种植、养殖、劳务	7	8	杨旭礼	杨开林	杨旭礼	苟国芬	—
大麦冲村	45	2336	3600	种植、养殖、劳务	11	18	李本甫	高安能	李本甫	王加良	李荣党
梭落村	23	1462	3800	种植、养殖、劳务	4	5	王　平	苟华平	王　平	苟利章	—
碑木村	38	1361	1921	种植、养殖、劳务	5	6	肖茂芳	许　勇	肖茂芳	李本荣	苟能章

（张素精）

矿 山 镇

【概况】 矿山镇位于会泽县城东北面55千米，东连贵州省威宁自治县海拉镇、岔河镇，西接会泽县乐业镇，北毗会泽县火红乡，南靠会泽县大井镇。海拔1498～2883米，政府驻地矿山镇小街社区。辖区面积228.1平方千米，人口密度为114人/平方千米。2023年，实有耕地5.7万亩，均为旱地。年降水量626毫米，平均气温14℃。辖14个村（居）民委员会，138个村民小组13个自然村，8154户25761人。其中：男14245人，女11516人，男女人口性别比为123.70，非农业人口5949人。有彝族、壮族、回族等少数民族742人，占总人口的比例为2.88%。全年，完成固定资产投资4.59亿元，招商引资项目9个1.2亿元。

【农业】 2023年，矿山镇完成生猪存栏3万头，出栏6.15万头；肉牛存栏1.96万头，出栏0.96万头；肉羊存栏1.94万只，出栏2.84万只。制定农业产业发展“三个一”产业新格局（1片林+1株麻+1粒薯），引进新型经营主体投资300万元在布卡村流转土地4300亩，建成马铃薯种薯繁育基地。在二关营、矿山、扯落、布卡、拖翅、二台坡等村种植工业大麻3000余亩；在拖翅村种植雪桃300亩；完成荞麦、燕麦种植1.5万余亩；完成中药材计划发展种植2000余亩；完成特色经果林种植1000余亩。

【商贸流通】 2023年，矿山镇有各类商业网点80个，其中，综合型超市2家、餐饮饭店8家、宾馆旅社5家、其他零售店及小餐饮店120余家，综合集贸市场3个，营业面积3000余平方米，商贸流通从业人员300余人。

【重点项目建设】 2023年，矿山镇投资3093.77万元，实施高标准农田建设、以工代赈、易地扶贫搬迁后扶等重点项目。推进以工代赈公路项目建设12千米，硬化村组道路2条3.9千米，养护镇村公路90千米；投资293.4万元实施水利工程10件；投资500万元，在布卡村实施“千万”工程；投资363万元进一步完善集镇功能配套公共服务体系。完成全镇13个村国土空间总体规划编制、成果报批工作。耕地流出图斑省级审查整改完成率119%，出台《矿山镇全面加强农村宅基地建房管理方案》。

【乡村振兴】 2023年，矿山镇严格落实“四个不摘”要求，健全防返贫动态监测和帮扶工作机制，对脱贫人口2603户9928人和三类监测对象319户1140人进行分色分类动态管理，现有“红灯”户28户108人，“黄灯”户91户311人，“绿灯”户2803户10649人。脱贫人口和监测对象人均纯收入1.26万元，同比增长17.58%，人均纯收入1万元以下97户208人。整合各类资金1800余万元，深入开展集镇“三整治三提升”工程。立面改造2800余平方米、规范商户招牌63户356平方米；新建、改建公厕4座，新建公共停车场5处，建文化墙500余平方米；安装太阳能路灯85盏；绿化美化4300余平方米；升级改造农贸市场。

【生态环境保护】 2023年，矿山镇认真落实河（湖）长制、林长制各项工作，开展“清四乱”行动和“河长清河”行动，推动河库生态保护及综合治理。完成国家级公益林4.87万亩和省级公益林3.62万亩生态效益补偿，完成森林抚育1.1万亩，完成华山松松子产业培育试验试点基地建设340亩，恢复治理扯落大岩洞砂石厂，常态化抓好森林草原防灭火和打非治违工作。矿山镇作为全县唯一“绿美乡镇”初步通过省级验收。

【社会生活】 2023年，矿山镇发放孤儿及事实无人抚养儿童救助金48人次63.9万元、残疾人“两项补贴”548人次82.9万元、临时救助236人次13.3万元、救助特困供养99人次113.88万元、救助经济困难老人214人7.24万元、发放高龄补贴599人35.26万元。发放农村低保金1291户19434人次662.51万元、城镇低保金23户265人次12.36万元。围绕“培训1人、就业1人”的总目标，实现转移就业8883人。开发乡村公共服务岗位安置150人，发放补贴144万余元。完成创业担保贷款16笔320万元，发放小额信贷208户1022.15万元。全年死亡148例，火化148例，火化率100%，骨灰入公墓率100%，发放火化补助费54.6万元。投资20万元在云庆公墓扩建墓穴82个、挡墙

矿山镇绿美乡镇矿山集镇新貌 （代玉春 摄）

1道。严格落实义务教育各项政策保障，实现控辍保学动态清零。持续做好医疗卫生服务，在全镇范围内建成标准化示范村卫生室7个，家庭医生签约服务覆盖率同比增长2.5%。

【农业综合服务】 2023年，矿山镇严守粮食安全底线，投资1950万元，稳步推进高标准农田建设1.3万亩，完成小春粮豆播种面积2.2万亩，完成大春粮食作物生产6.9万亩，落实耕地地力保护面积8.16万亩，发放各类惠农补贴478.1万元。抓好养殖示范培育，投资889万元，示范带动261户养殖户形成规模养殖，推进肉牛示范镇建设。

【基层社会治理】 2023年，矿山镇深化推进大信访工作格局，充分发挥专职网格员作用，打造“由下而上反馈、自上而下指挥、多方联动化解”体制机制。全年排查各类矛盾纠纷78件，调解78件，化解率100%。妥善处理“12345”服务热线服务事项115件，办结信访件51件，办结率100%。

【精神文明建设】 2023年，矿山镇聚焦精神文明建设重点任务，持续营造氛围环境，推进镇村精神文明建设提档升级。依托新时代文明实践所（站）等阵地开展理想信念、理论宣讲、移风易俗等活动15场，各村（社区）完成制定村规民约，积极开展群众文化活动，极大丰富群众文化生活，推进乡风建设。

【基层组织建设】 2023年，矿山镇党委下辖10个村（社区）党总支（支部），下设机关党支部3个、社区党支部2个、“三新”党支部9个和离退休党支部1个、农村党支部44个，有党员535名。开展“万名党员进党校”3期，培训167名党员，完成党支部规范化达标创建59个，整顿软弱涣散基层党组织1个，合并减少村委会4个、村民小组30个，同步做好调整后村组干部安置、集体“三资”管理等工作，消除8个党员空白村民小组，新单独组建村（居）民小组党支部64个，创建红旗村（社区）7面。

【安全工程】 2023年，矿山镇对临江、临崖、临水、急弯、陡坡等路段，积极争取驰宏公司等本地砂石企业无偿提供砂石料，在路肩、路沿堆放，节约用料成本及运输成本。在扯落、布卡、二关营等村道路交通沿线设置了简易挡墙、沙堆、渣堆约7千米。结合森林抚育及低效林改造项目，充分利用间伐下来的废料，投资1.2万元栽建8000余个木桩，共计4.8千米。对不适宜以上砂石阻挡、树桩隔离方式进行临时警示的路段，安排资金5万元安装凸面镜32块、减速带60米、交通提示警告标志标牌50块、反光路桩800余根，实现“花小钱办大事”。

2023年会泽县矿山镇社区（行政村）简表

表21

社区（村）名称	距乡（镇）里程（千米）	总人口（人）	耕地面积（亩）	主要经济来源	村（居）民小组数（个）	自然村拥有数（个）	社区（村）负责人				
							书　记	副书记	主　任	副主任	监委会主任
小街社区	镇政府驻地	1307	0	三产、劳务	2	2	王顺昆	段菊英	王顺昆	陈玉龙	李治桦
矿山村	2	2775	3120	种养业、劳务	11	11	王家荣	夏　琼	王家荣	段学能	熊兴宽
布卡村	11.5	1696	5595	种养业、劳务	12	4	徐华敏	张中留	徐华敏	王云辉	熊先贵
拖翅村	20	3373	2205	种养业、劳务	7	19	陆德敏	陆　郁	陆德敏	陆德洲	高顺能
扯落村	16	3070	1665	种养业、劳务	11	11	赵庆兵	熊先贵	赵庆兵	王远能	徐国礼
二关营村	24	2619	2055	种养业、劳务	11	11	王加学	钟明成	王加学	唐香翠	徐华稳

续表 21

社区（村）名称	距乡（镇）里程（千米）	总人口（人）	耕地面积（亩）	主要经济来源	村（居）民小组数（个）	自然村拥有数（个）	社区（村）负责人				
							书　记	副书记	主　任	副主任	监委会主任
大箐村	33	792	480	种养业、劳务	6	6	吴正美	舒兴美	吴正美	曾线波	余关林
河湾子村	38	1006	675	种养业、劳务	9	15	赵泽现	樊则堂	赵泽现	赵常磊	柳林俊
格核米村	14.6	1595	1350	种养业、劳务	11	11	浦恩伍	林发宗	浦恩伍	赵长弘	邹元良
洒衣村	12.5	1417	1245	种养业、劳务	13	22	郭应国	张树平	郭应国	李文顺	张国体
老坪子村	8.5	1485	960	种养业、劳务	10	11	林发坤	邓玉蛟	林发坤	林世早	袁春春
九龙村	5	1191	1065	种养业、劳务	10	10	吕建敏	刘光本	吕建敏	吕荣兵	顾天永
二台坡村	4.5	1691	1380	种养业、劳务	11	11	段富雄	高德富	段富雄	陈俊国	朱家合
酒房村	7	1742	1995	种养业、劳务	14	14	段学能	王光富	刘桂美	李继科	刘桂美

（王瑞　王立纬）

者 海 镇

【概况】　者海镇位于会泽县城东北面 42 千米，东连大井镇、矿山镇，西接宝云街道，北与乐业镇相望，南靠雨碌乡、新街乡。海拔 2020 ~ 2587 米，镇政府驻地海拔 2040 米。辖区面积 374.1 平方千米，人口密度为 272 人 / 平方千米。2023 年，全镇实有耕地 16.26 万亩。辖 31 个村（居）民委员会，233 个村民小组 245 个自然村，33055 户 101719 人。其中：男 53588 人，女 48131 人，男女人口性别比为 111.34；非农业人口 56246 人。有回族、彝族、壮族等少数民族 7521 人，占总人口的比例为 7.39%。全年，完成固定资产投资 5.83 万元，招商引资项目 21 个 4.89 亿元。

【农业】　2023 年，者海镇完成粮食总播种面积 10.81 万亩，实现产量 3.72 万吨；蔬菜种植 4.46 万亩，实现产量 6.64 万吨。全年生猪、牛、羊存栏 21.2 万头，出栏 27 万头；家禽存栏 20.3 万羽，出栏 30.1 万羽，完成肉类总产 2.18 万吨，禽蛋产量 550 吨。种植中药材 5000 亩，实现产量 1000 吨，产值 2500 万元。种植草莓、“阳光玫瑰”葡萄等特色水果 4745 亩，实现产量 7530 吨，产值 6000 万元。投资 424 万元建设多发村林下经济基础设施项目。引进会泽林下种植有限公司、依旺美吉农业科技有限公司等企业发展林下种植。

【商贸流通】　2023 年，者海镇组织开展赴外招商 8 次，引进项目 20 个，利用省外到位资金 4.62 亿元，实现总量和质量双提升。全年实现市场主体净增 2076 户，培育“四上”企业 1 个，推动实体经济快速发展。

【重点项目建设】　2023 年，者海镇推进园区高质量建设，者海磷化工园区经省工信厅等 8 部门正式认定列入为省级化工园区，园区范围内第一批 919 亩及德方纳米一期 506 亩土地征迁工作基本完成，搬迁农户 41 户。宣会高速公路累计完成征地 3481.19 亩，搬迁坟墓 986 冢，签订房屋拆除协议 86 户，房屋震损评估保全鉴定 123 户，调处矛盾纠纷 122 起。

【乡村振兴】　2023 年，者海镇对 9875 户 3.58 万名脱贫人口、三类监测对象开展全覆盖防返贫监测，新识别三类监测对象42户173人，风险消除87户316人，核实预警线索388条，确保风险一个不漏，对象应纳尽纳。实现劳动力转移就业4.16万人、帮助1.63万名脱贫群众就业，开发乡村公共服务就业岗位455个。认定就业扶贫车间14个，实现160余个脱贫家庭劳动力就近就地稳定就业，发放小额信贷612笔3000余万元。6个村级光伏扶贫电站实现集体经济收益35万元；1个集中电站实现收益360万元，利益联结涉及28个村（社区）。争取华电云南发电有限公司帮扶资金80万元对村庄道路进行亮化。投资680万元在蚂色卡村、瓦窑村、发基村实施移民项目。

【生态环境保护】 2023年，者海镇严格落实河长制、林长制，充分发挥护林员作用，深入林间、田间开展森林防火、河湖巡查等工作，全年开展“清河行动”23次，清理河道45千米，清理垃圾190余吨。

【社会生活】 2023年，者海镇推进义务教育“双减”和控辍保学工作，发放家庭经济困难学生补助3098人168.78万元，“雨露计划”补助资金346.4万元。联系爱心企业开展捐资助学活动，解决30余名学子生活困难。投资180万元，实施10余所学校附属设施及绿化美化项目建设。投资4.01亿元建设的会泽县第二人民医院正式投入使用，辐射服务周边多个乡镇。乡村卫生室100%达标建设，家庭医生签约服务覆盖率同比提高18.55%。城乡居民养老保险缴纳3.55万人，特殊人群参保率100%。新纳入低保人员243人、特困人员16人，发放农村低保3483人1307.58万元，城市低保256人131.43万元，申请临时救助115户37.75万元，发放退役军人优抚资金458人124.95万元，争取上级资金120万元用于敬老院改造。申报7户残疾人示范户，申请上级补助资金7万元，发放生活补贴、护理补贴1.37万人次247.99万元。

【农业综合服务】 2023年，者海镇以“清存量、遏增量”为工作目标，坚决遏制耕地“非农化”、防止基本农田“非粮化”，完善违法图斑用地手续86户，排查整改卫片图斑42个；全镇1559.78亩耕地流出图斑逐一排查整改销号。持续打击农村违法违规无序建房，国土、村建、交通、水利、林业等部门开展联合巡查34次，及时叫停16起违建行为并下发停工通知书。核实全镇撂荒地图斑564个4710.18亩并逐个整改。兑付耕地地力保护补贴874.13万元。国土空间总体规划编制取得阶段性成果、“三区三线”获批，25个村完成自然村永久性公告。

2023年3月31日，者海镇进行大豆玉米带状复合种植 （林梅芝 摄）

【基层社会治理】 2023年，者海镇完成党群服务中心改建，31个村级党群服务中心实现去行政化和拆除物理隔离。整合民政、医保、社保、婚姻登记等11家单位（部门）集中办公，为群众提供“一站式”便捷服务，82项政务服务事项全部集中办理，办理率100%。组建18人的综合执法队伍，实现“一支队伍管执法”实体化运作，全年开展行政检查996次，办理行政处罚41件。新建一级工业园区消防站1个，配备消防车5辆、消防员8名，政府专职消防队全年出警137起，抢救财产损失356万余元。落实“街乡吹哨、部门报到”“一件事”模块化运行机制，吹哨事项5件。

【精神文明建设】 2023年，者海镇国家卫生乡镇创建通过省、市、县专家组考核，31个村（社区）全部成功申报省级卫生村。创建市级三星村18个、县级二星村54个；改造自然村公厕6座、户厕600座，改造油房村牛栏江生态敏感村户厕407座。利用东西部协作资金150万元、财政涉农资金200万元实施五里牌村美丽村庄项目，投资300万元实施发基村2、3、4、5组美丽村庄建设项目，投资50万元提升茂源社区8组人居环境。创建文明单位1个，文明村（社区）5个。

【基层组织建设】 2023年，者海镇实现31个村233个村（居）民小组全面组建党组织，完成9个非公经济支部的换届选举工作，调整撤换9个机关事业党支部，开展8个村（社区）市县党建引领基层治理示范点创建，择优选聘“乡贤”97名参与基层治理。

2023年会泽县者海镇社区（行政村）简表

表22

社区（村）名称	距乡（镇）里程（千米）	总人口（人）	耕地面积（亩）	主要经济来源	村（居）民小组数（个）	自然村拥有数（个）	社区（村）负责人				
							书　记	副书记	主　任	副主任	监委会主任
茂源社区	镇政府驻地	3980	111	种植劳务	10	1	陈本绍	杨业莲	陈本绍	蒋芝惠	彭金伟
石咀社区	1	1152	378	种植养殖	4	3	张启方	马显智	代会琼	李明达	张　慧
新华社区	0.9	4738	2230	种植养殖	8	8	彭庆禄	王永	彭庆禄	彭明星	范如仙
小街社区	0.6	1716	0	劳务市场经营	9	1	管彦珍	张良勇	管彦珍	张世艳	浦浩琼
小闸社区	1	1137	0	劳务市场经营	7	0	李琼艳	彭　琳	—	罗仙菊	董春丽
育英社区	0.7	1656	0	劳务市场经营	7	0	代成芬	—	代成芬	包世梅	刘　虹
蚂色卡村	2	5522	11371.31	种植养殖	12	12	颜朝良	郗登飞	颜朝良	彭泽琼	李学艳
阿依卡村	2.6	3543	3867	种植养殖	6	6	—	潘绍全	陈　席	陈　啸	孙　亚
柳树村	3	4368	5545	种植养殖	6	6	李本棋	李海坤	李本棋	缪荣琼	—
新村	2	2863	3041	种植养殖	5	5	孔维权	郑琼	孔维权	宋晓雅	赵英俊
发基村	3.5	3643	4898	种植养殖	7	7	杨守滔	尹轩言	杨守滔	吕美凤	姚吉玉
拖木村	5	3106	5313	种植养殖	4	4	毕庆奎	毕胜奎	毕庆奎	朱　丽	胡中国
犀牛村	5	4956	6046	种植养殖	12	3	段丽飞	张世鸿	段丽飞	陈　秋	马选围
三家村	6	4532	4893	种植养殖	5	14	赵　增	—	赵　增	范金座	张东琼
新店子村	4	4624	4030	种植养殖	6	7	陈加富	吕荣富	陈加富	夏远飞	邱学会
者海村	5.4	6110	5378	种植养殖	16	7	马　锐	孙世坤	马　锐	张吉芬	邱正梅
鲁基村	6	2290	2283	种植养殖	3	6	李才斌	严自根	李才斌	崔立照	刘红梅
三多多村	10	1585	6207	种植养殖	3	3	余星星	唐萍	余星星	余朝志	赵　雄
瓦窑村	8.4	3517	3406	种植养殖	8	8	解恒考	郭东梅	解恒考	邱学珍	解开普

续表 22

社区（村）名称	距乡（镇）里程（千米）	总人口（人）	耕地面积（亩）	主要经济来源	村（居）民小组数（个）	自然村拥有数（个）	社区（村）负责人				
							书　记	副书记	主　任	副主任	监委会主任
石河村	7.8	4702	3884	种植养殖	5	5	唐开国	阳元聪	唐开国	史玉花	权　梅
五里牌村	9.2	6072	12326.17	种植养殖	14	20	韩开福	陈正党	韩开福	段长仙	张　静
钢铁村	4.6	6618	7061.31	种植养殖	12	23	虎恩乔	赵庆华	虎恩乔	虎华江	夏世友
七五卡村	8.5	1397	6008	种植养殖	4	4	张敞群	—	李兴华	符海燕	吴选云
盖胜村	19.5	2335	7847	种植养殖	4	8	杜明武	曹德泽	杜明武	王凤德	孔令才
陶家村	16.5	2738	9835	种植养殖	10	10	谢道云	—	谢道云	杨兆琼	陶绍永
拖茨村	21	2285	7754	种植养殖	9	9	余祝昌	张世超	余祝昌	张绍伍	付廷满
中村	22	563	1896	种植养殖	4	9	杨　彪	徐仁金	杨　彪	鲍　浩	陈顺珊
陆兴村	21	2942	8849	种植养殖	6	11	鲍正辉	谭　听	鲍正辉	唐　任	刘　勇
油房村	27	2631	7184	种植养殖	11	16	李顺松	朱兴周	—	王　宇	潘兴仓
付家村	12	968	4747	种植养殖	6	6	尤启能	李　芮	尤启能	袁仕春	付加献
多发村	13	3430	16229	种植养殖	10	23	杨忠林	付文昆	—	杨兴建	赵朝龙

（王　娟）

大井镇

【概况】　大井镇位于会泽县城东面80千米，东连贵州威宁自治县哲觉镇，西接会泽县者海镇，北毗会泽县矿山镇，南靠宣威市务德镇。海拔1572～2401米，镇政府驻地海拔2040米。辖区面积251.10平方千米，人口密度为178人/平方千米。2023年，全镇实有耕地10.51万亩，均为旱地。年降水量906毫米，平均气温13.5℃。辖1个社区16个村委会，180个村民小组，14808户44691人。其中：男24107人，女20584人，男女人口性别比为117.12；非农业人口2586户7062人。有苗族、壮族、彝族等少数民族2288人，占总人口的比例为5.12%。全年，农民年平均纯收入1.6万元，完成固定资产投资3.32亿元，招商引资项目6个2.08亿元。

【农业】　2023年，大井镇粮食播种面积7.8万亩，总产2.3万吨。完成大春粮食作物播种面积6.46万亩，总产1.98万吨。完成高效经济作物种植面积4.37万亩，蔬菜种植3.8万亩（含复种），总产7.6万吨。其中：辣椒种植0.2万亩，产量420吨（干椒、鲜椒）；绿色蔬菜种植3.6万亩，产量7.5万吨。举办蔬菜村级百亩示范样板2片200亩，举办辣椒村级百亩示范样板1片140亩。银坪、双车推广软籽石榴种植3700亩，产量2800吨。肉牛存栏2.56万头，出栏1.08万头，肉产量达1458吨，产值1.76亿元；猪存栏6.02万头，出栏1.13万头，肉产量8506吨，产值1.36亿元。高原特色农业品牌获认证，大蒜品种通过省、市、县绿色蔬菜认证，并上报农业农村部认证。

【商贸流通】　2023年，大井镇集镇有面积大于200平方米超市4家，年零售额900余万元；有村级便民百货商店31个，有各类企业262户，新增市场主体420户，“个转企”17户。

【重点项目建设】 2023年，大井镇新签约500万元以上招商引资项目15个，招商引资固定资产在库项目数10个，固定资产引进外资出库1.84亿元，固定资产引进外资出库项目8个。宣会高速大井段主线完成505户1056.9亩土地等实物指标丈量和认定，签订征地协议460份942.27亩；临时用地910.3亩，完成指标丈量和认定工作，签订征地协议339户890.53亩。完成投资11亿元的大井光伏项目盐塘、银匠村土地流转，共流转土地1500余亩。计划投资1.4亿元的大井镇西水东调新街花渔水库引水至大井项目纳入城乡供水东片区一体化项目规划。投资3500万元的大井镇井田集镇“两污”治理设备完成安装并运行使用，完成投资100万元的德白民族团结示范村项目并投入使用，完成投资3000余万元的德白、治补村组道路和生命防护工程项目并建成投入使用，启动建设投资560万元的大井镇双车村牛栏江跨江大桥项目。围绕旅游示范，投资60万元硬化治补村撒依河道路0.7千米。完成投资300万元尖山蔬菜基地、生猪养殖配套项目，修机耕路1.6千米，硬化道路5.6千米。投入资金369.9万元实施饮水项目11个，铺设管道103.6千米，解决2215户6898人的饮水问题。投资80万元，建设治补村产业示范基地。

【乡村振兴】 2023年，大井镇新识别、新标注监测对象18户51人，新标注风险消除40户148人。人均纯收入低于8500元实现动态清零。累计发放脱贫人口小额信贷220户1064万元。全镇17个村（社区）集体经济经营性收入均为10万元以上，同比增长5.6%。完成脱贫人口劳动力转移就业5211人，脱贫人口技能培训533人，办理创业担保贷款24户，发放脱贫劳动力务工交通补贴金额49.3万元。井田社区蒋家村小组创建为民族团结进步示范村；大井镇大水村建设为“美丽村庄”试点示范工程。派出6名领导干部先后到浙江、上海等发达地区参加“‘同心工程’乡村振兴专题培训班”。

【生态环境保护】 2023年，大井镇采取“三治融合”统筹推进“两污”治理。投资60万元，在德白、木厂、马鞍、双车等4个村采用“小三格+“大三格”化粪池+氧化塘/沉淀池的模式，实施农村生活污水治理。长江“十年禁渔”“河（湖）长制”“林长制”全面落实，加大牛栏江、安丹河、撒依河、扯渡河流域污染防治力度，从截污治污、水域管理、河道疏浚、河面保洁等方面进行常态化治理。共张贴禁渔公告70余张，印刷禁渔宣传固定标语12条，印发各类宣传资料1000余份，制作安装固定标牌14块，签订禁捕承诺书70余份，发放船舶登记证40份。

2023年6月14日，大井镇组织派出所、司法所、矛调中心、妇联等部门的工作人员到井田社区大坡小组苗寨开展“普法进苗寨”活动　　（黄　继　摄）

【社会生活】 2023年，大井镇中考和初考成绩均荣获全县同类地区第2名，投资207.58万元的双车小学建成并投入使用。全镇17个村（社区）卫生室标准化建设达标率100%；家庭医生签约率100%，履约率93.40%；医保参保率100%，特殊人群医保参保缴费率100%；养老保险参保率100%；享受城镇低保62户82人、农村低保2226户3051人；申请享受临时救助118户402人。

【农业综合服务】 2023年，大井镇创评三星级自然村19个，创评率100%；完成户厕改厕任务150座，100户以上自然村卫生公厕6座；绿美社区、绿美村庄绿化率达95%以上，绿化沿线乡村道路40千米，种植绿化苗木1万余株，绿化美化面积2.36万平方米，在集镇安装路灯70盏，配备勾臂式垃圾箱246个、垃圾桶126个。完成中央耕地地力保护补贴两批27.34万亩，发放补贴资金537.65万元；完成一次性种粮补贴一批7.7万亩，发放资金37.77万元；完成农机购置184台，发放农机补贴13.15万元；2023年生猪调出大县奖励资金项目完成规模猪场临时性补贴2.4万元；通过“一折通”兑付2022、2023年度草原生态保护奖励资金120万余元。

【基层社会治理】 2023年，大井镇落实“安全稳定建设年”工作目标，大井镇党委、政府与各单位（部门）及各村委会、生产经营单位签订安全生产目标管理责任书 33 份，党政主要领导带班开展安全生产监督检查 6 次，分管领导带班开展安全生产监督检查 8 次，开展应急演练 18 次，全年未发生重大安全事故。初步构建“大信访”工作格局，攻坚化解信访积案 10 件，化解处理各类矛盾纠纷 280 件，化解率 97.9%。持续深入开展普法强基，制作各类典型案例、以案说法小视频 6 个、宣传手册图片 8000 册（份），推送转发小视频 3.22 万个（次），对重点人群入户普法 48 人次，小程序学法考试通过 1091 人，线下学法考试通过 9075 人，占全镇家庭户数的 73.4%。

【精神文明建设】 2023 年，大井镇加强文化体育基础设施建设，推动公共文化服务向基层延伸、向农村倾斜，开展“移风易俗”行为习惯教育活动，推进乡风文明建设。组织开展各类志愿服务 40 余次。全年免费放映公益电影 204 场次，组织开展 20 余场次宣讲活动。开展“好媳妇”“好婆婆”等评选活动，申报“清廉家庭”“最美家庭”“绿色家庭”各 1 名、“健康家庭”8 名。申报县级文明村 7 个（井田社区、里可村、仓房村、色关村、芦坪村、治补村、马鞍村），申报县级文明单位 1 个。开展新时代文明实践志愿服务项目库建设，打造精准对接群众需求的志愿服务品牌。在“3・5”学雷锋日、“12・5”国际志愿者日等节点组织开展集中示范活动。

【基层组织建设】 2023 年，大井镇持续推进“五强五好”党支部建设，按照“抓班子、带队伍、促发展”的总体思路，完成村民小组党支部建设 103 个，调整镇村干部 24 人次。全面消除党员空白村，全年发展中共党员 12 人，储备党员预备人选 43 人，180 个村民小组党支部全覆盖；村（社区）党总支书记、主任“一肩挑”比例 100%，储备村（社区）后备干部 35 人，累计开发公益岗 28 人次，培养公益岗到村任职 7 人。党委理论学习中心组集中学习 8 次、专题学习 4 次，党政班子成员带头讲党课 26 次，组织干部职工集中学习 3 次，发放学习资料 1000 余份，党委班子带头检视问题 3 个，制定整改措施 9 条，各级党组织检视问题 41 个，制定整改措施 52 条，所有问题均已全部销号，积极配合抓实全县 10 个专项整治。

2023 年会泽县大井镇社区（行政村）简表

表 23

社区（村）名称	距乡（镇）里程（千米）	总人口（人）	耕地面积（亩）	主要经济来源	村(居)民小组数(个)	自然村拥有数（个）	社区（村）负责人				
							书　记	副书记	主　任	副主任	监委会主任
井田社区	镇政府驻地	7298	11437	烤烟、畜牧、林果、辣椒	18	18	杨光虎	李兴朝	杨光虎	陈　广	曹满宝
色关村	6	1656	4026	烤烟、畜牧、林果、	6	6	王玉能	缪祥忠	王玉能	—	李宗品
大水村	8	3251	9705	烤烟、蚕桑、林果、辣椒	12	12	朱培贤	孙玉梅	朱培贤	杨梅琼	宁品功
尖山村	7	1196	1320	烤烟、畜牧、林果	5	3	徐洪东	徐荣梅	徐洪东	范　林	徐道广
里可村	8	2645	4280	烤烟、畜牧、林果	7	7	李正祥	—	李正祥	邓道永	徐秋华

续表 23

社区（村）名称	距乡（镇）里程（千米）	总人口（人）	耕地面积（亩）	主要经济来源	村(居)民小组数(个)	自然村拥有数（个）	社区（村）负责人				
							书 记	副书记	主 任	副主任	监委会主任
芦坪村	8	2631	7768.91	烤烟、畜牧、林果、辣椒	9	9	杨光朝	杨承毕	杨光朝	吴会琼	朱继东
银坪村	18	3378	4994.75	烤烟、畜牧、林果	10	10	王兴华	张元能	王兴华	杨万林	代兴和
刘家山村	28	2315	4840	烤烟、畜牧、林果	11	11	唐金福	—	唐金福	杨光辉	李贵友
蚂蟥塘村	21	2578	3073	烤烟、畜牧、林果	12	12	刘官泽	吕邵龙	刘官泽	吕吉富	陈 梅
双车村	18	1728	1729	蔬菜、畜牧、林果	12	12	刘德早	刘志雄	刘德早	匡兴香	刘祖林
木厂村	25.3	1251	1251	蔬菜、畜牧、林果	7	7	胡双琼	李 堂	胡双琼	刘自贤	张庆学
马鞍村	20	2794	7087	蔬菜、畜牧、林果	12	12	曹满宝	贾双娥	曹满宝	—	罗 芳
盐塘村	18	2840	1650	烤烟、蔬菜、畜牧、林果	11	11	胡向标	陈正波	胡向标	田丽华	朱知贤
黄梨村	16	2750	1909	蔬菜、畜牧、林果	13	13	刘明照	徐万奇	刘明照	唐名单	冯家瑞
治补村	24.2	4063	3407	蔬菜、畜牧、林果	17	17	刘跃选	胡向彦	刘跃选	何柱芬	高 飞
德白村	32	1293	1189	烤烟、畜牧、林果、蔬菜	11	11	杨堂正	李应能	杨堂正	贾学友	赵得斌
仓房村	10	1644	1750	烤烟、畜牧、林果、蔬菜、辣椒	7	7	叶万能	陈 燕	叶万能	叶万甫	—

（黄 继 熊云春）

新街回族乡

【概况】 新街回族乡位于会泽县城东南面45千米，东连雨碌乡，西接宝云街道，北毗者海镇，南靠待补镇。海拔3247～2212米，乡政府驻地2280米。辖区面积263平方千米，人口密度为165人/平方千米。2023年，全乡实有耕地2.76万亩，均为旱地。年降水量930毫米，平均气温12℃。辖14个村（居）民委员会，139个村民小组173个自然村，12985户43745人。其中：男23281人，女20464人，男女人口性别比为113.77；非农业人口653户1310人。有回族、彝族、白族、哈尼族、壮族、傣族等少数民族共19214人，占总人口的比例为43.92%。全年，完成固定资产投资2078万元，招商引资项目11个3.01亿元。

【农业】 2023年，新街回族乡因地制宜发展林下经济，种植黄精、白及等特色经济作物5000余亩，完成大春粮食作物播种4.93万亩。种植草莓2000亩，新兴花卉种植500亩，实现农业产值2.17亿元。种植青贮玉米1.3万亩，产值2600万元，种植饲用燕麦1万亩，产值1000万元。完成肉牛存栏3.28万头，出栏1.31万头，完成生猪存栏3.55万头，肉猪出栏5.55万头，完成山绵羊存栏3.57万只，肉羊出栏3.91万只，完成禽类存栏10.54万羽，禽类出栏20.15万羽，完成肉类总产量7000吨。林地总面积28.14万亩，森林面积24.03万亩，森林蓄积量85.27万立方米，森林覆盖率60.75%。全乡有30名乡村级林长、70名专职护林员、353名生态护林员，全年未发生森林火灾。

【商贸流通】 2023年，新街回族乡有各类商业网点97个，其中，综合型超市4家、餐饮饭店9家、宾馆旅社4家，药店、百货、建材、小餐饮店等80余家，营业面积2000余平方米，商贸流通从业人员200余人。

【重点项目建设】 2023年，新街回族乡实施重点项目13个，共计投资8643.52万元。投资82.11万元在发落等7个村实施饮水安全工程；投资1500万元在闸塘、联合、哈卡、龙潭4个村实施1万亩高标准农田及配套设施建设项目；投资20万元在以濯、哈卡、龙潭实施500亩核桃提质增效项目；投资98.5万元新建300平方米移民活动场所项目；投资3000万元，实施35千伏的变电站及其配套设施电网提级建设项目；投资600万元在凤凰村纸厂沟实施美丽家园·移民新村建设项目；投资2086.73万元，实施集镇污水处理和垃圾中转站设施项目；投资819.18万元，在闸塘、联合、哈卡打造3个千头肉牛养殖示范村、173个肉牛养殖示范户，建设3个饲草饲料加工厂；投资61万元，完成马店村、新街村、哈卡村人居环境提升项目建设；投资138万元，实施新街回族乡新街村巩固提升饮水项目；投资68万元，完成新街回族乡闸塘村肉牛养殖场基础设施建设项目；投资120万元，实施通较大自然村道路硬化项目；投资50万元，实施新街村"美丽村庄"建设项目。

【乡村振兴】 2023年，新街回族乡新识别监测对象10户48人，新标注风险消除对象8户36人，脱贫户和监测对象中自然增加42户48人，自然减少79户82人。根据收入变化和"两不愁三保障"巩固情况，把全乡2392户9552人脱贫人口和监测对象按照"红黄绿"进行分类管理（"红灯"户83户349人、"黄灯"户1001户4268人、"绿灯"户1308户4949人）。对"红灯"户进行"周随访"，对"黄灯"户进行"半月跟踪"，对"绿灯"户进行"月监测"，并及时采取"管用、够用"的帮扶措施进行帮扶，全面提高监测帮扶效率。全乡脱贫人口和监测对象的纯收入1.25万元，同比增长16.81%。

【生态环境保护】 2023年，新街回族乡深入开展村庄治污治乱工作，年内完成14座自然村公厕建设，完成农村户厕改建560座。开展人居环境专项整治工作8次800余人次。整治秸秆、柴火、建筑垃圾等乱堆乱放120余处，制止并清理占道经营22起，清理河道沟道80余千米，清运杂草杂物等垃圾240余吨。因地制宜开展新植补植，推进交通沿线增绿扩美，完成公路沿线绿化4.8千米。

【社会生活】 2023年，新街回族乡落实义务教育"两免一补"和雨露计划，资助高职、中职学生167人，补助资金51万元。义务教育阶段家庭经济困难学生生活费补助412人次，补助资金17万元。学前教育阶段资助146人次，补助资金4万元。2023年中考成绩综合考核排名第六。文化建设持续铸牢中华民族共同体意识工作主线，深化民族团结进步示范创建。面向老年人、重性精神病人等特殊群体，到村到户开展健康危险因素调查、医养结合、疾病预防、自我保健及伤害预防管理指导，做好重点人群卫生保健服务，对辖区65岁及以上老年人进行登记管理，共建立健康档案2286人。完成家庭医生签约6398人，推进慢性病综合防控示范创建。共发放城镇低保43.18万元、农村低保451.12万元，分散供养资金117.5万元、孤儿及事实无人抚养救助金32.33万元、临时救助12.72万元、残疾人"两项补贴"99.86万元。

【农业综合服务】 2023年，新街回族乡农机购置补贴受益农户41户，补贴机具数量43台，发放补贴10.957万元。中央耕地地力保护补贴，受益农户7560户，发放补贴313.27万元。中央耕地地力保护补贴追加资金，受益农户7560户，发放补贴2.60万元。实际种粮农民一次性补贴，受益农户7560，发放补贴31.88万元。"厕所

2023年7月1日，新街回族乡组织开展"庆七一·铸牢中华民族共同体意识"系列活动（新街回族乡党政综合办 提供）

革命"户厕奖补资金，受益农户560户，发放补贴67.2万元。整合资金174万元，提档升级乡村两级党群服务中心，17个党群服务中心规范化建设全面达标，乡级、闸塘村、新街村、垴包村、联合村均达优秀等次。政务服务事项清单总共88条事项，全部按要求进驻到网上大厅综合窗口与实体大厅综合窗口，实现"一窗通办"的比例为100%，政务事项办结率100%。

【社会治安综合治理】 2023年，新街回族乡建立党建引领基层治理"四包五访"责任体系，深入推进组网合一、多网合一，实现全乡治理网格全覆盖，乡村两级共排查调处各类矛盾纠纷123起，调解成功率100%。办结受理信访案件13件，办结上级转办积案2件。

【精神文明建设】 2023年，新街回族乡建设农村文化体育活动广场9个、村级图书室14个，创建县级文明乡镇1个、县级文明村14个，行政村创建率100%。深化抓党建促农村宗教治理，常态化开展移风易俗，完成开展"庆七一·铸牢中华民族共同体意识"系列活动。

【基层组织建设】 2023年，新街回族乡党委下辖16个村党总支，机关党支部4个、"三新"党支部11个、农村党支部56个，有党员658名。开展"万名党员进党校"3期，培训党员524人次。织密建强"乡党委—村党组织—村民小组党支部—党员中心户"的组织体系。完成党支部规范化达标创建68个，整顿软弱涣散基层党组织1个，合并减少村委会2个、村民小组38个，同步做好调整后村组干部安置、集体"三资"管理等工作，消除12个党员空白村民小组，新单独组建村民小组党支部42个，创建红旗村7面。完成"5+2"机构改革和人员调整，建强便民服务、执法、调解、科技4支队伍。

2023年会泽县新街回族乡社区（行政村）简表

表24

社区（村）名称	距乡（镇）里程（千米）	总人口（人）	耕地面积（亩）	主要经济来源	村（居）民小组数（个）	自然村拥有数（个）	社区（村）负责人				
							书　记	副书记	主　任	副主任	监委会主任
花鱼村	9	3642	2160	种植	9	12	桂　萍	保　浩	桂　萍	保思语	汪同登
闸塘村	15	3106	1785	种植	8	9	章荣贵	张　秦	章荣贵	沈吉娟	马贤亮
联合村	6	5022	2769	种植养殖	18	11	虎宽祥	田玉珍	虎宽祥	李　红	徐正阳
马店村	3	1752	1224	种植	5	6	马真凡	丁秦香	马真凡	虎娇艳	马武云

续表 24

社区（村）名称	距乡（镇）里程（千米）	总人口（人）	耕地面积（亩）	主要经济来源	村（居）民小组数（个）	自然村拥有数（个）	社区（村）负责人				
							书　记	副书记	主　任	副主任	监委会主任
塆包村	3	3546	2635	种植养殖	9	22	虎恩富	马慧芬	虎恩富	虎开全	马汝珍
新街村	1	3723	1950	种植养殖	8	5	张琼华	李顺荣	张琼华	桂进阳	陈　志
哈卡村	3	4519	2261	种植	14	10	蒋坤仙	陈　忠	蒋坤仙	张　彪	蒋瓦英
龙潭村	6	3740	1430	种植养殖	14	10	李顺昌	蒋玉花	李顺昌	蒋开升	李加宽
凤凰村	10	3110	1380	种植养殖	10	14	戚劲松	尹天清	马永耀	孙文柱	蒋开云
瓦岗村	7	1541	1975	种植养殖	6	13	李正磊	马祥平	李正磊	唐桂蓉	吴兴有
以濯村	20	1796	1087	种植养殖	6	7	李顺平	陈兴奎	李顺平	张顺堂	汪正玉
发落村	20	3108	1860	种植养殖	17	22	虎荣权	徐安运	虎荣权	黄　超	王成金
老村	44	2094	1842	种植养殖	8	20	陈有清	汤海波	陈有清	杨关堂	王保平
袁家村	32	1621	1447	种植养殖	7	12	张关能	顾照明	张关能	杨清龙	袁加林

（冯文慧）

雨　碌　乡

【概况】　雨碌乡位于会泽县城东南面68千米，东连大井镇、宣威市务德镇，西接新街回族乡，北毗者海镇，南靠鲁纳乡、待补镇。海拔1598～3021米，乡政府驻地雨碌村。辖区面积248平方千米，人口密度为183.53人/平方千米。2023年，全乡实有耕地5.58万亩，均为旱地。年降水量870.6毫米，平均气温12.7℃。辖13个村民委员会144个村民小组13233户45619人。其中：男25100人，女20519人，男性人口性别比为122.33；非农业人口3916人。有彝族、回族、苗族、壮族、哈尼族等少数民族2067人，占总人口的比例为4.53%。全年，新签约500万元以上项目8个，完成固定资产投资入库3.32亿元。

【农业】　2023年，雨碌乡粮食播种面积6.3万亩，粮食产量1.74万吨，出栏生猪12.18万头、肉牛1.17万头、肉羊2.58万只、禽类19.18万只，实现产值5.02亿元。规模流转土地6650亩，种植2100亩“小熊猫”烟草、500亩“甲马石”洋芋、2000亩“阳光玫瑰”葡萄、2350亩工业大麻等生态经济作物，为群众提供4950个工作日，实现群众本地务工收入49.5万元。投资220万元在小铺村建设农产品烘烤分拣包装厂，延伸产业链条，为群众和种植大户提供分拣加工场所，带动群众种植1000亩辣椒、1500亩大树青椒、套种3000亩大豆玉米，实现年总分拣烘烤烟叶、工业大麻、辣椒、花椒等农产品 8900 吨，村集体收入 11 万元，群众务工收入 105 万元，完善农产品加工体系，促进农业规模化、多元化。年内，会泽桓珀农业科技有限公司被评为省级农业龙头企业。完成 2019 年退化林修复 1261 亩补植补造、退耕林及陡坡地治理 3000 亩花椒苗木补植补造；完成 2020 年长江防护林造林 4500 亩补植、天保工程封山育林 1000 亩补植、天保工程造林 4000 亩补植；完成石草原调查 192 个图斑。完成 2023 年抚育间伐设计 1000 亩、松材线虫病害图斑调查 2471 个。发放护林防火户主保证书 8000 多份，《戒严令》120 份。

【重点项目建设】 2023 年，雨碌乡投资 1000 万元建设雨碌乡小米村农文旅融合项目，投资 184.4 万元完成雨碌乡小米村饮水安全巩固提升红岩提水泵站工程项目建设和双洪堰、幸福渠管网修缮改造，投资 200 万元完成抗旱应急长箐水库小米河补水工程。

【乡村振兴】 2023 年，雨碌乡常态化开展防止返贫动态监测和帮扶工作，“一月一筛查、一月一动态”，按“红黄绿”分类管理要求，对全乡 3529 户脱贫户和 399 户三类监测对象进行点对点动态监测帮扶。脱贫人口及三类监测对象人均纯收入 1.38 万元，增长 16.53%。宣传发布 6 期 580 则岗位招聘信息，组织 900 人开展病人护理、婴幼儿照料、小儿推拿等靶向技能培训，实现农村劳动力转移就业 2.01 万人，转移就业率 90.8%，户均增收 1.2 万元，登记失业率控制在 3.95% 以内。联结发展光伏发电、农产品分拣加工等产业，全乡村级集体经济总收入 366.79 万元，13 个村年收入均在 20 万元以上。

【生态环境保护】 2023 年，雨碌乡落实林、河长制，制定《雨碌乡入河排污口监督管理工作方案》，重点区域内对牛栏江流域干流的座江村、马桑坝村进行拉网式的排查，共排查出入河排污口 28 个。学习推广浙江“千万工程”经验，推进农村厕所、垃圾、污水整治工作，完成户厕改造 305 户、公厕改造 5 座。开展爱国卫生运动 48 次，清运垃圾 1600 次 586 吨。完成集镇建成区 2 个村委会 20 个村民小组、城乡接合部 3 个村委会 11 个村民小组、牛栏江生态敏感区 2 个村委会 11 个村民小组及其他区域 13 个村委会 84 个村民小组的生活污水治理工作。投资 120 万元完成马桑坝村、座江村生态敏感区“两污”治理工作。

2023 年 3 月 2 日，雨碌乡多部门共同开展“知法明理．平安成长”普法强基法治宣传进校园活动 （卢玉飞 摄）

【社会生活】 2023 年，贯彻落实义务教育“两免一补”及“雨露计划”政策，对 346 名学生开展助学关爱帮扶活动。小米小学被认定为曲靖市现代教育示范学校，雨碌小学成功申报为云南省“云岭先锋·育人红烛”党建示范学校。申报创建市级文明村 2 个，新建应急广播 134 个，依托“流动党校”“农民夜校”全面加强文化阵地建设，建设文化墙 600 平方米，开展戏曲进乡村进校园文化惠民演出 6 次，组织志愿者开展新时代文明实践活动 12 次。完成城乡居民养老保险缴费 1.82 万人，参保率 93%，发放城乡居民养老保险待遇 6001 人，纳入农村最低社会保障 2098 人，累计发放临时救助金、农户低保金、残疾人“两项补贴”、事实无人抚养儿童及孤儿生活补助等各类救助资金 1097.78 万元。投入财政资金 153.86 万元，对特殊人群进行城乡居民基本医疗保险定额补助，实现特殊人群 100% 参保，全民医保缴费 3.5 万人，参保率 99.08%，累计报销医疗保险 310 份，报销合作医疗补助资金 160 万元，申报大病救助 7 份，救助资金 15.34 万元。

【农业综合服务】 2023 年，雨碌乡投资 200 万元完成小米村小沟小组美丽村庄建设，投资 50 万元完成雨碌村集镇“三整治三提升”项目建设，投资 50 万元完成小石山菜园小组“四美家园”项目建设。投资 1785 万元硬化座江村、小铺村、白彝村、马桑坝村等 11 条村组道路 29.75 千米；投资 12.8 万元养护小铺村、小米村等村组道路 51 千米，通路率 100%。完成生命防护栏安装 29515 米，木桩防护 500 米，沙土堆挡 1530 米，砂石阻挡 280 米。

【基层社会治理】 2023 年，雨碌乡构建雨碌乡大信访工作格局，组建

14支矛盾纠纷调处专业队伍，调解矛盾纠纷231件，化解婚姻家庭纠纷62件，化解积案7件，形成“上下联动、多方参与”的基层治理新格局。结合普法强基补短板专项行动，组织网格员到全乡144个村民小组开展普法活动96次，发放宣传资料5800份，重点人群普法教育全民覆盖。深入开展安全隐患排查和源头治理，对非煤矿山、交通、消防、施工、森林防火、防汛抗旱等领域进行常态化安全隐患排查，下达限时整改通知书30份，完成安全隐患整改600处，发放宣传资料1.3万份，开展应急演练182次。

【基层组织建设】 2023年，雨碌乡抓好村民小组党支部全覆盖工作，消除党员空白村民小组2个，撤并村民小组45个，新成立村民小组党支部42个，“一小组一支部”完成率达100%，实现党员空白村民小组全面消除。领导班子带头到村讲授专题党课12人次，开展送学上门活动218次，开展“习近平新时代中国特色社会主义思想百县千乡万村行”宣讲1场95人，举办“万名党员进党校”培训3期867人。各党支部通过“三会一课”、主题党日等集中学习490余次，实现基层组织理论学习全覆盖。

2023年会泽县雨碌乡社区（行政村）简表

表25

社区（村）名称	距乡（镇）里程（千米）	总人口（人）	耕地面积（亩）	主要经济来源	村（居）民小组数（个）	自然村拥有数（个）	社区（村）负责人				
							书　记	副书记	主　任	副主任	监委会主任
小石山村	11	2223	5074.40	劳务输出、种植养殖	7	8	代大奎	代龙琼	代大奎	赵远梅	王树明
小铺村	7	5675	8775.33	劳务输出、种植养殖	15	25	赵聪花	蒋大国	赵聪花	张晟馨	何　瑞
雨碌村	1.4	5756	4624.71	劳务输出、种植养殖、旅游服务	14	23	陈　华	蒋朋先	陈　华	宁德荣	黄　琼
小米村	3	4651	4918.90	劳务输出、种植养殖、旅游服务	16	24	彭贵东	余选会	彭贵东	—	邓传霖
铁厂村	10	3441	3724.13	劳务输出、种植养殖	13	28	李玉斌	—	李玉斌	刘大国	任礼全
长箐村	12.5	2045	2598.71	劳务输出、种植养殖	6	22	李加广	周顺发	—	杜朝斌	陈宗定
新房村	12	2395	4003.53	劳务输出、种植养殖	7	17	付兆相	代大山	付兆相	赵奎芝	代兴勇
陡红村	14	2674	3282.93	种植养殖务工	10	32	代增万	戴兴锐	代增万	代　瑞	戴普留
翅塆河村	18	2835	2851.58	劳务输出、种植养殖	8	29	代兴高	宁亚景	代兴高	管梅芳	李文有
白彝村	8.7	5382	6446.16	劳务输出、种植养殖	16	44	—	陈　永	赵亚丹	代大胜	代庆轩

续表 25

社区（村）名称	距乡（镇）里程（千米）	总人口（人）	耕地面积（亩）	主要经济来源	村（居）民小组数（个）	自然村拥有数（个）	社区（村）负责人				
							书　记	副书记	主　任	副主任	监委会主任
马桑坝村	15	3146	4775.22	劳务输出、种植养殖	11	41	周　雄	张正方	周　雄	赵　坤	龚得科
座江村	14	3127	5005.74	劳务输出、种植养殖	10	26	王怀明	詹道辉	—	—	杨应国
阳山村	24	2195	5030.08	劳务输出、种植养殖	11	15	张明波	张学朝	张明波	王成亮	胡选刚

（宋亚婷）

鲁纳乡

【概况】 鲁纳乡位于会泽县城东南面75千米，东连宣威市务德乡，西接待补镇，北毗雨碌乡，南靠上村乡。海拔1606～2851米，乡政府驻地新营村。辖区面积176.1平方千米，人口密度为159人/平方千米。2023年，全乡实有耕地1.36万亩，其中，水田1080亩、旱地1.25万亩。年降水量784.4毫米，平均气温13.7℃。辖11个村民委员会，105个村民小组，8514户27915人。其中：男15465人，女12450人，男女人口性别比为124.22；非农业人口1211户3229人。有回族、彝族、哈尼族等少数民族1206人，占总人口的比例为4.32%。全年，完成固定资产投资1.65亿元，招商引资项目7个1.81亿元。

【农业】 2023年，鲁纳乡种植粮食6.23万亩，粮食产量1.43万吨。其中：种植小麦9300亩，实现产量1026吨；种植大麦4.83万亩，实现产量1.33万吨；种植水稻1700亩，种植大豆及杂粮3000亩。培育发展新兴产业，全乡特色农业发展初具规模，有"阳光玫瑰"葡萄1500亩、草莓1000亩、大树青椒1.2万亩、美人椒400亩、蜜桃150亩、人参果80亩。建成19条生猪生产线及种猪基地，基层产业不断增强，产业遍布11个村，完成牛栏江冬早马铃薯、蔬菜种植项目建设及鲁纳村、新营村400亩核桃提质增效。

【重点项目建设】 2023年，鲁纳乡完成全乡村组道路硬化45.55千米，惠及10个村24个村民小组2451户8632人。投资6997万元的哈克水库建设项目落地实施，投资238.8万元建设饮水工程3件，解决735户2542人的饮水困难问题；投资46.63万元维修养护5个村委会26个村民小组的供水管道，提升村组供水保障能力。投资46万元建设抗旱应急工程5件，解决5个村委会11个自然村828户2832人的因旱饮水困难问题。实施文旅项目，统筹用好、用活"四美家园"建设涉农整合资金740万元，在雨沐村小河边打造牛栏江小河边乡村旅游目的地。产业配套设施不断完善，投资2500万元在陡咀村建设"阳光玫瑰"葡萄分拣分级冷链物流中

2023年6月5日，曲靖市中级人民法院、市人民检察院、会泽县人民法院、县农业农村局、县林草局、县水务局、县环保局联合鲁纳乡在鲁纳乡狮子村牛栏江旁开展鱼类增殖放流活动（熊　兵　摄）

心。与凯祥电器（香港）有限公司签订合作协议书，利用闲置新营小学老校区建设高分子材料生产工厂，总投资1950万元，建设8条生产线。

【乡村振兴】 2023年，鲁纳乡严格落实“四个不摘”要求，开展常态化监测帮扶。全乡有脱贫户2077户8137人，有“三类”监测对象258户918人，其中风险未消除108户349人，整户无劳动能力兜底保障户10户10人。共识别“三类”监测对象12户44人，全部为突发严重困难户，风险消除52户194人，自然增加54人，自然减少127人，人口转移11人，因死亡、人口转移和分散供养转集中供养等情况导致销户39户。严格落实万元以下农户及风险未消除户“双包保”责任制，脱贫人口和监测对象人均纯收入为1.31万元，其中人均纯收入在8500～10000元期间的有12户54人，均已建立增收台账，落实帮扶责任人，精准施策。全年发放小额信贷564.32万元，惠及114户，完成计划数的112.86%。把农业产业发展和乡村旅游结合起来，实现农文旅融合发展，利用涉农整合资金740万元，在雨沐村小河边打造农文旅融合发展项目，构建“农业+文创+旅游+康养”发展模式，培育“田园变公园、农房变客房、产品变商品、劳作变体验、可观光可锻炼”的旅游新业态，打造“望得见山、看得见水、记得住乡愁”的“牛栏胜境”乡村旅游目的地。

【生态环境保护】 2023年，鲁纳乡落实林长河长制责任，对全乡19.84万亩林地、1.3万亩黄杉保护区进行管护，完成鲁纳村、新营村400亩核桃提质增效，完成全乡2000亩大树青花椒补植补造，新植苗木1.35万棵。实施“党建+河（湖）长”制，配合执法部门做好涉农安全及十年禁捕监管工作。全年开展清河行动4次，清理河道21.8千米，清除垃圾44.1吨。推进投资611.53万元国家水土保持重点工程会泽朝阳小流域项目，加强水源保护。推进农村“两污”治理，实施集镇雨污分流改造项目，集镇污水收集率90%，处理率100%，处置非法排污口1处。在陡咀、狮子投入120万元实施牛栏江生态敏感区“两污”治理，建设“大三格”6个、“小三格”61个、资源化利用114个，铺设管道4685米，实现农村“两污”收集、净化、资源化利用，提升人居环境质量。

【社会生活】 2023年，鲁纳乡完成城乡居民养老保险征缴9764人，完成率84.19%；完成城乡居民医疗保险征缴2.12万人，完成率98.32%，完成特殊困难对象医疗保险征缴8704人，完成率100%。投入3万元装修改造窝坡、新云小学食堂，争取社会爱心人士捐赠资金20余万元为狮子小学落成孔子像和添置学校办公用品。建立适龄儿童少年辍学台账，实现控辍保学动态清零。推进新云小学整体搬迁完成，进一步优化教学环境。定期开展义诊活动，义诊人数2000余人、中医理疗50余人，发放宣传折页200余份，免费发放常用药品1000余元。全年办理二孩、三孩补贴81人，发放补贴27.04万元。发放低保补贴1.31万人次390.9万元，发放残疾人护理补贴336人次36.29万元，发放困难生活补贴422人次45.58万元。实行火化236例，并进入公墓安葬，发放火化补助39万元。

【农业综合服务】 2023年，鲁纳乡召开“干部规划家乡行动”暨实用性村庄规划意见征询会14次，完成11个村的多规合一实用性乡村规划。落实农村宅基地联审联管工作制度，受理建房申请169宗，审批134宗，审批面积为1.64万平方米。投资70万元新建公厕7座；投资20余万元改造升级农村户厕102座，新配置垃圾车5辆，移动式垃圾箱60个，垃圾桶150个，10吨压缩箱体1个。

【基层社会治理】 2023年，鲁纳乡推进乡村组三级网格治理，普法强基补短板，打造“多员合一、一员多能”的网格员队伍，组建普法队伍，开展以案示警、以案释法活动20余场，公共法律服务覆盖率100%。防范化解各类风险，集中开展信访工作“百日攻坚”行动，对全乡3件历史遗留信访事件、7名重点青少年、12类特殊群体、59件婚姻家庭类纠纷、154件山、林、土地及邻里等矛盾纠纷进行及时处置。全年信访平台共收到来信7件，受理7件；“12345”政务服务便民热线平台共反馈100件，按期办结100件。全乡保持24年无命案发生，4年来无亡人交通事故发生，刑事案件同比下降30%，伤害案件同比下降70%。年内，鲁纳乡被评为曲靖市平安乡镇。

【精神文明建设】 2023年，鲁纳乡充分发挥村规民约、新时代文明实践所等载体作用，巩固省级文明村1个，文明单位3个，创建市级文明村3个，县级文明村2个，县级“红旗村”6个，投资50万元完成新营村美丽村庄项目建设，全力提升集镇风貌，营造文明生活新风尚。推荐上报“曲靖好人”1名。

【基层组织建设】 2023年，鲁纳乡鲁纳乡党委下设11个党总支，54个党支部，其中，5个机关站所支部、“两新”党组织4个，共有党员866名，培养入党积极分子11名，接收预备党员5名，转正党员9名。开展万名党员进党校2期，培训党员495人。完善基层干部队伍，安置退役军人1名，机构改革调整股所级干部15名。调整配强村党总支书记2名，实现10个村党总支书记、村民委员会主任“一肩挑”。开展村干部能力素质和学历水平“双提升”行动计划2人。强化党建引领基层治理，创建新营村市级党建引领基层治理示范点，座舍村县级党建引领基层治理示范点。

2023年会泽县鲁纳乡社区（行政村）简表

表26

社区（村）名称	距乡（镇）里程（千米）	总人口（人）	耕地面积（亩）	主要经济来源	村（居）民小组数（个）	自然村拥有数（个）	社区（村）负责人				
							书　记	副书记	主　任	副主任	监委会主任
新营村	乡政府驻地	3206	975.24	务工、务农	13	18	孙永早	尹广怀	孙永早	王友正	刘元伟
窝坡村	19	3252	2042	务工、务农	11	15	陈　吉	查建发	陈　吉	邹元照	王正扑
鲁纳村	7	2549	815.66	务工、务农	11	15	蔡泽明	丁双能	蔡泽明	聂元坤	孟德忠
哈克村	11	2020	1594	务工、务农	7	10	蒋正秋	王怀彬	蒋正秋	卢仕美	胡梅仙
朝阳村	4.8	2151	1179.07	务工、务农	9	14	李应聪	王开升	李应聪	王法福	李建党
陡咀村	13	1904	2970.45	务工、务农	7	10	高朝飞	王兴发	高朝飞	杜美仙	赵发龙
狮子村	21	2563	3297	务工、务农	9	17	付兆荣	张兴贵	付兆荣	张在元	范云丽
白坡村	11	2037	960	务工、务农	7	10	耿绍红	王思本	耿绍红	浦同浩	李建奎
雨沐村	12	2439	3640	务工、务农	12	16	张正友	范如芬	张正友	耿绍能	聂元侯
座舍村	15	3270	1710	务工、务农	12	21	唐元松	杨万林	唐元松	叶　涛	唐元海
银厂村	22	1797	730	务工、务农	7	8	王万林	李石刚	王万林	陆德祥	陆见龙

（熊兵）

待补镇

【概况】 待补镇位于会泽县城南面38千米，东连鲁纳乡、上村乡，西接大海乡，北毗金钟街道，南靠驾车乡。海拔2277～4017米，镇政府驻地待补社区。辖区面积359平方千米，人口密度为150.54人/平方千米。2023年，全镇实有耕地6.5万亩，均为旱地。年降水量832.6毫米，平均气温12.4℃。年末，辖15个村（居）民委员会，171个村民小组285个自然村，16457户54378人。其中：男29416人，女24962人，男女人口性别比为117.84；非农业人口3462户9657人。有回族、苗族、彝族、壮族等13个少数民族，共1242人，占总人口的比例为2.28%。全年，农民年平均纯收入19773元。完成固定资产投资5.62亿元，招商引资项目33个4.7亿元。

【农业】 2023年，待补镇粮食种植面积6.51万亩，总产量1.8万吨。推广重点农业科技措施，农作物优良（专用）品种及配套综合技术完成5万亩，测土配方施肥技术完成3.5万亩，水肥一体化完成1.02万亩，商品有机肥完成0.16万亩，病虫害专业化统防统治4万亩，农作物秸秆综合利用技术完成2万亩，化肥农药减施增效技术完成2.1万亩，农机作业配套综合技术完成2.6万亩，绿肥完成3.1万亩。巩固夏季草莓种植面积5.5万亩，年产量11万吨，综合产值15亿元以上。按照“村不漏组、组不漏户、户不漏畜、畜不漏针”的要求，全年注射猪瘟脾淋疫苗1.4万头（次）、猪口蹄疫1.23万头（次）、猪高致病性蓝耳病1.3万头（次）、牛口蹄疫1.51万头（次）、羊口蹄疫1.52万只（次）、禽流感苗19.4万羽（次）。完成生猪存栏6.13万头，出栏肥猪8.82万头；牛存栏9127头，出栏6723头；羊只存栏3.24万只，出栏肉羊4.02万只；肉类总产量7216吨，蛋类产量241吨；完成猪种改良8112窝，牛种改良2632头，绵羊改良772只，推广良种家禽5.01万羽；实现畜牧业产值1.79亿元，畜牧业收入2.14亿元。增加林地面积1.47万亩，占全镇总面积的2.8%，蓄积量增加4396立方米，占全镇林木蓄积量的0.5%；在鹧鸡村、嘎里村、歹咩村、咩则村人工造林640亩；鹧鸡村实施1000亩森林抚育工作，通过县级验收；实施生态修复治理人工种草项目7506亩，并通过省级验收；普查全镇21万余亩共计2723个秋普小班的松科植物的秋季松材线虫病，未发生松材线虫病疫情。

【商贸流通】 2023年，待补镇运营夏季草莓交易中心，实现年综合产值2亿元。投资7500万元，建成待补镇夏季草莓加工交易中心二期项目，补齐产业配套设施短板；投资644.8万元，糯租村冬季草莓项目建成投产。支持草莓企业与会泽道成嘉品供应链管理有限公司开展草莓营销合作，待补草莓市场竞争力得到提升。成功举办草莓丰收节暨产销对接会，签订产销协议达7000万元；会泽夏季草莓荣获“2023年度受市场欢迎草莓区域公共品牌”。积极培育新型经营主体，持续带动2.5万人在草莓产业链发展增收。

【重点项目建设】 2023年，待补镇投资303万元实施人畜饮水提升工程3件，覆盖5个村10个村民小组0.7万人；投资1860.24万元，完成中烟帮扶野马村产业道路硬化和组组通道路硬化21.04千米；投资110.5万元，完成嘎里村小雪山危险路段“应急三堵”工程和其他安防建设15.81千米；实施电网改造提升项目27项，建设基塔173座，覆盖11个村8000余人；投入资金620余万元，建设13个通信基塔、12个“拉眼”式小型基站，覆盖11个村；投入沪滇协作帮扶资金980万元，实施草莓分拣中心和老中山产业道路硬化；投入100万元，实施鹧鸡村民族团结进步示范项目；投入187万元，实施丁家龙塘易地扶贫搬迁后续扶持项目。

【乡村振兴】 2023年，待补镇落实分类管理和精准帮扶机制，脱贫户和监测对象2031户7365人，人均纯收入达1.47万元，同比增16.36%；推行“红黄绿”分类管理、精准帮扶，排查出新增监测对象15户47人、风险再标注监测对象1户1人、新标注风险消除对象10户37人，有监测对象354户1243人，已消除风险274户1018人、未消除风险80户225人；累计完成新增发放脱贫人口小额信贷74户417.8万元；对1万元以下的27户46人，落实“双包保”帮扶责任制；通过省政府救助平台受理困难群众事项22件，已办结22件。省市县驻村帮扶单位直接投入帮扶资金62万元，协调投入资金865万元助力产业发展。

【生态环境保护】 2023年，待补镇推进农村人居环境综合整治，围绕村庄星级创建标准，创成三星级10个，二星级51个，一星级123个；新建户厕229座，新增无害化公厕8座，农村无害化卫生户厕覆盖率达75%以上；投资500万元，实施集镇管网建设项目，排查污水管网15.6千米，检查井393个，排除雨污混接点15个，建设管网8000米，消除雨污混流。全面落实林长制、河长制责任，累计巡林7466人次，查处林业案件2起；实施造林补助项目640亩，义务植树900株，完成7506亩草原生态修复治理项目。累计巡河792人次，开展清河行动26次；整治占用河道私搭乱建行为2起，整改恢复河道面积280平方米，整治污水直排、垃圾乱倒等问题6次，累计清理河道垃圾7.8吨、清理堵塞淤泥10.6吨。厕改造户均补助1200元，累计完成户厕改造699座，建设“大三格”4个、户“小三格”550个。

鹧鸪河道 （贾瑞雪 摄）

【社会生活】 2023年，待补镇举办农村劳动力培训4次157人，召开现场招聘会3次，共转移就业2.68万人，转移率82.71%，发放交通补贴22.2万元。审批“贷免扶补”及“创业担保贷款”667万元。居民社会养老保险完成征缴1.78万人，完成率87.32%；医疗保险完成征缴4.24万人，完成率96.65%；完成计生家庭意外伤害保险742份。纳入城市低保和农村低保1992户2734人，发放低保金95.73万元；纳入特困对象和供养151户302人，发放特困供养资金16.23万元；救助困难家庭65户223人，发放临时救助资金19.44万元；发放高龄老人保健、残疾人“两项补贴”、退役军人抚恤等各项补助461.89万元。开展30种大病专项救治238人，四种慢性病签约843人；完成会泽县第三人民医院前期环评、水保、图纸设计招标工作。投入137万元，完成待补农村公益性公墓项目和待补敬老院养老服务中心改造项目建设；投入20万元，完成歹咩村、大坝村文化综合服务中心项目建设。完成雨露计划补助247人80.5万元。2023年中考，会泽四中总平均分居乡镇中学第1名，待补中学居同组学校第4名，待补各小学6年级统测成绩，比上年提升3个名次。

【农业（城市）综合服务】 2023年，待补镇通过党组织创办、领办合作社，建立“双绑”利益联结机制，探索“公司+合作社+基地+农户”的经营模式，实现草莓经营企业一头连着草莓经营主体，一头连着村集体经济组织和群众，带动群众实现流转土地，就地务工、扶贫资产收益、自主发展种植、售卖草莓生产资料“五增收”。15个村（社区）集体经济收入超过10万元。守住耕地保有量7.54万亩，基本农田保有量5.58万亩，稳定粮食总产量6.5万吨。投入资金69万元，完成耕地流出整改624.96亩，完成违法图斑整改49个、国土变更调查图斑共759个，组织拆除违法占耕建筑4起，农村乱占耕地建房得到遏制。15个行政村“多规合一”通过县级审核，完成8个村入库工作。投入资金520万元实施集镇基础设施建设，增绿补绿8000余株，集中清理集镇生活垃圾500余吨。开展创卫宣传60余场，制作宣传展板50余块，发放宣传资料5000余份。紧盯“八小”行业等重点场所，督促落实门前“三包”制度，开展专项整治50余次。提升全民健康教育水平和素质，加强病媒生物预防控制工作，设立毒饵站110个。

【基层社会治理】 2023年，待补镇开展治安清查，检查重点单位34家，整改消除隐患4处；排查化解矛盾纠纷280起，接警1354起，立刑事案件71起，破获68件，打获犯罪嫌疑人41名，查处行政案件147件，治安拘留94人；开展信访问题源头治理和信访积案化解专项行动，化解信访积案45件；投入200余万元，完成“四支队伍”和“三办两中心”建设；投入60万元，配齐消防车辆和消防器材，招聘专职消防员8名，改造办公场所1100平方米，完成消防“一站一队”建设，并实体化运行；全面推行84项镇级政务服务事项，13项村级代办服务事项，代办量达1531件。

【精神文明建设】 2023年，待补镇把移风易俗与社会主义核心价值观教育结合起来，组织开展各类推进移风易俗志愿服务活动，引导群众摒弃陈规陋习，崇尚文明新风。镇领导班子、党员干部以身作则，示范引领，带头做移风易俗的“践行者”“遵守者”，带头简办婚丧事宜、反对封建迷信活动。组建8人普法队伍，开展以案示警、以案释法活动、法治宣讲102场，发放培训材料2万余册，1.15万人经学习认证为“知法明理人”，申报8个市级“民主法治示范村”，社会和谐稳定。

【基层组织建设】 2023年，待补镇围绕“党建+”，完成6个市级、3个县级党建引领基层治理示范点创建工作，提升改造15个村级党群服务中心，集中整顿1个“软弱涣散”党组织。巩固提升“五强五好”党支部示范点建设成果，按照“一网格一支部”组建网格党支部，实现212个村（居）民小组党支部全覆盖，合并（撤销）村民小组41个，全年培养发展党员10人，转正12人，完成党员空白村民小组清零任务。创新组织生活方式，丰富“三会一课”“主题党日”开展形式，组织村组干部参加县镇级培训400人次，村“两委”学历提升3人，培养村“两委”后备干部15名。

2023年会泽县待补乡社区（行政村）简表

表27

社区（村）名称	距乡（镇）里程（千米）	总人口（人）	耕地面积（亩）	主要经济来源	村（居）民小组数（个）	自然村拥有数（个）	社区（村）负责人				
							书 记	副书记	主 任	副主任	监委会主任
待补社区	0.7	6557	3828	种植、自主经营、外出务工	21	32	王德付	张 宪	王德付	申 旗	姜国先
吁咩村	2	4768	2780	种植、自主经营、外出务工	13	13	管洪伟	高乔友	管洪伟	朱彦锦	管庆梅
哨牌村	4	2952	2044	种植、外出务工	11	9	张兴堂	谭正昌	张兴堂	卢绍芳	祖存梅
新发村	4	4693	2711	种植、外出务工	14	15	尹超丽	罗顺仓	尹超丽	谭朝红	晏嘉悦
糯租村	5	4616	2723	种植、养殖、外出务工	12	46	朱润琼	晏路金	朱润琼	樊兴中	王志国
金牛村	18	2219	2918	种植、养殖、外出务工	11	9	杨兴良	徐建国	杨兴良	沈正龙	杨兴平
野马村	15	5759	24823	种植、养殖、外出务工	12	34	杨清华	杨绍彬	—	杨自奎	周春秀
鹧鸡村	8	4036	3345	种植	16	21	赵春礼	李兴奎	—	李培明	—
汤德村	16	2612	2569	种植、外出务工	12	23	黄玉宏	饶维娇	—	陈加美	丁国春
嘎里村	6	3883	3061	种植、外出务工	11	15	李云忠	张加能	李云忠	谭 欣	金富龙
安祥村	11	2419	2667	种植、外出务工	7	23	李庆宽	李龙金	—	—	王应宗
大坝村	16	3651	3192	种植、外出务工	9	9	朱正聪	—	朱正聪	李有富	陈发正
箐门村	16	2026	2290	种植、养殖业、外出务工	6	11	杨关庆	陈天稳	马福昌	—	禄国亮
咩则村	7	3181	3517	种植、外出务工	12	21	李忠贤	杨兴稳	施天奎	杨春梅	—
仓房村	25	1006	2693	种植、外出务工	4	4	陈万友	王 伟	陈万友	陈正琴	陈正平

（李 丹）

上 村 乡

【概况】 上村乡位于会泽县城南面76千米，东连宣威市务德乡，西接待补镇，北毗鲁纳乡，南靠田坝乡、沾益区德泽乡。海拔1673～2893米，乡政府驻地大松树村委会。辖区面积282平方千米，人口密度为139.1人/平方千米。2023年，全乡实有耕地2.85万亩，其中，水田0.27万亩、旱地2.58万亩。年降水量606.8毫米，平均气温18℃。辖18个村（居）民委员会，85个村民小组299个自然村，9487户33139人。其中：男17889人，女15250人，男女人口性别比为117.3；非农业人口341户1084人。有回族、彝族、苗族、壮族等22个少数民族415人，占总人口的比例为1.25%。全年，完成固定资产投资2.79亿元，招商引资项目4个8942万元。

【农业】 2023年，上村乡完成粮食播种5.7万亩，产量1880万千克。培育壮大特色产业，播种冬早蔬菜0.2万亩，产值1200万元。夏季草莓5100亩，特色水果1800亩，产值2400万元。美人椒600亩，产值460万元。试种工业辣椒75亩，人参果80亩，雪莲果60亩。完成烤烟1300亩种植任务，收购烟叶17.68万公斤，产值598.15万元。生猪出栏9.59万头、牛出栏0.97万头、羊年出栏5.34万只、禽类出栏23.10万羽，实现畜牧业产值3.6亿元。开展国土绿化、森林草原生态修复工作，完成人工异地造林219亩，义务植树1000余株。开展村庄绿化、庭院绿化、道路绿化，发展以核桃、花椒、松子为主的林草产业。在逐步增加核桃、花椒种植面积的基础上，以全乡2万余亩华山松资源为依托，逐步培育壮大华山松松子产业，300亩核桃、1500亩华山松提质增效改造项目获批。全乡水产面积710余亩，完成水产品总产1.17万吨，水产产值4.2亿元，水产产值占全省30%、全县77%。

【商贸流通】 2023年，上村乡坚持把营商环境作为政府建设的主抓手，健全班子成员联系帮办企业制度，以一流营商环境服务企业发展，新增市场主体（个体）净增长821户，经营主体净增长41户，完成规模工业产值0.53亿元，帮助企业解决各类问题36件。鱼子酱出口35吨，产值1.35亿元。

【重点项目建设】 2023年，上村乡启动绿色能源（光伏）并网发电项目（麒麟厂、唐家丫口）建设，计划投资12.05亿元，建设光伏278.88兆瓦。启动升压站建设，流转荒山荒坡5191亩（现完成流转3116.99亩，占总征地面积60%），涉及法科、瓦厂等14个村，土地流转实现643户群众稳定增收80.76万元，户均增收1256元。渝昆高铁建设完成上村段前期征拆任务，打营、李子坪主线、弃土场、进场路征地700余亩、拆迁19户、震损鉴定调解110户。投资6060万元建设待补至上村道路“四改三”项目投入使用。投资195万元建设鲟鱼基地产业道路3.1千米，新开拓鲟鱼苗出口，筹备启动滇泽水产鱼子酱加工线。

【乡村振兴】 2023年，上村乡落实“四个不摘”，常态化开展防返贫动态监测，70名帮扶联系人进行常态化帮扶。新识别纳入监测对象10户49人，监测户风险消除7户15人，风险未消除44户173人。聚焦“两不愁三保障”和饮水安全底线任务，投资68.4万元开展抗震安居房建设38户。发放小额贴息产业贷款144笔853.54万元，创业贷款27户540万元。发放中小学及学前教育困难学生补助58.89万元，申报“雨露计划”补助149人44.7万元。发放脱贫劳动力省外务工一次性补贴254人25.4万元，发放就业人员创业贷款27户540万元，累计开发公益性岗位676人。18个村级集体经济经营性收入均在10万元以上，新增20万元以上3个村（播乐、李子坪、上村），争取县委组织部集体资金帮扶4个村每村75万元，村均集体可支配收入13.62万元，同比增长51.37%。李子坪村夏季草莓带动播乐、打营、马龙、小坡4个村委会245户流转土地4000余亩种植草莓，就地解决务工2190名。壮大新型农业经营主体，有农民专业合作社55家、家庭农场3家。拓展农产品销售方

上村滇泽鲟鱼养殖基地　（杨志光　摄）

式，参与会泽“丰收节”等活动，拓宽特色水产品、水果、蔬菜、辣椒等农产品新销路。

【生态环境保护】 2023年，上村乡开展人居环境综合整治，投资50万元完成大松树（集镇）“美丽村庄”建设项目。采购垃圾勾臂箱200个，配备10吨垃圾压缩转运箱体1个，开展农村垃圾清理专项行动10余次，清理生活垃圾60余吨。推进厕所革命，完成农村厕所革命任务170个，100户自然村公厕4座。完成云南省乡村振兴示范村建设任务20个，完成云南省提升村（三星村）建设任务13个，星级动态管理创评一星村165个、二星村16个。践行绿色发展理念，完成投资1414.19万元集镇“两污”治理项目，新建污水管网1.3万米，集中处理污水惠及2588户9829人。投资180万元推进“户三格”治理牛栏江流域生态敏感区农村生活污水，涉及自扎、革黑、大河3个村。执行“林长制”“河（湖）长制”，加大巡林、巡河力度，改善河湖生态质量，全年无森林火灾事故发生。

【社会生活】 2023年，上村乡依托网格，落实抚恤优待、医疗救助等政策，兜牢基本生活保障底线。全年发放农村低保694.92万元、城镇低保51.38万元；发放重度残疾人护理补贴48.91万元、困难残疾人生活补助79.33万元；发放临时救助61户227人20.55万元；大病救助11人次12万元。办理优待证307人，发放优抚金166.31万元。完成城乡居民医保缴费3.08万人，养老保险缴费1.47万人，“惠民保”缴费2227人。投资10万元实施敬老院修缮。发放脱贫劳动力省外务工一次性补贴254人25.4万元，发放就业人员创业贷款27户540万元，累计开发公益性岗位676人。18个行政村配齐文化活动室、农家书屋，开展学习宣传贯彻党的二十大精神惠民下乡演出3场、文体活动50场次。推进小规模学校布局调整，持续优化校点，4所小学完成撤校合并，发放各类助学金、生活补助共计894人32.01万元，全乡义务教育阶段适龄学生辍学率动态清零。家庭医生签约居民1.23万人，履约率99.66%。常态化开展健康查体服务，新建和改造提升卫生站17个，为群众节约就医经费340万元。

【农业（城市）综合服务】 2023年，上村乡推进村组道路建设，投资2430万元硬化道路40.5千米，新建道路交通安防工程波形防护栏19.5千米。投资288.1万元巩固提升农村饮水安全工程13件，受益农户4073户。推进电网提质改造，投资400余万，完成法科、打营、李子坪、瓦厂、播乐、马龙农村电网10千伏并网项目，改造12千米。投资510万元，待补至上村35千伏电网更换工程投入使用。投资358万元实施农村公益事业财政奖补项目，涉及4个村，完成道路硬化9.2千米，安装路灯260盏。投资195万元，开展上村乡上村鲟鱼产业基地建设项目；投资15万元，完成上村乡核桃提质改造补助项目；投资80万元硬化播乐村草莓种植产业道路1.7千米；投资2400万元，硬化境内40.5千米产业、交通道路；投资10万元，完成上村乡野牛河河堤修复工程；投资10万元，改造上村乡敬老院附属设施；投资56.4万元，完成上村乡20户以上自然村巩固脱贫攻坚推进乡村振兴终端信息服务系统建设项目。发放耕地地力保护补贴355.43万元，粮种补贴27.96万元。

【基层社会治理】 2023年，上村乡建立乡村组三级网格，选聘专责网格员，共调解各类矛盾纠纷94起，接待法律咨询10余人次，开展“援法议事”活动3次，解决1个群众关心的热点、难点问题，化解企业生产、生活污水处理问题。优化公共法律服务供给，累计培育“法律明白人”90名，开展宣讲22期。共受理来信来访59件，推进重复信访事项治理，2件信访积案顺利化解。加强安全生产、食品药品监管、应急管理、防灾减灾工作，制定安全生产例会和安全生产检查等7项规章制度，建立健全安全生产检查巡查、安全生产宣传教育和培训等8项台账，常态化开展重点领域隐患排查整治工作，共检查生产经营单位144家次，发现问题53个，整改率100%。针对6家沿街门店建立一户一档，开展消防演练与培训4次。开展集镇燃气安全检查12次，发现隐患9处，排查非煤矿山3家（砂石厂），发现安全生产隐患共计26处，全部整改到位。全年未发生安全事故和重大道路交通安全事故。

【精神文明建设】 2023年，上村乡以精神文明建设引领新农村阵地建设，成立上村乡新时代文明实践所志愿服务项目，组织开展“学习贯彻党的二十大精神”6场、“普法强基补短板专项”理论宣讲会10场、“移风易俗”新时代文明实践志愿服务活动13场，发放宣传画3000余份，倡导摒除社会陋习，弘扬社会新风。组织乡文化演出工作队开展“戏曲进乡村文化进万家”文化活动，把移风易俗作为推进乡村文明建设的重要抓手，建立丧事操办标准，全乡18个村委会均把“厚养薄葬、倡树文明节俭婚丧新风”等移风易俗新规写入村规民约中。

【基层组织建设】 2023年，上村乡新成立上村乡水产养殖党支部，新发展党员8名，接收7名预备党员转正。春节慰问困难党员、老党员、老干部共73人次；“七一”前夕走访慰问生活困难党员、老党员共45人次；慰问因受灾遇到严重生活困难的党员、群众和奋战在防汛救灾第一线的基层党员、干部和群众共37人次。开展“万名党员进党校”4期，培训党员累计1088人。通过“基层党组织自评、党员群众测评、乡党委评定、公示定级结果”程序，全乡159个村民小组党支部全覆盖过“筛子”，确定先进基层党组织 103 个、占 64.78%，中间党组织 48 个、占 30.19%，后进党组织 12 个、占 5.03%。对照 12 种软弱涣散党组织情形，确定软弱涣散基层党组织 2 个。创建党建引领基层治理示范乡，打造瓦厂村的 1 个市级基层党建示范点和董德村、小箐村的 2 个基层党建示范点。

2023 年会泽县上村乡社区（行政村）简表

表 28

社区（村）名称	距乡（镇）里程（千米）	总人口（人）	耕地面积（亩）	主要经济来源	村（居）民小组数（个）	自然村拥有数（个）	社区（村）负责人				
							书　记	副书记	主　任	副主任	监委会主任
大河村	1.5	2751	1450.3	种植、养殖、外出务工	9	24	张天东	杨万才	张天东	聂元奎	—
小坡村	18	2870	1814	种植、养殖、外出务工	3	13	—	李　锐	刘正伟	耿绍云	敖金顺
自扎村	15	714	726	种植、养殖、外出务工	2	5	张天美	左文夸	张天美	—	王启有
坪地村	10.5	1438	850	种植、养殖、外出务工	4	17	唐炳选	杨永琴	唐炳选	陈光朝	唐国买
打营村	20	2160	2285	种植、养殖、外出务工	8	13	刘国万	刘云兵	刘国万	尹艳丽	李云权
大户村	11	1891	1185	种植、养殖、务工	6	22	李兴权	唐兴伟	李兴权	唐兴卫	唐开稳
大松树村	0.1	1875	506.8	种植、养殖、外出务工	2	17	张正军	张玲翠	张正军	—	曹兴山
董德村	14	2424	2395	种植、养殖、外出务工	4	12	曹得万	张天云	曹得万	杨正福	孙云焕
法科村	10	2169	1178	种植、养殖、外出务工	4	13	—	何竹米	—	何睿锋	唐　川
革黑村	1	2547	1284	种植、养殖、外出务工	6	12	张天亮	高顺芬	张天亮	唐会琼	王万昌
李子坪村	28	1437	957	种植、养殖	3	17	杨关礼	杨开云	杨关礼	钟招文	李　所
马龙村	22	1188	1260	种植、养殖、外出务工	7	12	茹加坤	晏光凯	茹加坤	袁丽焕	晏庭安
上村	1.2	2283	1238	种植、养殖、务工	2	11	李应能	闻忠典	李应能	陈丽梅	闻平珍

续表 28

社区（村）名称	距乡（镇）里程（千米）	总人口（人）	耕地面积（亩）	主要经济来源	村(居)民小组数(个)	自然村拥有数（个）	社区（村）负责人				
							书　记	副书记	主　任	副主任	监委会主任
瓦厂村	3	3116	1542	种植、养殖、务工	4	17	张云芝	—	—	陈明政	陈光玉
小麦地村	18	1333	993	种植、养殖、外出务工	4	5	张正金	陈　春	张正金	—	代兴友
小箐村	12	1983	915	种植、养殖、外出务工	7	25	王金奎	方正贵	王金奎	李正本	李正权
闸塘村	8	3157	1425	种植、养殖、务工	8	54	李长瑛	金桂琴	李长瑛	李长坤	何兴龙
播乐村	11	1798	1560	种植、养殖、务工	2	10	—	桂俊所	—	朱　伟	张稳兴

（高敏）

驾车乡

【概况】　驾车乡位于会泽县城西南面 70 千米，东连田坝乡，西接昆明东川区，北邻待补镇，南靠寻甸自治县功山镇。待功二级路和 213 国道南北贯穿全境。海拔 1780 ~ 3384 米，乡政府驻地驾车村，海拔 2600 米。辖区面积 295.7 平方千米，人口密度 96 人 / 平方千米。2023 年，全乡实有耕地 15.05 万亩，林地 20.7 万亩。年降水量 1480 毫米，平均气温 10.2 摄氏度。辖 12 个村民委员会 91 个村民小组 118 个自然村 8219 户 28118 人。其中：男 15117 人，女 13001 人，男女比例 116.28；非农业人口 568 人。有彝族、回族、苗族、哈尼族、傈僳族、纳西族、朝鲜族等 7 个少数民族共 976 人，占总人口的比例为 3.47%。全年，完成固定资产投资 3.87 亿元，招商引资项目 9 个 2.97 亿元。

【农业】　2023 年，驾车乡种植马铃薯 5.5 万亩，产值 1.26 亿元；种植燕麦、荞麦 5.8 万亩，产值 7820 万元；种植草莓 2.1 万亩，产值 4.2 亿元；种植重楼、当归、三七、黄精等中药材 3500 亩，产值 2.2 亿元；种植花卉 1400 亩，产值达 6100 万元。全年生猪存栏 5.4 万头、出栏 9.6 万头，牛存栏 2.2 万头、出栏 1.1 万头，羊存栏 3.7 万只、出栏 5.1 万只，禽存栏 12.5 万羽、出栏 22 万羽，完成畜牧业产值 3.5 亿元，实现收入 1.3 亿元，人均畜牧业收入 4534 元。生态公益林总面积 9.45 万亩，其中国家级公益林面积 8353 亩，省级生态公益林面积 8.61 万亩。全年完成 104 亩异地造林。

驾车乡草莓种植　　（姚贵祥　摄）

【商贸流通】 2023年，驾车乡投资1098万元，在钢厂村建成燕麦、荞麦粗加工厂，农产品就地加工，更多种植利益留在当地留给群众，马铃薯、燕麦荞麦加工走在全县前列。全年有商品交易市场2个，登记个体工商户1900个，其中餐饮环节经营户37户，种植户555户，养殖户465户，农民专业合作社107户，内资公司107户，营业面积50平方米以上商店或超市11个，工业企业8个，农产品加工企业4个，其他经营户713户。

【重点项目建设】 2023年，驾车乡投资1053万元，完成钢厂、野猪、腰店马铃薯种薯基地建设项目；投资120万元，完成光头村草莓产业基地建设项目；投资390万元，完成野猪村马铃薯基地建设项目；投资99.31万元，完成钢厂村蔬菜种植基地建设项目；完成小水、腰店、野猪、钢厂、驾车、水塘、芹菜、光头8个村肉牛示范建设项目，争取“牛八条”政策扶持资金1552.56万元；投资1098万元，建设高原特色燕麦荞麦产业融合发展项目；投资249.5万元，完成饮水建设项目13项；投资192万元，完成96户农村功能房提升建设项目，完成4座100户以上自然村公厕和75户户厕建设任务；完成风电项目一期工程、输变电路改造工程；推进钢厂水厂建设项目。

【乡村振兴】 2023年，驾车乡识别新监测对象19户73人，风险消除20户71人。全乡三类监测对象248户874人，共享受各类帮扶措施1274项，户均享受5.13项，均已逐户建立“收入增收工作档案”，实行“一户一台账、一人一措施”。全乡12个村集体经济收入平均达10万元。在云南广汇种植有限公司挂牌成立下春松专家工作站，在光头村挂牌成立曲靖师范学院乡村振兴科技小院，让科研成果在田间地头转化实效，助力产业振兴和农民增收。

【生态环境保护】 2023年，驾车乡推进省级华山松自然保护区保护，完成各级环保督察问题整改，落实“河（湖）长制”“林长制”，“绿美驾车”建设扎实推进；垃圾热解站整改完成投入运行，全乡生活垃圾得到有效处理；完成污水处理站扩容提质、集镇生活污水治理、集镇改造提升前期工作，集镇三整治三提升起步推进；星级村创评共创三星村4个，二星村18个，一星村65个。

【社会生活】 2023年，驾车乡解决改善945户3792人饮水问题及10个项目村饮水困难户的饮水问题。提升教育质量，参加中考学生共246人，上线率49%，平均分居同组第一，年终考核为一等奖，中心校教育教学质量年终考核获三等奖。乡卫生院被县卫生健康局授予“先进集体”称号。医保参保率97.1%，养老保险缴费率94.49%。低保资金实行专户管理，专项调拨，专账核算，专款专用。全乡共火化165例，入公墓率100%。

【农业综合服务】 2023年，驾车乡配合县农机安全监理站完成2023年拖拉机的检审工作，共计检审12台，签订安全责任书32份。邀请农机监理站到驾车开展农机安全知识培训2次65人次；完成农机购置补贴28台套农机机械申请补贴，发放补贴金额7.35万元，受益农户数27户。统计调查工作列为全市农业农村统计基层基础规范化建设试点。

【基层社会治理】 2023年，驾车乡发展新时代“枫桥经验”，推进市域社会治理，成立矛调中心，共排查化解矛盾纠纷393件。成立12支专项普法工作队，针对不同对象分类施策开展专项普法，开展送法进村进校46场次，全乡知法明理人认证5867人，完成任务的113%。开展反恐维稳、反邪教、禁毒防艾、扫黑除恶等工作，严厉打击各类违法犯罪活动，治安处罚107人。

【精神文明建设】 2023年，驾车乡充分发挥新时代文明实践中心的作用，以全国“公民道德宣传日”和全市“公民道德建设月”为重点，组建4支志愿服务者队伍，集中开展关爱空巢老人及留守儿童、植树造林、清扫街道、医疗咨询等学雷锋志愿服务活动和文明礼仪普及宣传活动。在传统节日期间，开展群众喜闻乐见、便于参与、乐于参与的活动5场次。

【基层组织建设】 2023年，驾车乡认真推行村民小组调整合并工作，将116个村民小组调整合并为91个村民小组，共撤并减少25个村民小组，村民小组党支部调整组建工作完成后消除党员空白村。全年创建推选“红旗村”5个，调整领导班子2名，提拔股所级干部2名，培养村级后备干部13名，15名党员转正，发展11名预备党员，培养10名入党积极分子。

2023年会泽县驾车乡社区（行政村）简表

表29

社区（村）名称	距乡（镇）里程（千米）	总人口（人）	耕地面积（亩）	主要经济来源	村（居）民小组数（个）	自然村拥有数（个）	社区（村）负责人				
							书　记	副书记	主　任	副主任	监委会主任
驾车村	0.5	5083	18018	种植、养殖	15	14	张发林	王　华	—	亢朝云	罗云全
白泥村	17	1646	10235	种植、养殖	7	10	陆　蕊	周延龙	—	来兴龙	段应奎
光头村	6	2548	18125	种植、养殖	7	6	李坤林	沐福龙	—	王顺清	王友志
腰店村	11	1937	10324	种植、养殖	7	12	冯跃刚	赵忠才	—	冯春梅	王洪坤
芹菜村	9	2746	21247	种植、养殖	10	10	袁绍坤	舒正学	—	李　春	管应强
水塘村	7	2500	16046	种植、养殖	7	7	李廷献	张云彪	—	唐本旭	张云所
屋基村	10	2034	10095	种植、养殖	8	21	冯　兵	李兴才	—	段金海	段应祥
迤石村	15	1800	6757	种植、养殖	7	15	张小有	张金友	—	张朴金	符锁柱
大水村	7	2345	12905	种植、养殖	7	6	范树稳	曾招莱	—	范　勇	高绍阳
野猪村	20	1586	11458	种植、养殖	5	8	沐跃龙	聂元春	—	杭天德	陈海云
小水村	4	1756	14542	种植、养殖	6	4	林　洪	周朝仓	—	马国友	盛友忠
钢厂村	22	2128	18308	种植、养殖	5	5	孔祥稳	杨自坤	—	曾　伟	赵　敏

（张春燕）

田坝乡

【概况】　田坝乡位于会泽县城南面65千米，东连沾益区德泽乡，西接驾车乡，北毗上村乡，南靠寻甸自治县功山镇。海拔1680～2703米，乡政府驻地田坝村。辖区面积352.4平方千米，人口密度为109.82人/平方千米。2023年，全乡实有耕地7.99万亩，年降水量840.1毫米，平均气温16.5摄氏度。辖19个村民委员会，144个村民小组，11367户38702人。其中：男20855人，女17847人，男女比例116.85；非农业人口682户1791人。有回族、苗族、彝族、壮族等23个少数民族共2120人，占总人口的比例为5.48%。全年，完成固定资产投资5.24亿元，增长74.6%。招商引资项目9个2.04亿元。

【农业】　2023年，田坝乡粮播面积7.2万亩，总产2139万千克；实施高产马铃薯样板、玉米地膜覆盖样板1500余亩；完成烤烟种植5500亩，产量74.76万千克，实现总产值2501.92万元；完成蔬菜种植0.93万亩，年产值1.33亿元；引进延川梁家河羊肚菌农业科技有限公司在卡竹村流转土地51亩试种羊肚菌；完成燕麦种植0.3万亩，中草药种植0.14万亩，实现经济价值1320万元；投资595万元，建设完成草莓育苗基地84亩。大力发展生猪、肉羊、肉牛养殖，全乡生猪存栏8.1万头，出栏15.1万头；肉羊年存栏6.6万只，出栏7.28万只，肉牛年存栏2.6万头，出栏1.05万头，畜牧业产值达6.94亿元；投资1830万元，建设西南地区最大的火红山羊保种场；投资832万元，建成红岩肉牛养殖基地，并投入生产，辐射带动周边村山羊、肉牛养殖，畜牧业成为群众增收的重要渠道。落实森林防火目标管理责任制和24小时值班制度，全乡未发生重大森林火灾，被县委、县政府表彰为2023年度森林草原防灭火工作成绩突出乡镇。完成国家级公益林8.82万亩、省级公益林6.11万亩补偿资金的兑现发放工作。积极发展以华山松、核桃、花椒为主的林草产业，实施核桃提质增效项目500亩，以3万余亩的华山松资源为依托，实施华山松松子产业发展试验试点森林抚育项目330亩，逐步培育壮大华山松松子产业。完成辖区内松材线虫病秋季普查任务，完成2000余个松林图斑的数据采集、录入。对全乡境内重点古树名木进行挂牌保护。

【商贸流通】 2023年，田坝乡投资150万元，启动集镇农贸市场建设，对市场秩序进行全面规范。全年有集贸市场6个，个体工商户2486户，其中餐饮环节经营户88户（含19家学校食堂），流通环节100户，药店经营户8户。三小备案登记生产企业24户，小摊贩7户，生产企业1户，其他行业经营户120户，全乡有实有个体经营户420户，农民专业合作社93户，内资公司178户。

【重点项目建设】 2023年，田坝乡投资4752.6万元，建设79.25千米农村公路及附属设施改造工程，全乡农村公路通车里程达438千米；投资500万元，完成清河村民族团结进步示范乡项目，道路硬化5.17千米。投资491.57万元，完成25.08千米波形防护栏安装；自筹资金8.82万元完成危险路段防撞警示柱安装和市、县交安委督办的道路隐患点整治。完成田坝、海山等10个村水利工程项目，安装管道8万余米，新建蓄水池15个，防洪桥1座，取水坝8座。投资420.89万元，完成李子箐、白岩、板坡等8个村的饮水安全工程维修养护项目，维修更换管道6.32千米，水表等配件1425件，累计清理河道长16.6千米，植树1万株；启动建设白木沟水厂配套管网项目。持续推进渝昆高铁田坝段建设征迁工作，全线共涉及房屋拆迁112户、坟墓237冢。已拆迁房屋107户、迁移坟墓232冢，征用土地1650余亩、林地211.64亩、林木4.51万棵，完成三电迁改10千米，兑付补偿金1.01亿元。完成500千伏铜都线43个机塔、110千伏风电连接线84个机塔、35千伏风电连接线48个机塔项目建设；新建10千伏电力输送杆塔99基，新架绝缘导线6.33千米，安装变压器5台，电表260套，安全隐患整改消除210处；完成水毁抢修1.5千米，农村电网改造25千米，新建5G基站2个，安装充电桩2台。

【乡村振兴】 2023年，田坝乡全面推行抓党建促脱贫成果巩固、“红黄绿”分类管理和精准帮扶机制，新识别三类监测对象14户53人，稳定消除风险41户157人，“一户一策”落实帮扶措施1419项，脱贫人口及监测对象人均纯收入1.22万元，同比增长15.58%，实现人均纯收入8500元以下且有劳动能力的脱贫户及三类监测对象动态清零。转移脱贫人口劳动力5474人，开展脱贫人口技能培训334人。全乡驻村帮扶单位落实帮扶资金379万元，协调推进项目7个，村集体经济收入730.34万元。乡村振兴“百千万”示范工程深入实施，建成1个精品示范村、2个绿美村庄、1个“四美家园”。

“两污”治理项目，在金槽村安装的一体化污水处理设备 （王娅多 摄）

【生态环境保护】 2023年，田坝乡全面落实长江“十年禁渔”“河（湖）长制”“林长制”，投资45万元，在主要交通沿线种植绿化树1.8万株，播撒花籽160千克，完成绿化2万平方米；完成异地恢复造林325亩，补植补造3600亩，义务植树12万株，实现森林覆盖率和蓄积量的双增目标。全年巡河（库）1832人次，其中，乡级河长巡河168人次，村级河长巡河1664人次。投资600万元，完成集镇污水处理厂提质改造、排水沟渠疏通改造。学习推广浙江“千万工程”经验，19个村完成云南省乡村振兴示范村建设和云南省提升村建设任务。完成改建卫生公厕14座、户厕374座，完成率100%。统筹推进城乡“两污”治理，生活垃圾实现就近就地处置。投资115万元，建设金槽村和田坝村岩脚“两污”治理项目，建设三格式化粪池62个，安装污水管2508米，安装一体化污水处理设备3套。

【社会生活】 2023年，田坝乡启动投资2267.85万元的白土小学还建项目。在校职业教育学生“雨露计划”申报174人，补助73.8万元。中小学的教学成绩在全县名列前茅，乡人民政府被县委县政府表彰为“会泽县2023年教育工作先进集体”，中心学校被市委、市政府表彰为先进集体。医疗保险参保率98.2%，医疗保险回乡内报销236人次85.3万元；全面落实脱贫人口住院先诊疗后付费和“一站式”报销制度，重特大病对象226人、4种慢性病1312人全部纳入规范管理，全年共办理慢性病卡599人。年内，清退农村低保42人，新增75人，清退城镇低保16人，享受城乡低保1002人，发放低保金396.58万元；特困集中供养对象18人、特困分散供养169人，发放五保救助金200.95万元；合计发放孤儿及事实无人抚养儿童救助金31.94万元、高龄补贴40.07万元；实施临时救助71户20.9万元；发放残疾人“两项补贴”515人74.1万元。

【农业综合服务】 2023年，田坝乡投资1845万元，完成红岩、奋斗、车乌、多着高标准农田建设1.23万亩；投资907万元，建设卡竹、车乌、尹武蔬菜产业基础设施；投资80万元，建成白马箐产业道路1.36千米；投资2456万元，完成亚洲开发银行长江生态廊建设项目，硬化道路19千米，修建机耕路13.6千米，配套建设排灌沟渠32千米；完成各类农机具补贴5个批次224人。开展涉农技术培训、职业技能培训及其他实用技术培训工作。

【基层社会治理】 2023年，田坝乡全力防范化解各类风险，落实防灾减灾、安全生产各项措施，开展普法强基补短板专项行动。全年开展普法宣讲400余场次。着力构建“大信访”工作格局，化解信访件14件，化解信访积案5件，化解矛盾纠纷300余起，信访总量同比下降69.5%、初信初访量同比下降44.1%。扎实开展命案防控，严厉打击各类违法犯罪，侦破各类刑事案件30件，采取刑事强制措施38人，行政处罚各类违法人员123人。

【精神文明建设】 2023年，田坝乡开展“我们的节日”系列活动8场次，利用新时代文明实践所（站）开展卫生清洁文明实践活动400余次，各村制定村规民约，建立村民议事会、红白理事会、道德评议会等。开展“好媳妇、好婆婆、好邻居”“最美家庭”等创建活动。开展道德讲堂、党的政策宣讲、法制专题讲座等120余次。创建4个省级卫生村，6个县级民主法治示范村，8个县级“红旗村”，7个县级文明村和文明校园，认证15个村为“知法明理”示范村，漆树村被评为“曲靖市平安村”。

【基层组织建设】 2023年，田坝乡元旦、春节期间为生活困难党员和老党员、老干部、因公殉职党员干部、生活困难村（社区）老骨干、受伤或患重病的驻村工作队员、因病致贫的困难群众等64人发放慰问金2.39万元。“七一”前夕走访慰问生活困难党员、老党员慰问名额45人，走访慰问党费总计9000元，开展“七一”“两优一先”表彰活动，表彰“优秀共产党员”20人、“优秀党务工作者”“先进基层党组织”6个，表彰党费总计8400元。防汛救灾慰问50人，发放慰问金1万元。完成基层党组织分类定级工作，发展党员6名。

2023年会泽县田坝乡社区（行政村）简表

表30

社区（村）名称	距乡（镇）里程（千米）	总人口（人）	耕地面积（亩）	主要经济来源	村(居)民小组数(个)	自然村拥有数（个）	社区（村）负责人				
							书　记	副书记	主　任	副主任	监委会主任
田坝村	1	3034	3118.23	种植、养殖、劳务输出	10	23	王吉龙	王　静	王吉龙	马永青	杨选东
车乌村	10	2893	3274.09	种植、养殖、劳务输出	10	14	王吉先	王志平	张本良	吴仕坤	张国学
多着村	10	2509	5276.89	种植、养殖、劳务输出	10	35	—	朱　兵	—	陈　丽	陈冬云

续表 30

社区（村）名称	距乡（镇）里程（千米）	总人口（人）	耕地面积（亩）	主要经济来源	村(居)民小组数(个)	自然村拥有数（个）	社区（村）负责人				
							书　记	副书记	主　任	副主任	监委会主任
金槽村	27	1205	2812.91	种植、养殖	6	21	邱卫林	张　永	邱卫林	阮国稳	阮国云
李子箐村	29	1488	4346.95	种植、养殖	8	20	邱建贵	方自中	邱建贵	邓龙秧	孙关云
奋斗村	15	2545	7836.1	种植、养殖、劳务输出	10	28	朱树稳	金朝山	朱树稳	刘兴有	张光林
鱼塘村	6	1823	4453.23	种植、养殖、劳务输出	5	18	汤加稳	—	汤加稳	杨加昌	张德华
岔河村	13	1590	5620.08	种植、养殖、劳务输出	6	14	华应平	李乔稳	陆国全	龙　坤	尹开龙
漆树村	9	1098	2281.6	务工收入	6	13	高德忠	李廷凡	高德忠	张美配	崔建文
白岩村	15	1970	5510.36	种植、养殖、劳务输出	7	13	邱永奎	陈桂方	—	林荣早	袁存稳
板坡村	5	2296	4809.16	种植、养殖	8	33	王志坤	张仓林	王志坤	金朝宽	金朝富
海山村	20	2340	5140.77	种植、养殖、劳务输出	6	21	朱柱稳	曾老记	朱柱稳	朱金能	刘捌斤
卡竹村	17	4184	6526.77	务工收入	11	15	张国雄	吴永盛	张国雄	吴荣柏	曾招凯
公锁村	22	1683	3279.78	种植、养殖、劳务输出	7	14	代金礼	唐金稳	代金礼	唐金美	刘昌红
曾家湾村	14	1756	3907.73	种植、养殖、劳务输出	8	18	李云忠	刘应全	李云忠	张兴强	段　梅
白土村	21	1631	4376.59	种植、养殖、劳务输出	7	19	陈启林	李长能	陈启林	罗加鹏	吴坤柏
清河村	26	901	2694.62	种植、养殖	6	18	余慧琼	—	余慧琼	朱财法	苏尔贵
尹武村	30	2861	4719.27	种植、养殖、劳务输出	8	15	王绍青	吴顺柏	王绍青	陈宾	曾存稳
红岩村	28	895	3264.18	种植、养殖、劳务输出	5	14	吴　鑫	施长宝	吴　鑫	邱先平	张正荣

（郭晓凤）

人物·荣誉

先进集体和先进个人表录

2023年度会泽县受省部级以上表彰的先进集体一览表

表31

单位	荣誉称号	表彰单位
会泽县	云南省粮食暨重要农产品生产先进集体	农业农村部
会泽县	2021—2025年度第二批全国科普示范县	中国科学技术协会
五星乡黑土村	第三批全国乡村治理示范村镇	农业农村部　中央宣传部　司法部
李明燕家庭	最美家庭	中华全国妇女联合会
会泽县司法局	国家级节约型机关	国家机关事务管理局、中央直属机关事务管理局、国家发展和改革委员会、财政部
会泽县教育体育局	云南省教育工作先进集体	省委、省政府
会泽县农业农村局	云南省粮食暨重要农产品生产先进集体	省委、省政府

2023年度会泽县受省部级以上表彰的先进个人一览表

表32

姓名	性别	民族	单位及职务（职级）	荣誉称号	表彰单位
刘志安	男	汉	会泽县司法局古城司法所所长	全国模范调解员	司法部
陈玉合	男	汉	会泽县金钟镇第一中学校高级教师	云南省优秀教师	省委、省政府
赵玉兵	男	汉	会泽县第一中学校副校长、一级教师	云南省优秀教师	省委、省政府
吴顺柏	男	汉	会泽金塬水泥有限公司董事长	九届云南省优秀民营企业家	省委、省政府

2023 年度会泽县受地厅级表彰的先进集体一览表

表 33

单位	荣誉称号	表彰单位
会泽县人民政府	科技支撑乡村振兴科技创新县	云南省科学技术厅
会泽县广播电视局	先进集体	云南省广播电视局、云南省人力资源和社会保障厅
会泽县人民法院立案庭	全省法院“一站式”建设工作成绩突出集体	云南省高级人民法院
会泽县人民法院执行局	全省法院 2022 年度执行工作和执行信访工作成绩突出集体	云南省高级人民法院
李燕家庭	清廉家庭	云南省妇女联合会
会泽县	云南省第一批“法治政府建设示范县”	中共云南省委全面依法治省办公室
会泽县司法局	云南省司法工作先进集体	省司法厅、省人力资源和社会保障厅
云南驰宏锌锗股份有限公司会泽矿业分公司	云南省五一劳动奖	省总工会、省人力资源和社会保障厅
会泽县融媒体中心	2022 年度成绩突出县级融媒体中心	云南广播电视台
会泽县融媒体中心	2022 年度云南省国有互联网新闻信息服务单位社会效益评价考核等级为“优秀”	云南省委网信办
会泽县红十字会	云南省红十字会“5·8 人道公益日”网络筹款活动获捐赠人次县级成绩突出单位第二名	云南省红十字会
会泽县雨碌小学	云南省“云岭先锋·育人红烛”党建示范学校	中共云南省委教育工委
中国农业银行会泽县支行	2023 年度县域支行穿透式评价先进单位	中国农业银行云南省分行
金钟供电所	先进基层党组织	云南电网公司党组
红云红河集团会泽卷烟厂制丝车间党支部	云南中烟先进基层党组织	中共云南中烟工业有限责任公司党组
红云红河集团会泽卷烟厂机关团支部	云南中烟五四红旗团委（团总支、团支部）	中共云南中烟工业有限责任公司党组
红云红河集团会泽卷烟厂薪火 QC 小组	2022 年度优秀 QC 课题成果一等奖	云南中烟工业有限责任公司
红云红河集团会泽卷烟厂致远 QC 小组	2022 年度优秀 QC 课题成果二等奖	云南中烟工业有限责任公司
红云红河集团会泽卷烟厂薪火 QC 小组	2023 年全国 QC 小组成果发表赛交流活动（第二期）示范级	中国质量杂志社
红云红河集团会泽卷烟厂致远 QC 小组	2023 年全国 QC 小组成果发表赛交流活动（第二期）示范级	中国质量杂志社
会泽县工业信息化和商务科技局	曲靖市奋进新征程推动新跨越先进集体	市委、市政府

续表 33

单位	荣誉称号	表彰单位
会泽县五星乡党委、人民政府	曲靖市扫黑除恶先进集体、集体三等功	市委、市政府
会泽县公安局	曲靖市优化营商环境促进市场主体倍增工作先进集体	市委、市政府
会泽县市场监督管理行政执法大队		
会泽县政务服务管理局		
会泽县人力资源和社会保障局	2023 年度曲靖市平安单位	市委、市政府
会泽驾车省级自然保护区管护局		
云南（炬锋）电焊机有限公司		
会泽金塬水泥有限公司		
会泽县鲁纳乡	2023 年度曲靖市平安乡镇	市委、市政府
以礼街道河滨社区	2023 年度曲靖市平安村（社区）	市委、市政府
宝云街道治都村		
古城街道盈仓社区		
钟屏街道思源社区		
金钟街道三家塘村		
娜姑镇驿兴社区		
迤车镇店子村		
待补镇待补社区		
乐业镇半山村		
大井镇盐塘村		
田坝乡漆树村		
五星乡红石岩村		
火红乡冬瓜林村		
大桥乡李家湾村		
纸厂乡江边村		
老厂乡安家坪村		
上村乡瓦厂村		
马路乡江子树村		
雨碌乡阳山村		
新街回族乡凤凰村		

续表 33

单位	荣誉称号	表彰单位
以礼街道河滨社区七组团小区	2023 年度平安小区	市委、市政府
以礼街道清水社区三组团小区		
钟屏街道木城社区惠丰园小区		
钟屏街道泽兴社区惠信园小区		
宝云街道东瑞社区明秀园小区		
宝云街道东瑞社区驰宏小区		
古城街道瑞丰社区瑞祥小区		
古城街道丰乐社区矿业公司小区		
金钟街道春晓社区交通小区		
金钟街道春晓社区徐祥武家庭	2023 年度曲靖市平安家庭示范户	市委、市政府
矿山镇拖翅村高顺能家庭		
者海镇发基村杨守滔家庭		
田坝乡漆树村箐门小组李文党家庭		
鲁纳乡银厂村陆德锐家庭		
火红乡冬瓜林村舒吉军家庭		
新街回族乡花鱼村保德尹家庭		
驾车乡钢厂村林培华家庭		
雨碌乡陡红村代增万家庭		
大海乡小江村刘燕家庭		
会泽县委	2023 年曲靖市教育工作先进集体	市委、市政府
会泽县人民政府		
会泽县茚旺高中致远中学		
会泽县实验高中大成中学		
会泽县第二幼儿园		
会泽县乐业镇中学		
会泽县田坝乡中心学校		
会泽县工农小学		
会泽县财政局	曲靖市爱国拥军先进集体	市委、市政府
会泽县退役军人事务局		
会泽县春晖小学		
会泽县兴荣红色文化旅游开发有限公司		

续表 33

单位	荣誉称号	表彰单位
会泽县纸厂乡人民武装部	2022 年全市征兵工作先进单位	市政府、曲靖军分区
会泽县田坝乡中心学校		
会泽县工农小学		
会泽县财政局	曲靖市爱国拥军先进集体	市委、市政府
会泽县退役军人事务局		
会泽县春晖小学		
会泽县兴荣红色文化旅游开发有限公司		
会泽县纸厂乡人民武装部	2022 年全市征兵工作先进单位	市政府、曲靖军分区
会泽县古城街道中心学校	2022 年曲靖市教育工作先进集体	市委、市政府
会泽县大海乡中心学校	2022 年曲靖市教育工作先进集体	市委、市政府
会泽县委办公室	2021 年度全市党委信息工作先进单位	市委、市政府
会泽县统计局	曲靖市统计工作先进集体	市政府
会泽县人大常委会机关	曲靖市四星级模范机关	中共曲靖市委党的建设工作领导小组
会泽县财政局	曲靖市三星组模范机关	中共曲靖市委党的建设工作领导小组

2023 年度会泽县受地厅级表彰的先进个人一览表

表 34

姓名	单位及职务（职级）	荣誉称号	表彰单位
焦存美	会泽县人民检察院副检察长、一级检察官	案件管理业务标兵	云南省人民检察院
丁荣万	会泽县人民检察院派驻迤车检察室主任、一级检察官	云南省调解能手	省委政法委、省司法厅
管红宁	会泽县水务局工程师	优秀驻村工作队员	中共云南省组织部、云南省乡村振兴局
虎志刚	红云红河集团会泽卷烟厂群团工作科驻狮子村工作队第一书记、工作队长	优秀驻村第一书记	中共云南省组织部、云南省乡村振兴局
包广祥	会泽供电局职工驻会泽县大海乡凹黑村任第一书记		
孟福堂	会泽县司法局古城司法所所长	云南省“十佳”人民调解员	云南省司法厅

续表 34

姓名	单位及职务（职级）	荣誉称号	表彰单位
何廷彪	会泽县金钟街道石鼓社区调解员	云南省“调解能手”	中共云南省委宣传部、云南省司法厅、云南省普及法律常识办公室、春城晚报
何云冬	会泽县待补司法所所长		
刘志安	会泽县宝云司法所所长		
张正坤	会泽县乐业司法所所长		
赵继山	会泽县娜姑镇白秀村委会调解员		
周忠辉	会泽县司法局社区矫正管理科科长		
赵丙吉	会泽县大井镇仓房小学	2023 年度云南省乡村学校从教 20 年以上优秀教师	云南省教育厅
朱恩贵	会泽县大桥乡中学		
牛林丽	会泽县待补小学		
曾树存	会泽县第二中学		
张顺堂	会泽县第四中学		
杨光雄	会泽县乐业镇中学		
杨　琴	会泽县娜姑镇乐里小学		
王义陆	会泽县娜姑镇中学		
施柱秀	会泽县田坝小学		
陈粉查	会泽县新街回族乡马店村小学		
肖天会	会泽县以礼河联合学校		
赵　燕	会泽县雨碌乡中学		
李翠芬	会泽县者海镇新程小学		
关　智	红云红河集团会泽卷烟厂卷包车间值班长	云南中烟优秀共产党员	中共云南中烟工业有限责任公司党组
陈　燕	红云红河集团会泽卷烟厂纪检监察科科员	云南中烟优秀共产党员	中共云南中烟工业有限责任公司党组
温明肖	红云红河集团会泽卷烟厂动力车间副主任、动力车间党支部纪检委员	云南中烟优秀党务工作者	中共云南中烟工业有限责任公司党组
李云洪	红云红河集团会泽卷烟厂安保消防科综合班班长	云南中烟安全工作优秀个人	云南中烟工业有限责任公司

续表 34

姓名	单位及职务（职级）	荣誉称号	表彰单位
李　娴	红云红河集团会泽卷烟厂企业管理科科员	云南中烟工业有限责任公司 2022 年度 QC 优秀推进者	云南中烟工业有限责任公司
余春芳	红云红河集团会泽卷烟厂物流科	云南中烟工业有限责任公司 2022 年度 QC 活动达人	
李书明	红云红河集团会泽卷烟厂网络信息科科员	云南中烟第二届信息化岗位技能竞赛统一平台应用专业组第二名	
关堡方	红云红河集团会泽卷烟厂卷包车间	云南中烟工业有限责任公司第二十三届职业技能竞赛卷烟卷接专业 ZJ17 机型第三名	
杨得业	会泽县搬迁安置办公室党组书记、主任	先进个人	市委
马应取	会泽县五星乡党委书记	曲靖市推进作风革命效能革命先进个人	市委
张华东	会泽县发展和改革局局长	曲靖市高质量发展贡献奖先进个人	市委、市政府
马应取	会泽县五星乡党委书记		
马艳莉	会泽县人民政府副县长	曲靖市优化营商环境促进市场主体倍增工作先进个人	市委、市政府
王汝云	会泽县工业园区管理委员会安全生产科科长		
徐粉英	会泽县发展和改革局三级主任科员		
马　波	会泽县住房和城乡建设局工作人员		
吕金云	会泽县农业农村局乡村产业发展科科长		
袁　勇	会泽县田坝乡人民政府党政综合办公室主任		
郭仕军	会泽县乐业镇干部	2023 年度曲靖市道德模范	市委、市政府
顾朝斌	会泽县人民政府办公室督查科科长	2023 年度曲靖市见义勇为类	
陈开发	会泽乌蒙老兵服务队队长	2023 年度曲靖市道德模范提名奖	市委、市政府
陶海聪	会泽卷烟厂职工		

续表 34

姓名	单位及职务（职级）	荣誉称号	表彰单位
雷鸿赋	会泽县教育体育局	2023 年曲靖市教育工作先进个人	市委、市政府
王　浦	会泽县茚旺高级中学		
范俊华	会泽县实验高级中学		
龙　炳	会泽县东陆高级中学		
赵　伟	会泽县金钟镇第一中		
唐　春	会泽县金钟镇第二中		
包剑英	会泽县古城街道中心学校		
许太波	会泽县东风小学		
徐智勇	会泽县者海镇第一中		
唐自龙	会泽县大桥乡中学		
王　剑	会泽县第一中	2023 年曲靖市教育工作名校（园）长	市委、市政府
唐忠伟	会泽县第四中		
裴顺荣	会泽县田坝乡中心学校		
鲍林清	会泽县第一中	2023 年曲靖市教育工作名班主任	市委、市政府
张世坤	会泽县茚旺高级中学		
陈云伟	会泽县茚旺高中致远中学		
余金芳	会泽县第一幼儿园		
刘国相	会泽县钟屏中学		
牟晓津	会泽县实验高级中学	2023 年曲靖市教育工作名教师	市委、市政府
钱海霞	会泽县茚旺高级中学		
敖开明	会泽县东陆高级中学		
舒有谊	会泽一中文渊中		
许宗琼	会泽县文源中学		
李会仙	曲靖市会泽职业技术学校		
张亚丽	会泽县大井镇第一中		
李兴林	会泽县以礼中学		
龙利仙	会泽县驰宏小学		
张　苹	会泽县中国中铁第三幼儿园		
闻绍奇	会泽县实验高中大成中学		
张　斌	会泽县春晖小学		

续表 34

姓名	单位及职务（职级）	荣誉称号	表彰单位
张　彬	会泽县田坝乡中学	乡村从教 20 年及以上优秀教师	市委、市政府
查廷喜	会泽县鲁纳乡中学		
董宗清	会泽县马路乡中学		
张云松	会泽县驾车乡中学		
权春林	会泽县第五中		
柴成宽	会泽县新街回族乡中学		
段安奎	会泽县大井镇第二中		
李　俊	会泽县者海镇第一中		
李柱清	会泽县大海乡炭棚小学		
周朝良	会泽县驾车乡小水小学		
余顺宽	会泽县火红乡阿拉米小学		
虎志兰	会泽县老厂乡老厂小学		
苟华党	会泽县乐业镇二顺小学		
何春林	会泽县上村乡小坡小学		
段在香	会泽县五星乡铅厂小学		
森成巧	会泽县纸厂乡落别古小学		
朱知锐	会泽县雨碌乡定卡小学		
李立奇	会泽县纸厂乡中学		
陈仕明	会泽县钟屏街道党工委副书记、政法委员	曲靖市 2023 年度“十佳政法干警”	市委、市政府
廖　恒	会泽县委组织部副部长、编办主任	曲靖市爱国拥军先进个人	市委、市政府
李俊坚	会泽县人力资源和社会保障局局长		
谢俊涛	会泽县退役军人事务局局长		
陈开发	会泽乌蒙老兵服务队队长		
唐文学	会泽县教师进修学校校长		
张国云	会泽县人民武装部政治工作科科长	曲靖市拥政爱民先进个人	市委、市政府
张雄飞	武警会泽中队上尉中队长		
马红权	会泽县人民武装部军事科参谋	2022 年全市征兵工作先进个人	市政府、曲靖军分区
陈云开	会泽县人民医院眼科主任		
倪洋南	会泽县教育体育局教育科干部		
曾德荣	会泽县娜姑镇人民政府三级主任科员		

2023年会泽县高、中级职称评审通过人员名录

一、正高级专业技术人员

1. 正高级工程师

朱金华　李　梅（女）　付廷荣
段玉凤（女）　李锦伟　陈　丽（女）

2. 正高级教师

王惠琼（女）　邹美灵　张艳琼（女）
赵英普　管尤勇

3. 主任医师

徐　静（女）　张文琼（女）　甘贻波
庄国辉　刘　熔（女）　李　玲（女）
余　俊（女）　蒋会琼（女）　张开祥
杨荣华　陈德锋

4. 主任技师

吴玲花（女）　吕子靖

5. 正高级讲师

查兴武

6. 农业技术推广研究员

杨同德　文朝文　陈光发
张　琼（女）　余　波　华万洪
王洪永　肖志佳　李金云
李　敏　陈晓辉　陈国艳（女）
李兴贵　付兆聪　罗　康
张本岚（女）　谢荣芳（女）　彭泽宏
幸金定　肖石良

7. 正高级经济师

黄　云　张在怀　蒋枝琼（女）

二、副高级专业技术人员

1. 副主任医师

吴丽春（女）　王　芳（女）　何　芬（女）
曹翠莲（女）　沈后斌　彭秀玲（女）
鲍国翠（女）　付廷燚　浦　锋
张发金　曾琼花（女）　蒋凤仙（女）
夏利华（女）　王加燕（女）　甘艳峰（女）
张冬梅（女）　杨怀存（女）　邱　润（女）
邓加庆　雷金洪　王体晏（女）
李正坤　赵东丽（女）　许东海
魏朝阳　张兴刚

2. 副主任护师

崔争艳（女）　徐　琼（女）　黄　燕（女）
赵　梅（女）　付玉芬（女）　张胜萍（女）
郭进飞（女）　计丕娥（女）　张　瑛（女）
刘冬丽（女）　孔令桂（女）　陶桂香（女）
孙乔利（女）

3. 副主任药师

吕锡惠（女）　董世贵　陈兴明
李鑫钻

4. 副主任技师

徐铭艳（女）　唐会凤（女）

5. 高级工程师

李兴普　张　佺　赵琼会（女）
饶文槟　吴远相　王开权
雷晶仙（女）　张　丽（女）　陈丽华（女）
邓兴海　尹　斐（女）　高顺永
尹艳琴（女）　陈晓凤（女）　徐仁米
朱之琼（女）　王　维　高蜀美（女）
杨　梅（女）　葛玉秀（女）　华　祥
王开书　施秀林　佟琴梅（女）
李品阳　周　雨　黄菊芳（女）
孙大伟　蔡　梅（女）　李俊莲（女）
聂忠坤　付　铅　晏会龙

6. 副研究馆员

陈福娟（女）　刘志娟（女）

7. 高级教师

陈昕也　何雨青　黄照磊
陈新锐（女）　陆文琴（女）　施加奎
孙本现　黄林稳　陈云党
包崇明　解道芬（女）　谢　伟
张泽鑫　尹广芬（女）　陈琼芬（女）
赵光清　蒋桂芬（女）　陈飞丽（女）
郑利令　陈余友　朱见竹（女）
张发坤　管红学　何　宇
陆世祥　许　秋　方　琼（女）
林　萍（女）　谢永霖（女）　赵美琼（女）
唐玉兰（女）　杨加升　钱海霞（女）
龚　汇（女）　张爱芬（女）　李兴德
党亚南　高才友　胡　飞
李　翔　马琴莲（女）　王粉梅（女）
王云春　朱家炫　钱益娟（女）
李春发　王　丽（女）　杨顺康
荀　剑　张艳琼（女）　高朝文
李茨月（女）　李明孔　温菊仙（女）
邵聪能　李永俊　李贞高
陈兴梅（女）　方　竹（女）　贾林琼（女）
刘琼兰（女）　唐国莲（女）　王丽梅（女）
叶远广　丁忠琼（女）　李柱存（女）
张金美（女）　方兴坤　董先贵
胡冬翠（女）　唐泽辉　彭艳芬（女）

何　梅（女）
邓科美（女）
袁亚春（女）
宋福慧（女）
马　波
崔同所
张德开
李琼梅（女）
赵开能
马继伟
李招秀（女）
潘　丽（女）
李进科
朱　琼（女）
陈开富
李顺芳
陈玉翠（女）
徐云香（女）
金海林
金　芬（女）
李国瑛
姚序刚
刘启平
代胜福
蔡伟琼（女）
李　倩（女）
吴红波（女）
崔晶晶（女）
张　阳
尤启坤
彭冬雪（女）
王加勇
胡红交（女）
林艳萍（女）
余　香（女）
陈万英（女）
刘白艳（女）
孙朝鹏
晏琼芬（女）
孙庆玲（女）
卢历书（女）
管　静（女）
许　静（女）
刘海娥（女）
虎国员
陈学俊
杨克坤

邵明坤
颜福升
张焱彬
周　菊（女）
王金文
陈丽仙（女）
俞贵娥（女）
周罗美（女）
何贵宽
陈　敏（女）
王文芬（女）
李玉梅（女）
张正来
杨正兰（女）
彭玉英（女）
白宾权
吴龙仓
管庆花（女）
谢红琴（女）
缪　娟（女）
李海琼（女）
张尚高
杨艳存（女）
范茂将
张永花（女）
段秋雁（女）
张胜梅（女）
周若云（女）
廖　欢（女）
邓中平
古　华
邹加少
敖顺敏（女）
吴海燕（女）
唐琼华（女）
王小玲（女）
母宏伟
童顺丽（女）
陈选云
高梅仙（女）
郑丽梅（女）
吕梅有
朱知泽
邹明华
付文早
念伟斌
周　燕（女）

马春燕（女）
李　泽
刘吉凤（女）
许宗琼（女）
樊白仙（女）
张爱华
凡廷宇
高　元
胡发能
白雅楠（女）
林莉莉（女）
侯春琼（女）
张国燕
李文祥
李玉琪（女）
李存花（女）
张毕友
韩付荣
单庆芬（女）
曹　敏
孔德县
尤朝燕
朱家谷
浦绍修
鲍朝芬（女）
谭多芬（女）
邓丽萍（女）
王恩立
王本山
顾金瑞
李正兴
朱玉祥
李　评
谢道卫
王兴英（女）
方艳飞（女）
李　鹏
魏晓彬
马祥宝
刘元虎
韩正先
肖良招（女）
李春仙（女）
陈传艳（女）
孙永榜
潘荣丽（女）
王顺昌

褚云梅（女）
罗　飞（女）
尹兴林
曹少国
陈世付
高国存（女）
李爱林（女）
李庆秀（女）
马会香（女）
王明翠（女）
尹　凯
刘思宏（女）
杨　艳（女）
李琼燕（女）
聂朝龙
晏　俊（女）
桂自丽（女）
唐金凤（女）
郭石彬
桂长税
孔德兵
宋兴艳（女）
王丽洁（女）
姜兴美
孟加兰（女）
赵冬梅（女）
蒋汝桥
唐莎莎（女）
杨艳华（女）
周凤慧（女）
李选辉
王国芬（女）
陈道宏
雷林江
权以熊
毕金奎
沈祥全
董世龙
李加祥
龙登艳（女）
周永超
董刻剑
李　鑫
徐　梅（女）
马米燕（女）
贺永梅（女）
唐开粉（女）

付廷彩
普天凤（女）
朱　银（女）
陈东琼（女）
邓　永
龚美珍（女）
李光会（女）
林路艳（女）
苏荣惠（女）
王永会（女）
袁　甲
熊长友
蒋巧秀（女）
李顺能
锁会莲（女）
杨开翠（女）
孙　平
王玉仙（女）
金玉兵
金保珍（女）
李春花（女）
苏　森（女）
杨美云（女）
李春莲（女）
邱成会（女）
赵剑丽（女）
吕子英（女）
吴　刚
余　婷（女）
朱惠芬（女）
杨天红
王　燕（女）
宗庆升
李　荣
吴锋能
苏公平
张立红
资爱萍（女）
李海淘（女）
龙　芬（女）
邓应涛
桂雁琼（女）
孙　慧（女）
徐妙琼（女）
蒋支武
李金梅（女）
王祥莲（女）

孔金玉（女）
叶树梅（女）
张朝林
陈南先
冯文露（女）
金吉专
李　华
吕云兰（女）
童　蕊（女）
徐慈仙（女）
朱丽荣（女）
晏　丽（女）
李乐琼（女）
刘忠荣
王再洪
樊则祥
尹玉林
张顺员
道丽波（女）
金会芸（女）
刘春梅（女）
王吉炳
丁　艳（女）
李瑞华（女）
张强梅（女）
何松明
牛凤玲（女）
吴情梅（女）
岳　蕊（女）
邹艳芳（女）
黄清美
谢左芬（女）
徐艳玲（女）
刘　潇（女）
李荣焕（女）
王　奎
张宗仁
阳美林（女）
李　俊（女）
浦　丹（女）
王　丽（女）
蒋家荣
王柱花（女）
徐道武
毕崇俊
刘桂芝（女）
赵德翠（女）

赵粉琼（女）	赵连飞（女）	刘　波	李培芳（女）	李仁朝	林之燕（女）
牟昌永	赵书敏	李翠玲（女）	刘会英（女）	柳党芹（女）	沐树苹（女）
潘　梅（女）	包云聪（女）	胡万好	聂忠奎	钱清贵	邱从丽（女）
胡向玉（女）	李春梅（女）	李买琳（女）	邱敬聪	唐相波	王成安
李　萍（女）	马雪梅（女）	郑琼娟（女）	王加华	王正崇	王忠英（女）
丁培晟	李荣泽	乔朝良	温明波	吴金华	杨　宁
邱学平	陈春燕（女）	范素云（女）	杨兴萍（女）	袁绿芬（女）	张安庭
胡万华	李雪明（女）	徐惠连（女）	周孝松	訾永玲（女）	柏庆发
郑　巧（女）	崔庆宽	孙志焦	陈世陆	柳成超	马昌龙
杨彩霞（女）	余祖云	赵朝红	宁选万	刘明丽（女）	鲍玉波
赵书党	李　伟	邱兴厚（女）	曹太山	陈红瑕（女）	陈吉萍（女）
祝正燕（女）	张　红（女）	朱知虎	陈玉贵	冯　静（女）	付　琼（女）
高　兵	李文聪	杨安贵	付选旭	何厚菊（女）	何金龙
余得昌	朱银萍（女）	杨友福	胡彩琳（女）	黄文剑	计丕东
朱艳玲（女）	周荣章	杨承华	李选东	刘朝贵	刘　娟（女）
马显奎	颜艳丽（女）	赵如琴（女）	柳会香（女）	柳　玲（女）	罗艳芬（女）
陈凤梅（女）	阳兆伟	蔡露春（女）	阮金梅（女）	施金芬（女）	王桂芬（女）
颜第波	唐　健	崔庆买	王茂仙（女）	吴春燕（女）	尹　珍（女）
杨承厅	耿淑平	刘大富	詹　英（女）	张安英（女）	邹加贤
赵清雷	赵相全	杨安虎	何　倩（女）	刘中梅（女）	冯盛旺
朱德坤	朱建珍（女）	刘德攀	李秀娥（女）	张　敏（女）	桂　胜
吕典怀	徐道荣	杨　敏（女）	杨丽芬（女）	马勋旺	李东林
付文联	葛路仙（女）	阮红梅（女）	李明飞（女）	保加卫	何永红（女）
尹冬莲（女）	张德龙	胡选波	虎贵岗	马冬梅（女）	包松琼（女）
李乐兵	吕国群	王德才	蒋儒先	蒋先进	马凤珍（女）
侯粉花（女）	周保坤	代　丽（女）	袁登会（女）	张红飞（女）	丁章平（女）
邱成发	朱兴智	代荣柱	马希伟	陈　瑞	任金会（女）
罗　静（女）	邹庆香（女）	陈约芬（女）	袁　波	缪祥琼（女）	桂　琼（女）
来国仙（女）	李　勇	付朝敏	徐林明（女）	杨旭芬（女）	陈雪梅（女）
代龙飞	唐　勇	付庭发	王　刚	高顺斌	李　林（女）
李玉龙	李荣京	钱　林	王才丽（女）	王廷泽	晏庆荣
王建光	吕　美（女）	吴　聪	杨天霞（女）	代金奎	顾贵龙
陈春梅（女）	陈正启	崔正惠（女）	许全忠	普巧珍（女）	方由灯
范友翠（女）	郭云堂	洪发巧（女）	付昌明	晏和忠	蒋昌亮
胡　强	蒋巧珍（女）	李丽英（女）	李兴会（女）	雷忠生	钱海琼（女）
刘　玉	唐　莉（女）	杨惠芬（女）	夏发林	邱宇琼（女）	毕　宁
姚远东	赵世红（女）	自　芬（女）	尹秀琼（女）	张朝州	赵泽丽（女）
郝宗生	张兴永	高忠琼（女）	段在香（女）	吴文友	尹琼慧（女）
邱凤仙（女）	王仕元	朱加树	汪庆文	李　然	李　荣
段清林	范丽梅（女）	付冬惠（女）	颜加洪	陈丽仙（女）	汪玉莲（女）
高琼荟（女）	高自轮	胡　蕾（女）	王翠莲（女）	鲍启坤	崔　凤（女）
李　俊	李银凤（女）	李云梅（女）	胡国庆	王安让	冯正英（女）
刘宗强	魏春丽（女）	夏亚宁（女）	王祥明	段金旗	朱恩友
谢　坤	杨　波	杨贵娟（女）	李世坤	李仕英（女）	孙文宝
张胜兰（女）	周学静（女）	刘春香（女）	陈涟梅（女）	缪冬林	洪开会（女）
叶天蕊（女）	陈玉奎	包崇俊	徐万芬（女）	邱从刚	朱荔芳（女）
陈加兰（女）	华　文	雷正贵	杨培勇	孔德梅（女）	王云春（女）

刘丽仙（女）
廖顺成
张浪琼（女）
田美仙（女）
王雪娟（女）
范科能
张金国
王元兵
陈格琼（女）
蒋海燕（女）
戚艳玲（女）
陈　琛（女）
李莲波（女）
龙春花（女）
朱海群
杨金奎
钱永红
王　锐
方金平
何有聪
王金忠
何金贵
李花子
邵树青
李国明
徐加春
锡友富
张应丽（女）
赵声兰（女）
熊祖荣
余秋芬（女）
李燕玲（女）
谭　磊
陈发珍（女）
王技芳（女）
王正祥
张国仙（女）
吴朝洪
曾德龙
文再琼（女）
林金燕（女）
王平云
袁自琼（女）
陈　敏（女）
马丽涛（女）
田绍会（女）
郭　富
宋　玫（女）
林支礼
车克花（女）
杨文兰（女）
杨　锦（女）
蒋　波（女）
宋云飞
张　彬
滕粉花（女）
陆月波（女）
李　飞
张文玉
马　飞
张吉莲（女）
金兰昌
普玉梅（女）
尚有柱
张顺奎
张丽波（女）
王兴奎
吴仕珍（女）
张天玉
何志清
张正云
李吉安
龚朝丽（女）
柳秀芬（女）
赵开奎
王南希
牛祖明
张映发
韩院红（女）
陈加翠（女）
陈　芳（女）
刘　祥
段玉梅（女）
孟发兰（女）
高忠梅（女）
谭大明
管先云
阮翠萍（女）
夏元玲（女）
杨永权
何以梅（女）
方其飞
祖克军
高汝艳（女）
唐金荣
普程坤
苏顺琼（女）
盛　敏
余大富
张德位
陈　方
李彦竹（女）
陈洪梅（女）
罗　光
罗梅娇（女）
蒋琴芬（女）
赵惠仙（女）
张客花（女）
张顺东
袁国来
李　丽（女）
陈光买
张文先
王　林
晏祥粉（女）
李加奎
何荣礼
崔庆云
王小会（女）
李　会（女）
余正莲（女）
魏　宏
袁明宇
杨金荣
赵书英（女）
陆金梅（女）
余　琼（女）
崔选东
王红梅（女）
蒋　伟
童　静（女）
刘　敏（女）
乔正巧（女）
李明刚
孙　艳（女）
杨　明（女）
陈春波（女）
刘正丹（女）
丁全坤
谢孝波
李继伟
祖克昭（女）
姜　琼（女）
李建坤
黄镇艳（女）
张　敏（女）
李本剑
周里文
王志强
杨兆奎
徐　琼（女）
王　道
苟巧花（女）
唐相彪
朱朝文
毕永兰（女）
杨　正
杨　锦（女）
孙　宇（女）
许玉梅（女）
余本琼（女）
许仕华
吴金奎
潘茂嵋（女）
王云存（女）
徐海燕（女）
邓红艳（女）
张　慧（女）
赵　发
江　俊（女）
李　伟
张春梅（女）
李林章
李龙华
罗　姣（女）
李　鹏
李正永
李天沛
张　华
杨小林
胡　帆
文　萍（女）
冯书莲（女）
王宗翠（女）
陶智越（女）
邓正莲（女）
刘转英（女）
王富琼（女）
赵晓梅（女）
黄禹宪
刘元文
孟继粉（女）
丁党珍（女）
张红琳（女）
王关龙
杨锦堂
王国荣
余加荣
赵朝云
何吉书
张存连（女）
张　丽（女）
陈兴珍（女）
陈玉仙（女）
罗兴贵
阮国富
杨　钒
陈正全
金　鑫
陈玉梅（女）
薛培彬
苟华党
戚万荣
侯自强
朱萧惠（女）
施汝高
陈顺兰（女）
范天美（女）
魏明会（女）
孟尊云
熊发勇
黄小红
杨剑敏（女）
张　继（女）
徐艳丽（女）
袁金春（女）
周　芳
张永春
周彩凤（女）
王建华
朱兴院
陈春花（女）
苟明彩（女）
夏清芬（女）
郭凤仙（女）
陈　玲（女）
向春艳（女）
王怀奎
王德荣
杜海先（女）
王传乐
顾庆宏
徐　勇
朱　焜
付文云
赵怀伟
潘　娟（女）
黄献平
宁　方（女）
柳成荣
张满俄
毕明润
茹兴德
李开金
陈忠华
谭玉宽
高　燕（女）
张　志
刘培理
张兴云
陈明兆
张建宏
尹班金
蒋石香（女）
刘兴金
和智军
胡文苍
卞　勇
谢丽祥
郭　飞
谭吉林
刘开文
孟守国
何建富
付庭翠（女）
高庆宇
王安梅（女）
张德春
代桂兰（女）
李琼珍（女）
张　苏（女）
何玉兰（女）

李艳萍（女）	赵树英（女）	周　芳（女）	王　伟	余家维	刘正涛
李玉秀（女）	杨俊梅（女）	袁国武	王　英（女）	马　丽（女）	顾雪琼（女）
付加坤	潘正琼（女）	孙玉芬（女）	何华莲（女）	李存花（女）	舒朴秀（女）
肖开翠（女）	颜　德（女）	杨　艳（女）	徐惠娥（女）	张加林	朱国兰（女）
马　琼（女）	催君荣	张　瑞	周文超	蒋仙波	尹荣峥（女）
周元元	邓自高	高兴聪	陈金祥	谭朝山	苟　佳（女）
裴自勇	殷坤平	詹东妮（女）	邹志明	王玉坤	陈　平
唐　山	夏跃梅（女）	陈　文	吴丽琼（女）	彭云军	孙灵艳（女）
康定文	陈　双（女）	冯丽琼（女）	赵国东	朱正先	李卫坤
邵　丽（女）	周朝先	陈丽芳（女）	李　斌	罗秀春（女）	晏　波
陈米苏（女）	张顺艳（女）	周思苒（女）	高　林	何正平	贺桂珍（女）
朱丽侠（女）	舒正阳	蔡　燕（女）	王朝芬（女）	袁绍文	何丽华（女）
曾国林（女）	郑昌吕	常　森	王　丽（女）	王正品	吴春梅（女）
代普能	董寿勇	陆自坤	徐多存（女）	杨　锐（女）	尹慧琼（女）
滕丽荣（女）	王可方	王艳芳（女）	张克英（女）	张　迅（女）	代顺云
王志华	谢德华	徐万平	王升献	唐绍龙	赵国琼（女）
赵相品	程本方	尹兴春	解道选	张国丹（女）	付廷彪
吴李芳（女）	毕永国	陈加会（女）	崔汝方	李孝光	邓加志
崔汝艳（女）	高继红	桂辉敏（女）	颜娣燕（女）	蒋红凤（女）	晏正明
蒋升琼（女）	蒋先方	刘　荣	孙海林	徐忠堂	蒋先贵
唐兴荣（女）	王开向	尹　健	毕康奎	朱才有	李庆德
来兴华	刘全伟	王加彬	鲍兴帮	胡安才	付文宝
徐华瑞	李　定（女）	牛琼会（女）	刘礼周	马春秀（女）	唐绍飞
鲍　伟	曾　丽（女）	蒋先峨	冯盛好（女）	唐冬梅（女）	胡向平
李吉华	李仁彦	董　刚	李宗坤	张玉龙	郑玉平
何以全	彭庆甫	赵　丽（女）	邓金海	潘得财	曹艳辉（女）
苏凤仙（女）	曾润梅（女）	吕芬芬（女）	高关明	李德志	沈　娥
王吉方	颜克会（女）	杨金定（女）	张华云	王　敬（女）	陈　曦
王云双（女）	赵廷仙（女）	周金秀（女）	黄兴泽	毛加虎	尹贵云（女）
陈开芬（女）	陈有芳（女）	钱燕平（女）	工　倩（女）	唐启龙	胡　婧（女）
王朝永	王春丽（女）	赵　丽（女）	胡林梅（女）	缪祥冬（女）	宁攀玲（女）
朱知琼（女）	李著琦（女）	陶海燕（女）	徐万柱	张建全	赵　秋（女）
叶桂梅（女）	袁丽仙（女）	潘金柱	崔同云	宁　胜	唐彩花（女）
罗开琼（女）	何智娟（女）	包崇娥（女）	彭红梅（女）	唐自柱	郭发东
保龙梅（女）	陈　顺	何以永	王桂美（女）	余本才	李志会（女）
秦　波（女）	沈自毅	苏春梅（女）	方　文	王玉坤	杨　红
岳学友	张　兵	朱莉琼（女）	陶至昌	段桂娥（女）	徐　林
赵明波	曾树琴（女）	冯兴珍（女）	陈金富	杨红梅（女）	崔同泽
姜琴凤（女）	李科兰（女）	马　敏（女）	汪海东	孙绍兰（女）	陈本秀（女）
权世琼（女）	王　燕（女）	吴兴刚	冯兴玉（女）	王开兰（女）	王玉琼（女）
袁　素（女）	张万芬（女）	石玉中	杨琼英（女）	张仕娇（女）	朱秋叶（女）
张琼芳（女）	尹　蓉（女）	代春华（女）	陈仕荣	张建云	高现章
王晓欣（女）	任雪梅（女）	黄建英（女）	苏红润	薛　云	姜金彩（女）
李俊琼（女）	王若环（女）	陈美琼（女）	缪华琼（女）	杨保兰（女）	邓绍利（女）
范天艳（女）	胡双琼（女）	李　峻（女）	甘　宁（女）	杨本林	杨　飞
顾朝波	袁定昌	周庭俊	陈国党	刘明芬（女）	赵　芬（女）
曹　永	范绍清	田　兵	邓胜丽（女）	缪正祥	杨业坤

余荣坤　陈仕云　付群仙（女）
付兆传　付宗美（女）　林　燕（女）
邱　芸（女）　唐琼芬（女）　唐顺华
王晓燕（女）　权发周　黄　秀（女）
王应祥　杨安坤　冯春梅（女）
侯世宽　李丽玲（女）　李桂英（女）
包　梅（女）　牛春梅（女）　宋建友
朱玉成　李　华　牛祖丽（女）
张　启（女）　周孝柱　陈　华（女）
代桂琼（女）　邓月波（女）　韩莉梅（女）
李荣仙（女）　卢慧琼（女）　马雪飞（女）
王　敏（女）　王玉秀（女）　余正芬（女）
张　闰（女）

8. 高级经济师

李粉艳（女）　康丹凤（女）　陈静华（女）
宁爱屏（女）　马光仙（女）　毛国辉
朱恩德　彭泽荣　袁　勇
严柚芬（女）　杨　玲（女）　李　梅（女）
晏美香（女）　王陆云　庄永兰（女）
周　航（女）　罗东娅（女）

9. 高级讲师

唐　艳（女）　苟祝章　李阳华
龚孝斌　杨　磊　周忠华
左聚春　刘跃米　杨志华
杨承春　邱宇早　张云翠（女）
袁国梅（女）　张明瑞

10. 高级农艺师

朱朝仙（女）　何冬梅（女）　王玉方
赵东奇　郑满堂　查海军
张　艳（女）　毕梅仙（女）　赵春芬（女）
邓柱仙（女）　张海萍（女）　唐一为（女）
李启泽　李明辉　李　鑫

11. 高级兽医师

吴春梅（女）　陈　云　张云贵

12. 高级统计师

苟普章

13. 高级会计师

王帮华

14. 主任记者

茅永坤

三、中级专业技术人员

1. 一级教师

丁苏琴（女）　段橙玉（女）　蒋先奎
张洪富　陈小念（女）　蒋　蓉（女）
杨生桔（女）　董凯娟（女）　沈娅娟（女）
李朝德　马绍凤（女）　何树威
雷红杏（女）　孔垂鑫（女）　李光丽（女）

黄初林　周　颖（女）　吴开鹏
范金丽（女）　方青青（女）　杨慧琼（女）
王雪琼（女）　金国燕（女）　李龙焕（女）
梁　群（女）　施福莉（女）　谢巧云（女）
赵书标　陈　向　黄天明
翟大亭　赵冬梅（女）　顾瑞仙（女）
杨春芬（女）　何正明　钱　美（女）
姜慧君（女）　谢　锐　计全玮
徐春丽（女）　蹇明国　王会琴（女）
颜　敏（女）　张金国　赵　鑫
肖　燕（女）　姚克珍（女）　来国丹（女）
宋　仟　周怀定（女）　郭宝会（女）
范顺云　夏中华　马超杰（女）
蒋艳平（女）　王　晨　李朝江
许世伟　卢金丽（女）　孙玲霞（女）
吴仕洪　高鸿刚　何宇雄
贺启超　张　皇（女）　郑桂琴（女）
陈国方　高　双（女）　何林香（女）
沈　蓉（女）　岳　杉（女）　徐宏娅（女）
邓应飞　李汉文　李文全
朱勋磊　李岳刚　秦顺文
熊定选　刘建军　杨学刚
汤　辉　王吉云　王志波
王开军　彭泽江　左兴宇
李兴欣（女）　计丕玉　王达涛
刘孟圆（女）　付　蕴　吕忠英（女）
高云勇　杨翠琴（女）　王廷琴（女）
陈黎黎（女）　肖良高　王金德
刘春梅（女）　丁　会（女）　王　露（女）
尹光芝（女）　郭瑞芳（女）　何良立（女）
代　瑜（女）　鲍登凤（女）　魏　佳（女）
陈东琴（女）　张　蓉（女）　郭　婷（女）
李　娅（女）　刘　敏（女）　王　玲（女）
董丽琼（女）　何利新（女）　刘文芬（女）
柳坤会（女）　何　婠（女）　李秀明（女）
刘红仙（女）　陈丽丝（女）　崔　美（女）
刘　静（女）　王富丽（女）　范昌兰（女）
罗　婷（女）　张露莎（女）　蔡　莹（女）
沈艳琴（女）　严　熠（女）　晏丽娥（女）
周云花（女）　陈　婷（女）　刘　丽（女）
张全宇　邢　婕（女）　刘亚梅（女）
高云香（女）　李云春　张明富
张　巧（女）　顾艳妹（女）　王明凤（女）
卓燕兰（女）　赛鑫娜（女）　张馨月（女）
马丽萍（女）　徐国翠（女）　李仁杰（女）
徐玉芬（女）　梁仁杰　吴永先（女）
余淑娟（女）　李艳华（女）　温稳平

邓　梅（女）
郑燕敏（女）
朱天富
余　娜（女）
陈光瑞（女）
朱春花（女）
罗　倩（女）
周容妃（女）
周永艳（女）
胡永利（女）
卢　燕（女）
王艳琼（女）
王梦飔（女）
王丽云（女）
陈　晨（女）
袁春艳（女）
张琼玲（女）
桂　爽
王先凤（女）
赵　丹（女）
李秀青（女）
祖继艳（女）
金国宵
李　云（女）
袁柱柠（女）
张素源（女）
张廷所
蒋发翠（女）
谢开东
朱　亚（女）
施冬慧（女）
崔海凤（女）
李天雄
康　蓉（女）
李永祥
孙凤娟（女）
李会琼（女）
吴建芬（女）
陈　旭
刘昌鑫（女）
马丽萍（女）
侯明星（女）
孟小红（女）
吕起芳（女）
田秋云（女）
冯兴仙（女）
刘仙惠（女）
祝卫利（女）
宗　婷（女）
张天岚（女）
徐文艳（女）
吕志晴（女）
蔡秀娟（女）
张伍波
赵海梅（女）
陈金梅（女）
唐粉仙（女）
袁会珍（女）
段发娟（女）
郭　怡（女）
付　娟（女）
杨小艳（女）
李会琼（女）
宁燕芳（女）
殷新芳（女）
张春娥（女）
黄　倩（女）
肖祥德
李　欢（女）
陈永翠（女）
陈　立（女）
梁　艳（女）
张春艳（女）
虎贵成
普梅会（女）
艾辉存（女）
方洪翠（女）
郭胜云
代安娜（女）
徐加琼（女）
洪发才
缪燕玲（女）
缪学民
陈　鹏
夏　菁（女）
易迎欣（女）
张才龙
解　燕（女）
李青楠（女）
马敏芬（女）
李艳花（女）
唐金梅（女）
陈瑞瑞（女）
王　瑞（女）
唐宏莹（女）
龚留玉（女）
张　凡（女）
赵琳妃（女）
范兴丽（女）
李润莲（女）
杨方梁
胡其秀（女）
查竺吟（女）
赵　静（女）
罗辉强
陆　丽（女）
侍登辉（女）
蒋春香（女）
薛东媛（女）
罗兴玉（女）
周李艳（女）
高容婷（女）
杨红琼（女）
曾　荣（女）
金星莲（女）
唐金涛
余泽梅（女）
张兴瑞（女）
杨　娟（女）
何　涛
王万才
李金权
唐元敏
聂文全
周顺梅（女）
李珍艳（女）
王开富
马　飞（女）
邹艳玲（女）
徐应波
李世燕（女）
陆绍启
欧柱仙（女）
赵　冲
杨自会（女）
孙乐丝
唐如桂（女）
龙微妍（女）
付长春
陶继平
符　河
余孝波（女）
马勤凤（女）
史连梅（女）
李发娥（女）
张子珍（女）
王　雁（女）
吴　笛（女）
朱　睿
李亚琼（女）

2. 编辑

尧　婷（女）

3. 讲师

杨春仙（女）　杨黎黎（女）　秦林昆
晏明红　张黎星　周文清

4. 工程师

陈　城　何顺福　王光华
朱德伟　邱梦萍（女）　韩　智
彭正高　张　燕（女）　徐　艳（女）
何　鸿　李林甫　毕绍文
彭　艳（女）　李国梅（女）　陈　燕（女）
黄风英（女）　包从玲（女）　张　俊
杨梅仙（女）　范　琼（女）　计明池
张　超　胡开春（女）　赵忠丽
肖良涛　罗永珍（女）　朱　莹（女）
吕　云　万　平　唐鹏燕（女）
金江勇　龙崇云　钱江平
包广荣　姜兴勇　陈　宏
石航睿　杨诏森　钱　琳（女）
李国永　李春丽（女）　魏金一
杨泰一　寸锐锋　李菊花（女）
黄学蓉（女）　阮开能　刘天娥（女）
蔡祖成　陈　磊　宋庆高
刘汉兵　樊孟飞　刘雪彭
许吉贵　张华娇（女）　周宗相
赵　鹏　念　斌　付　伟
涂文琴（女）

5. 馆员

张龙英　王玉娟（女）　付廷松
赵光外　王秀丽（女）　李　翔
林万均　王艳芬（女）

6. 工艺美术师

张关保　赵书玉　廖世春
单顺美　李清彪　康朝荣

7. 兽医师

张　梦（女）　解道宏　胡选魁
阳正粉（女）　蒋　东　孟磊方
李云尧

8. 农艺师

李桂媛（女）　马云春（女）　张　睿
周艳芬（女）　付廷飞　吕翠娥（女）
朱林波　陈　程（女）　朱　东
张海艳（女）

（县人社局　提供）

［责任编辑　黄　琼］

附　录

会泽县党政群机关企事业单位负责人名单（2023年）

中国共产党会泽县委员会

书　记　丁东平
副书记　王正宇
　　　　王志燕
常　委　牛　睿
　　　　李　锐
　　　　何政樘（壮族，9月离职）
　　　　蔡红飞（9月任职）
　　　　孙洪学
　　　　付必树（7月离职）
　　　　王　琪（女，7月离职）
　　　　黄友高
　　　　田园妍（女，9月任职）
　　　　徐永黎（11月任职）
　　　　徐洪仙
　　　　张　健（挂职，7月离职）
　　　　董斌斌（挂职）
　　　　张　宁（挂职，9月任职）

县委办公室（加挂会泽县档案局牌子）

主　任　徐洪仙
副主任　范金祥（分管日常工作的副主任，10月离职）
　　　　牛康玲（分管日常工作的副主任，11月任职）
　　　　王廷聪（7月离职）
　　　　王金国（兼）
　　　　孙泽龙（11月任职）
　　　　毛清华（女，7月任职）
　　　　张　海（10月任职）
督察员　刘元宏（1月离职）
　　　　毛清华（女，7月离职）
　　　　曾丽玲

县委国家安全委员会办公室

专职副主任　陈选甫（7月任职）
档案局副局长　林　慧
县档案馆馆长　吴仕平

县委机要和保密局

局　长　张　宏
副局长　方建雄
　　　　许　厅

县委政策研究室

主　任　王　瑞
副主任　樊则勇
　　　　晏庭园（9月离职）

县委组织部（加挂中共会泽县委老干部局、会泽县公务员局牌子）

部　　长　王　琪（女，7月离职）
　　　　　田园妍（女，9月任职）
副 部 长　张兴国（分管日常工作的副部长）
　　　　　李俊坚（兼）
　　　　　廖　恒（兼）
　　　　　张正圆
　　　　　韩玉梅（女，7月任职）
部务委员　韩玉梅（女，7月离职）
　　　　　李宗辉（5月离职）
　　　　　袁明通（1月任职）

李官耀（7月任职）

县委非公有制经济组织和社会组织党工委（设在组织部）

书 记 张正圆
副书记 王 达

县委基层党建办公室（设在组织部）

主 任 王 达

县委宣传部（加挂会泽县政府新闻办公室、会泽县新闻出版（版权）局、会泽县广播电视局牌子）

部 长 王志燕
常务副部长 樊 都
副部长 周兴富
余 倩

县政府新闻办公室

专职副主任 徐 萍

曲靖日报会泽记者站（由宣传部管理）

站 长 徐贵才

县融媒体中心

主 任 徐贵才
总编辑 刘光信
副主任 徐玉雄
何 辉（1月任职）
赵 鹏（1月任职）

县委统战部

部 长 黄友高（12月离职）
徐永黎（12月任职）
常务副部长 邱光锐
副部长 丁 俊（回族，兼，9月离职）
白贵斌（回族，兼，9月任职）
王金龙（9月离职）
陈 蕾（女，兼）
朱知祥（9月任职）
冯文曦（女，10月任职）

县民族宗教事务局（与统战部合署办公）

局 长 丁 俊（回族，9月离职）
白贵斌（回族，9月任职）
副局长 王金龙（9月任职）
杨 勇（彝族）
马祥伟（回族）
朱知祥（9月离职）

县委政法委

书 记 李 锐
副书记 陆继宏（兼）
陆 勇
徐祥武
陈正东
黄建春
政治部主任 谢丽后（女，1月任职）

县委县直机关工委

书 记 徐洪仙（兼）
常务副书记 华 尔
副书记 陈洪发

县委党校

校 长 王志燕
常务副校长 陈道领
副校长 陈秀琼（女，7月离职）
林之松（7月任职）
胡玲玲（女，11月任职）

县委党史研究室、县政府地方志编纂委员会办公室

主 任 李 鹏
副主任 王海滨

会泽县人大常委会

党组书记 潘利华
主 任 潘利华
副主任 张明东
徐 波
潘八生
杨万坤（7月离职）
马应取（回族，9月任职）
一级调研员 刘祖铭
二级调研员 杨明钟
三级调研员 胡家兴

人大常委会办公室

主 任 陈 梅
副主任 郑 朝（1月离职）

县人民代表大会法制委员会

主任委员 邱正雄
副主任委员 李荣生

县人民代表大会财政经济委员会

主任委员 邓云梅（女，1月任职）
副主任委员 魏吉琼（女，兼）
尹 源（女）

县人民代表大会教育文化卫生委员会

主任委员 彭权坤
副主任委员 徐晓梅（女）

县人民代表大会城乡建设与环境资源保护委员会

主任委员 徐彦飞
副主任委员 李正宾（4月任职）

县人民代表大会社会建设与民族宗教外事华侨委员会

主任委员 魏金波
副主任委员 陈荣秀

县人大常委会选举联络工作委员会
主　　任　朱　雄
副 主 任　（空缺）
县人大常委会农业与农村工作委员会
主　　任　黄兴稳
副 主 任　陈国斌
县人大常委会预算工作委员会
主　　任　魏吉琼（女）
副 主 任　王玉蕾（女）

会泽县人民政府

县　长　王正宇
副县长　牛　睿（常务）
付必树（7 月离职）
陆继宏（兼）
朱玉航
徐永黎（12 月离职）
黄友高（12 月任职）
马艳莉
杨万坤（7 月任职）
林智文
张　健（挂职，7 月离职）
董斌斌（挂职）
张　宁（挂职，9 月任职）
孙　禹（挂职，11 月离职）
三级调研员　吕美琨
金德文
黄剑洲
保明航（回族，7 月任职）
四级调研员　梁　斌
付必树（7 月任职）
县政府办公室
主　任　陈　平
副主任　赵红春（9 月离职）
房正明（11 月离职）
钱　鑫
顾正波（3 月任职）
督察员　顾正波（3 月离职）
陈　刚（1 月任职）
陈宝华（1 月任职）
张金书（3 月任职）
县政务服务管理局（行政审批局、公共资源交易局）
党组书记　张世琨
局　　长　张世琨
副 局 长　袁　钊（10 月离职）
陈保安
陈本千
赵　恒（10 月任职）
公共资源交易中心
主　　任　肖志平
县信访局
党组书记　王金国
局　　长　王金国
副 局 长　李洪梅（女）
高连佼
孙启坤
县机关事务管理局
党组书记　高会珍（女，5 月任职）
局　　长　高会珍（女，5 月任职）
副 局 长　陈　一（女，7 月任职）
杨树平（5 月任职）

县发展和改革局（加挂县粮食和物资储备局牌子）
党组书记　张华东
局　　长　张华东
副 局 长　董仕祥
王　永（7 月离职）
卜金龙（彝族）
李开升
段林芳（9 月任职）
县人民政府国防动员办公室（设在县发展和改革局）
主　　任　张华东（兼，1 月任职）
副 主 任　冯　俊（1 月任职）
县人民防空办公室（设在县发展和改革局）
主　　任　张华东（兼，5 月任职）
县粮食和物资储备局
局　　长　段林芳（兼，9 月任职）
县工业信息化和商务科技局（加挂县中小企业局牌子）
党组书记　肖　凯（1 月离职）
周兴安（1 月任职）
局　　长　肖　凯（1 月离职）
何　英（2 月任职）
副 局 长　陈晏平
龚　臣
周顺伟
金　留（挂职，5 月任职）
王胜开（挂职，土家族，9 月挂职）
县大数据建设和管理中心
主　　任　张坤府（1 月任职）
县教育体育局
党组书记　唐文学（2 月任职）
局　　长　唐文学（6 月任职）

副 局 长　刘大雕（5 月离职）
文祥宽（5 月任职）
代普吉
张　勇（挂职）
刘洪权（挂职）
邢思远（挂职）

县政府教育督导室

总督学　（空缺）

县教育体育工委

副书记　朱正林

县投资促进局

党组书记　彭昌琼（女，5 月重新任免）
局　　长　彭昌琼（女，5 月重新任免）
副 局 长　蒋　燕（女，5 月离职）
卢　春（5 月离职）
王丽萍（女，5 月离职）
潘开超（7 月任职）
杨海虹（女，5 月任职）

县公安局

党委书记　陆继宏
副 书 记　李红林
政　　委　李红林
副 政 委　徐天美（7 月离职）
洪开荣（7 月任职）
局　　长　陆继宏
副 局 长　闻　彪（5 月离职）
孔令坤
郑选奎
卯　京
李德刚
徐天美（8 月任职）
朱良升（7 月任职）

县民政局

党组书记　吕志全（1 月离职）
丁　俊（回族，9 月任职）
局　　长　吕志全（1 月离职）
丁　俊（回族，10 月任职）
副 局 长　黄　永
邹　挺
解开庆
李宗辉（5 月任职）

县司法局

党 组 书 记　苏兴春
局　　　长　苏兴春
副　局　长　尹开伟（彝族，8 月离职）
朱知敏
何金凯
尹广东
孟福堂（10 月任职）
政治部主任　平翠莲（女，5 月离职）
许权玺（女，5 月任职）

县财政局

党组书记　董应春
局　　长　董应春
副 局 长　杨高琴（女）
屠　槿（女）

县人民政府金融办公室

主　　任　董应春（兼）

县委国有资产监督管理工委

书　　记　董应春（兼）
副 书 记　杨高琴（女，兼）

县国有资产监督管理局

局　长　董应春（兼）

县人力资源和社会保障局

党组书记　李俊坚
局　　长　李俊坚
副 局 长　王　波
高顺文
孙泽龙（11 月离职）
王晓辉（11 月任职）

县公共就业和人才服务中心

主　　任　蒋洪成（11 月任职）

县社会保险管理服务中心

主　　任　蒋洪成（11 月离职）
张　胜（11 月任职）

县城乡居民社会养老保险局

局　　长　缪松和

县劳动人事争议仲裁院

院　　长　王丽萍（女，5 月任职）

县医疗保障局

党组书记　马　春（回族，2 月离职）
陈朝应（7 月任职）
局　　长　马　春（回族，2 月离职）
陈朝应（10 月任职）
副 局 长　魏屹东
潘开超（7 月离职）
马　春（回族，2 月任职）
赵兴发（1 月任职）

县医疗保险管理服务中心

主　　任　欧阳冰

县委机构编制委员会办公室

主　　任　廖　恒
副 主 任　钟明辉
邓祥玉

县自然资源局

党组书记　马　勇（回族，3月离职）
梁　斌（3月任职）
局　　长　马　勇（回族，3月离职）
梁　斌（3月任职）
副 局 长　郭兴红
李文俊
余金荣
郭　涛（3月任职）
总 督 察　梁　斌（3月任职）
专职副总督察　（空缺）

县自然资源综合行政执法大队

大队长　（空缺）

县土地收购储备中心

主　　任　黎发明（2月任职）

县住房和城乡建设局

党组书记　吕志全（1月任职）
局　　长　吕志全（2月任职）
副 局 长　陈世刚
张学凡（3月离职）
代　兴
苟　睿（5月任职）
袁　钊（10月任职）

县城市综合管理局

党组书记　胡　永
局　　长　胡　永
副 局 长　杨　辉（1月离职）
李　健
尹加林
张　伟（1月任职）
王　瑞（5月任职）

市生态环境局会泽分局

党组书记　龙发祥
局　　长　龙发祥
副 局 长　蔡荣德
周少华
朱　全

县环境监察大队

大 队 长　董地华

会泽黑颈鹤国家级自然保护区管护局

党组书记　肖良开
局　　长　肖良开
副 局 长　张廷梅
周朝祥

驾车省级自然保护区管护局

党组书记　潘　泽
局　　长　潘　泽
副 局 长　姜华芬
刘大雕（5月任职）

县交通运输局

党组书记　朱力彦
局　　长　朱力彦
副 局 长　赵常华（1月离职）
邱福才
唐书刚（1月任职）
付兆洪（1月任职）

县水务局

党组书记　刘　林
局　　长　刘　林
副 局 长　陶发昌（9月任职）
郭昌志（3月离职）
李　青
夏鹏程
黄顺有

县农业农村局（加挂畜牧兽医局牌子）

党组书记　饶彦章
局　　长　饶彦章
副 局 长　沈永能
保加奎（回族）
刘官雄
范芝超
林枝明（1月任职）
丁晋阳（挂职）

县乡村振兴局

党组书记　汤海珍
局　　长　汤海珍
副 局 长　王　锐
赵如龙
陈建国
胡万波（1月任职）
吴　兵（挂职）

县林业和草原局

党组书记　张元周
局　　长　张元周
副 局 长　李冬梅
张春华
柳　敏
赵剑锐（1月任职）

县文化和旅游局

党组书记　朱继宝
局　　长　朱继宝
副 局 长　李加兵
孙金良
高蓉芳（女，1月任职）

张志全（5 月任职）

县文化市场综合行政执法大队

大 队 长　周家龙

县卫生健康局

党组书记　张德山
局　　长　张德山
副 局 长　田友荣
迟宽轩
朱美江（女，1 月离职）
邓应康

县委卫生健康工委

书　　记　张德山
副 书 记　赵兴发（1 月离职）

卫生监督局

局　　长　刁金平

县退役军人事务局

党组书记　谢俊涛（回族）
局　　长　谢俊涛（回族）
副 局 长　代成兴
戴正方（7 月离职）
郑文祥
陈帮剑（7 月任职）
张　军（兼）

县红十字会

党 组 书 记　顾光敏（7 月任职）
会　　　长　朱玉航
常务副会长　顾光敏（8 月任职）
副　会　长　赵　燕（女）
田友荣（兼）
黄　永（兼）
屠　槿（兼，女，4 月任职）
监　事　长　陈正东（兼）
专职副监事长　肖良运

县审计局

党组书记　李荣奎
局　　长　李荣奎
副 局 长　徐宇飞（5 月离职）
周加贵
蔡兴才
管　浩（5 月任职）

县统计局

党组书记　柳成懋（1 月任职）
局　　长　柳成懋（2 月任职）
副 局 长　段普会（女）
柳成懋（1 月离职）
何　英（女，1 月离职）
伍向勇（1 月任职）

马东琼（女，回族，8 月任职）

县应急管理局

党组书记　高朝位（9 月离职）
李崇林（9 月任职）
局　　长　高朝位（9 月离职）
李崇林（10 月任职）
副 局 长　贺启文（7 月任职）
谢祥东（10 月离职）
王桂仙（女）
张映皋（7 月离职）
桂俊良（7 月任职）
李崇林（9 月离职）
杨毕朝（10 月任职）
李俊伟（挂职，5 月任职）
政治部主任　李　伟
安全生产监察专员　（空缺）

县应急管理综合行政执法大队

大队长　（空缺）

县地震局

党组书记　蒋洪伟
局　　长　龚庆珍（女，4 月离职）
蒋洪伟（10 月任职）
副 局 长　张　伟

县供销社

党 组 书 记　王晨宇（10 月离职）
乔文云（10 月任职）
主　　　任　王晨宇（10 月离职）
乔文云（11 月任职）
副　主　任　罗黎明
陈南惠（女）
监事会主任　陈　红（女）

县搬迁安置办公室

党组书记　杨得业
主　　任　杨得业
副 主 任　孙丹帅
李子福

县市场监督管理局

党组书记　姜维彪
局　　长　姜维彪
副 局 长　康　云
侯惠华（女）
胡万隆
李选春

县市场监督管理行政执法大队

大 队 长　郎　睿

云南会泽产业园区管理委员会

党 工 委 书 记　丁东平（兼，4 月任职）

党工委副书记　王正宇（兼，4月任职）
尹德坤（4月任职）
王廷聪（4月任职）
管委会主任　王正宇（兼，4月任职）
管委会副主任　尹德坤（4月任职）
王　永（8月任职）
张德书（9月任职）
纪检监察工委书记　李得坤（9月任职）
安全环保科科长　袁买凤（女，10月任职）
经济发展科科长　邱兴惠（女，8月任职）
规划建设科科长　刘　倩（女，10月任职）
企业服务中心主任　蒋　燕（女，5月任职）
产业发展中心主任　卢　春（5月任职）

会泽县政协

党组书记　李　晴（女）
副书记　黄友高（12月离职）
徐永黎（12月任职）
主　席　李　晴（女）
副主席　朱兴宏
黄　杰（女）
肖　兴（4月任职）
秘书长　张国鑫
二级巡视员　马玉聪（回族，11月离职）
一级调研员　王高甫
二级调研员　尹正祥
三级调研员　刘　俊（7月离职）
左雄亚

政协办公室
主　任　李　建
副主任　周丽萍（女，7月任职）

提案委员会
主　任　王　晶（女，回族）
副主任　肖　凯（3月任职）

文化文史和学习委员会
主　任　唐桂琼（女）
副主任　余兴梅（女）

教科卫体委员会
主　任　郭炳堂
副主任　周丽萍（女，7月离职）

经济和农业农村委员会
主　任　李有哲
副主任　王吉芬（女）

人口资源环境委员会
主　任　李国琴（女）
副主任　李　敏

社会和法制委员会
主　任　夏体都
副主任　邵晓林

民族宗教和港澳台侨外事委员会
主　任　王金洪
副主任　杨静华（女）

中国共产党纪律检查委员会

书　记　何政樘（壮族，9月离职）
蔡红飞（9月任职）
副书记　蒋明升
陈帮龙
刘荣幸
常　委　李得坤（9月离职）
陈才斌（11月离职）
徐瑞娟（女）
毕疆颖（女，4月离职）
张高强（7月任职）
王加强（7月任职）

监察委员会
主　任　何政樘（壮族，9月离职）
蔡红飞（代理主任，10月任职）
副主任　蒋明升
陈帮龙
刘荣幸
委　员　张高强
何序所
陈才斌（11月离职）
李得坤（9月离职）

办公室
主　任　王加强

机关党委
专职副书记　戴普俊

干部监督室
主　任　毛勇俊

信访室
主　任　朱　璐（女）

案审室
主　任　王升鹏

组织部
部　长　李全燕（女，9月离职）
李建槿（女，9月任职）

宣传部

部　长　杨　静（女）

党风政风监督室

主　任　徐瑞娟（女，5月离职）

案件监督管理室

主　任　冯文苑（女）

信息技术保障室

主　任　（空缺）

第一纪检监察室

主　任　宗庆乾

第二纪检监察室

主　任　李　涛

第三纪检监察室

主　任　李选灿

第四纪检监察室

主　任　刘志超（1月离职）
顾德炳（9月任职）

第五纪检监察室

主　任　徐万凯（1月离职）
高朝竹（9月任职）

第六纪检监察室

主　任　代正会（女，9月离职）
李　果（女，9月任职）

第七纪检监察室

主　任　孔德卫

第八纪检监察室

主　任　余华龙

县委县直机关纪工委

书　记　朱兴荣

驻县委办公室纪检监察组

组　长　王朝坤（5月离职）
李淑洵（女，5月任职）

驻县委组织部纪检监察组

组　长　李贵顺

驻县委宣传部纪检监察组

组　长　敖建明（5月任职）

驻县委政法委纪检监察组

组　长　缪利荣（5月离职）
李全燕（女，9月任职）

驻县委统战部纪检监察组

组　长　陈　彦（5月离职）
王　敏（5月任职）

驻县人大机关纪检监察组

组　长　刘志超（1月任职）

驻县政府办公室纪检监察组

组　长　饶　燕（女，5月离职）
代正会（女，9月任职）

驻县政协机关纪检监察组

组　长　董美珊（女）

驻县公安局纪检监察组

组　长　周兴安（1月离职）
王朝坤（5月任职）

副组长　周元会（5月离职）
刘莲芬（女，5月任职）

驻县人民检察院纪检监察组

组　长　李文辉（女，5月离职）
饶　燕（女，5月任职）

副组长　顾德炳（9月离职）

驻县人民法院纪检监察组

组　长　陈久胜（1月离职）
陈　彦（5月任职）

副组长　罗洪秋

驻县发改局纪检监察组

组　长　孟　蕊（女）

驻县人社局纪检监察组

组　长　方　东

驻县财政局纪检监察组

组　长　袁　超

驻民政局纪检监察组

组　长　邹梅花（女）

驻县住建局纪检监察组

组　长　李朝龙

驻县农业农村局纪检监察组

组　长　吴顺发

驻县卫健局纪检监察组

组　长　普春华

驻县自然资源局纪检监察组

组　长　汪同波

驻县教育局纪检监察组

组　长　袁金林

驻县市场监督管理局纪检监察组

组　长　李文朝

驻县交通运输局纪检监察组

组　长　谢小红

驻县水务局纪检监察组

组　长　山洪彬（彝族）

县委巡察办

主　任　毕疆颖（女，4月离职）
徐瑞娟（女，5月任职）

副主任　雷建华

县委巡察组

第一巡察组组长　邹　坤

第一巡察组副组长　刘志林（女）

第二巡察组组长　张文荣
第二巡察组副组长　陶亚芬（女）
第三巡察组组长　杨叶群（女）
第三巡察组副组长　张正美
第四巡察组组长　张治成
第四巡察组副组长　李艳娟（女）
第五巡察组组长　任连宾
第五巡察组副组长　陈道虎

会泽县人民法院

党组书记　陆　平
院　　长　陆　平
副 院 长　谭大军（2月离职）
邓成耀（6月离职）
石佳忱（2月离职）
袁国花
李世斗（7月任职）
李　敏（11月任职）
张世龙（11月任职）

会泽县人民检察院

党组书记　林　龙
检 察 长　林　龙
副检察长　李启明（7月离职）
王加能
李明燕
胡万坤（彝族，11月任职）
焦存美（女，11月任职）

人民团体

县总工会

党组书记　张明东
主　　席　张明东
常务副主席　张富权
副 主 席　史玉耀
文　椒（女）
王　波（兼）
张　龙（兼，10月任职）
桂文兵（回族，兼，10月任职）

团县委

书　记　纪成川（彝族，11月离职）
副书记　太嘉鑫（女）
王凤艳（女，10月离职）
刘　娟（女，10月任职）
代普吉（兼，6月任职）
董学志（兼，6月任职）
单祖应（兼，6月任职）
王丽萍（女，兼，6月任职）
李　娇（女，兼，6月任职）

县妇联

党组书记　代　欣（女）
主　　席　代　欣（女）
副 主 席　陈　一（女，7月离职）
陶　艳（女）
陈春连（女，10月任职）
韩玉梅（女，兼）
杨高琴（女，兼）
张艳军（女，兼，5月离职）
杨明翠（女，兼）
文　椒（女，兼，7月任职）
孙　红（女，兼，10月任职）

县文联

党组书记　任礼俊
主　　席　任礼俊
副 主 席　陈　艳（女）
邹永仙（女，6月任职）

县工商联

党组书记　陈　蕾（女）
主　　席（商会会长）　黄　杰（女）
常务副主席（商会副会长）　朱培武
副 主 席（商会副会长）　高会珍（女，5月离职）

县残联

党组书记　胡顺龙
理 事 长　胡顺龙
副理事长　胡玲玲（女，11月离职）
谢　敏

县科协

党组书记　杨　龙
主　　席　（空缺）
副 主 席　邱兴惠（女，7月离职）
潘志艳（女）
陈才斌（12月任职）
朱正林（兼）
刘官雄（兼）

关工委

主　　任　徐洪仙（兼）
常务副主任　刘祖铭
副 主 任　尹正祥

计加辉
办公室主任　杨树平（5 月离职）
张　海（5 月任职）

延安精神研究会

会　　长　林祖海
常务副会长　李世祥
副会长、秘书长　林祖清
常务理事、办公室主任　李素刚

计划生育协会

会　　长　张明东（兼）
常务副会长　（空缺）
秘　书　长　孙永恒
综合办公室主任　孙永恒（兼）

老科协

会　长　朱林友
副会长　吕兴林（兼，5 月离职）
邱兴惠（兼，女，5 月离职）
秘书长　邱兴惠（兼，女，5 月离职）

老年大学

校　　长　王高甫
常务副校长　余正阳
教 务 主 任　张鸿飞
总 务 主 任　（空缺）
办公室主任　（空缺）

老年体育协会

主　席　付必怀
副主席　浦安富
徐铭云（女）
秘书长　付　胜

省、市垂直管理单位

以礼河发电厂

总 经 理　欧阳雪峰（2023 年 10 月离职）
孙　禹（2023 年 10 月任职）
书　　记　张培义
纪委书记　冯　杰
工会主席　杨　超
副总经理　杨　超
周　书（女，2023 年 10 月离职）
谢学见（2023 年 10 月离职）
尹志超（2023 年 10 月任职）
党建工作部主任　李　娇（女）
办公室主任　袁明江

红云红河烟草（集团）有限责任公司会泽卷烟厂

党 委 书 记　（空缺）
厂　　长　林　丹
党委副书记　林　丹
副　厂　长　吕发庆（1 月任职）
程　亮（1 月任职）
工会主席、纪委书记　晏　江（8 月离职）
吴建云（12 月任职）
党政办主任　张　鹏

云南电网有限责任公司曲靖会泽供电局

党委书记　崔同宪
副 书 记　张崔金
纪委书记　薛建涛
总 经 理　张崔金
副总经理　陈玉顺
李　峰
张小平
工会主席　陈玉顺

曲靖供电局员工服务中心会泽基地

支部书记　方贵荣
工会主席　（空缺）
副 主 任　方贵荣
经　　理　姚永旺（彝族，10 月任职）

云南驰宏锌锗股份有限公司者海事务中心

党总支书记　罗文权
副　书　记　蒋　洁
主　　　任　罗文权
副　主　任　桂胜负（回族）
侯兴彪
蒋　洁
宁胜功
工 会 主 席　桂胜负（回族）

云南驰宏锌锗股份有限公司会泽冶炼分公司

党 委 书 记　高　魁
党委副书记　李　飞
纪 委 书 记　李　飞
副　经　理　高　魁
黄　瑞
曲洪涛（6 月离职）
陈德华
张朝波
陈　鹏（6 月任职）
工 会 主 席　黄　瑞
财 务 总 监　崔　玲（女，2 月任职）

云南驰宏锌锗股份有限公司会泽矿业分公司

书　　记　彭天松
副 书 记　王胜开
孙　剑
纪委书记　孙　剑

经　　理　王胜开
副 经 理　许正辉
　　　　　李　武
总工程师　严庆文

国家税务总局会泽县税务局

党委书记　方　勇
局　　长　方　勇
副 局 长　张文刚
　　　　　李世陆（5月离职）
　　　　　卢朝山
　　　　　张永刚
　　　　　高　然（12月任职）
纪检组组长　肖玉龙

国家统计局会泽调查队

队　　长　张朝仁
副 队 长　王亚菲（女）
纪 检 员　刘春艳（女，7月离职）
　　　　　魏梦娇（女，8月任职）
办公室主任　魏梦娇（女）

气象局发

党组书记　王乔芳
局　　长　王乔芳
副 局 长　付连登
　　　　　李　璨（回族）
纪 检 员　李　璨（回族）

邮政公司会泽分公司

党支部书记　张　宇（12月离职）
　　　　　　李云峰（12月任职）
总 经 理　张　宇（12月离职）
　　　　　李云峰（12月任职）
副总经理　周航勇（10月离职）
　　　　　袁云华（10月任职）
市场营销部经理　徐天维
综合办公室主任　唐　勇
金融业务中心经理　孙雪波
快递业务部经理　郭建昌

电信公司会泽分公司

总 经 理　蔡培林
副总经理　鲍　明
　　　　　陈自府
　　　　　王丽萍
　　　　　张　林（10月任职）
总经理助理　刘亚波（10月离职）

移动公司会泽分公司

经　理　张　波
副经理　张晋硕（2月离职）
　　　　吴海森（3月任职）
　　　　孙运宇

联通公司会泽分公司

经　理　夏　天
副经理　钱　昌

曲靖交通运输集团会泽分公司

党支部书记　崔庆坤
经　　理　崔庆坤
副 经 理　赵　平
副 经 理　刘　毅
工会主席　赵　平

会泽县烟草专卖局（分公司）

党委书记、局长、经理　刘正坤
党委委员、副局长、工会主席　陈绍益（11月离职）
　　　　　　　　　　　　　卢君龙（11月任职）
党委委员、副经理　赵俊杰
　　　　　　　　　尹祥坤
党委委员、纪委书记　袁会斌

人行会泽县支行

党组书记　阚世磊
行　　长　阚世磊
党组成员、副行长　尹兴万

工行会泽县支行

书　　记　舒　锐
行　　长　舒　锐
副 行 长　毛文飞
　　　　　刘承尧（3月离职）
　　　　　陈朝平（5月任职）
　　　　　余　超（6月任职）
工会主席　李　永

农行会泽县支行

党委书记　崔理想
党委副书记　邵　杰（女）
行　　长　崔理想
纪委书记　潘国丽（女，1月任职）
副 行 长　方世稳（1月离职）
　　　　　邵　杰（女）
　　　　　陈志兵（10月离职）
　　　　　邹泽学（10月任职）
　　　　　浦　勉（11月任职）

农发行会泽支行

行　长　蹇绍恩
副行长　陈建彪
　　　　刘　海（9月任职）

建行会泽县支行

行　长　周锐峰（3月离职）
　　　　赵红燕（3月任职）
副行长　邓加奎

赵红燕（3 月离职）
赵瑞鑫
方官金（3 月任职）

县农村商业银行

党委书记、董事长　高　荣
党委副书记、行长　郭体伟
纪委书记、监事长　张云先
副行长　夏伍师
李发稳

人寿保险会泽县支公司

书　　记　汪德智
经　　理　汪德智
经理协理　舒　仙
综合办公室主任　秦　谦

人民财产保险会泽县支公司

经　　理　刘娅玲
副 经 理　王　焱
经理助理　伍渊琦（11 月离职）

太平洋财产保险会泽县支公司

经　理　郭开和

消防大队

书记、教导员　杨　勇
副书记、大队长　罗永辉

云南省交通投资建设集团有限公司曲靖管理处会泽分处

党总支书记　顾　晋
处　　　长　顾　晋
副　处　长　何贵东
唐　娟

曲靖市会泽交通运政管理所

书　记　范　礼
所　长　范　礼
副所长　王　剑
王雪飞

会泽公路分局

党总支书记　臧艳敏（女）
局　　　长　张　涛
副　局　长　秦学斌
王彦佳
纪检组组长　叶保宁
工 会 主 席　朱广江

中国广电云南有限公司会泽分公司

经　理　田　坤
副经理　潘　超
杨　飞

乡（镇、街道）

宝云街道

党 工 委 书 记　刘连平
党工委副书记　黄　婧（女，12 月离职）
刘金明
寸凯宁（挂职，6 月离职）
纪 工 委 书 记　张德书（9 月离职）
刘云山（9 月任职）
组　织　委　员　陈春连（女，10 月离职）
杨国翠（女，10 月任职）
宣　传　委　员　锁真选（回族，9 月任职）
县人大古城街道工委主任　胡　祥（1 月离职）
吕金平（4 月任职）
办事处主任　黄　婧（女，12 月离职）
副　主　任　吕金平（1 月离职）
尹宏毅（女，彝族，7 月离职）
锁真选
柳开旺（2 月任职）
崔庆辉（9 月任职）
李啟富（兼，7 月离职）
孔维态（兼，8 月任职）
李　强（挂职，彝族，7 月任职）
武装部部长　吕金平（1 月离职）
朱兴平（1 月任职）

古城街道

党 工 委 书 记　邓系红
党工委副书记　陈加全（11 月离职）
冯　俊
纪 工 委 书 记　杨毕朝（10 月离职）
熊　涛（11 月任职）
组　织　委　员　刘云飞（10 月离职）
王　芳（女，10 月任职）
宣　传　委　员　赵洪顺（5 月任职）
县人大古城街道工委主任　赵　敏
办事处主任　陈加全（11 月离职）
副　主　任　赵洪顺
郗登燕（女）
李成燕（2 月任职）
张　伟（1 月离职）
杨关发（1 月任职）
管红轮（兼）
刘昊昇（挂职）
夏袖东（挂职，11 月离职）
赵　勇（挂职）
武装部部长　刘云飞

金钟街道

党工委书记　蒋先友
副　书　记　罗明玉
白贵斌（回族，9月离职）
房正明（11月任职）
纪工委书记　丁全明（1月任职）
组 织 委 员　杨冬会（女）
宣 传 委 员　代艳平（女）
县人大金钟街道工委主任　华玉明（3月离职）
张　鑫（6月任职）
办事处主任　罗明玉
副　主　任　尹　鸿
母其曦
马敏来（回族，10月离职）
代艳平（女）
王凤艳（女，10月任职）
胡德元（兼，7月离职）
张云勇（兼，10月任职）
林　延（挂职）
马玉晖（挂职，回族，7月任职）
武装部部长　马敏来（回族）

钟屏街道

党 工 委 书 记　尹德坤（4月离职）
冯　波（彝族，5月任职）
党工委副书记　乔文云（10月离职）
范金祥（10月任职）
陈仕明
张其露（挂职，女，9月离职）
纪 工 委 书 记　刘　航
组 织 委 员　李祥权
宣 传 委 员　马殿虎（回族，5月任职）
县人大钟屏街道工委主任　张恒瑞
办 事 处 主 任　乔文云（10月离职）
范金祥（10月任职）
副　　主　　任　张艳军（女，5月离职）
李俊良（7月离职）
尹宏毅（女，彝族，8月任职）
何文泽
蔡　英（女）
马殿虎（回族，5月任职）
李绍彩（兼，7月离职）
计丕黎（兼，10月任职）
陈沭瑾（挂职，女，6月任职）
武 装 部 部 长　冯　俊（1月离职）
何祥丙（1月任职）

以礼街道

党 工 委 书 记　佟顺金（1月任职）
党工委副书记　柳廷朝
杨　江
纪 工 委 书 记　桂俊良（7月离职）
黄建能（9月任职）
组 织 委 员　窦　璐（女）
宣 传 委 员　代志琼（女，5月任职）
县人大以礼街道工委主任　赵剑锐（1月离职）
杨　辉（4月任职）
办 事 处 主 任　柳廷朝
副　　主　　任　张　智
柳开旺（1月离职）
黄建能（9月离职）
代志琼（女，5月任职）
李廷聪（5月任职）
付兆洪（1月离职）
尹得奎（5月任职）
孔维态（兼，7月离职）
付正亮（兼，8月任职）
和小宁（挂职，纳西，7月离职）
杜保亚（挂职，7月任职）
段国建（挂职，6月任职）
武 装 部 部 长　黄建能（9月离职）
李　密（10月任职）

大海乡

党 委 书 记　刘志寒
副　书　记　杨保华（9月离职）
赵红春（9月任职）
苟　睿（5月离职）
邓忠原（9月任职）
毕雄刚（挂职，彝族，2月离职）
纪 委 书 记　周永虎（1月离职）
牛良辉（1月任职）
组 织 委 员　胡云春
宣 传 委 员　王　锐
人 大 主 席　刁海波（5月任职）
乡　　　长　杨保华（9月离职）
赵红春（9月任职）
副　乡　长　牛良辉（1月离职）
王　锐
方　靖
周柱高（1月任职）
沈宗朋（兼，8月任职）
李向发（挂职，7月任职）
武装部部长　肖存树

娜姑镇

党 委 书 记　林智文（1月离职）
肖书耀（1月任职）

副　书　记　张鸿斌
朱　俊（1月离职）
徐万凯（1月任职）
蒋　辉
姜丽梦（挂职，女，6月离职）
朱天谱（挂职，6月离职）
纪委书记　王政权
组织委员　刘保春
宣传委员　蒋　辉
人大主席　邹明宽
镇　　长　张鸿斌
副　镇　长　李廷聪（5月离职）
胡发玉
黄永香
阮华生
江　升（5月任职）
付正亮（兼，7月离职）
马　松（兼，回族，8月任职）
姜　帅（挂职，6月离职）
周　强（挂职，6月任职）
马晓熠（挂职，回族，7月离职）
黄　虎（挂职，7月任职）
武装部部长　张玉林

老厂乡

党委书记　唐艳丽（女）
副　书　记　陶发昌（9月离职）
纪成川（彝族，11月任职）
赵　恒（10月离职）
杨世磊（10月任职）
纪委书记　尹体俊
组织委员　陈文双
宣传委员　曾智勇
人大主席　朱　俊（1月任职）
乡　　长　陶发昌（9月离职）
副　乡　长　李宗会
王　丕（1月离职）
李兴娟（女，回族，1月任职）
李朝刚（兼）
方明连（挂职，女，壮，7月离职）
田君华（挂职，8月任职）
黄红宾（挂职，回族，6月任职）
武装部部长　邓金碧

五星乡

党委书记　马应取（回族）
副　书　记　李顺稳
吴明辉（1月离职）
朱美江（女，1月任职）
纪委书记　段林芳（9月离职）
组织委员　夏　凯
宣传委员　陈明燕
人大主席　陆　平（彝族）
乡　　长　李顺稳
副　乡　长　夏　铭
陈明燕
冯文曦（女，10月离职）
李宗鹏（11月任职）
陈　卓
邓　磊（兼，7月离职）
陈兴付（兼，11月任职）
蒋秋杨（挂职，6月离职）
张兴华（挂职，6月任职）
武装部部长　夏　铭

大桥乡

党委书记　贺启文（7月离职）
李仁娟（女，9月任职）
副　书　记　吴　涛
韩道远
纪委书记　袁　瑞
组织委员　陈丽琼
宣传委员　邓加力
人大主席　楚荣岗
乡　　长　吴　涛
副　乡　长　王文玉（1月任职）
朱朝文（1月离职）
邓加力
朱学荣
钱双龙
乐石林（兼）
饶　雄（挂职）
吕林芳（挂职，6月任职）
武装部部长　黄文彪

迤车镇

党委书记　康富涛
副　书　记　王　辉
蔡征锋
吴仕宇（9月任职）
纪委书记　伍向勇（1月离职）
杜欣霖（1月任职）
组织委员　李　芮（女，11月离职）
赵会平（11月任职）
宣传委员　吴仕宇（9月任职）
人大主席　夏德方
镇　　长　王　辉
副　镇　长　张　平（彝族，11月任职）

李成燕（1月离职）
金德锋
刘　蕾（女）
袁国连
朱良升（兼，7月离职）
邓　磊（兼，8月任职）
李书宇（挂职）
马海洲（挂职，回族，7月任职）
武装部部长　邱　维

纸厂乡

党委书记　苟瑞章
副书记　单祖华
朱培礼（7月离职）
苟党章（9月任职）
纪委书记　苟党章（9月离职）
戚玉春（9月任职）
组织委员　王　芳（女，10月离职）
郑泽桢（女，10月任职）
宣传委员　赵春平（彝族，5月任职）
人大主席　温绍毕（7月离职）
袁明坤（7月任职）
乡长　单祖华
副乡长　赵春平
吴仕宇（9月离职）
包　睿（11月任职）
吴宪泽（兼，10月离职）
李德金（兼，11月任职）
杜龙俊（挂职，10月离职）
何应林（挂职，6月任职）
武装部部长　林明向

马路乡

党委书记　佟顺金（1月离职）
王怀兴（1月任职）
副书记　王怀兴（1月离职）
吴明辉（1月任职）
李　密（9月离职）
刘　鹭（10月任职）
纪委书记　李　磊（1月任职）
组织委员　耿立伟（5月任职）
宣传委员　陆　剑（彝族）
人大主席　刘海波
乡长　吴明辉（1月任职）
副乡长　李　磊（1月离职）
陆　剑（彝族）
刘　鹭（10月离职）
朱才兵（2月任职）
李　灿（女，11月任职）
苟华锐（兼，9月离职）
裴洪仪（兼，11月任职）
李明虎（挂职）
韩会东（挂职，10月任职）
武装部部长　何祥丙（1月离职）
孙永华（1月任职）

火红乡

党委书记　陈朝应（7月离职）
王　铭（11月任职）
副书记　王　铭（11月离职）
杨世才（11月任职）
马顺华（1月离职）
周永虎（1月任职）
纪委书记　郭　涛（3月离职）
组织委员　柳成凯（10月离职）
侯明贵（10月任职）
宣传委员　赵　蓉（女，5月任职）
人大主席　林枝明（1月离职）
马顺华（1月任职）
乡长　王　铭（11月离职）
副乡长　赵　蓉（女）
李宗鹏（10月离职）
柳成凯（11月任职）
熊　涛（11月离职）
高加鹏（10月任职）
马　松（兼，回族，7月离职）
杨华选（兼，8月任职）
赵德慧（挂职，女）
武装部部长　刘亚洪

乐业镇

党委书记　袁其飞
副书记　林德能
朱金奎（9月离职）
颜　新（10月任职）
张付美（1月任职）
纪委书记　杜欣霖（1月离职）
朱加兴（1月任职）
组织委员　李贵学（1月离职）
车丽梅（女，1月任职）
宣传委员　朱金奎（1月离职）
张付美（1月任职）
人大主席　文祥宽（5月离职）
温绍毕（8月任职）
镇长　林德能
副镇长　颜　新（10月离职）
尹兴旺
车丽梅（女，1月离职）

李贵学（1月任职）
王荣华
计丕黎（兼，9月离职）
吴宪泽（兼，10月任职）
罗丽国（挂职）
陶云琦（挂职，7月任职）
武装部部长 谭吉波

矿山镇

党委书记 陈鹏飞
副书记 王 飞
王培东
纪委书记 金发正（9月离职）
段利斌（9月任职）
组织委员 张海鹏
宣传委员 漆 娇（女，5月任职）
人大主席 王明华
镇长 王 飞
副镇长 唐书春
漆 娇（女）
胡万波（1月离职）
张培金（兼）
李国灿（挂职）
李明辉（挂职，7月任职）
武装部部长 张付美（1月离职）
李 雪（5月任职）

者海镇

党委书记 李小平
副书记 肖书耀（1月离职）
华玉明（3月任职）
张 鑫（3月离职）
李俊良（7月任职）
张 跃
高瑜璟（挂职，女）
郭忠浪（挂职，6月任职）
纪委书记 王 瑞（5月离职）
马祥宇（回族，5月任职）
组织委员 王琼莲（女）
宣传委员 张 跃
人大主席 朱培坤
镇长 肖书耀（1月离职）
华玉明（3月任职）
副镇长 高艺涌（11月离职）
邱学勇（7月离职）
张晓徽（女）
付 虎
彭 羚（12月任职）
胡选文（兼）

武装部部长 晏庭东

大井镇

党委书记 陈忠奎
副书记 唐 鹏
代普奎（1月离职）
郑 朝（1月任职）
纪委书记 秦绍富（1月任职）
组织委员 杜兴昌（10月离职）
郭梦林（女，10月任职）
宣传委员 张柱友
人大主席 代普奎（1月任职）
镇长 唐 鹏
副镇长 张柱友
杨国翠（女，10月离职）
杜兴昌（11月任职）
王健霖（女，11月离职）
冷 元（11月任职）
马兴磊（兼）
张 智（挂职，10月离职）
董盖堂（挂职，7月任职）
武装部部长 秦绍富（1月离职）
窦啸虎（1月任职）

新街乡

党委书记 李学昆
副书记 丁 鹏（回族）
袁明坤（7月离职）
金发正（9月任职）
虎 璐（挂职，回族，6月离职）
纪委书记 刘廷万（1月离职）
朱加锐（5月任职）
组织委员 罗全胜
宣传委员 周向平（5月离职）
张 涵（9月任职）
人大主席 唐书刚（1月离职）
周向平（6月任职）
乡长 丁 鹏（回族）
副乡长 虎贤濛（回族，6月任职）
张 涵
李琼会
周向平（5月离职）
周 黎（1月任职）
虎宽任（兼，回族，7月离职）
胡彦江（兼，8月任职）
张 勇（挂职，7月离职）
张 帆（挂职，8月任职）
袁 征（挂职，7月任职）
武装部部长 虎贤濛（回族，5月离职）

张　辉（回族，10月任职）

雨碌乡

党委书记　代幸烜
副 书 记　刘爱臣
　　杨世才（11月离职）
　　李　芮（女，11月任职）
纪委书记　王道金（1月任职）
组织委员　王道金（1月离职）
　　宁月仙（女，1月任职）
宣传委员　胡贵荣
人大主席　高云霄
乡　　长　刘爱臣
副 乡 长　张　辉（回族，10月离职）
　　胡贵荣
　　吕　田（10月任职）
　　段利斌（9月离职）
　　宁月仙（女，1月离职）
　　海　军（1月任职）
　　宁德坤（兼）
　　李国龙（挂职，10月离职）
　　谭洪应（挂职，7月任职）
武装部部长　刘大荣

鲁纳乡

党委书记　李绍海
副 书 记　李仁娟（女，9月离职）
　　朱金奎（9月任职）
　　王　丕（1月任职）
纪委书记　杨世磊（10月离职）
组织委员　朱加锐（5月离职）
　　刘兴宽（5月任职）
宣传委员　王文玉（1月离职）
　　毛　茜（女，5月任职）
人大主席　王忠铭
乡　　长　李仁娟（女，9月离职）
　　朱金奎（9月任职）
副 乡 长　王文玉（1月离职）
　　毛　茜
　　赵国俊（彝族，12月任职）
　　陈　扬
　　查燕良（2月任职）
　　王兴祥（兼，11月任职）
　　秦绍将（兼，12月任职）
　　王知跃（挂职，6月离职）
　　夏跃弼（挂职，7月任职）
武装部部长　王友先

待补镇

党委书记　晏廷勇
副 书 记　张毕恩
　　刁海波（5月离职）
　　张建林（5月任职）
　　徐　蕾（挂职，6月离职）
　　胥　芮（挂职，女，回族，6月离职）
　　何沁霖（挂职，女，6月离职）
　　李　婧（挂职，女）
纪委书记　张建林（5月离职）
　　尹正询（7月任职）
组织委员　罗在金
宣传委员　冯见荣
人大主席　蒋全松
镇　　长　张毕恩
副 镇 长　吴建明（11月任职）
　　尹正询（7月离职）
　　柳　昊
　　饶维香
　　李　智（兼）
武装部部长　吴建明（10月离职）
　　杜龙俊（10月任职）

上村乡

党委书记　顾光敏（7月离职）
　　陈加全（11月任职）
副 书 记　杨　剑
　　钱　堂
纪委书记　蔡朝燕（10月离职）
组织委员　卢　雄
宣传委员　李光见
人大主席　朱朝文（2月任职）
乡　　长　杨　剑
副 乡 长　李光见
　　代志琼（女，5月离职）
　　马祥宇（回族，5月离职）
　　李世鹏
　　孔　健（5月任职）
　　卢　毅（11月任职）
　　张建波（兼，11月离职）
　　孙朝辉（兼，12月任职）
　　晋　静（挂职，9月离职）
　　邹圣彪（挂职，7月任职）
武装部部长　宁功祥

驾车乡

党委书记　杨保华（9月任职）
副 书 记　管育国
　　付庭伟
　　陈进辉（挂职）
纪委书记　刘云山（9月离职）

李　森（9月任职）
组 织 委 员　刘元喜
宣 传 委 员　孔　畅（女，5月任职）
人 大 主 席　段正永
乡　　　长　管育国
副　乡　长　孔　畅（女）
李建谊
杨　军
付文飞（兼，12月任职）
武装部部长　张天朝

田坝乡

党 委 书 记　郑玉榜
副　书　记　韩馥戎（女）
赵　强（彝族）
邱成飞（挂职，10月离职）
纪 委 书 记　丁全明（1月离职）
刘廷万（1月任职）
组 织 委 员　邓忠原（9月离职）
周兴跃（9月任职）
宣 传 委 员　吕先慧（女，1月任职）
人 大 主 席　陈世昕
乡　　　长　韩馥戎（女）
副　乡　长　吕先慧（女，2月任职）
朱兴平（1月离职）
张　坤
杨文锡
张云勇（兼，9月离职）
苟华锐（兼，10月任职）
杨　帆（挂职，7月离职）
彭　超（挂职，女，8月任职）
武装部部长　阮福顺

（李超）

［责任编辑　黄　琼］

会泽县人民代表大会常务委员会工作报告

——2024 年 1 月 16 日在会泽县第十八届人民代表大会第四次会议上

会泽县人民代表大会常务委员会主任　潘利华

2023 年工作回顾

2023 年，是落实党的“二十大”战略部署的开局之年，是实施“十四五”规划和奋进新征程推动新跨越三年行动的关键之年，县人大常委会在县委的坚强领导和市人大常委会的精心指导下，坚持以习近平新时代中国特色社会主义思想为指导，深入贯彻落实党的二十大精神和中央、省、市人大工作会议精神，紧紧围绕县委十三届四次全会确定的目标任务，强化学习之基、强化人大之责、强化民主之本、强化代表之职、强化自身建设之要，为促进会泽经济社会高质量发展、推进会泽民主法治建设贡献了人大力量。

一、坚持党的领导，政治建设全面加强

深入扎实开展主题教育。把开展学习贯彻习近平新时代中国特色社会主义思想主题教育作为贯彻落实党的二十大精神的重要举措，牢牢把握“学思想、强党性、重实践、建新功”总要求，紧紧锚定主题教育目标任务，把理论学习、调查研究、推动发展、检视整改、建章立制有机融合、一体推进，在以学铸魂、以学增智、以学正风、以学促干上下功夫，推动理论学习走深走实，切实增强“四个意识”、坚定“四个自信”，拥护“两个确立”，做到“两个维护”。

旗帜鲜明坚持党的领导。充分发挥常委会党组把方向、管大局、保落实的作用，做到“懂政治、懂大局、懂业务，方法对、路径对，结果好、效果好”；严格执行重大事项报告制度，保证党的领导在人大工作中得到全面贯彻和有效落实；坚持党管干部原则与人大依法任免相统一，年内共任免和决定任免国家机关工作人员 60 人次，补选县人大代表 9 人，补选市人大代表 4 人，接受县人大代表辞职 8 人，接受市人大代表辞职 2 人，确保党组织推荐的人选通过法定程序成为国家机关工作人员。

坚决落实县委决策部署。按照县委的工作要求，自觉强化责任担当，围绕四上企业发展、国有资产管理、医疗高质量发展等工作深入开展调查研究，为县委提供决策参考；认真履行乡（镇、街道）承包责任，积极参与全县重大项目建设、招商引资、信访工作、“林长制”“河（湖）长制”等工作；认真落实巩固拓展脱贫攻坚成果同乡村振兴有效衔接工作帮扶责任，开展普法强基补短板、创建国家卫生县城等工作，做到闻令而动、听令而行，不推不拖、全员参与。

二、坚持依法履职，监督实效明显提升

以奋进新征程推动新跨越三年行动为统领，围绕“巩固脱贫攻坚成果接续乡村振兴示范区、全国历史文化名城、劳动密集型产业发展基地”三个定位，扎实开展监督工作。一年来共召开主任会议 16 次、常委会会议 8 次，依法决定重大事项 5 项，开展专题调研 9 项、执法检查 3 项、专项调查 10 项、听取专项工作报告 19 项，组织代表评议政府组成部门 3 家、开展专题视察 1 项、专题询问 1 项。

紧扣“稳经济”督和促。围绕“稳中求进”总要求，对县“十四五”规划中期执行情况进行调查，听取县人民政府关于县“十四五”规划实施情况的中期评估报告和关于全县 2023 年国民经济和社会发展计划 1—6 月执行情况报告，督进度、找症结、提建议，促进经济在合理区间运行。围绕守好资产“家底子”，听取全县 2022 年度国有资产管理情况的综合报告和行政事业单位国有资产管理情况的专项报告，对国有资产管理情况进行专题调研，督促有关单位压实管理责任、完善管理制度、强化问题整改，推动国有资产保值增值。围绕管好人民“钱袋子”，听取财政预算执行情况报告，审查预算调整方案，对会泽县 2020—2022 年重大项目及专项债券项目落实推进情况进行调查，加强政府债务的审查监督，对审计查出问题整改落实进行跟踪问效，常态化开展预算联网监督，推动预算审查监督重点向支出预算和政策拓展，提高财政资金使用绩效。

紧扣“顾大局”督和推。对《会泽县国土空间总体规划（2020—2035 年）》作出决议，督促政府进一步增强规划的统筹性、协调性、权威性。聚焦生态环保，听取县人民政府关于 2022 年度环境状况和环境保护目标完成情况报告，对县人民政府贯彻实施《曲靖市乡村清洁条例》情况进行执法检查，对全县集镇污水和垃圾收集处置情况、江河湖库生态保护治理工作情况进行调查，在促进生态环境

持续向好中展现人大作为。聚焦乡村振兴，对全县农业重点产业发展情况、易地扶贫搬迁成效巩固情况进行调查，组织代表对全县巩固拓展脱贫攻坚成果接续乡村振兴工作进行视察，推动脱贫成效更可持续、振兴基础更加稳固；持续开展“乡村振兴・人大代表在行动”主题活动，开展“百名代表挂百村”行动，组织动员全县各级人大代表踊跃投入到乡村振兴第一线，建言献策、发挥作用，把人大工作转化成助推乡村振兴的实际成果。聚焦营商环境，对县人民政府贯彻实施《云南省优化营商环境条例》情况进行执法检查，为企业发展营造更加稳定、公正、公平的环境；组织代表对县文化和旅游局、住房和城乡建设局、农业农村局工作进行评议，督促解决存在问题、转变工作作风、提高行政效能。

紧扣“保民生”督和帮。突出群众关心的医疗问题，对县卫生健康局工作情况进行专题询问，对全县医疗高质量发展情况进行专题调研，推动加快我县医药卫生体制改革，成立县域医疗集团，构建优质高效的县乡村整合型卫生健康服务体系。突出重点群体的就业问题，对县人民政府贯彻实施《中华人民共和国就业促进法》情况进行执法检查，对全县职业教育发展情况进行调查，督促政府以加快职业教育发展为抓手，不断加强就业服务体系建设，推动城乡劳动力多渠道就业。突出安全整治“三年行动”，听取和审议全县应急管理工作情况报告，督促政府更好统筹发展和安全，全力防范化解重大灾害风险。

三、坚持精准务实，法治建设纵深推进

加强宣传教育。弘扬宪法精神。积极开展国家宪法日和宪法宣传周活动，组织21名国家机关工作人员进行任前法律知识考试，组织新选举和任命的28名国家机关工作人员向宪法宣誓，增强法律意识，树立宪法权威。宣传法律法规。把普法融入人大工作全过程，在开展执法检查、调研调查、视察评议中突出相关法律法规的宣传；领导班子成员深入挂包乡（镇、街道）开展普法宣讲，人大机关组织法律专业人员到联系社区举办法律知识讲座。落实普法责任。对“八五”普法规划决议的实施情况进行跟踪监督，落实“普法强基补短板”工作责任，开展“4・15全民国家安全教育日”“民法典宣传月”等主题活动和“法律六进”活动，推动全社会尊法学法守法用法。

强化法治监督。对全县社区矫正工作情况进行调查，督促政府进一步补齐工作短板、加强经费保障、完善协调机制，维护社会和谐稳定；组织县人大代表参加听证会、案件审理、视察法院、民生专项活动等工作，让代表更加了解“一府一委两院”的工作，更好地监督司法案件公平公正裁决，推进司法公开，促进阳光司法。

维护法制统一。做好规范性文件备案审查工作。做好县人大常委会规范性文件清理、公开、入库工作，督促县人民政府对规范性文件进行专项清理；对县人民政府报送备案的规范性文件进行审查，经审查未发现违法情形，审查后予以备案。做好省级基层立法联系点工作。2023年3月24日，会泽县人大常委会被省人大常委会列为曲靖市唯一一家省级基层立法联系点。目前，基层立法联系点建设工作已完成，年内完成了《中华人民共和国治安管理处罚法（修订草案）》《云南省警务辅助人员管理条例（草案）》《曲靖市严重精神障碍患者救助保障条例（草案）》等14部法律法规的立法意见征集工作。群众的立法“金点子”通过省级基层立法联系点转化成基层治理的“金钥匙”，得到省人大常委会的充分肯定，昭通、文山、怒江等地州人大前来交流学习。

四、坚持守正创新，代表作用充分发挥

强化人大代表阵地建设。投入资金100余万元对代表“家站室”进行功能提升，高标准建成钟屏街道人大代表之家、待补镇市级人大代表工作站和娜姑镇省级人大代表联络室，示范带动全县工作站和联络室不断优化功能，形成“家站室”纵向贯通、信息联通新格局。

提升议案建议办理质效。加大对《关于古城保护利用的议案》的督办力度。目前，古城博物馆片区建设初见成效，以贵州会馆为首的一批会馆古建得到活化利用，北门片区改造顺利进行，古城保护利用工作成效明显；坚持“集中交办、重点督办、跟踪落实”的办理机制，对县十八届人大三次会议期间代表所提的122件建议的办理情况进行调查督办。截至年末，所有建议在时限要求内全部答复完毕，已解决或正在解决的建议（A类）41件，占33.61%；列入计划解决或待批准解决的建议（B类）55件，占45.08%；因目前条件限制或其他原因暂不能解决的建议（C类）26件，占21.31%。一大批代表建议转化为促发展、惠民生、暖民心的务实举措。

扩大人民有序政治参与。全年共邀请164名代表列席县人大常委会会议，参加视察调研、执法检查、评议等活动，为代表知情知政创造条件；指导乡（镇）人大主席团和街道人大工委开展工作，不断提高代表的履职能力；指导各“家站室”做好代表意见建议收集工作，推动解决一批群众急难愁盼问题，不断丰富全过程人民民主的会泽实践。

五、坚持固本强基，自身建设不断加强

突出政治引领。严格执行党组工作条例，强化机关各级党组织的政治功能和主体责任，认真落实民主生活会、组织生活会、谈心谈话、“三会一课”、主题党日等党内政治生活制度，全年共召开党组会议18次，党组理论学习中心组学习会议12次，开展“三会一课”66次。守好意识形态主阵地，坚持正确导向，通过“会泽人大”网站、“会泽人大”微信公众号、《会泽人大》杂志、会泽县融媒体中心融媒矩阵等各类新闻媒体，及时公告人事任免、决议决定等重大事项，加强对会泽民主法制建设情况、人大监督工作和代表履职情况的宣传，讲好人大故事，传递人大声音。

提升工作效能。不断改进调研方式，聚焦人民群众所思所盼开展专题调研，就产业发展、乡村振兴、医疗教育等工作向有关国家机关提出意见建议，加强监督检查，推动调研成果有效转化。聚焦乡镇人大规范化建设，加强工作指导，推动全县基层人大工作均衡发展、整体提质。组织 48 名县人大常委会组成人员和乡镇人大干部到厦门大学开展为期一周的学习培训，切实提高了人大干部的综合素质；选派 8 名机关干部参加驻村帮扶、矛盾纠纷排查调处、会计集中核算、到国有企业学习锻炼等工作，让机关干部在基层一线得到锤炼、增长本领。

强化作风建设。持续巩固“曲靖市四星级模范机关”创建成效，推动机关党的建设全面推进；落实全面从严治党主体责任，突出廉政风险防控，深入开展“清廉人大机关”建设，树立人大机关勤政廉政的良好形象；积极支持派驻纪检监察组监督执纪，严格落实中央八项规定，加大对形式主义和官僚主义以及基层减负效果不佳等突出问题和“躺平式”干部专项整治力度，营造人大机关风清气正的良好氛围。

各位代表，回顾过去一年的工作，我们深切地感受到：县人大常委会能够取得以上成绩，关键在于坚持党的领导不动摇，与县委同向；关键在于围绕中心、服务大局，与发展同频；关键在于发挥代表作用、密切联系人民群众，与人民同心，从而在会泽高质量发展的大局大势中把牢方向、找准定位、高效履职，充分发挥了人民代表大会制度的优势，体现了人大工作的时代价值，彰显了人大工作者的使命担当。

同时，我们也清醒地认识到，县人大常委会的工作还存在以下问题和不足：监督推动民生实事得到有效解决，仍需进一步做实；人大代表在发展全过程人民民主中的独特作用，仍需进一步发挥；重大事项决定推动决策科学化民主化法治化，仍需进一步探索；常委会的履职能力和水平，仍需进一步提升。今后，我们将虚心听取意见建议，采取有效措施加以改进。

2024 年工作安排

2024 年，是全国人民代表大会成立 70 周年，是全面实施“十四五”规划和奋进新征程推动新跨越三年行动的重要一年。县人大常委会工作的总体思路是：高举习近平新时代中国特色社会主义思想的伟大旗帜，在县委的坚强领导下，全面贯彻落实党的二十大精神和中央、省、市人大工作会议精神，深入贯彻落实县委十三届五次全会精神，坚持党的领导、人民当家作主、依法治国有机统一，忠实履行人大法定职责，更好发挥代表作用，不断发展全过程人民民主，为全力推动会泽经济社会高质量转型发展贡献人大力量。

一、高质量抓好政治建设

一是在忠诚核心上矢志不渝。始终在政治立场、政治方向、政治原则、政治道路上同以习近平同志为核心的党中央保持高度一致，认真落实“第一议题”制度，深刻领悟“两个确立”重要意义，不断增强“四个意识”，坚定“四个自信”，做到“两个维护”。

二是在理论武装上精进不怠。持续巩固主题教育成果，坚定不移用党的创新理论武装头脑、指导实践、推动工作；始终把学习贯彻党的二十大精神同习近平总书记系列重要讲话、中央和省市县委决策部署结合起来，一体遵循、一体落实。

三是在力践笃行上坚持不懈。自觉接受县委领导，坚决贯彻落实县委决策部署，坚持重要工作、重大事项、重要活动及时向县委请示报告，确保人大工作始终在县委的领导下开展。

二、高质量履行法定职责

一是依法作出决议决定。进一步完善讨论决定重大事项的范围和程序，紧扣事关全县改革发展的重大问题，适时作出决议决定，把县委决策部署上升为人民的共同意志和自觉行动。

二是认真履行监督职责。组织代表对建设全国历史文化名城工作进行专题视察，就工业园区、农业产业等工作进行会前视察，对县城市综合管理局、县市场监督管理局、县应急管理局工作进行评议，推动解决制约经济社会发展的突出矛盾和问题；对“两污”治理情况进行专题询问，对教育人才引进、自然保护区生态建设利用、养老服务等工作情况进行调查，以务实的行动推动各项任务落地见效，回应人民群众对美好生活的向往；加强对计划和预算执行、重点项目推进、国有企业和产业园区运行、国有资产管理、审计查出问题整改落实等工作的监督，促进经济平稳运行；加强对预算法、乡村振兴促进法等法律法规贯彻实施情况的检查，保证宪法法律在本行政区域内得到严格遵守和执行。

三是规范人事任免工作。坚持党管干部与人大依法任免相统一，依法做好选举任免工作，确保县委人事安排意图顺利实现；加强对国家机关工作人员的任后监督，有计划地开展工作评议和履职评议，增强人大任命干部的法治意识和公仆意识。

三、高质量打牢法治基础

一是加强备案审查监督。坚持“有件必备、有备必审、有错必纠”，不断提高备案审查能力，实现报备主体全覆盖、主动审查全覆盖、制度建设全覆盖、报告备案审查工作全覆盖，坚决维护国家法制统一。

二是畅通法律“直通车”。建好管好用好省级基层立法联系点，加强队伍建设，发挥基层立法联系单位作用，把基层的诉求“原汁原味”反馈给立法机关，把基层的声音“原汁原味”传递进每一部法律。

三是优化法治环境。听取县人民政府关于法治政府建设情况报告，对全县“八五”普法中期开展工作情况进行调查，加强宪法宣传教育，落实宪法宣誓制度，推动法治文化广场建设，推进全民普法与依法治理有机融合；重视做好人大信访工作，坚持依法推动解决和帮助疏导教育相结合，努力维护群众合法权益和社会和谐稳定。

四、高质量做好代表工作

一是建好代表履职平台。深化代表“家站室”履职平台规范化建设，加强代表履职服务信息化管理，依托“家站室”深入开展学习交流、联系选民、代表述职等示范活动，提升代表活动实效；加强对乡（镇）人大主席团和街道人大工委的指导，督促代表所在单位严格落实法定要求，为代表履职创造条件、提供支持。

二是增强代表履职能力。加强代表履职能力培训，邀请代表列席各类会议、参加监督活动，在实践中提升代表履职水平；密切县人大常委会组成人员与人大代表、人大代表与人民群众的联系，畅通社情民意表达渠道，推动“双联”工作常态化、制度化开展，使人大工作更加精准、更有作用、更贴民心。

三是提升代表履职成效。持续深入开展“乡村振兴·人大代表在行动”主题活动，动员各级人大代表立足实际、发挥优势、履职担当，当好乡村振兴的宣传者、践行者、代言者、监督者；按照“内容高质量、办理高质量”的要求，完善重点议案建议督办机制和办理测评机制，对上年度B类建议和测评为“基本满意”的建议继续跟踪督办，扎实做好县十八届人大四次会议代表议案建议交办督办工作，推动议案建议真正从“纸上”落到“地上”。

五、高质量强化自身建设

一是强化制度保障。着眼常委会履职制度化、规范化、科学化，对部分议事规则、常委会组成人员守则等工作制度进行修订完善，推动形成自觉维护制度、带头落实制度的浓厚氛围。

二是强化作风建设。压实常委会党组管党治党主体责任，增强人大各级党组织的政治功能和组织功能，严格落实党风廉政建设责任制，支持派驻县人大机关纪检监察组开展工作，不断提升县人大及其常委会的履职能力和工作质量，打造让党和人民满意的政治机关、权力机关、工作机关、代表机关。

三是强化能力提升。不断改进视察调研、执法检查、评议视察的方式方法，强化思想淬炼、政治历练、实践锻炼、专业训练，切实提高常委会、专委会、机关工作人员的政治理论水平和依法履职能力；大力弘扬求真务实之风，深入基层察民情，服务群众暖民心，使人大工作更加符合群众意愿、更好回应社会关切。

中国人民政治协商会议
会泽县第十届委员会常务委员会工作报告

——2024 年 1 月 14 日在政协会泽县第十届委员会第四次会议上

政协会泽县委员会主席　李　晴

2023 年主要工作回顾

过去一年，是会泽县奋进新征程、推动新跨越三年行动的关键之年，也是全县人民政协事业创新发展的一年。面对新形势、新任务、新使命，在中共会泽县委的坚强领导和市政协的精心指导下，县政协常委会坚持以习近平新时代中国特色社会主义思想为指导，切实发挥专门协商机构作用和统一战线组织功能，在协商中促进团结合作、广泛凝聚共识、实践全过程人民民主，推动政协事业实现新突破、迈上新台阶，为谱写会泽高质量发展新篇章作出积极贡献。

一、铸牢思想根基，坚定政治方向，以赤诚之心高举旗帜紧跟党走

我们牢牢把握人民政协的政治属性，坚持把党的领导贯穿政协工作的各方面和全过程，把讲政治融入思想建设和履职实践，切实担负起“落实下去、凝聚起来”的政治责任。

党的全面领导更加具体。认真贯彻落实《中共会泽县委关于加强和改进人民政协政治协商工作的实施方案》，严格执行重大事项及时请示、重要工作及时报告、协商成果及时呈送要求，坚持一切工作都在县委领导下开展，一切重要活动都围绕县委、县政府中心任务进行，一切重要安排都在报县委审批后实施，始终做到与县委在思想上同心、工作上合力、行动上合拍，通过政协制度运行、民主程序和有效工作，把党的主张转化为社会各界广泛共识和自觉行动。

政治方向更加坚定。始终坚持“第一议题”抓学习，“第一遵循”抓贯彻，结合“书香政协”活动，在全体委员和社会各界中组织开展学习贯彻党的二十大精神征文活动，自觉做习近平新时代中国特色社会主义思想的坚定信仰者、积极传播者、忠实践行者。扎实开展学习贯彻习近平新时代中国特色社会主义思想主题教育，将理论学习贯穿全年、融入日常。开展党组理论学习中心组集中学习 10 次，党组会议、主席会议、常委会会议学习 51 次；开展党组书记讲党课 7 次，举办“书香政协”活动 6 期，评选出学习贯彻党的二十大精神优秀文稿 12 篇（组）。

党建引领更加有力。坚持党建与履职双融合双促进，全面落实政协党的组织和党的工作“两个全覆盖”要求，构建从机关党组到党小组四级党建联动工作格局，规范落实“三会一课”、组织生活会等基本制度，持续巩固提升县级“五星级模范机关”创建成果。坚定拥护“两个确立”、坚决做到“两个维护”，做到党委有号召、政协有行动，党委有要求、政协抓落实。无论是在重点项目推进、乡村振兴、产业发展、惠企纾困，还是创文创卫、基层治理、服务群众、2023 年火把节系列活动等工作中，处处都有政协委员拼搏的身影、履职的声音。

二、围绕中心工作，服务发展大局，以守正创新践行政协履职之责

我们立足专门协商机构职能定位，紧扣“县之大计”，心系“民之所需”，立足资政的含金量，建言的靶向性，监督的精准度，通过找问题出实招，一批质量高、建议实的履职成果得到转化落实。

参政议政紧扣中心。围绕会泽发展“三个定位”“四大会战”的大事要事精准建言，助力全县经济社会高质量发展。着力构建以全体会议协商为龙头、专题议政性常委会会议协商为重点、其他各类协商为常态的协商议政格局，不断拓展协商广度和深度，做到全县中心工作推动到哪里、协商工作就深入到哪里，群众诉求集中在哪里、政协履职就跟进到哪里。围绕“一府两院”工作、经济社会发展及财政预决算等重要事项开展全体会议协商，提出 10 个方面的意见建议 163 条。围绕巩固拓展脱贫攻坚成果有效衔接乡村振兴工作召开议政性常委会，分别围绕“三类对象”监测及帮扶、高标准农田建设，形成关于巩固拓展脱贫攻坚成果同乡村振兴有效衔接的专题协商议政报告，组织专题协商议政发言，提出两个方面的意见建议 19 条提交县委、县政府。全年共开展协商 19 次，其中，全体会议专题协商 2 次，专题议政性常委会会议协商 1 次、常委会重点协商 4 次、对口协商 1 次、界别协商 1 次、重点提案办理协商 10 次，促进了党政科学民主决策，实现商以求同、协

以成事。

民主监督扎实有力。通过精准发力、靶向建言、高效监督，助推全县重大项目、重点工作落地落实，一批社会关注、群众关心的热点难点问题得到及时解决。县政协常委会认真听取实施“310”工程推进情况、全县党风廉政建设和县“法检”两院工作情况通报，对县工业信息化和商务科技局工作进行民主评议，对2022年民主评议县自然资源局工作整改落实情况进行跟踪问效，对全县10个乡（镇、街道）重点工作情况开展综合督查。累计开展卫生县城创建督查20次，食品安全督查24次。扎实开展提案培育和督办工作，县政协领导班子成员领衔协商督办重点提案10场次，对6家县直部门重点提案办理工作进行民主评议，进一步提高提案质量和办理质量。充分利用专题调研视察、提交提案、民主评议等形式，组织委员参加重大决策听证、重大案件庭审旁听、高考中考巡考及县直部门人员招录等工作。全年共审查立案的166件提案已全部办理完毕，提案建议得到解决或采纳的占78.31%。

建言资政精准有效。坚持把调研视察作为建言资政的基础，并围绕县委主要领导所点课题，对农村“厕所革命”推进、农村集体经济发展、小额信贷逾期、高标准农田建设、夏播马铃薯和秋播燕麦轮作等11个重点课题开展专题调研，提出28个方面的意见建议79条，建言成果得到高度重视和采纳。县委常委会7次对政协调研、协商报告等履职成果作出安排，有力地促进了巩固拓展脱贫攻坚成果、建设美丽乡村、产业发展等事关长远的经济社会发展和民生工作。

院坝协商力求实效。为深入贯彻落实省市政协开展院坝协商工作要求，推动政协协商与基层协商有效衔接，与基层社会治理紧密结合，出台《“开展院坝协商·建设文明村寨”行动方案》，按照“精选切口小、关联度大、与群众切身利益密切相关”的原则，围绕基层社会治理难点、人民群众关心热点等5个方面基层治理难题精心选题，在全县基层治理重点乡（镇、街道）开展了19场院坝协商，有力助推了农村基层治理、移风易俗、人居环境改善等工作。

反映社情民意信息更深更实。始终坚持想群众所想、急群众所急、盼群众所盼，围绕“民之关切”，积极组织委员收集和反映社情民意信息。一年来，向省市政协上报反映社情民意信息66条，其中：《村（社区）人民调解委员会存在的问题不容忽视》《当前社会组织存在问题亟需关注解决》《关于农村养殖业污染亟待整治的建议》被省政协采用，《当前森林草原防灭火工作存在的问题及对策建议》等8条被市政协采用，2023年反映社情民意信息工作位列全市各县（市、区）政协系统第一。

三、加强团结联谊，激发动力源泉，以和谐之声凝聚共识汇聚力量

发挥政协统战组织功能，推动政协工作重心下移、委员力量下沉，协助党委、政府做好宣传政策、释疑增信、理顺情绪、化解矛盾的工作，在汇聚力量上“春风化雨”，在争取人心上“润物无声”，努力找到最大公约数、增进最大共识度、画好最大同心圆。

团结联谊更加广泛。强化与党外知识分子、新社会组织、新经济组织、新就业群体、少数民族和宗教界委员等的沟通联络，加强团结联谊，广泛凝聚共识，促进各阶层同心同德、同向发力，形成团结一心谋发展的生动和谐局面。围绕铸牢中华民族共同体意识，走访少数民族界、宗教界代表人士，开展民族团结进步示范创建“进机关”工作，共同维护和谐民族宗教关系。全力支持唐继尧研究会、名城研究会等社团组织开展工作。

履职联动更加紧密。树立政协系统“一盘棋”理念，积极探索“履职联动”模式，加强向上级政协的汇报联系，密切同河北蔚县、四川阆中市等全国八省“双帽”九县（市）和其他地方政协的沟通联络，组织部分委员到福建长汀考察名城建设和乡村振兴工作，形成《关于重点支持全国八省九县（市）国家历史文化名城保护利用，巩固脱贫攻坚成果、助力乡村振兴的提案》向全国政协提交。与巧家、会东等5县（市）组成联合视察组，以“同护一江水·共圆中国梦”为主题，对金沙江白鹤滩水电站库区漂浮物治理工作开展联合专项视察，共同推动金沙江白鹤滩库区生态环境治理迈向新台阶。2023年，累计接洽省内外政协调研考察组28批417人次，高质量完成省市政协领导莅临会泽视察调研16次，在考察接洽、参与调研、交流互动中展示会泽改革发展成果，扩大影响力，拓宽“朋友圈”。

文史工作更有声色。秉承“存史、资政、团结、育人”的社会功能，围绕时代主题，把加快完善文史资料、加快推动文化繁荣、更好地服务经济社会发展作为县政协围绕中心、服务大局的重要一环，广泛挖掘收集、保护整理好文史资料，不断弥补会泽历史文化遗缺，完整、真实、全面地呈现会泽的历史文化，为提升会泽文化综合影响力发挥了重要作用。完成《会泽古籍选介》60篇12万字文稿征集编纂和4期《会泽政协》编辑出版工作。

服务群众更加深入。将联系基层、服务群众融入日常、抓在经常，努力把政协履职的过程转化为增进民生福祉的过程。围绕规范和加强老旧小区物业管理民生热点难点开展协商，提出4个方面的意见建议12条。从委员中选取专业素养高、有社会情怀、群众有需求的律师委员，成立会泽首个委员工作室（陆锦潼委员工作室），让广大人民群众切实感受到政协委员就在身边、委员也能办事。组织会泽张氏斑铜公司、睛刚眼镜店等4家企业委员向迤车、驾车等乡（镇）的12所中小学捐资捐物100余万元，协调深圳恋晓佰（中山）智能科技公司向全县各村（社区）捐赠价值58万余元的冷暖移动空调451台，为会泽发展彰显“政协情怀”。轮换选派5名队员开展乡村振兴和党建引

领基层治理驻村帮扶工作。

四、强化作风效能，激活内生动力，以“育管用”提振干事创业精气神

坚持以队伍建设为抓手，以作风建设为重点，以能力提升为保障，以提升工作质效为目标，大力加强自身建设，全面增强履职本领，把政协工作朝实干、往深做、向前推，力促政协履职的成色更足、底色更亮。

强化队伍建设，提升能力素质。着眼“建一流队伍、创一流业绩”，制定机关委（室）综合业务考核方案，认真落实常委、委员和委员活动组“三个考核办法”，加强对乡（镇、街道）政协委员活动组的联系指导，抓实教育管理、培养锻炼、监督考核，着力加强政协委员和政协机关干部“两支队伍”建设，更好发挥专委会基础性作用，推动机关干部忙起来、界别动起来、委员干起来。加快信息化建设，完成“数字政协”履职 App 委员全员入网工作。注重委员履职能力提升，开展委员履职能力提升专题培训班 2 期，组织 43 人次到广西、贵州、四川等地考察学习培训，推进委员学习、培训、履职“三个全覆盖”，引导委员在政协舞台上当好“主角”、担好“主责”。根据人员变动情况，及时调整充实 31 名政协委员活动组组长、副组长，协商辞去委员 27 名，增补委员 29 名。通报表扬先进政协委员活动组 8 个、优秀政协委员 44 名、优秀提案 16 件。

转变工作作风，提升工作效能。认真践行“三法三化”“三个马上”要求，扎实推进“两个革命”，严格落实《会泽县推进作风革命加强机关效能建设二十八条措施》等制度规定，出台“清廉机关”建设实施方案，支持县纪委县监委驻政协机关纪检监察组工作，全方位加强对人财物和干部纪律作风的监管，持之以恒转作风、强队伍、树形象。2023 年，共开展集中警示教育 4 次、谈心谈话 120 余人次，节前集中提醒 3 次，让党员干部做到“心有所畏、言有所戒、行有所止”，营造风清气正的政治生态。

各位委员、同志们，回首过去一年，全县各级政协组织、政协各参加单位和广大政协委员上下同心，和衷共济，当好主角，为改革献智、为发展建言、为民生出力，交出了一份合格的履职答卷，充分彰显了政协价值。这是习近平新时代中国特色社会主义思想指引的结果，体现着县委的坚强领导、高度重视，得益于县人大常委会、县人民政府、离退休老领导老同志和社会各界热情帮助、鼎力支持，凝结着政协各参加单位和广大政协委员的聪明才智和共同奋斗。在此，我代表县政协常委会表示衷心的感谢！

一年履职，我们深刻认识到人民政协制度蕴含着蓬勃生机和活力，认识到政协组织在国家治理体系中具有独特优势和作用，认识到新时代政协委员肩负着重要责任和光荣使命。同时也清醒看到，我们的工作还有不少需要加强和改进的地方：一是委员主体作用、政协机关服务作用发挥还不充分；二是民主监督和委员联系界别群众制度机制落实还不到位；三是协商形式不够丰富、协商成果落实有差距等方面的问题。我们将继续保持清醒、坚定信心、努力拼搏。

2024 年工作意见

2024 年将迎来中华人民共和国成立 75 周年，也是实施“十四五”规划的关键一年。在新的一年里，县政协常委会工作的总体要求是：坚持以习近平新时代中国特色社会主义思想为指导，持续深入学习贯彻落实党的二十大及中央、省、市工作会议精神，围绕市委、市政府对会泽发展的“三个定位”，紧扣县委十三届五次全体会议确定的“三个目标”“四大经济”“五个重点”“六项保障”，以政治协商聚共识，以民主监督促落实，以参政议政促发展，深入践行全过程人民民主，为推进会泽高质量转型发展贡献智慧和力量。

一、坚定政治立场，在奋进新征程中勇担使命

坚持以党组理论学习中心组学习为引领，通过党组会议和主席会议学习、常委会会议专题学习、委员专题培训、支部主题党日活动、委员活动组学习、“书香政协”等多种形式，引导全县政协界别委员活动组、政协各参加单位、广大政协委员和各族各界人士持续深入学习贯彻党的二十大精神，深化学习贯彻习近平新时代中国特色社会主义思想主题教育成果，深度领悟“两个确立”的决定性意义，把学习宣传贯彻好习近平总书记关于加强和改进人民政协工作的重要思想作为推进人民政协事业高质量发展的强大动力，立足工作实际，找准履职切入点、着力点，切实做到理论学懂、信仰坚定、职责清楚、措施明确、落实快速、成效实在。自觉接受县委的领导，严格执行重大事项请示报告制度，为实现县委确定的目标任务广泛凝心聚力。

二、服务中心大局，在精准建言资政中贡献智慧

围绕县委十三届五次全会提出的产业发展、群众增收、安全稳定“三个目标”，抓好农业特色、园区、旅游、劳务“四大经济”，坚持农业走特、工业突围、旅游做活、民生提质、敢于斗争“五个重点”，强化项目支撑、强化招商引资、强化科技人才、用好帮扶资源、维护安全稳定、加强党的建设“六项保障”，以及改革发展稳定重点领域和关键环节，找准政协履职与党政中心工作的结合点，开展各种形式的协商议政活动。聚焦千方百计促进农民增收、大力推进教育卫生补短板、关心关爱农村留守儿童和留守老人、切实加强基层社会治理、强化农村人居环境整治提升，精准开展专题协商活动。着眼全面推进乡村振兴等重点工作，深入开展调查研究、协商建言。着力完善民主监督制度机制，规范开展会议监督、视察监督、提案督办、专项监督，积极探索重点督查、评议监督、特约监督、联合监督等多种形式，推动政协民主监督与其他监督形式贯通协调。

三、广泛凝聚共识，在画好同心圆中汇集力量

充分发挥政协组织的统战功能，牢牢把握团结奋斗的时代要求，坚持发扬民主与增进团结相互贯通，密切同党外知识分子、无党派人士、民族宗教界人士、新社会组织、新经济组织、新就业群体的联系，继续做好宣传政策、解疑释惑、理顺情绪、化解矛盾工作，把党政主张转化为社会各界共识，为全县改革创新发展增添正能量。加强与县工商联（总商会）的沟通联系，持续助力优化营商环境。进一步秉承好“存史、资政、团结、育人”的文史功能，积极支持唐继尧研究会、名城研究会依照章程开展工作，为助推会泽文化旅游发展作出积极贡献。

四、坚持履职为民，在助力民生改善中发挥作用

人民政协来自人民，一切工作为了人民。要立足提高人民生活品质、推进共同富裕，围绕全面推进乡村振兴、办好民生实事、健全基本公共服务等重点工作，聚焦群众关心的教育、医疗、社保、就业、养老、住房等民生问题，健全完善委员联系界别群众制度，深化拓展委员工作室、院坝协商等履职品牌，提升履职质效。以委（室）为依托、以活动组为单位、以委员为主体、以活动为载体，推动政协委员深入调查研究，察民情、汇民意、聚民智，综合运用提案、大会发言、反映社情民意信息、微建议等履职手段，助推惠民政策落实、民生工程落地。动员委员踊跃参加扶危济困、慈善捐赠等公益活动，尽力而为、最大程度地为群众做好事、办实事、解难事。

五、恪守责任担当，在提升本领中展示新气象

强化委员学习培训、服务管理工作，持续深化“书香政协”活动，教育引导委员争当“懂政协、会协商、善议政”的履职模范，争做“守纪律、讲规矩、重品行”的行动表率。认真抓好县政协常委、委员、活动组和机关委（室）考核评价，全力推动各专委会充分发挥专长和基础作用、委员充分发挥主体作用，全面提高政治把握能力、参政议政能力、调查研究能力、联系群众能力、合作共事能力、解决问题能力。继续加大对挂钩村（社区）的帮扶工作力度，力所能及地为挂钩村（社区）办实事好事。压紧压实管党治党责任，深入贯彻好新修订的《中国共产党纪律处分条例》，严格贯彻落实中央八项规定及其实施细则精神、省市县委各项管理规定，抓实政协机关党的建设和意识形态工作，全面加强机关干部队伍思想作风和履职能力建设，打造模范政协机关，展现新时代人民政协新风貌。

会泽县2023年国民经济和社会发展计划执行情况与2024年国民经济和社会发展计划（草案）的报告（书面）

——2024年1月15日在会泽县第十八届人民代表大会第四次会议上

会泽县发展和改革局

一、2023年国民经济和社会发展计划执行情况

2023年，在省市党委、政府和县委的正确领导下，在县人大！县政协的监督支持下，县人民政府团结带领全县各族人民，坚持稳中求进工作总基调，认真落实省委“3815”战略，深入实施“三年行动”和“310”工程，10件民生实事顺利交卷、10个专项行动有效落实、10个重点项目有力推进。全年预计完成地区生产总值397.62亿元、增6%，完成规模以上工业增加值83.7亿元、增7%，完成固定资产投资219亿元、增9%，完成社会消费品零售总额121.8亿元、增10%，完成地方一般公共预算收入16.01亿元、增4.37%。全县国民经济和社会发展计划执行情况总体良好。2023年，重点抓了以下7个方面工作。

（一）现代产业体系加速构建。充分发挥区位、资源、劳动力等优势，坚持农业走特、工业突围、旅游做活的思路，加快构建特色鲜明、优势互补、结构合理、支撑有力的现代产业体系。一是农业特色更加明显。立足海拔、气候、资源等特点，因地制宜、错位竞争、分层分带规划布局产业，形成高山冷凉地区马铃薯、燕麦、夏季草莓产业带，温凉地区肉牛、生猪、辣椒产业带低热河谷地区冬早蔬菜、石榴、冷水鱼产业带，实现肉牛、生猪草莓全产业链发展。肉牛上，引进河南鼎元建成西南地区最大的种公牛站和核心育种场、云南伊胜建设年交易20万头的交易市场和年屠宰5万头的加工厂，出台“牛八条”扶持措施，建成肉牛养殖示范村36个，培育50头以下小规模养殖户5.4万户，形成从种源、饲草、饲养、交易到屠宰加工的全产业链。生猪上，建成7个种猪场、211个育肥场、154条规模养殖生产线和年产25万吨饲料加工厂，鲜活畜产品加工及冷链物流项目即将投产生效，入列全国生猪养殖大县和调出大县，生猪百亿级产业链初步形成。草莓上，引进6个新品种试验示范，繁育种苗150万株开展连作障碍和病虫害绿色防控研究，全县草莓种植面积由8.1万亩扩大到9万亩，是全国最大的夏季草莓种植基地，投资1.5亿元的夏季草莓交易中心建成投入运营，形成集种苗研发、规模种植、冷链物流、加工交易为一体的全产业链。二是工业结构不断优化。卷烟、铅锌冶炼等传统支柱产业稳步发展，驰宏公司会泽冶炼厂6万吨锌合金生产线建成投产，会泽烟厂原料配方库和备品备件库项目启动建设。绿色磷化工有序推进，完成4个磷矿探采矿权整合，者海化工园区消防站及供水厂建成投入使用，主干道完成路基铺设，并进入全省第二批化工园区确认名单。引入德方纳米20万吨磷酸锰铁锂前驱体一体化项目，完成项目备案环评工作，第一批用地已报省政府审查。新能源加快开发利用，待补风电一期、金钟风电一期及火红马路15万千瓦光伏、娜姑云峰及李家包包光伏、老厂发土光伏等项目并网投产，2023年实现并网100万千瓦。能源保障能力持续提升，全年11家发电企业发电量21.28亿千瓦时，同比增33.88%。劳动密集型产业科学布局、专班推进，形成以产业园区、易地搬迁县城安置区为重点待补、乐业、迤车等中心城镇为补充的发展格局。三是全域旅游加速推进。坚持景城一体、全域联动，一主（古城）、四辅（大海草山、雨碌大地缝、娜姑白雾、以礼河大峡谷）、两带（以礼河休闲度假带、牛栏江田园风光带）、两线（红色旅游线、铜运古道线）的全域旅游架构基本搭建。聘请西安建筑科技大学对古城进行整体规划策划和修编，制定民居修缮导则，依法依规推进古城保护开发，拆除不协调建筑2万余平方米，完成临街房屋立面改造1.8万平方米，有序推进八大会馆产权及1.3万平方米公有房产权回收，实施核心区1000户5.5万平方米改扩翻，全面启动北门、义通河、博物馆（参将府）铸币局四个片区提升改造引进云旅投、云南就在文旅等企业推进大海草山、雨碌大地缝、以礼河大峡谷等景区开发。通过举办火把节、丰收节等节庆活动聚人气、增流量，会泽古城景区获评省级夜间文化和旅游消费集聚区，大海草山滑雪旅游度假区创为国家体育旅游示范基地，以濯水乡、水城扩红文化生态园创成AAA级旅游景区。2023年全县接待游客648万人次，实现旅游业收入68亿元。

（二）深入推进构建开放发展高地。按照“对上可申

报、对外可招商、对内可实施”的工作思路，聚焦“两新一重”、综合交通、民生事业等重点领域，谋划包装、论证储备一批事关全局和长远发展、带动性强的优质项目。一是扎实推进项目建设。坚持把项目作为拉动经济增长的主引擎，储备中央投资项目85个，总投资229.57亿元，拟申请资金117.86亿元，储备专债项目48个，总投资367.98亿元，拟申请专债资金167.92亿元。争取中央和省市预算内资金0.73亿元，争取地方专债项目3个、资金5.7亿元。实施“清单化”管理项目88个，每周对项目进展情况进行调度研判，渝昆高铁会泽段、宣会和会巧高速、重点产业项目扎实推进。围绕项目审批、用地、环评、规划、投融资等关键环节，打通项目开工的堵点难点，启动实施会泽县待补风电场二期、者海化工产业园区标准厂房及配套基础设施建设、2023年棚户区改造等重大项目。二是营商环境持续改善。投资2000余万元，启动实施政务服务中心搬迁工作，实现公共资源交易中心场地标准化、政务服务中心大厅管理智能化、政务服务中心智慧政务便捷化，企业和群众办事“只进一扇门”“最多跑一次”；大力开展优化营商环境加大市场主体培育专项行动，2023年，全县市场主体新增3.07万户，其中，企业净增3284户，个体工商户净增26615户，个转企756户，“四上”企业新增45户。实现政务服务事项实际办理时限压缩至法定时限的一半以内，企业开办时间压缩至0.4个工作日以内，企业简易注销公告期压缩至20天。三是加快促进实体经济发展。坚持不懈培优培强龙头企业，认真落实稳增长28条、扩内需26条等政策措施，累计退减降缓税费1.7亿元。大力实施龙头企业引领、规模以上企业提效、中小企业培育工作，推进全县实体经济壮体量、扩规模、强筋骨。四是坚持大抓招商引资。完善招商体系，建立项目管理、交办、督办等5项机制，调整优化6个产业招商工作组，编制招商项目116个，市委、市政府主要领导出席会泽县招商活动13次。省外产业到位资金99.6亿元，引进外资302万美元，新落地10亿元以上项目3个。

（三）新型城镇化建设步伐逐步加快。坚持区域统筹、城乡一体、全域规划，推进“多规合一”，把新型城镇化与乡村振兴有机结合，持续提升县城品质，统筹推进城镇与乡村协调发展。一是完善城乡规划体系。完成县级国土空间总体规划编制上报，城镇开发边界外实现行政村村庄规划全覆盖，城乡规划引领作用更加明显。二是提升城市管理服务水平。完成泽惠路西段、文笔街北段道路和春晓街北段市政道路建设，加快推进瑞祥路东延线蔓海环湖道路建设。对城区630公里管网全覆盖排查，对排查出的24个污水管道破损点、77个公共区域雨污混接点、652个单位（小区）雨污混接点开展整治。完成会烟街以东、通宝路两侧雨污分流管网改造、县城东片区污水提升泵站建设，污水处理厂三期项目已启动建设，实施老旧小区改造176户1.4万平方米污水处理方面，城区通过实施控源截污、管网清淤堵漏、分流减量等工程，县城污水处理厂已能全面满足城区的污水处理需求。三是大力整治集镇农村环境。25个乡（镇、街道）垃圾处理设施实现全覆盖，迤车、新街、驾车等9个乡镇建成集镇焚烧热解垃圾处理站16座，五星、者海、待补等11个乡（镇、街道）垃圾转运至县城统一处理。推进13个乡镇污水处理站建设完成投入使用，建设农村“小三格”“大三格”等污水处理设施，基本实现集镇、农村生活污水收集处理全覆盖。持续推进农村人居环境整治提升和农村厕所革命，创建省级提升村309个，改建卫生公厕170座、户厕7633座，分别占全县改建任务的109%、117%。四是夯实城乡发展基础。加快推进交通基础设施建设，实施待补至上村公路改造项目、通较大自然村道路硬化350公里、生命安全防护180公里；小菜园至老厂、大海至炭棚公路改造稳步推进渝昆高铁会泽段站前广场前期工作顺利推进。加强水利基础设施建设，马路新山水库、娜姑炉房小流域项目开工建设，农村供水保障专项行动、县城备用供水工程二期快速推进，总投资57亿元的会泽大型灌区通过水规总院评审。城乡电网不断完善，完成39公里10千伏线路、37公里低压线路、29台变压器，35千伏乌蒙变已投运、35千伏渔坝项目开工建设。

（四）脱贫攻坚成果持续巩固。围绕建设巩固拓展脱贫攻坚成果同乡村振兴有效衔接示范区，守底线、抓发展、促振兴、作示范。一是精准抓监测。坚持一月一筛查、一月一动态，实行“红黄绿”三色分级分类管理，10904户39493人监测对象已消除风险7174户26633人。二是分类促增收。深入实施脱贫人口持续增收三年行动，全面推广分层分类促增收和利益联结模式，全县脱贫人口人均纯收入12763.8元、增17.8%。三是持续补短板。实施完成农村危房改造243户、农房抗震改造534户，饮水项目建设162件。四是建设美丽乡村。学习推广浙江“千万工程”经验做法，积极争取中央、省财政衔接乡村振兴资金11.7亿元，沪滇协作帮扶资金6329万元，实施产业、基础设施项目476个。坚持试点先行，以点带面推进6个“四美家园”和“宜居宜业和美乡村”示范点、21个美丽村庄、392个绿美村庄，建成以灌水乡、娜姑白雾村、老厂回龙村、待补鹧鸡村等一批“四美”乡村。娜姑白雾村、大桥杨梅山村获评中国美丽休闲乡村。

（五）生态环境建设持续优化。牢固树立“绿水青山就是金山银山”理念，坚持生态优先、绿色发展，为实现高质量发展提供坚实的生态保障。一是深入打好“蓝天、碧水、净土”保卫战扎实推进河（湖）长制和长江“十年禁渔”工作部署，统筹推进雨污分流改造、污水处理厂提标扩容、河道清淤等治理工程，常态化开展联合巡河，2个国控断面水质实现消劣达标，长期保持在Ⅲ类，2个县级饮用水源地、5个千吨万人饮用水源地、14个乡镇级饮用水源地稳定达标。深入推进大气污染综合治理攻坚有序推进行业超低排放改造，县城环境空气质量优良率99.7%，超年度目标任务1个百分点，空气质量优良天数比率持续保持全市第一。深入推进土壤污染隐患排查，扎实开展农用地土壤重金属污染源头防治行动，重点建设用地安全利用率稳定在100%。二是加大绿美会泽建设力度。深入实施城乡绿化美化三年行动统筹做好“增绿、护绿、用绿、活绿”文章，实施绿美会泽建设点位353个，绿化面积143.4万平方米，新建节点口袋公园、节点景观6处，高速、一级公路可绿化路段绿化率达100%。全面完成农村公路338公里、350个市县绿美村庄、会泽大海草山、雨碌大地缝2个A级旅游景区的绿化美化任务。会泽产业园区被评为省级绿美园区，成功申报市级绿美河湖1条。

（六）民生福祉持续增进。始终坚持以人民为中心的发展思想，持续办好民生好事实事。一是就业保障更加充分。59.42万农村劳动力实现转移就业45.2万人，18.45万脱贫劳动力实现转移就业16.58万人，5.6万易地搬迁劳动力实现转移就业5.06万人。实施以工代赈项目4个，争取上级补助资金1926万元，就近就地就业460人，带动当地群众增收560万元。“会泽牛人”成为省级劳务品牌，从事肉牛养殖、屠宰、加工、销售的民营企业达7700余家，带动6.1万人就业。二是教育质量持续提升。2023年高考9299名考生全部上线，600分以上353人，一本率、本科率分别达35.89%、78.3%，14人被北大、清华录取。系统谋划推进教育工作，在全社会形成支持教育、关心教育、尊重教育的良好教育生态。深入探索一体化、集团化、混合所有制办学模式：落实“1+N”教育联盟机制，推行“名校+”办学，有效破解全县校点散、规模小、管理差、教学质量提升难等难题，不断扩大优质教育资源供给，促进县域各类教育、各阶段教育协同发展“会泽教育模式”在全省宣传推广。三是统筹推进健康县城建设。建设主题公园、健身场地和健康步道10.5万平方米，创建健康单位、学校、村社、家庭等465家，无烟单位实现全覆盖，“省级病媒生物防制先进城区”顺利通过省级专家组技术评估，国家卫生县城创建通过省级评估，3个国家级卫生乡镇创建、“省级慢性病综合防控示范区”通过市级初评验收。四是医疗保障更加有力。成功争取华西医院、广东省中医院、上海交大中国医院发展研究院对口帮扶会泽。县第二人民医院建成使用，县中医院综合楼主体完工，县人民医院被授予“国家千县工程”云南百县工程建设单位，会泽县县域医疗集团2023年12月1日正式挂牌成立。

（七）社会大局稳定和谐。一是安全生产稳步推进。扎实开展安全稳定年各项工作，深入开展安全生产专项整治三年行动安全生产大排查大检查，约谈警示企业15家，全县共发生安全生产事故10起，事故数、死亡数实现双下降，未发生较大及以上安全生产事故。二是社会治理更加有效。普法强基补短板专项行动深入开展，初步构建“大信访”工作格局，攻坚化解信访积案178件，信访总量、初信初访量分别下降22.9%、44.1%，五星乡黑土村入选第三批全国乡村治理示范村。三是粮食、能源安全基础有效巩固。坚决遏制耕地“非农化”、防止“非粮化”，新建高标准农田9.9万亩，粮食产量达48.5万吨；储备县级储备粮945.5万公斤，成品粮大米21万公斤、食用植物油21万公斤。全年完成售电量12.02亿千瓦时，同比增8.62%，电力安全稳定供应。四是国防动员体制改革成效显著。党管武装工作实现军地联考，全县民兵分队预建党组织规范设置专职人民武装干部全部持证上岗。民兵力量布局更加优化，全县编有基干民兵1650人，其中应急分队870人，退役军人比例达30.3%。

二、2024年经济社会发展面临的形势

（一）不利因素。国内经济回升向好还存在有效需求不足部分行业产能过剩、社会预期偏弱、风险隐患仍然较多，以及国内大循环堵点等困难挑战。全省经济运行稳中向上向好发展，但部分经济指标增速出现波动。市内经济内源性矛盾和外因性压力并存，大宗商品价格下行，传统行业支撑动能减弱、新兴产业高速增长势头减缓，居民消费意愿下降，企业投资信心不强。县内基础设施配套薄弱，经济总量小，产业结构不优，二产支撑不足卷烟、建材等传统产业转型升级任务艰巨，科技创新能力不强优质经营主体不多，服务业抗风险能力较弱，财政收支平衡压力较大，优化营商环境仍有短板。

（二）有利因素。中央经济工作会议明确2024年要坚持稳中求进、以进促稳、先立后破，多出台有利于稳预期、稳增长、稳就业的政策，加快推进保障性住房建设、“平急两用”公共基础设施建设、城中村改造等“三大工程”；国家将发行一批超长期国债，合理扩大地方政府专项债券用作资本金范围。全省深入实施“3815”战略，省委、省政府全力支持曲靖建设云南副中心“一铁两高”会城市、会泽县被列为国家乡村振兴重点帮扶县，泽段等重大项目加快推进，各项政策机遇叠加，会泽县区位优势将更加凸显、产业动能持续汇聚、市场活力不断释放，全县高质量跨越式发展有条件，也必然将取得更大进展。

三、2024年工作计划

总体要求：全面贯彻党的二十大和二十届二中全会、中央经济工作会议精神，深入落实省市县全会精神及部署，坚持稳中求进、以进促稳、先立后破，以“三年行动”为统揽，紧扣“三个定位”、围绕产业兴旺、群众增收、安全稳定“三个目标”，坚持农业走特、工业突围、旅游做活、民生提质、敢于斗争“五个重点”，大力发展农业特色经济、园区经济、旅游经济、劳务经济，强化项目支撑、招商引资、科技人才、帮扶资源、安全稳定、党的建设“六项保障”，统筹做好守底线、稳支撑、增动力、上台阶各项工作。

全县经济社会发展的预期目标：县内生产总值增7.5%，规上工业增加值增8%以上，规模以上固定资产投资增7%以上，社会消费品零售总额增10%以上，地方一般公共预算收入增5%以上，城乡居民人均可支配收入与宏观经济指标基本同步增长。

为切实做好2024年国民经济和社会发展主要任务，着力抓好以下8个方面的工作。

（一）强化政策协同保障，着力推动经济稳中有进。围绕中心整体推进。深入贯彻落实系列三年行动计划，细化年度目标任务、重点工作和重大项目，项目化、清单化、具体化推进各项工作任务落地见效，带动整体工作不断取

得新成效。持续发挥政策引导。充分研究对接政策，及时制定稳增长、扩内需、降成本的系列政策，继续执行减税降费、稳岗扩岗、保供稳价等助企纾困措施，加强各类政策的协同配合，促进市场经济和消费活力快速复苏。精准开展运行调度。充分发挥经济运行监测分析机制作用聚焦关键领域、关键指标和关键节点，强化预警调度精准施策全力补短板、强弱项、扬优势，持续推动经济实现质的有效提升和量的合理增长。

（二）加快产业转型升级，着力构建现代产业体系。持续加快工业转型。按照“一园三片区”布局，坚持以园聚产、以产兴园，强化服务保障，做大园区规模，提高亩产效益，2024 年力争引入 3 家以上企业入园发展，园区工业总产值达 200 亿元。加快者海绿色磷化工园区建设，力争高质量通过省级评估认定，快速推进德方纳米 20 万吨磷酸锰铁锂前驱体一体化项目建设，力争 2024 年实现磷化工产值 2 亿元。发展壮大磷化工、新能源、劳动密集型三大产业，壮大规上工业，增强经济支撑能力。加快推进会泽烟厂原料配方库和备品备件库项目，驰宏会泽矿业分公司选矿厂提质增效建设项目，推动滇北工贸公司水泥厂扩能提效项目促进传统工业逐步提档增效。加快推进待补风电二期、金钟风电二期、抓好乐业 500 千伏输变电工程、云能投新能源开发有限公司集中式与分布式风电、协合新能源集团有限公司云南分公司集中式、分散式风电等项目前期工作，2024 年实现并网发电 80 万千瓦以上。深化东西部协作，推动钟屏沪滇产业园运营达效，大力实施劳动密集型产业发展专项行动，引进一批电子元器件、服装生产等劳动密集型企业。持续加强特色农业增收。加大高标准农田建设和农业集成技术推广，实施 10 万亩高标准农田，粮食播种面积稳定在 163 万亩以上，粮食总产 49 万吨以上，不断完善农业水价综合改革，有效实现群众用水便利、工程良性运行节水效益显著、促进增产增收的发展目标。突出区域特色，聚焦优势单品、市场需求，分区分带推进特色产业发展。力争实现驾车乡燕麦、荞麦深加工项目完工投产，扎实推进乐业辣椒新品种繁育、分拣烘烤初加工项目、草莓种苗繁育及产业道路配套设施项目、娜姑镇盐水石榴种植基地配套设施（一期）项目建设任务有效巩固种植燕麦 20 万亩、辣椒 20.6 万亩、草莓 9 万亩以上、石榴 5.5 万亩。尽快实现生猪屠宰加工及冷链物流项目投产达效，加快实施肉牛养殖基地、饲草饲料基地建设项目，有序推进火红黑山羊保种场建设项目，力争生猪出栏 215 万头、肉牛 26 万头、肉羊 80 万只。实施国家级水产健康养殖和生态养殖示范区建设中央渔业农业经营主体提升项目，稳定渔业养殖面积 4.3 万亩持续加快旅游业提质。完善大海草山、雨碌大地缝、水城扩红生态园等景区配套基础设施，加快以礼河大峡谷、牛栏江生态观光旅游和小江世界地质公园开发。持续推进北门、义通河、博物馆（参将府）、铸币局四个片区开发及八大会馆回收与活化利用持续提升民居民宅风貌，争取启动会泽国家历史文化名城保护提升、古城街道铸钱局片区文旅开发、博物馆（参将府）片区合理利用项目（一期）、游客服务中心、精品客栈等项目建设，打造斑铜、土陶、美食、农特产品等特色街区，打造一批富有地方特色的餐饮购物名店，吸引客源和消费

（三）聚焦增投资扩内需，着力释放发展潜力。强化有效投资。把投资作为稳增长的“压舱石”，把抓项目落地作为投资的主渠道，继续实施项目谋划储备落地专项行动，以高质量投资促进高质量发展。加强项目谋划。聚焦“三个定位”，紧盯国家政策导向、资金投向，滚动谋划储备一批大项目好项目，做实做好项目前期工作，确保储备项目投资支撑率达 120% 以上，年内项目入库 240 亿元以上。加大项目争取力度。力争 2024 年争取地方专债项目 5 个、资金 10 亿元以上，中央和省市预算内项目资金 2 亿元以上。强力推进项目。严格落实项目统筹推进“三项制度”，强化清单管理、专班推进、精准调度，确保筛选出的 82 个重点项目工程量、实物量、投资量“三量齐升”。加快渝昆高铁会泽段、宣会和会巧高速、蔓海景区等 39 个在建项目建设进度；启动渝昆高铁会泽段站前广场、蔓海华府、2024 年以工代赈示范工程 43 个新开工项目建设；加快推进会泽至曲靖高铁连接线、会泽大型灌区等 85 个项目前期工作。强化要素保障。超前谋划重点项目用地储备，加大批而未供和闲置土地处置力度，有效保障项目用地。积极争取更多项目列入地方专项债、中央和省市预算内资金支持范围，深化政银企合作，拓宽融资渠道，多举措扩大投资范围，激发民间投资活力。聚焦精准招商。围绕构建“8+3”现代产业体系，大力开展产业链招商、以商招商、节会招商、专班招商，力争省外国内到位资金同比增 15% 以上、实际利用外资同比增 15% 以上。

（四）统筹区域协调发展，着力推进城乡融合。推进新型城镇化建设。加快推进重点镇及小城镇特色发展，持续开展集镇“三整治三提升”，促进城乡区域协调发展，提升城镇综合承载能力、逐步实现产业、人口向城镇集聚。继续抓好乡村振兴“十百千”示范工程，绿美乡村建设行动和农村人居环境五年提升行动，建设一批美丽乡村示范点和星级美丽乡村，争创“云南省宜居宜业和美示范村”。提升智慧化水平。推进智慧城管、智慧小区、智慧停车等应用，不断提升城市精细化管理水平。加快新一代信息基础设施建设，新建 5G 基站 260 个、通信铁塔 524 座。促进县域产城融合。树立经营城市理念，依托会泽教育品牌用好用活土地、人力资源文章，以市场化手段、系统化思维、社会化参与方式来经营城市、发展城市，推进产城融合，推动建筑业转型升级。

（五）持续深化改革创新，着力激发市场主体活力。全力优化营商环境。全面落实项目统筹推进和服务企业“三项制度”持续推进政务服务标准化、规范化、便利化、智能化，实现政务服务“一窗式受理、一站式服务”，落实助企纾困政策，积极主动服务民营企业发展，继续推进中小微企业政府性融资担保服务工作，千方百计为民营企业排忧解难，全力营造重商、亲商、安商的良好环境。强化经营主体培育。制定龙头企业培引计划，推动市场主体总

量提升、规模扩大，培育一批专精特新中小企业，力争企业数量突破1.36万户、新增“个转企”196户、新增培育“四上”企业23户。做强做优园区平台。坚持把园区作为产业发展的主阵地，围绕冶金新材料、精细磷化工、绿色食品加工等产业优势，加快园区设施配套建设。进一步理顺园区管理体制，促进园区精简高效运行。持续深化重点领域改革。健全完善现代企业制度，提升县属企业主体信用评级，抓细惠企政策措施落实，抓实要素配置市场化改革，加快形成高标准市场体系建设。

（六）加强生态保护治理，着力推动生态文明建设。持续打好“蓝天、碧水、净土”保卫战。督促铅锌冶炼等重点企业严格落实重点区域大气污染物特别排放限值要求，积极推进挥发性有机物专项整治，让蓝天长驻；落实“河（湖）长制”，确保地表水2个国控、2个省控断面和21个集中式饮用水水源地水环境质量达功能区要求，让碧水长流；强化管控，推进土壤污染防治和安全综合利用，稳步推进“无废城市”建设，让净土长存。加强生态系统保护修复。统筹抓好“山水林田湖草沙”治理，持续推进滇东北石漠化山地综合治理项目，实施人工造林、退化林修复封山育林共计9.3万亩，完成水土流失治理面积100平方公里。扎实推进矿山生态修复，确保矿山地质环境治理恢复基金、土地复垦费的合理使用。奋力共建绿美会泽。按照“一街一景”“一街一品”的思路，抓好通宝路、抚军街等城市主次干道绿化提升改造，大力实施公园、广场、游园、小绿地项目建设，拓展城市休闲空间和增加城市绿地面积。新建或改造提升综合公园1个、游园5个、绿美景区2个、绿美乡镇2个、绿美村庄75个、绿美社区2个。持续推动绿色低碳发展。落实碳达峰、碳中和要求，全力抓好能耗“双控”，坚决遏制“两高”项目盲目发展，深入推进清洁生产和能源资源节约高效利用、县域节水型社会达标建设。

（七）做实富民惠民文章，着力保障和改善民生。筑牢防返贫固成果底线。持续完善推行“红黄绿”动态监测、分类管理、精准帮扶机制，实行线上“网络化”、线下“网格化”双向协同发力，力争人均纯收入1万元以下且有劳动能力的脱贫户和监测户实现动态清零，坚决守住不发生规模性返贫底线。积极争取衔接资金10亿元、沪滇协作资金6000万元以上。办好人民满意，不断做强做优会泽教育品牌教育。围绕“抓均衡”“树品牌”牌，持续改善薄弱学校办学条件，补齐学前教育短板，全面提升保教质量，推动学前教育优质普惠发展，狠抓教研提质工作，推进“3+1+2”高考综合改革落地见效。高度重视学生心理健康，开展亲情陪伴、心理辅导等关爱服务。推进会泽职校办学机制改革，建立完善教育、人社、产业园区等部门协作办学机制，深化产教融合，加强校企合作，大力培养乡村振兴技能型人才，不断提升办学吸引力。加快推进东陆高中三期、文笔小学、迤车镇半边街小学、田坝乡白土小学等重点项目建设。加快健康会泽建设。深化医药卫生体制改革，发挥县域医疗集团优势，整合县域内优质医疗资源，落实生育支持政策措施，扎实推进健康会泽建设。用好对口帮扶资源，建立常态化实地指导、远程医疗等机制，加强重点科室建设、重点人才培养、乡村医疗队伍能力提升，全面提高县域医疗整体水平。争取启动县第三人民医院、县医疗废弃物处置中心项目建设。提高基本公共服务水平。高度关注“一老一小”及残疾人、精神障碍患者等特殊群众服务保障机制，完善关心关爱工作机制，加强社会救助、社会福利、优抚安置、托育服务等工作，健全多层次社会保障体系。力争启动公共实训基地、老年人体育活动中心、古城街道居家养老服务中心等项目建设。深入实施全民参保计划，推动各项社会保险精准扩面增效。大力支持新兴业态发展落实稳岗就业政策，大力支持就业、鼓励大学生回乡创业，努力实现城乡居民增收。

（八）树牢安全发展理念，着力提升安全发展能力。防范化解重大风险。坚决守住不发生重大风险的底线，时刻绷紧防范化解风险隐患这根弦。依法依规加强各类金融活动监管，运用市场化法治化手段处置信用债务违约问题，健全多层次债务风险预警机制。防范化解安全生产风险。全面落实安全生产责任制，健全完善防灾减灾救灾、应急救援、安全生产“三位一体”应急管理体系，着力提升应急处置综合能力。完善社会治理体系。积极践行新时代“枫桥经验”，落实“四下基层”工作制度，切实把矛盾纠纷化解在基层和萌芽状态。加强社会治安防控体系建设，常态化开展扫黑除恶斗争，持续抓好命案防控、禁毒防艾等工作，严厉打击电信诈骗等各类违法犯罪活动，不断提升人民群众安全感满意度。夯实粮食安全根基。严格落实粮食安全地方党委和政府领导班子责任制，落实最严格的耕地保护制度，管好地方储备粮，确保重要农副产品供应充足、价格稳定。全力保障能源安全。加强电力设施建设，全力满足项目供电需求，计划新建10千伏线路120千米，低压线路36千米，新增变压器51台，认真落实电力市场化交易政策，降低企业用电成本。深化平安会泽建设。贯彻总体国家安全观，守牢意识形态阵地，严厉打击各类破坏活动。构建以基干民兵为骨干、普通民兵为基础、专业保障队伍为补充，规模适度、布局合理、功能完善、优势互补的国防后备力量体系。

各位代表！全面完成各项目标任务，是全县人民共同的期盼也是我们不可推卸的使命和责任。让我们更加紧密地团结在以习近平同志为核心的党中央周围，在县委的坚强领导下，自觉接受县人大的指导和监督，虚心听取县政协的意见和建议，全面落实本次大会通过的决议，迎难而上、真抓实干、砥砺前行，奋力谱写会泽经济社会高质量转型发展新篇章！

会泽县人民政府
关于会泽县2023年地方财政预算执行情况和2024年地方财政预算（草案）的报告（书面）

——2024年1月15日在会泽县第十八届人民代表大会第四次会议上

会泽县财政局

一、2023年地方财政预算执行及政府债务情况

2023年，是全面贯彻落实党的二十大精神的开局之年，在县委坚强领导和县人大、县政协的监督指导下，县财政部门以习近平新时代中国特色社会主义思想为指引，坚持稳中求进工作总基调和新发展理念，紧紧围绕县委的工作部署和要求，科学统筹发展和安全，积极应对收支矛盾，全面落实积极财政政策加力提效，深化财政管理改革，优化支出结构，有效防范化解地方债务风险，全年财政运行总体良好，为全县经济社会高质量发展提供了坚实的财力保障。

（一）一般公共预算执行情况

1. 一般公共预算收支完成情况。

一般公共预算收入完成16.01亿元，为年初预算16.1亿元的99.44%，为调整预算16.16亿元的99.07%，同比增4.37%。

地方一般公共预算支出完成73.77亿元，为年初预算73.83亿元的99.92%，为调整预算74.4亿元的99.15%，同比增5.39%。

2. 一般公共预算收支平衡情况。

一般公共预算收入完成16.01亿元，加上级补助收入61.14亿元，调入资金1.28亿元，地方政府一般债务转贷收入13.34亿元，收入总计91.77亿元。

一般公共预算支出完成73.77亿元，加上解支出3.2亿元，地方政府一般债务还本支出13.51亿元，调出资金0.06亿元，支出总计90.54亿元。

收支相抵，年终结余（转）1.23亿元，年终结转主要为中央补助的增发国债水利领域项目资金，按原用途结转下年支出。

（二）政府性基金预算执行情况

1. 政府性基金预算完成情况。

政府性基金预算收入完成2.72亿元，为年初预算2.11亿元的128.91%，为调整预算2.79亿元的97.49%，同比增7.48%。政府性基金预算支出完成9.78亿元，为年初预算3.84亿元的254.69%，为调整预算数10.12亿元96.64%，同比减59.27%。

2. 政府性基金预算收支平衡情况。

政府性基金预算收入完成2.72亿元，加上级补助收入1.22亿元，上年结余收入2.18亿元，地方政府专项债务转贷收入8.56亿元，调入资金0.06亿元，收入总计14.74亿元。

政府性基金预算支出完成9.78亿元，加地方政府专项债务还本支出3.02亿元；上解支出0.06亿元；调出资金0.67亿元，支出总计13.53亿元。

收支相抵，年终滚存结余（转）1.21亿元，按原用途结转下年支出。

（三）社会保险基金预算执行情况

2023年社会保险基金预算收入完成9.01亿元，同比增13.93%；加上年结余收入18.52亿元，收入总计27.53亿元。社会保险基金预算支出完成6.51亿元，同比增17.44%。

收支相抵，年终滚存结余21.02亿元。

（四）地方国有资本经营预算执行情况

2023年国有资本经营预算上级补助收入118万元，国有资本经营预算支出118万元，实现收支平衡。

（五）政府债务情况

2022年市人大核定我县的政府债务限额为95.83亿元，其中，一般债务限额54.13亿元、专项债务限额41.7亿元。2023年新增政府债务限额16.12亿元，其中，一般债务10.42亿元、专项债务5.7亿元。2023年收回政府债务限额5.01亿元，其中，一般债务4.91亿元，专项债务0.1亿

元。2023年末政府债务限额106.94亿元，其中，一般债务59.64亿元、专项债务47.3亿元。截至2023年12月31日，会泽县政府债务余额为105.78亿元，其中，一般债务余额58.57亿元；专项债务余额47.21亿元政府债务余额严格控制在限额内，政府债务风险总体可控。

二、2023年重点工作落实情况

（一）全力增强财政保障能力

始终把开源节流、助推发展作为财政工作的重中之重，坚决落实稳经济一揽子政策措施，有力促进经济稳中向好。一是财政收入稳步增长。全县一般公共预算收入完成16.01亿元，同比增4.37%。其中，税收收入完成12.37亿元，同比增10.11%；非税收入完成3.64亿元，同比下降11.36%。非税收入占比较上年下降4百分点，收入质量明显提高。二是重点支出保障有力。一般公共预算支出完成73.77亿元，同比增5.39%，财政支出保持了较高强度，教育、卫生、社会保障、农林水等重点领域保障有力，全年民生支出达63.29亿元，占一般公共预算支出的85.8%，同比增长2.17%。三是争取资金成效明显。聚焦国家、省、市政策导向，主动向上请示汇报，全年共争取上级转移支付补助61.14亿元，同比增6.35%。争取新增专项债5.7亿元，保障了重点项目的顺利推进。四是积极盘活存量资金。加大统筹力度，收回部门存量资金0.37亿元，统筹用于债务偿还等重点项目。

（二）织密兜牢民生底线

全面落实政府过“紧日子”的要求，切实担负起财政兜底保障主体责任。一是优先教育发展。落实教育优先发展战略，全年安排教育支出17.4亿元，统筹资金6.67亿元用于教育领域清欠保持教育投入“两个只增不减”，有力促进全县办学条件和办学水平显著提高，教育高质量发展品牌更加响亮。二是支持稳岗就业。落实落细就业优先政策，激活就业创业潜力。2023年拨付职业培训补贴710万元，发放创业担保贷款1.7亿元，兑现创业担保贷款贴息0.15亿元，发放乡村就业、城镇公益性岗位补贴0.21亿元、社保补贴55.4万元，吸纳带动6823人实现就业。三是支持多层次社保体系建设。及时调整提高养老金、失业保险金、最低生活保障等民生保障待遇，拨付城乡居民养老保险补助2.26亿元，城乡居民医疗保险补助4.85亿元，残疾人补助金0.4亿元；筹措安排困难群众生活补助、临时救助、医疗救助5.08亿元，保障困难群众基本生活。四是助推乡村振兴。健全财政投入增长机制，支持巩固脱贫攻坚成果同乡村振兴有效衔接，统筹安排财政涉农资金17.7亿元，其中，衔接资金投入11.69亿元，沪滇协作资金0.63亿元，其他涉农专项资金5.38亿元，重点支持产业发展、基础设施、人居环境、乡村治理、农村综合改革等项目支出持续巩固脱贫攻坚成果。五是抓实粮食安全。贯彻落实粮食安全党政同责责任制，统筹安排粮食风险基金、储备粮轮换、贷款利息补贴等资金0.35亿元，兑付耕地地力保护补贴1.05亿元、实际种粮农民一次性补贴0.09亿元，拨付高标准农田建设资金0.32亿元，落实“藏粮于地”战略，支持保障粮食安全和农业农村发展。六是守护人民健康。安排卫生健康事业支出5.98亿元，持续提高城乡居民医疗保险、基本公共卫生服务人均财政补助标准巩固了国家卫生县城、省级文明城市创建成果，推动了基层医疗服务能力提升，人民的健康保障水平不断提升。

（三）助推产业高质量发展

一是全面落实税费优惠政策。全县累计退减降缓税费1.79亿元，有效减轻企业负担，增强市场主体活力。二是强化资金要素保障。围绕全县重点项目建设要求，统筹安排项目前期经费512万元，支持做实做细做优项目储备。统筹安排招商引资经费165万元，全面落实“大招商”机制，助推全产业链加快构建。争取工业园区基础设施建设新增专项债券资金4亿元，中央和省预算内基建投资0.73亿元，统筹安排资金0.81亿元支持渝昆高铁会泽段、宣会和会巧高速、者海化工园区等重点项目建设，为全县经济高质量发展赋能加力。三是优化营商环境。认真落实服务企业“三项制度”，全面推进政府采购“一张网”建设，进一步减流程、减成本、优环境，推广政府采购合同融资服务，充分发挥政府采购政策功能，营造良好的营商环境，切实推进中小企业更快更好发展。四是缓解企业融资困难。依托云南省农担公司和“融信通”平台，搭建农业信贷服务“绿色通道”，为中小微和“三农”企业提供资金支持，2023年新增担保企业341户，发放小额担保贷款1.17亿元，有力缓解了中小企业“融资难、融资贵”的问题。

（四）有效防范化解财政风险

一是严守“三保”底线。切实履行“三保”保障主体责任，严格执行“三保”保障范围、标准、财政事权和支出责任，坚持“三保”在预算编制和执行中的优先顺序，坚决兜牢“三保”底线，2023年全县“三保”支出完成40.4亿元，“三保”总体保障到位。二是严密防范化解债务风险。建立完善风险防范机制，严格执行地方政府债务限额管理，积极稳妥化解存量债务，2023年咬紧牙关化解政府性债务9.3亿元。认真落实一揽子化债方案，多渠道筹措资金，严格按时间节点要求清偿政府拖欠企业账款22.72亿元，牢牢守住不发生区域性系统性债务风险的底线。三是注重项目履约监管。进一步强化政府和社会资本合作（PPP）项目监管工作，密切跟踪项目单位设立和融资到位情况，加强项目绩效考核，落实按效付费机制，确保公共服务安全、稳定、高效供给。

（五）深化财政管理改革

紧紧围绕建立现代财政制度目标，持续深化改革，财政治理效能明显提高。一是深化预算管理改革。按照省、市统一部署，进一步健全财政一体化管理，实现预算编制、执行、政府采购、核算一体化全流程管理，进一步提升财政治理能力。二是深入推进国库管理改革。围绕国库集中支付制度系列改革，稳步推进预算指标核算、总会计制度、差旅费网上报销改革，有力保障了财政资金安全高效运行。三是完善非税收入征缴机制。率先启动财政电子票据和非税收缴电子化管理改革，实现财政票据全流程电子化管理和非税收入收缴业务自动化控制，改革工作走在全省前列，为非税收入的征管提供强有力的保障。四是稳步推进国资国企改革。按照整合重组一批、规范提升一批、注销清算一批的思路，对全县国有企业进行全面摸底、系统梳理、规范整合，聘请第三方机构对 34 家涉改企业开展清产核资工作，全面盘清国有资产资源家底，按“一企一策”制定改制重组方案，通过健全制度、完善公司治理结构、优化资源配置，做强做优做大全县国有资本和国有企业，为会泽经济高质量发展提供新的支撑。

三、2024 年地方财政预算

（一）2024 年地方一般公共预算编制的基本思路

2024 年全县预算编制和财政工作的指导思想是：以习近平新时代中国特色社会主义思想为指导，深入贯彻党的二十大和二十届二中全会精神、中央经济工作会议精神，紧紧围绕县委的工作部署和要求，坚持稳中求进、以进促稳、先立后破，持续落实积极财政政策，进一步推进财政管理改革，加强财政资源统筹，优化支出结构，兜实“三保”底线，紧扣“三个定位”加强资金保障，切实防范化解各类风险。

（二）预算编制遵循的主要原则

坚持“实事求是、量力而行”的原则。注重收入预算与经济社会发展水平相协调，与积极财政政策相衔接，统筹兼顾、量入为出编制收支预算。

坚持“兜牢底线、防范风险”原则。坚决兜牢“三保”底线有效防范化解债务风险，牢牢守住不发生系统性风险底线。

坚持“过紧日子、保障重点”的原则。坚持党政机关过紧日子，从严控制一般性支出。严肃财经纪律，优化财政支出结构，着力保障重点支出。

坚持“深化改革、注重绩效”的原则。持续深化预算管理制度改革，强化绩效评价结果应用，切实提高财政资金使用效益和资源配置效率。

（三）2024 年全县财政收支预算安排建议

围绕上述指导思想和原则，综合研判各种因素，2024 年全县地方财政预算收支安排建议如下：

1. 一般公共预算安排。一般公共预算收入安排 16.8 亿元，较上年增 5%；上级补助收入 60.26 亿元，调入资金 4.5 亿元，地方政府一般债券转贷收入 11.6 亿元，上年结余 1.23 亿元，收入总计 94.39 亿元。

一般公共预算支出安排 78 亿元，增长 5.7%；上解上级支出 3.5 亿元，地方政府一般债务还本支出 12.89 亿元，支出总计 94.39 亿元。收支平衡。

2. 政府性基金预算安排。政府性基金预算收入安排 4.26 亿元较上年增 56.8%；上级补助收入 0.81 亿元，上年结余 1.21 亿元地方政府专项债务转贷收入 3.76 亿元，收入总计 10.04 亿元。政府性基金预算支出安排 4.29 亿元，下降 56.12%；上解上级支出 0.06 亿元，地方政府专项债券还本支出 4.19 亿元，调出资金 1.5 亿元，支出总计 10.04 亿元。收支平衡。

3. 社会保险基金预算安排。社会保险基金预算收入安排 9.65 亿元，较上年增 7.17%。社会保险基金预算支出安排 7.1 亿元，较上年增 9.13%。年末滚存结余 23.38 亿元。

4. 国有资本经营预算安排。国有资本经营预算收入安排 3 亿元，上级补助 0.01 亿元，收入总计 3.01 亿元。国有资本经营预算支出安排 0.01 亿元，调出资金 3 亿元，支出总计 3.01 亿元。收支平衡。

5. 其他需要报告的事项。

一是“三保”预算支出安排情况。全县三保预算支出安排 43.7 亿元，其中，保基本民生 15.64 亿元、保工资支出 27.09 亿元、保运转 0.97 亿元。

二是县级刚性支出安排情况。全县其他必保刚性支出预算 14.52 亿元，其中，债务还本付息支出预算 3.89 亿元、机关事业单位编外聘用人员支出预算 0.27 亿元、财政部分供养人员支出预算 0.16 亿元、集中连片乡村教育生活补助支出预算 0.37 亿元、绩效奖励支出预算 1.14 亿元、重点项目经费 8.69 亿元。

三是安排预备费 0.8 亿元。

四是其他资金安排情况。教育专户资金收入预算 0.31 亿元安排支出预算 0.25 亿元；单位自有资金收入预算 3.06 亿元，安排支出预算 3.06 亿元。

四、2024 年财政工作重点

（一）立足持续发展，进一步夯实发展后劲

密切关注经济运行、减税降费、财税政策调整等新情况新问题，持续落实好国家财税政策，加强对重点行业、重点企业跟踪服务，增强企业发展后劲；继续支持卷烟、铅锌冶炼、建筑建材等传统财源产业提质发展，不断加快者海化工园区、光伏发电、磷源化工、河砂综合利用等新兴财源产业培育壮大；积极盘活国有存量资产，提高资产资源使用效益；加强补充耕地建设管理，提升全县耕地占补平衡能力，为产业高质量发展提供有力的要素保障；加强部门联动，强化收入征管，确保财政收入稳定增长；切实优化营商环境，高质量开展招商引资和向上争资工作，着力培育优质后续财源，推动地方经济发展。

（二）立足统筹协调，进一步优化支出结构

坚持以节流为导向，统筹兼顾，优化财政支出结构。坚持“三保”支出优先原则，坚决兜牢基层“三保”底线；树牢过“苦日子”的思想，2024 年一般性支出预算压减 15%，节约资金用于化解地方债务风险；完善直达资金机制，立足财政职能，及时分配、下达直达资金，确保直达资金惠企利民；坚决落实县委决策部署，聚焦重大项目建设、民生保障改善、营商环境优化、市场主体培育、乡村振兴战略等重点支出，确保精准投入、精准保障。

（三）立足以人为本，进一步提升民生福祉

科学统筹财力，持续加大教育、就业、医疗、养老等社会事业投入力度，促进基本公共服务均等化；着力实施好就业优先政策，多渠道支持企业稳岗扩岗、个人创业就业；完善医疗卫生保障制度，着力减轻人民群众看病就医负担；持续加强文化建设，健全现代公共文化服务体系；着力构建财政投入增长机制，足额安排产业发展专项资金，支持巩固拓展脱贫攻坚成果同乡村振兴有效衔接。

（四）立足改革创新，进一步激发机制活力

围绕财政效能建设，持续深化财政各项改革。全面推行预算管理一体化建设，细化部门预算，完善绩效指标体系；依法做好财政信息和部门预算公开，自觉接受社会公众的监督；持续加大国资国企改革力度，努力构建国有资产监管新模式，培育国有企业发展新动能，形成国有资本发展新格局，切实维护国有资产安全、高效。

（五）立足治理效能，进一步防范财政风险

统筹发展和安全，规范地方政府债务管理，坚决遏制隐性债务增量，稳妥处置和化解隐性债务存量，不断夯实各部门偿债责任，强化监督问责，确保不发生风险事件；持续清理政府拖欠企业账款，规范政府举债融资行为，严厉打击非法集资、违法放贷等金融违法违规行为，努力降低政府债务风险；进一步严肃财经纪律，完善财会监督体制机制，强化预算单位内控制度建设，主动接受社会各界监督，确保财政资金安全高效运行。

各位代表，蓝图绘就，惟有奋斗；扬帆破浪，正当其时。让我们在县委的坚强领导和县人大、政协的监督指导下，牢记初心使命，坚定发展信心、勇扛发展之责，激发奋进之志，凝聚前行之力，更好发挥财政服务保障作用，为奋力推动全县经济社会高质量跨越式发展、谱写财政改革与发展新篇章而不懈奋斗！

会泽县2023年国民经济和社会发展统计公报

今年以来，在县委的坚强领导下，全面贯彻落实党中央决策部署和省市要求，实干笃行、攻坚克难、砥砺奋进，以高质量发展为主题，以奋进新征程推动新跨越三年行动为统领，围绕“三个定位”“六个目标”，打好特色农业提质、新型工业提速、旅游产业提档、党建引领提升“四大会战”。随着推动经济运行持续向好政策措施落实显效，全县经济保持稳中趋进态势，积极因素累积增多，补短强弱聚力干，站高谋远创新干，全力稳住经济基本盘，拓展优势潜能，以攻坚之势持续增效力激活力添动力，经济社会发展取得新成效。

一、综合

2023年，根据地区生产总值统一核算结果，全县实现地区生产总值（GDP）3976202万元，同比增长7.1%。从三次产业看，第一产业增加值902274万元，比上年增长4.3%，对经济的贡献率为15.8%，拉动地区生产总值增长1.1个百分点；第二产业增加值1148530万元，比上年增长9.2%，对经济的贡献率为34.6%，拉动地区生产总值增长2.5个百分点；第三产业增加值1925398万元，比上年增长7.4%，对经济的贡献率为49.6%，拉动地区生产总值增长3.5个百分点。工业、建筑业增加值分别比上年同期增长7.1%、18.5%，对GDP的贡献率分别为21.9%、12.8%。

二、农业

全县实现农林牧渔业总产值1656914万元，同比增长4.5%（可比价）。其中：农业产值554531万元，同比增长6.4%，林业产值96884万元，同比增长16.1%，牧业产值884429万元，同比增长2.3%，渔业产值46201万元，同比增长22.4%，农林牧渔服务业产值74869万元，同比增长7.6%。

粮食生产再获丰收，实现“二十一连增”。会泽县粮食产量再创新高，达到485413吨，同比增长1.46%，粮食产量实现21年连增。

三、工业和建筑业

以园区为载体、招商为抓手，千方百计巩固存量、拓展增量。卷烟、铅锌冶炼等传统支柱产业稳步发展，绿色

2019—2023年会泽县地区生产总值及增幅

2019—2023 年会泽县三次产业增加值占地区生产总值比重

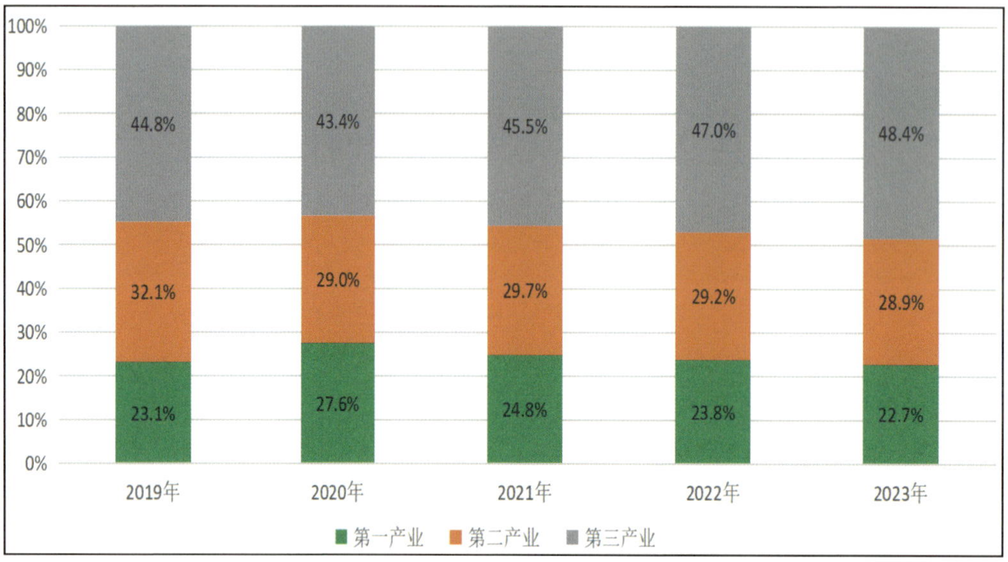

2019—2023 年会泽县粮食产量（万吨）

能源、绿色磷化工等新兴产业加速培育。驰宏公司会泽冶炼厂年产 6 万吨锌合金 2 号生产线建成投产，会泽烟厂原料配方库和备品备件库项目启动建设，金钟和待补风电、三峡复合型光伏、华电道成集中式光伏等新能源项目有力推进，实现并网 100 万千瓦，实现了工业经济平稳运行的良好态势，全年全部工业增加值 926788 万元，同比增长 7.1%。规模以上工业增加值增长 7.3%，其中：采矿业增加值同比下降 48.6%；制造业增加值同比增长 6.8%；电力、热力、燃气及水生产和供应业增加值同比增长 20.9%。

从主要行业看，呈“八增四降”特点：“八增”即烟草制品业增加值同比增长 4.2%；非金属矿物制品业增加值同比增长 6.6%；金属制品业增加值同比增长 681.4%；计算机、通信和其他电子设备制造业增加值同比增长 8.1%；有色金属冶炼和压延加工业增加值同比增长 22.5%；酒、饮料和精制茶制造业增加值同比增长 4.4%；非金属矿采选业增加值同比增长 153.5%；农副食品加工业增加值同比增长 4.3%。“四降”即水的生产和供应业增加值同比下降 0.8%；医药制造业增加值同比下降 1.4%；化学原料和化学制品制造业增加值同比下降 42.1%；有色金属矿采选业增加值同比下降 66.8%。主要工业产品产量如下：

2019—2023 年会泽县规模以上工业增加值增速

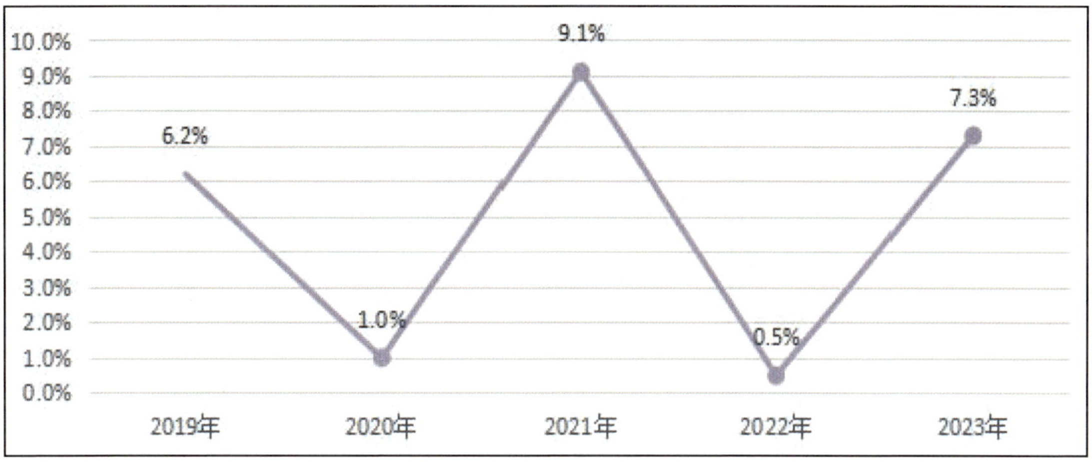

2019—2023 年会泽县会泽县主要工业产品产量

表 35

产品名称	计量单位	产品数量	比上年 ±%
自来水	万立方米	1234.49	6.1
发电量	万千瓦时	298561	45.38
水泥	吨	1849699	4.5
砖	万块	7047	9.5
商品混凝土	立方米	414190	–5.8
化肥	吨	4838	6.6
硫酸	吨	392952	6.2
黄磷	吨	3624	–53.4
包装饮用水	吨	47106	21.5
十种有色金属	吨	268902	14.1
其中：锌	吨	202801	11.6
铅	吨	66101	22.8
铅	吨	62630	–8.6

建筑业作为国民经济的重要组成部分，为经济持续健康发展起重要作用。在加快企业经济发展方式转变和结构调整的情况下，规模以上建筑业整体素质和综合竞争力不断提升，生产经营保持了强劲增长态势，发展后劲相对增强。全县有资质建筑企业 36 家，全县资质建筑企业完成总产值 366835 万元，同比增长 33.64%。

四、固定资产投资

大力实施项目谋划储备落地专项行动，推动项目数量、建设质量、投资总量齐升。精深谋划项目，紧盯国家政策和投资导向，认真研究地方政府专项债、中央和省市预算内资金支持领域，聚焦“三个定位”，常态化开展项目包装谋划，加大项目前期经费投入，围绕立项、用地、环评、能评、规划许可等关键环节，超前做好要素保障，提高项目成熟度，力争一申即中、投放即开工，全县固定资产投资快速增长。全县固定资产投资比上年增长 10.7%，其中：第一产业投资同比下降 41%；第二产业投资同比增长 105.6%；第三产业投资同比下降 3.9%。分重点行业看：水利及环境管理业投资同比下降 37.7%；公路建设投资同比增长 9.2%；城市基础建设投资同比下降 10.8%；房地产开发投资同比下降 62%；教育投资同比下降 24.4%。

2019—2023 年会泽县固定资产（不含农户）增速

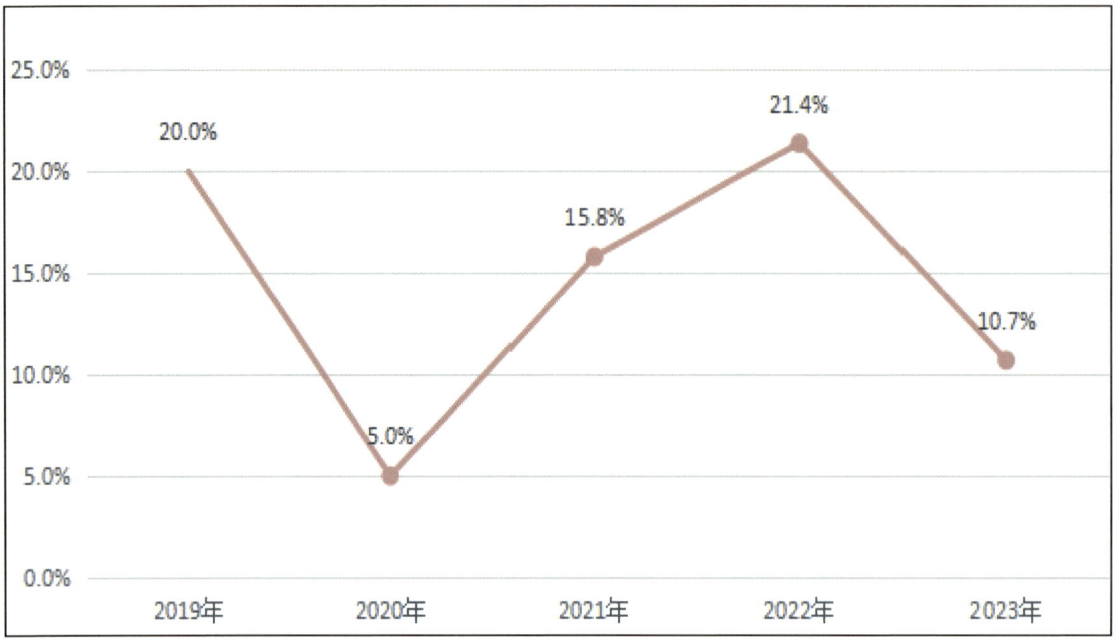

2019—2023 年会泽县固定资产投资及主要行业增幅

表 36

指标名称	累计同比 ±%
固定资产投资总额	10.7
第一产业投资	–41.0
第二产业投资（工业）	105.6
制造业	52.8
第三产业投资	–3.9
水利及环境管理业	–37.7
公路建设	9.2
城市基础建设和房地产	–10.8
房地产开发	–62.0
教育	–24.4
其中：锌	吨
铅	吨
铅	吨

五、贸易业

多渠道增加城乡居民收入，增强消费能力，改善消费条件，创新消费场景，积极培育物流配送、文娱休闲、体育健身、养老托幼等消费热点，促进直播带货、线上团购等新型消费，持续开展新能源汽车、智能家居、餐饮零售等促消费活动，激发城乡消费、假日消费潜力。用好用活政策措施。提升商贸现代化水平，批发、零售、住宿、餐饮等行业稳步回升，全县社会消费品零售总额不断提升，全县实现社会消费品零售总额 1235979 万元，同比增长 11.6%。从消费形势看：限上商品零售实现 85085 万元，同比增长 17.2%；限上餐饮收入实现 12834 万元，同比增长 26.6%。

六、财政、金融

财税部门坚持新发展理念，继续实施积极财政政策挖潜增收，推进税收管理改革，改进税收征管方式，加强重点税源监控，加快稽查清欠清漏，确保税收收入平稳增长。全县辖区内财政总收入完成 586739 万元，同比增长 7.6%。全县一般公共预算收入完成 160126 万元，同比增

2019—2023 年会泽县社会消费品零食总额及增速

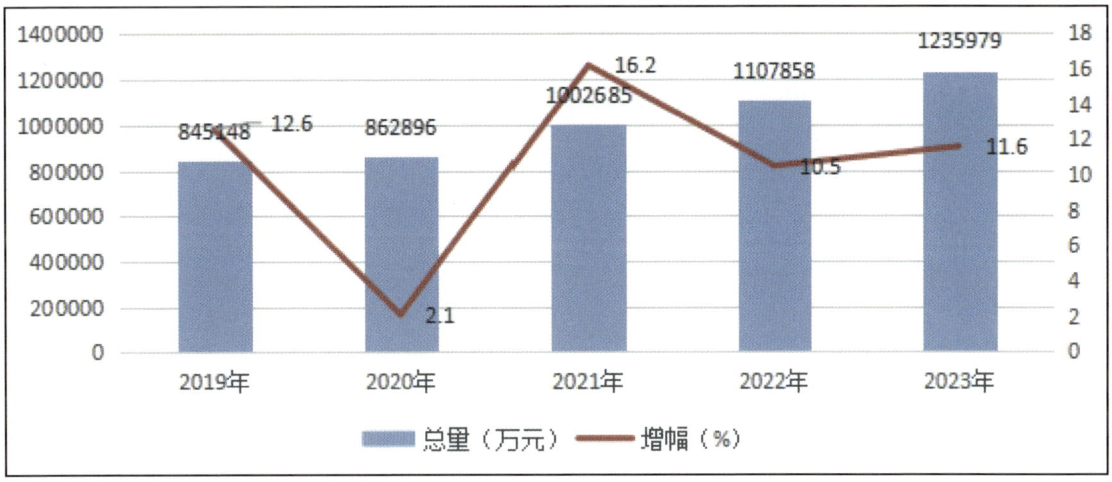

2019—2023 年会泽县地方一般预算收入增速

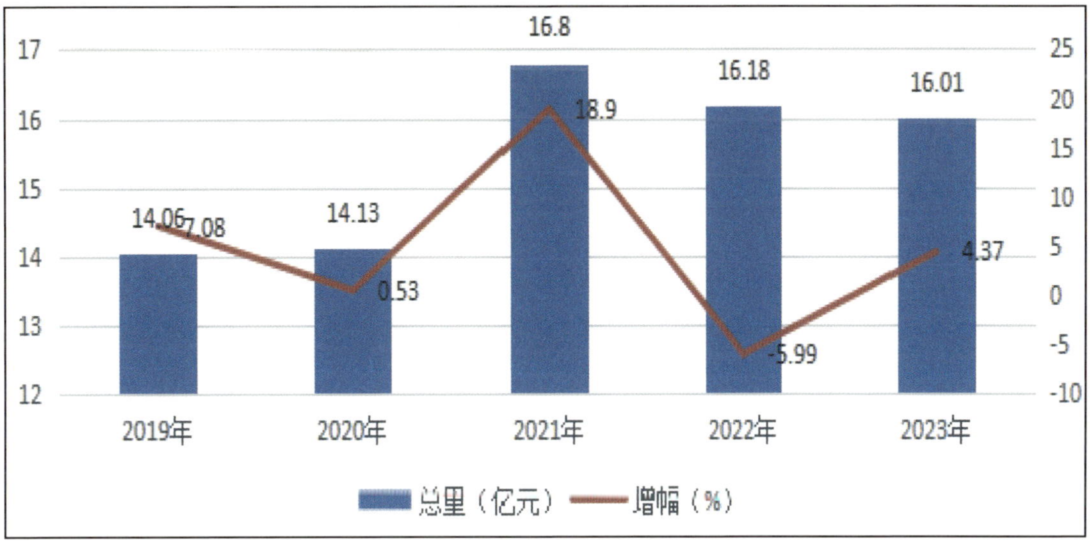

长 4.37%。其中，税收收入完成 123753 万元，同比增长 10.11%。全县一般公共预算支出完成 737703 万元，同比增长 5.39%。其中，一般公共服务支出完成 46498 万元，同比增长 48.56%。

到 12 月末，全县金融机构人民币存款余额为 3100115 万元，同比增长 14.95%。金融机构人民币贷款余额 2293524 万元，同比增长 13.82%。

七、交通、邮政、电信和旅游

交通运输业稳步发展。2023 年全年公路客货运输总周转量 504059 万吨公里，比上年增长 22.1%。

邮电业务稳定增长。邮政业务总量 7515 万元，增长 7.25%；电信业务总量 960393 万元，增长 30.01%。

旅游业发展加快。全县拥有星级宾馆 1 家，拥有旅行社 3 家。全年共接待游客 650.51 万人次，同比增长 24.63%；旅游综合总收入达 70.79 亿元，同比增长 21.27%。

八、教育、文化和卫生

基础教育普及率不断提高，教育结构不断改善。2023 年全县有各类学校 562 所。其中：普通高中 7 所，初中 38 所，职业技术学校 1 所，小学 261 所，特殊教育学校 1 所，幼儿园 254 所（公办 194 所）。各类学校在校学生 172424 人，比上年减 0.9%。其中：普通高中 28621 人，比上年增 0.27%；初中 44261 人，比上年增 1.26%；职业技术学校 2586 人，比上年减 7.91%，一年制成人中职班 2182 人；小学 68407 人，比上年减 0.96%；幼儿园在园幼儿 26157 人，比上年减 10.96%；特殊教育在校学生 210 人，比上年增14.13%。各类学校教职员工11591人，比上年减2.78%，其中专任教师10778人，比上年减1.55%。2023年高考：上线率100%，本科率77.44%，600分以上人数353人，14名学生被北大、清华录取。

2023年末全县有文化艺术表演团体143个（业余艺术表演团体），文化馆1个，文化站25个，博物馆1个，公共图书馆1个。2023年电视信号综合覆盖率100%，广播信号综合覆盖率100%。

2023年末全县共有各类卫生机构497个，其中：三级医院2个，乡镇卫生院25个，每千常住人口拥有编制床位3.88张、开放床位7.76张，公立医疗机构有医务人员3513人。

九、环境、资源

2023年全县共有9个自然保护地，保护地面积达33221.86公顷。

年末全县42座水库，库容量6.89亿立方米，水利工程供水量1.42亿立方米。

2023年万元生产总值能耗比上年下降0.1%，规模以上工业单位增加值能耗比上年下降5.6%。2023年规模以上工业企业发电量26.99亿千瓦时，比上年增长35.7%。全年全社会用电量累计24.98亿千瓦时，比上年增长13.4%。

十、人口、人民生活和社会保障

2023年人口平稳增长。全县辖13个乡、7个镇、5个街道办事处，46个社区、335个村委会。年末全县户籍人口1079877人。在总人口中男性577625人；女性502252人，性别比为115（以女性为100）。人口出生率9.43‰，死亡率9.55‰，人口自然增长率-0.12‰；人口密度每平方公里183人。城镇人口33.47万人，城镇化率为42.99%，常住人口77.86万人，城区五个街道常住人口27.68万人。

人民生活逐步提高。抽样调查结果显示：城镇居民人均可支配收入40899元，比上年增长3.7%；农村居民人均可支配收入达15877元，比上年增长8.6%。

健全覆盖城乡居民的社会保障体系，坚持广覆盖、保基本、多层次、可持续。截至2023年末，全县基本养老保险参保68.26万人（城镇职工6.35万人，城乡居民61.91万人）；基本医疗保险参保94.7万人（城镇职工医保参保5.2万人，城乡居民医保参保89.5万人）；失业保险参保2.9万人；工伤保险参保3.67万人。

注：本公报数据为年度快报数。最终定案数以《会泽统计年鉴》为准。

（会泽县统计局）

索　引

说　明

一、本索引采用主题分析法，索引范围为类目、分目和条目，类目用小四黑、分目用五黑、条目用小五宋字体分别标明。图片内容未作索引。

二、条目按汉语拼音音序排列，同音字按声调排列，同声同调按笔画排列，第一字相同，按第二字音序排列，依此类推；名称相同，按文中出现的先后顺序排列。

三、分目、条目在左、中、右栏的在页码后分别用 a、b、c 标明。

四、特载以作者姓名为索引词。